Thematischer Basiswortschatz

Deutsch als Fremdsprache A1–B1^{+}

Thematischer Basiswortschatz

Deutsch als Fremdsprache A1 – B1+

Erarbeitet von Heike Krüger-Beer

Ernst Klett Sprachen
Stuttgart

1. Auflage 1 6 5 4 3 2 | 2023 22 21 20 19

Alle Drucke dieser Auflage können im Unterricht nebeneinander benutzt werden.
Die letzte Zahl bezeichnet das Jahr des Druckes.

Redaktion: Carina Janas, Claudia Kreuzer, Eva Neustadt;
unter Mitarbeit von: Elisabeth Muntschick, Kristin Pellenz
Englische Übersetzung: Ian Dawson, Kirsty Louise Mazlini, Sheila McBride
Layoutkonzeption: Andreas Drabarek
Illustrationen: Glücksachen, Nena Dietz, Stuttgart
Gestaltung und Satz: Datagroup Int. SRL, Timisoara, Rumänien
Umschlaggestaltung: Andreas Drabarek
Druck und Bindung: Medienhaus Plump GmbH, Rheinbreitbach

Printed in Germany

ISBN: 978-3-12-519507-3

Inhaltsverzeichnis

Inhaltsverzeichnis

Einleitung

Was ist der TBW DaF?

Der TBW DaF (Thematischer Basiswortschatz Deutsch als Fremdsprache) ist ein **Lernwortschatz**, mit dem gezielt Wörter und Wendungen der deutschen Allgemeinsprache gelernt und wiederholt werden können. Er ist also kein reines Wörterbuch zum Nachschlagen, sondern eine thematische Zusammenstellung der relevantesten Wörter und Ausdrücke des Deutschen.

Der TBW DaF richtet sich an Deutschlernende der Sprachniveaus **A1 bis B1** (des Gemeinsamen Europäischen Referenzrahmens) mit Englischkenntnissen und enthält alle Wörter, die für die Prüfung ***Zertifikat B1*** benötigt werden, welche vom Goethe-Institut, dem ÖSD und dem Lern- und Forschungszentrum der Universität Freiburg / Schweiz entwickelt wurde. Insgesamt enthält der TBW DaF über 5600 Einträge, wovon 4800 Einträge dem Wortschatz des Zertifikats B1 entsprechen. Darüber hinaus beinhaltet er für die jeweiligen Themen relevanten Aufbauwortschatz, der in den Zertifikatsvorgaben nicht explizit enthalten ist, jedoch im jeweiligen thematischen Kontext häufig anzutreffen ist.

Der Wortschatz umfasst 34 Kapitel zu alltagsbezogenen, lebensnahen und kommunikationsrelevanten Themen. Innerhalb der Kapitel sind die Einträge kleineren Lernpaketen zugeordnet. Neben Einzelwörtern gibt es auch Einträge für **Kollokationen, Redewendungen** und **idiomatische Ausdrücke**, die für einen natürlichen Sprachgebrauch von Bedeutung sind. Der TBW DaF enthält über die lexikalische Ebene hinaus Zusatzinformationen zum **Sprachgebrauch** und zur **Grammatik** (siehe S. 15 „Auf einen Blick“). Fast jeder Eintrag wird von einem **Beispielsatz** begleitet, der die Verwendung der Wörter im Kontext illustriert. Bei Abweichungen von der Standardaussprache wird die **Aussprache** in Lautschrift angegeben. Darüber hinaus enthält der TBW DaF auch **österreichische und Schweizer Varianten.**

Zusätzliche Lernhilfen stellen die **Infoboxen** dar. Sie halten Informationen zu Schwierigkeiten des Sprachgebrauchs ⚠, zu landeskundlich relevanten Aspekten sowie allgemeine Zusatzinformationen bereit. Ein alphabetisches **Register** am Ende des Buches erleichtert das gezielte Auffinden bestimmter Wörter.

Wozu dient der TBW DaF und wie kann man damit lernen?

Um in der Fremdsprache kommunizieren zu können, um zu sprechen und zu schreiben sowie die Sprache zu verstehen – z. B. in Gesprächen und Telefonaten, auf Hinweisschildern, in Zeitungsartikeln, im Internet sowie in Videos und Filmen – müssen nicht nur die sprachlichen Strukturen, sondern vor allem auch der Wortschatz bekannt sein.

Der TBW DaF hilft Ihnen dabei, Ihre eigenen Wortschatzkenntnisse auszubauen und zu wiederholen!

Er präsentiert Wörter und Wendungen in ihrem jeweiligen **thematischen Umfeld** und fördert somit das kontextbezogene und gedächtnisfreundliche Lernen. Die im TBW DaF enthaltenen Wörter und Wendungen können dadurch gezielt erlernt, geübt und wiederholt werden. Die thematische Sortierung ermöglicht es darüber hinaus, neue Wörter und Wendungen nach **Bedarf und Interesse** auszuwählen. **Lernpakete** strukturieren den Wortschatz in überschaubare und leicht zu lernende Portionen, die kurze Lernzeiten ermöglichen.

Die Spalte mit **englischen Übersetzungen** dient der genauen Bedeutungserklärung der Wörter, Beispielsätze und Kollokationen. Dies ist wichtig, da Mutter- und Fremdsprache im Gehirn nicht voneinander getrennt, sondern gemeinsam im Sprachzentrum gespeichert werden.

Der TBW DaF enthält als **Grundwortschatz** (etwa 4800 Einträge) alle Wörter des Zertifikats B1. Zusätzlich enthält der TBW DaF ca. 800 Einträge, die nicht für die ZB1-Prüfung notwendig, aber dennoch für den

Kontext relevant sind. Dieser **Aufbauwortschatz** ist durch das Symbol ⊕ gekennzeichnet (siehe S. 15 „Auf einen Blick“). So können Sie selbst entscheiden, ob Sie sich auf den offiziellen Grundwortschatz (A1 - B1) beschränken oder auch den Aufbauwortschatz mitlernen möchten.

Um die neuen Wörter ideal im Gedächtnis abzuspeichern, empfiehlt es sich, zunächst den deutschen Eintrag intensiv zu lesen und auszusprechen. Die englische Übersetzung wird dann weniger intensiv gelesen und gibt Aufschluss über die Bedeutung. Für die bessere Einprägung sollten die gelernten Wörter von Zeit zu Zeit wiederholt werden. Hier kann man mit Wiederholungskarteien (nach alter Schule auf Papier oder digital) arbeiten.

Möchte man prüfen, ob man die Einträge eines Themas oder Lernpakets bereits kennt, kann man die englische Spalte verdecken und bei den Einträgen sowie den Beispielsätzen versuchen, sich an die Bedeutung zu erinnern bzw. sie zu erschließen (dies überprüft den passiven Wortschatz). Verdeckt man die deutsche Spalte, ruft man den aktiven Wortschatz ab. Wörter, die noch nicht beherrscht werden, sollten noch einmal intensiver bearbeitet werden, z. B. mit einem Vokabelheft oder einem Karteisystem.

Allgemein empfiehlt es sich, täglich für eine kürzere Zeit (ca. 15 bis 30 Minuten) zu lernen statt ein- bis zweimal wöchentlich für mehrere Stunden.

Neben dieser klassischen Lernmethode, die bei Selbstlernerinnen und Selbstlernern nach wie vor sehr beliebt ist, gibt es noch viele weitere Möglichkeiten, mit dem Wortschatz des TBW DaF zu unterrichten und zu lernen. Unterrichtende finden weitere Anregungen unter www.klett-sprachen.de/tbw-daf.

Introduction

What is the TBW DaF?

The TBW DaF (Thematischer Basiswortschatz Deutsch als Fremdsprache) is a vocabulary resource to help users learn and revise specific words and phrases in the German language. It is not a dictionary but a thematic compilation of relevant German words and expressions.

The TBW DaF is aimed at learners of German at level **A1 to B1** (of the Common European Framework of Reference for Languages) with a knowledge of English and contains all words that are needed for the ***Zertifikat B1,*** which was developed by the Goethe Institute, the ÖSD and the Learning and Research Centre at Freiburg University in Switzerland. In total the TBW contains over 5,600 entries, of which 4,800 conform to the vocabulary for Zertifikat B1. In addition to this, it contains relevant advanced vocabulary for the respective topics, which is not explicitly covered by certificate specifications, but which is frequently encountered in the respective thematic context.

There are 34 chapters based on realistic, everyday life topics relevant to communication. The entries within a chapter are separated into smaller sections. Along with single words, there are also entries for **collocations, phrases and idiomatic expressions** which are important for natural speech. The TBW DaF contains supplementary information about **language use** and **grammar** (see p. 15 „Auf einen Blick“). Nearly every sentence is accompanied by an **example sentence** which shows the use of the words in context. Variations from standard pronunciation are shown in phonetics. In addition to this, the TBW DaF contains **Austrian and Swiss translations.**

Additional help is provided by the Info boxes. They contain information on difficulties with language use ⚠ and culturally relevant aspects as well as general supplementary information. An alphabetical **index** at the end of the book makes it easier to find specific words.

What is the TBW DaF for and how can I use it for study?

In order to be able to communicate in a foreign language, to speak and to write as well as to understand the language - for example conversations and telephone calls, signs, newspaper articles, the Internet and videos and films - it is not only necessary to know the language structure but also the vocabulary.

The TBW DaF helps you to expand and revise your own vocabulary skills!

Words and expressions are presented in their respective **thematic context** and this allows users to learn the words in context in a manner that helps them memorize vocabulary easily. The words and expressions in the TBW DaF can therefore be learned, practiced and revised in a specific manner. The thematic order above all allows users to select new words and expressions according to **need and interest. Learning Sections** structure the vocabulary in manageable and easy to learn segments, which allows for shorter study time.

The column with **English translations** provides an exact explanation of the meaning of the words, example sentences and collocations. This is important, as the native and the foreign language are not stored separately in the brain, but together in the speech centre.

The TBW DaF contains **basic vocabulary** of all the words needed for Zertifikat B1 (approximately 4,800 entries). The TBW DaF also contains approximately 800 entries which are not necessary for the ZB1 exam, but which are relevant for context. This **advanced vocabulary** is marked with the symbol (see p. 15 „Auf einen Blick“). This way, you can choose yourself if you would like to stick to the official basic vocabulary (A1 - B1) or also learn the advanced vocabulary.

In order to store the new words in your memory, it is recommended that you intensively read and pronounce the German entry first. The English translation should then be read less intensively and gives information about the meaning. For better imprinting, the words you have learned should be revised from time to time. You can do this with card indexes (like at school, on paper, or digital ones).

If you would like to check if you are already familiar with the entries for a certain topic or learning section, you can cover up the English column and see if you remember or can guess the meaning of the words or example sentences (this tests passive vocabulary). By covering up the German column, you can access active vocabulary. Words that have not yet been mastered should be intensively revised once again, for example with a vocabulary book or card indexes.

In general it is recommended to study daily for a short time (approximately 15 to 30 minutes) rather than once or twice a week for several hours.

In addition to this classic learning method, which is still very popular with self-learners, there are many other possibilities to teach and study with the vocabulary in the TBW DaF. Teachers can find further suggestions at www.klett-sprachen.de/tbw-daf.

Abkürzungen und Symbole | Abbreviations and symbols

Abkürzungen	Bedeutung	Meaning
N	Nomen	noun
V	Verben	verb
Adj	Adjektiv	adjective
Adv	Adverb	adverb
Präp	Präposition	preposition
Konj	Konjunktion	conjunction
Pron	Pronomen	pronoun
unbest. Zahlwort	unbestimmtes Zahlwort	indefinite numeral
Präfix		prefix
Zahlwort		numeral
Partikel		particle
D	deutsche Variante	German variation
A	österreichische Variante	Austrian variation
CH	Schweizer Variante	Swiss variation
z. B.	zum Beispiel	e.g. / for example
ugs.	umgangssprachlich	colloquial
BE	Britische Variante	British English
AE	Amerikanische Variante	American English
e.g.	z. B. / zum Beispiel	exempli gratia
sth	etwas	something
sb	jemand	somebody
so	jemand	someone

Symbole	Bedeutung	Meaning
=	Synonym	synonym
≠	Antonym	antonym
↳	Wortfamilie	word family
⚠	Achtung! Verwechslungsgefahr	Danger! Risk of confusion!
🖼	idiomatische Wendung	idiomatic expression
●	B1+ Wort geht über Zertifikat hinaus	B1+ word additional to required vocabulary

In these info boxes you will find information on each country and its people together with any variations found in Germany, Austria or Switzerland.

These info boxes point out unusual or difficult structures in German.

These info boxes give general information on the language and its use.

Auf einen Blick | At a glance

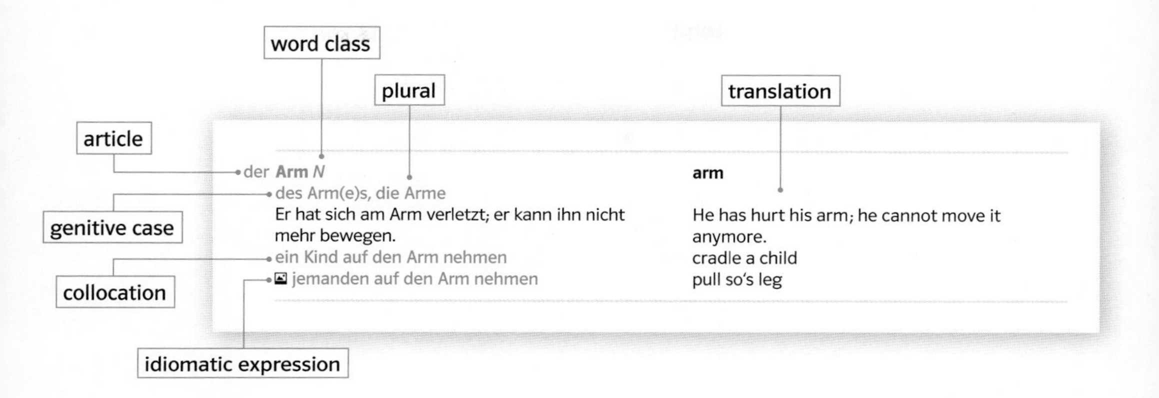

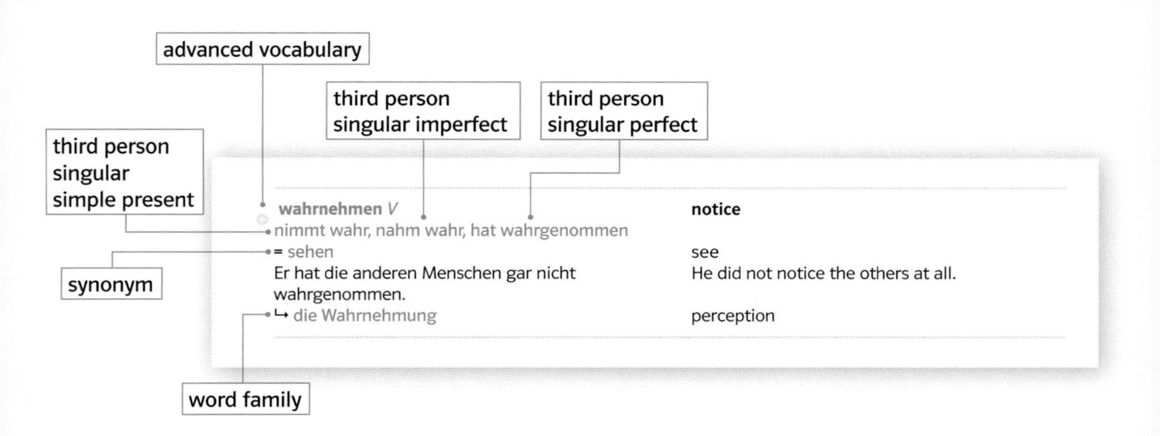

Angaben zur Person

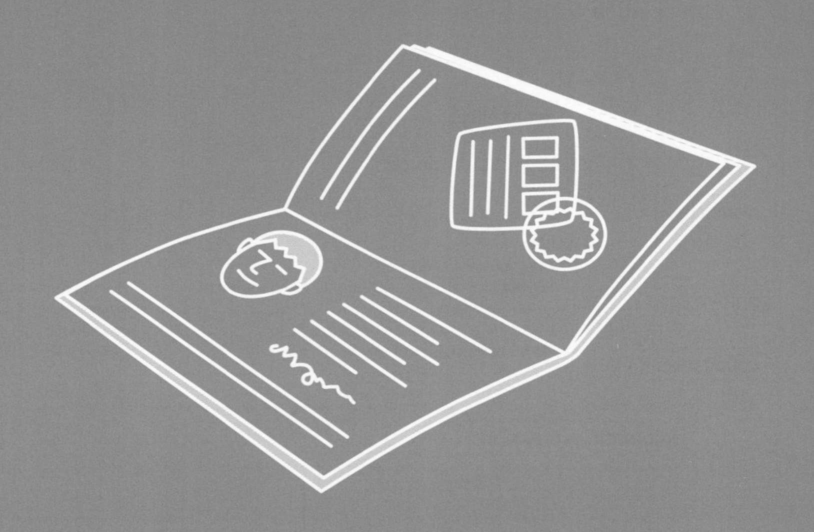

1.1 Name, Geschlecht, Familienstand — Name, gender, marital status

die **Person** *N* der Person, die Personen In unserem Haushalt leben vier Personen. ↳ persönlich	**person; people** *(pl)* There are four people living in our household. personal
heißen *V* heißt, hieß, hat geheißen Wie heißen Sie?	**be called** What is your name?
sich vorstellen *V* stellt sich vor, stellte sich vor, hat sich vorgestellt Darf ich mich vorstellen?	**introduce oneself** May I introduce myself?
sein *V* ist, war, ist gewesen Hallo, ich bin Martina Römer.	**be** Hello, I am Martina Römer.
nennen *V* nennt, nannte, hat genannt Bitte nennen Sie Ihren vollständigen Namen.	**state** Please state your full name.
der **Name** *N* des Namens, die Namen Wie ist denn Ihr Name? ↳ der Eigenname	**name** What is your name? proper noun
der **Vorname** *N* des Vornamens, die Vornamen	**first name**

Mein Vorname ist Elisabeth, aber alle nennen mich Lisa.	My first name is Elisabeth but everybody calls me Lisa.
der **Nachname** *N* des Nachnamens, die Nachnamen = der Zuname Buchstabieren Sie bitte Ihren Nachnamen.	**surname, last name** Spell your surname, please.
der **Familienname** *N* des Familiennamens, die Familiennamen = der Nachname	**surname, family name**
umgekehrt *Adj* Soll ich erst den Vornamen und dann den Nachnamen angeben? – Nein, in umgekehrter Reihenfolge.	**reverse** Should I first give the first name and then the surname? – No, in reverse order.
Frau *(+ Nachname)* Frau Richter ist verheiratet und hat zwei Kinder.	**Mrs; Ms** *(title)* Mrs Richter is married and has two children.
Herr *(+ Nachname)* Herr Schneider, schön Sie zu sehen!	**Mister, Mr** *(title)* Mr Schneider, good to see you!
der **Doppelname** *N* des Doppelnamens, die Doppelnamen Ein Doppelname besteht oft aus dem Mädchennamen und dem Namen des Ehemannes, z. B. Meyer-Balm.	**double-barrelled surname** A double-barrelled surname often consists of a woman's maiden name and her husband's surname, for example Meyer-Balm.
der **Mädchenname** *N* des Mädchennamens, die Mädchennamen Wie lautet Ihr Mädchenname?	**maiden name** What is your maiden name?
geboren *Adj* Frau Ilka Schneider, geborene Giese.	**born, née** Mrs Ilka Schneider, née Giese.
das **Geschlecht** *N* des Geschlecht(e)s, die Geschlechter Geben Sie bitte das Geschlecht an: weiblich oder männlich.	**sex; gender** Give your gender, please: female or male.
männlich *Adj* männlicher, am männlichsten = maskulin	**male** masculine
weiblich *Adj* weiblicher, am weiblichsten = feminin	**female** feminine
der **Mann** *N* des Mann(e)s, die Männer	**man**
die **Frau** *N*	**woman**

der Frau, die Frauen Nach Artikel 3 des Grundgesetzes sind Männer und Frauen gleichberechtigt.	Under Article 3 of the German Constitution men and women have equal rights.
der **Junge** *N* des Jungen, die Jungen *(ugs. auch: Jungs)* = der Bub *(CH, A)* In der Klasse sind mehr Jungen als Mädchen.	**boy** There are more boys than girls in this class.
das **Mädchen** *N* des Mädchens, die Mädchen Ihr erstes Kind ist ein Mädchen.	**girl** Their first child is a girl.
der **Familienstand** *N (D, A)* des Familienstand(e)s, *(nur Singular)* = der Personenstand *(D, A)* Geben Sie im Formular bitte Ihren Familienstand an.	**marital status** Write your marital status on the form, please.
der **Zivilstand** *N (CH)* des Zivilstand(e)s, die Zivilstände	**marital status**
ledig *Adj* = unverheiratet Sind Sie verheiratet oder ledig?	**single; unmarried** Are you married or single?
die **Familie** *N* der Familie, die Familien Zur Familie kann man Eltern und Kinder oder auch die gesamte Verwandtschaft zählen. ↳ die Kleinfamilie ↳ die Großfamilie	**family** You can regard parents and children or all relatives as belonging to the family. nuclear family extended family
das **Kind** *N* des Kind(e)s, die Kinder Die Eltern freuen sich auf ihr zweites Kind. ein Kind erwarten ↳ das Kleinkind	**child** The parents are looking forward to their second child. be expecting a baby toddler
das **Ehepaar** *N* des Ehepaar(e)s, die Ehepaare = die Eheleute *(Pluralwort)* sich verhalten wie ein altes Ehepaar	**married couple** be like an old married couple
der **Ehemann** *N (Kurzform: Mann)* des Ehemann(e)s, die Ehemänner Mein (Ehe-)Mann kümmert sich um den Haushalt und die Kinder, wenn ich arbeite.	**husband** My husband looks after the household and the children if I am working.
die **Ehefrau** *N (Kurzform: Frau)* der Ehefrau, die Ehefrauen	**wife**

Arbeitet deine (Ehe-)Frau noch bei der Zeitung?	Does your wife still work at the newspaper?
der **Partner** *N*	**partner**
des Partners, die Partner	
= der Lebenspartner	life partner
= der Freund	boyfriend
Meine Schwester lebt mit ihrem Partner in Berlin.	My sister lives with her partner in Berlin.
↳ die Partnerschaft	partnership
↳ sich verpartnern	enter into a civil union, enter into a domestic partnership with sb
die **Partnerin** *N*	**partner**
der Partnerin, die Partnerinnen	
= die Lebenspartnerin	life partner
= die Freundin	girlfriend
heiraten *V*	**marry, get married**
heiratet, heiratete, hat geheiratet	
Das Paar ist seit einem Jahr verlobt, nächstes Jahr wollen sie heiraten.	The couple have been engaged for a year, they want to get married next year.
↳ die Heirat	marriage
↳ der Heiratsantrag	proposal
verheiratet *Adj*	**married**
Die beiden sind glücklich verheiratet.	They are both happily married.
getrennt leben	**live apart**
Mark und Susanne leben getrennt, sie lassen sich scheiden.	Mark and Susanne are living apart, they are getting a divorce.
sich scheiden lassen *V*	**get a divorce, get divorced**
lässt sich scheiden, ließ sich scheiden, hat sich scheiden lassen	
die **Scheidung** *N*	**divorce**
der Scheidung, die Scheidungen	
Sie leben in Scheidung.	They are separated.
geschieden *Adj*	**divorced**
Seit ich geschieden bin, trage ich wieder meinen Mädchennamen.	Since I have been divorced, I go by my maiden name again.
frisch geschieden sein	have only recently divorced
der **Single** [ˈsɪŋl̩] *N*	**single**
des Singles, die Singles	
Manche Singles hätten lieber einen Partner oder eine Partnerin.	Some singles would rather have a partner.
alleinstehend *Adj*	**single; unmarried**
Die Frau ist alleinstehend, sie lebt allein.	The woman is single, she lives alone.
kinderlos *Adj*	**childless**

ein kinderloses Ehepaar	a childless couple
der **Lebensgefährte** *N* des Lebensgefährten, die Lebensgefährten Nach der Scheidung hat sie einen neuen Lebensgefährten gefunden.	**common-law husband** She has found a new common-law husband after the divorce.
die **Lebensgefährtin** *N* der Lebensgefährtin, die Lebensgefährtinnen	**common-law wife**
der **Witwer** *N* des Witwers, die Witwer Er wurde früh Witwer, seine Frau starb sehr jung.	**widower** He became a widower early, his wife died very young.
die **Witwe** *N* der Witwe, die Witwen	**widow**
verwitwet *Adj*	**widowed**

1.2 Alter, Wohnort, Herkunft — Age, place of residence, origin

alt *Adj* älter, am ältesten ≠ jung Wie alt sind Sie? – Ich bin 26 Jahre alt.	**old** young How old are you? – I am 26 years old.
das **Alter** *N* des Alters, die Alter Bis ins hohe Alter fuhr er Auto.	**age; old age** He was driving until he reached a ripe old age.
das **Geburtsdatum** *N* des Geburtsdatums, die Geburtstdaten Ihr Geburtsdatum ist der 5. Juni 1978.	**date of birth** Her date of birth is the 5th of June, 1978.
der **Geburtstag** *N* des Geburtstag(e)s, die Geburtstage Heute hat meine Schwester Geburtstag. Herzlichen Glückwunsch zum Geburtstag!	**birthday** It is my sister's birthday today. Happy Birthday!
volljährig *Adj* = erwachsen = mündig ≠ minderjährig In Deutschland ist man mit 18 Jahren volljährig. ↳ die Volljährigkeit	**of age** adult, grown-up mature underage, minor You are of age when you turn 18 in Germany. legal age, majority
minderjährig *Adj* Eltern mit minderjährigen Kindern erhalten Kindergeld.	**minor, underage** Parents with underaged children receive child benefit.

wohnen *V*	**live**
wohnt, wohnte, hat gewohnt	
= leben	
Er wohnt in Mannheim bei Verwandten.	He lives with relatives in Mannheim.
↳ die Wohnung	flat *(BE)*, apartment
der **Wohnsitz** *N*	**domicile**
des Wohnsitzes, die Wohnsitze	
Sein erster Wohnsitz ist Stuttgart, sein zweiter Hamburg.	His first domicile is Stuttgart, his second domicile is Hamburg.
fester Wohnsitz	domicile, fixed abode
der **Wohnort** *N*	**place of residence**
des Wohnort(e)s, die Wohnorte	
Geben Sie im Formular bitte Ihren Wohnort an!	Write your place of residence on the form, please!
den Wohnort wechseln	change one's place of residence
die **Adresse** *N*	**address**
der Adresse, die Adressen	
= die Anschrift	
Meine Adresse lautet: Goethestr. 73, 10623 Berlin.	My address is: Goethestr. 73, 10623 Berlin.
↳ adressieren	address
die **Stadt** *N*	**town, city**
der Stadt, die Städte	
Zum Arbeiten ziehen manche Menschen in eine andere Stadt.	Some people move to another town to work.
↳ die Kleinstadt	town
↳ die Großstadt	city, metropolis
↳ der Stadtteil	district
die **Straße** *N*	**street**
der Straße, die Straßen	
der **Platz** *N*	**square**
des Platzes, die Plätze	
Wohnst du in der Körnerstraße? – Nein, am Körnerplatz.	Do you live in *Körnerstraße*? – No, in *Körnerplatz*.
↳ der Marktplatz	market square
die **Hausnummer** *N*	**house number**
der Hausnummer, die Hausnummern	
Bitte bei der Adresse die Hausnummer nicht vergessen!	Do not forget the house number in your address, please!
der **Geburtsort** *N*	**place of birth**
des Geburtsort(e)s, die Geburtsorte	
Sie ist in Deutschland geboren, ihr Geburtsort ist München.	She was born in Germany, her place of birth is Munich.
die **Heimat** *N*	**home country**
der Heimat, die Heimaten	

Schweden ist seine zweite Heimat.	Sweden is his second home country.
eine neue Heimat finden	find a new home
die **Herkunft** *N*	**origin; descent**
der Herkunft, die Herkünfte	
Yuna wird oft nach ihrer Herkunft gefragt.	Yuna is often asked about her ethnic origin.
woher *Adv*	**where from**
Woher kommen Sie?	Where are you from?
stammen *V*	**come (from)**
stammt, stammte, hat gestammt	
= kommen	
Maria stammt aus Spanien.	Maria comes from Spain.
aus *Präp*	**from**
Nezar kommt aus Jordanien.	Nezar comes from Jordan.
leben *V*	**live**
lebt, lebte, hat gelebt	
Wir haben lange im Ausland gelebt.	We lived abroad for a long time.
↳ das Leben	life
das **Ausland** *N*	**abroad**
des Ausland(e)s, *(nur Singular)*	
≠ das Inland	inland
Tibor ist beruflich oft im Ausland.	Tibor's work often takes him abroad.
sich aufhalten *V*	**stay**
hält sich auf, hielt sich auf, hat sich aufgehalten	
Magdalena hält sich gerade im Ausland auf.	Magdalena is staying abroad at the moment.
die **Staatsangehörigkeit** *N*	**nationality**
der Staatsangehörigkeit, die Staatsangehörigkeiten	
= die Nationalität	
Suna besitzt die deutsche Staatsangehörigkeit.	Suna has the German nationality.
die Staatsangehörigkeit annehmen	acquire citizenship
↳ der / die Staatsangehörige	citizen
die **Nationalität** *N*	**nationality**
der Nationalität, die Nationalitäten	
↳ die Nation	nation
↳ national	national
fremd *Adj*	**strange; foreign**
fremder, am fremdesten	
Nach seinem Umzug fühlte er sich lange Zeit fremd.	After his move he feels like a foreigner for a long time.
Für mich ist Österreich ein fremdes Land.	Austria is a foreign country to me.
↳ die Fremde	outland, alien country

der **Ausländer** *N* des Ausländers, die Ausländer In Deutschand leben ca. 9,11 Mio. Ausländer (Stand: 2015).	**foreigner** Approximately 9.11 million foreigners live in Germany (as of 2015).
die **Ausländerin** *N* der Ausländerin, die Ausländerinnen	**foreigner**

Ausländer / Ausländerin

The term Ausländer / Ausländerin for persons of foreign descent living in one's own country is seen by many to be discriminatory. Instead, ausländische Mitbürger or Migranten / Migrantinnen is often used.

ausländisch *Adj*	**foreign**
interkulturell *Adj* Unser Viertel ist durch sein interkulturelles Umfeld geprägt.	**intercultural** Our neighbourhood is characterized by its intercultural environment.
der **Migrant** *N* des Migranten, die Migranten = der Zuwanderer Der Zugang zum Arbeitsmarkt ist für Migranten teilweise schwierig.	**migrant** immigrant Migrants sometimes find it difficult to enter the job market.
die **Migrantin** *N* der Migrantin, die Migrantinnen	**migrant**
die **Migration** *N* der Migration, die Migrationen Migration ist ein häufig diskutiertes Thema. ↳ der Migrationshintergrund	**migration** Migration is an issue that is frequently discussed. migration background
sich integrieren *V* integriert sich, integrierte sich, hat sich integriert Sahid lebt zwar erst seit kurzem in Deutschland, er integriert sich aber bereits sehr gut.	**integrate** Sahid has only been living in Germany for a short while, but he has integrated very well.
integrieren *V* integriert, integrierte, hat integriert In unserer Klasse werden neue Schüler schnell integriert.	**integrate** New students are quickly integrated into our class.
die **Integration** *N* der Integration, die Integrationen Die Integration ausländischer Mitbürger ist dem Bürgermeister besonders wichtig.	**integration** The integration of foreign citizens is an issue close to the mayor's heart.

gebürtig *Adj*	**by birth, native (of)**
Er lebt seit Jahrzehnten in Deutschland, ist aber gebürtiger Franzose.	He has lived in Germany for decades but he is French by birth.
auswandern *V*	**emigrate**
wandert aus, wanderte aus, ist ausgewandert	
= ins Ausland gehen	go abroad
Um 1850 wanderten viele Deutsche nach Amerika aus.	Many Germans emigrated to America around 1850.
↳ der Auswanderer, die Auswanderin	emigrant
einwandern *V*	**immigrate, migrate**
wandert ein, wanderte ein, ist eingewandert	
= zuwandern	
↳ der Einwanderer, die Einwanderin	immigrant
das **Asyl** *N*	**asylum**
des Asyls, die Asyle	
Menschen, die politisch verfolgt werden, können Asyl beantragen.	People who are persecuted can apply for asylum.
fliehen *V*	**escape; flee**
flieht, floh, ist geflohen	
= flüchten	
Im Krieg fliehen viele Menschen ins Ausland.	Many people escape abroad during a war.
↳ die Flucht	escape, flight
der **Flüchtling** *N*	**refugee**
des Flüchtlings, die Flüchtlinge	
Flüchtlinge kommen oft aus Kriegs- und Krisengebieten.	Refugees often come from war and crisis zones.
politischer Flüchtling	political refugee
anerkannter Flüchtling	refugee recognized as having a right of asylum
der **Asylant** *N*	**asylum-seeker**
des Asylanten, die Asylanten	
= der Asylbewerber	
die **Asylantin** *N*	**asylum-seeker**
der Asylantin, die Asylantinnen	
= die Asylbewerberin	

Asylant / Asylantin

Asylant / Asylantin is occasionally felt to be derogatory, a more neutral term being Asylbewerber / Asylbewerberin (A: Asylwerber / Asylwerberin, CH: Asylsuchender / Asylsuchende).

Asylbewerber und Asylbewerberinnen are the subject of ongoing investigations into their right to asylum. Persons granted (political) asylum are called Asylberechtigte or anerkannte Flüchtlinge.

Countries, nationality, inhabitants		
Land **country**	Nationalität **nationality**	Einwohner **inhabitant**
Ägypten Egypt	ägyptisch Egyptian	Ägypter, Ägypterin Egyptian
Afghanistan Afghanistan	afghanisch Afghan	Afghane, Afghanin Afghan
Albanien Albania	albanisch Albanian	Albaner, Albanerin Albanian
Algerien Algeria	algerisch Algerian	Algerier, Algerierin Algerian
Australien Australia	australisch Australian	Australier, Australierin Australian
Belarus (Weißrussland) Belarus	belarussisch Belarusian	Belarusse, Belarussin Belarusian
Belgien Belgium	belgisch Belgian	Belgier, Belgierin Belgian
Brasilien Brazil	brasilianisch Brazilian	Brasilianer, Brasilianerin Brazilian
Bulgarien Bulgaria	bulgarisch Bulgarian	Bulgare, Bulgarin Bulgarian
China China	chinesisch Chinese	Chinese, Chinesin Chinese man, Chinese woman
Dänemark Denmark	dänisch Danish	Däne, Dänin Dane
Deutschland Germany	deutsch German	Deutscher, Deutsche German
Finnland Finland	finnisch Finnish	Finne, Finnin Finn
Frankreich France	französisch French	Franzose, Französin Frenchman, Frenchwoman
Griechenland Greece	griechisch Greek	Grieche, Griechin Greek
Großbritannien / Vereinigtes Königreich Great Britain (GB) / United Kingdom (UK)	britisch British	Brite, Britin Briton

Indien India	indisch Indian	Inder, Inderin Indian
Irak Iraq	irakisch Iraqi	Iraker, Irakerin Iraqi
Iran Iran	iranisch Iranian	Iraner, Iranerin Iranian
Irland Ireland	irisch Irish	Ire, Irin Irishman, Irishwoman
Italien Italy	italienisch Italian	Italiener, Italienerin Italian
Japan Japan	japanisch Japanese	Japaner, Japanerin Japenese man, Japanese woman
Kanada Canada	kanadisch Canadian	Kanadier, Kanadierin Canadian
Kroatien Croatia	kroatisch Croatian	Kroate, Kroatin Croat
Marokko Morocco	marokkanisch Moroccan	Marokkaner, Marokkanerin Moroccan
Mexiko Mexico	mexikanisch Mexican	Mexikaner, Mexikanerin Mexican
Neuseeland New Zealand	neuseeländisch New Zealand	Neuseeländer, Neuseeländerin New Zealander
Niederlande the Netherlands, Holland	niederländisch Dutch	Niederländer, Niederländerin Dutchman, Dutchwoman
Norwegen Norway	norwegisch Norwegian	Norweger, Norwegerin Norwegian
Österreich Austria	österreichisch Austrian	Österreicher, Österreicherin Austrian
Polen Poland	polnisch Polish	Pole, Polin Pole
Portugal Portugal	portugiesisch Portuguese	Portugiese, Portugiesin Portuguese
Russische Föderation (Russland) Russia	russisch Russian	Russe, Russin Russian

Schweden **Sweden**	schwedisch **Swedish**	Schwede, Schwedin **Swede**
Schweiz **Switzerland**	schweizerisch / Schweizer **Swiss**	Schweizer, Schweizerin **Swiss**
Slowakei **Slovakia**	slowakisch **Slovak(ian)**	Slowake, Slowakin **Slovak**
Slowenien **Slovenia**	slowenisch **Slovenian, Slovene**	Slowene, Slowenin **Slovene**
Spanien **Spain**	spanisch **Spanish**	Spanier, Spanierin **Spaniard**
Syrien **Syria**	syrisch **Syrian**	Syrer, Syrerin **Syrian**
Tschechische Republik **Czech Republic**	tschechisch **Czech**	Tscheche, Tschechin **Czech**
Türkei **Turkey**	türkisch **Turkish**	Türke, Türkin **Turk**
Tunesien **Tunisia**	tunesisch **Tunisian**	Tunesier, Tunesierin **Tunisian**
Ukraine **Ukraine**	ukrainisch **Ukrainian**	Ukrainer, Ukrainerin **Ukrainian**
Ungarn **Hungary**	ungarisch **Hungarian**	Ungar, Ungarin **Hungarian**
USA / Vereinigte Staaten **USA / United States of America**	(US-)amerikanisch **American**	(US-)Amerikaner, (US-)Amerikanerin **American**

1.3 Dokumente, Formulare — Documents and forms

der **Pass** *N* — **passport**
des Passes, die Pässe
= der Reisepass
Bei der Einreise musste er seinen Pass vorlegen. — He had to present his passport on entering the country.

der **Ausweis** *N (Kurzform für Personalausweis)* — **ID card, identity card**
des Ausweises, die Ausweise
einen Ausweis beantragen — to apply for an ID card
↳ der Mitgliedsausweis — membership card

die **Personalien** *N (Pluralwort)* — **personal details**
der Personalien

Bei Polizeikontrollen werden die Personalien festgestellt. die Personalien aufnehmen	During police checks, personal details are verified. take down particulars
die **Papiere** *N (in dieser Bedeutung nur Plural)* der Papiere Auf Ämtern muss man seine Papiere vorzeigen.	**(identity) papers** You have to show your identity papers at government offices.
die **Mappe** *N* der Mappe, die Mappen Ich habe die Mappe mit meinen Papieren zu Hause liegen lassen.	**folder, file** I have left the folder with my identity papers at home.
das **Dokument** *N* des Dokument(e)s, die Dokumente Zu den wichtigen Dokumenten jeder Person gehört die Geburtsurkunde.	**document** The birth certificate is a very important document for everyone.
das **Zeugnis** *N* des Zeugnisses, die Zeugnisse = die Bescheinigung ein Zeugnis ausstellen ↳ das Arbeitszeugnis	**report** certificate issue a report reference
die **Unterlagen** *N (Pluralwort)* der Unterlagen Ich kann die Unterlagen zum Fall „Mayer“ nicht finden.	**documents** I cannot find the documents for the "Mayer" case .
der **Führerschein** *N (D, A)* des Führerscheins, die Führerscheine = die Fahrerlaubnis Autofahren ist nur mit gültigem Führerschein gestattet. den Führerschein machen	**driving licence** *(BE)*, **driver's license** *(AE)* It is only permitted to drive a car with a valid driving licence. take one's driving test
der **Führerausweis** *N (CH)* des Führerausweises, die Führerausweise	**driving licence** *(BE)*, **driver's license** *(AE)*
das **Visum** *N* des Visums, die Visa / Visen Für die Einreise benötigen Sie ein Visum. ein Visum beantragen ein gültiges Visum	**visa** You need a visa to enter the country. apply for a visa a valid visa
die **Arbeitserlaubnis** *N* der Arbeitserlaubnis, die Arbeitserlaubnisse = die Arbeitsgenehmigung Die Arbeitserlaubnis ist abgelaufen.	**work permit** The work permit has expired.
die **Genehmigung** *N* der Genehmigung, die Genehmigungen	**permission, permit**

Haben Sie eine Aufenthaltsgenehmigung?	Have you got a residence permit?
die **Geburtsurkunde** *N* der Geburtsurkunde, die Geburtsurkunden In Deutschland, Österreich und der Schweiz stellen Standesämter eine Geburtsurkunde aus.	**birth certificate** The registry offices issue birth certificates in Germany, Austria and Switzerland.
die **Heiratsurkunde** *N* der Heiratsurkunde, die Heiratsurkunden	**marriage certificate** *(BE)*, **marriage license** *(AE)*
die **Aufenthaltserlaubnis** *N* der Aufenthaltserlaubnis, die Aufenthaltserlaub-nisse = die Aufenthaltsgenehmigung Ausländer, die nicht aus Ländern der Europäischen Union stammen, benötigen in Deutschland eine Aufenthaltserlaubnis.	**residence permit** Foreigners who do not come from countries of the European Union need a residence permit in Germany.
gültig *Adj* ≠ ungültig Mein Reisepass ist bis September 2018 gültig.	**valid** invalid, void My passport is valid until September 2018.
ablaufen *V* läuft ab, lief ab, ist abgelaufen Der Pass ist abgelaufen.	**expire** The passport has expired.
verlängern *V* verlängert, verlängerte, hat verlängert Die Behörde verlängert das Visum für sechs Monate. verlängern lassen	**renew** The department renews the visa for six months. get a renewal
ausstellen *V* stellt aus, stellte aus, hat ausgestellt In dringenden Fällen werden vorläufige Reise-pässe ausgestellt.	**issue** Temporary passports are issued in emergencies.
anerkennen *V* erkennt an, erkannte an, hat anerkannt Sein Abschluss wird in der Schweiz nicht anerkannt.	**recognize** His qualification is not recognized in Switzer-land.
das **Formular** *N* des Formulars, die Formulare ↳ das Anmeldeformular	**form** application form, registration form, entry form
ausfüllen *V* füllt aus, füllte aus, hat ausgefüllt Um Arbeitslosengeld zu beantragen, muss man ein Formular ausfüllen.	**fill in** You have to fill in a form to apply for unemploy-ment benefit.
ankreuzen *V* kreuzt an, kreuzte an, hat angekreuzt	**mark sth with a cross**

Kreuzen Sie an, was für Sie zutrifft.	Please mark with a cross what applies to you.
der **Antrag** *N* des Antrag(e)s, die Anträge Kerstins Antrag für ein Stipendium wurde abgelehnt. einen Antrag stellen	**application** Kerstin's application for a scholarship has been refused. apply
beantragen *V* beantragt, beantragte, hat beantragt Für die Reise nach Indien müssen Sie ein Visum beantragen.	**apply for** You have to apply for a visa for the trip to India.
ausstellen *V* stellt aus, stellte aus, hat ausgestellt Die Bescheinigung wird in der nächsten Woche ausgestellt.	**make out, issue** The certification will be issued in the next few weeks.
die **Ausstellung** *N* der Austellung, die Austellungen Die Ausstellung des Visums kann zwei Monate dauern.	**issuing** The issuing of a visa can take two months.
benötigen *V* benötigt, benötigte, hat benötigt = brauchen	**require** need
persönlich *Adj* persönlicher, am persönlichsten Geburtsdatum und Adresse gehören zu den persönlichen Daten.	**personal** Personal details include date of birth and address.
die **Anmeldung** *N* der Anmeldung, die Anmeldungen Bitte gehen Sie erst zur Anmeldung im Erdgeschoss. Bei einem Umzug muss die Anmeldung innerhalb einer Woche erfolgen.	**registration** Please go first to registration on the ground floor. Your new address must be registered within a week of moving.
sich anmelden *V* meldet sich an, meldete sich an, hat sich angemeldet ≠ sich abmelden Sie müssen sich rechtzeitig beim Einwohnermeldeamt anmelden. ↳ das Anmeldeformular	**register** sign off, check out, unsubscribe You must register your new address in good time at the residents's registration office. registration form
anmelden *V* meldet an, meldete an, hat angemeldet Lara hat ihren Mann gestern für einen Kurs an der Volkshochschule angemedet.	**register** Lara registered her husband for an adult evening class yesterday.

buchstabieren *V*	**spell**
buchstabiert, buchstabierte, hat buchstabiert	
Könnten Sie Ihren Namen bitte buchstabieren?	Can you spell your name, please?
↳ der Buchstabe	letter
der **Bescheid** *N*	**notification**
des Bescheid(e)s, die Bescheide	
Hast du vom Finanzamt schon einen Bescheid erhalten?	Have you already received a notification from the tax office?
↳ der Steuerbescheid	tax assessment, tax bill, tax statement
↳ der Rentenbescheid	pension approval certificate
die **Unterschrift** *N*	**signature**
der Unterschrift, die Unterschriften	
Der Antrag ist ohne Unterschrift nicht gültig.	The application is not valid without a signature.
unterschreiben *V*	**sign**
unterschreibt, unterschrieb, hat unterschrieben	
Unterschreiben Sie hier bitte das Formular!	Please sign the form here!
der **Lebenslauf** *N*	**curriculum vitae (CV)** *(BE)*, **résumé** *(AE)*
des Lebenslauf(e)s, die Lebensläufe	
Zu einer vollständigen Bewerbung gehört ein Lebenslauf.	A complete application includes a curriculum vitae.
der **Beruf** *N*	**occupation; job**
des Beruf(e)s, die Berufe	
Was sind Sie von Beruf? – Ich bin Lehrerin.	What is your occupation? – I am a teacher.
einen Beruf ausüben als	work as
↳ beruflich	occupational / professional
die **Angabe** *N*	**detail**
der Angabe, die Angaben	
= die Information	information
Ich benötige noch nähere Angaben zu Ihrer Person.	I need some more details about you.
angeben *V*	**give**
gibt an, gab an, hat angegeben	
Vergessen Sie nicht, Ihre Adresse anzugeben.	Do not forget to give your address.

2 Alltägliche Tätigkeiten

2.1 Häufige Bewegungen im Tagesablauf

Proceeding through the day

der **Tagesablauf** *N* des Tagesablauf(e)s, die Tagesabläufe Beschreiben Sie bitte Ihren Tagesablauf.	**daily routine** Please describe your daily routine.
der **Alltag** *N* des Alltag(e)s, die Alltage Sie findet ihren Alltag langweilig.	**everyday life** She finds her everyday life boring.
alltäglich *Adj* Bei ihrem alltäglichen Spaziergang mit dem Hund trifft sie immer Bekannte.	**daily; everyday** She always meets friends during her daily walk with the dog.
die **Gewohnheit** *N* der Gewohnheit, die Gewohnheiten = die Angewohnheit Er hat die Gewohnheit, immer spät ins Bett zu gehen.	**habit** habit He has the habit of always going to bed late.
gewohnt *Adj* gewohnter, am gewohntesten In ihrer gewohnten Umgebung fühlt sich die alte Frau am wohlsten.	**familiar** The old woman feels the most comfortable in her familiar environment.
etwas gewohnt sein = an etwas gewöhnt sein Sie war es gewohnt, jeden Tag 8 Kilometer zu Fuß zu gehen.	**be used to sth** She was used to walking 8 kilometres every day.

sich gewöhnen *V* gewöhnt sich, gewöhnte sich, hat sich gewöhnt Ich gewöhne mich nur langsam an das scharfe Essen in Mexiko.	**get used to** I am only slowly getting used to the hot food in Mexico.
die **Regel** *N* der Regel, die Regeln In der Regel gehen wir gegen 23 Uhr ins Bett.	**rule** As a general rule we go to bed around 11 p.m.
regelmäßig *Adj* regelmäßiger, am regelmäßigsten Der regelmäßige Sport tut ihr gut. Marlies frühstückt regelmäßig, bevor sie zur Arbeit geht.	**regular; regularly** The regular exercise is good for her. Marlies has her breakfast regularly before she goes to work.
üblich *Adj* üblicher, am üblichsten In meiner Familie ist es üblich, nach dem Frühstück Zähne zu putzen.	**customary; usual** It is customary for my family to brush their teeth after breakfast.
üblicherweise *Adv* Üblicherweise brauche ich morgens eine halbe Stunde zur Arbeit.	**usually** It usually takes me half an hour to get to work in the morning.
jedes Mal Jedes Mal, wenn sie ihn sieht, bekommt sie Herzklopfen.	**every time** Every time she sees him, her heart starts beating fast.
ständig *Adj* Mein Hund ist mein ständiger Begleiter. Meine Frau fährt ständig mit meinem Auto.	**constant; always** My dog is my constant companion. My wife is always driving my car.
dauernd *Adj* = ständig Meine Tochter schminkt sich dauernd.	**constant; constantly; permanent** permanent My daughter is constantly putting on make-up.
bewegen *V* bewegt, bewegte, hat bewegt Er hat sich am Arm verletzt; er kann ihn nicht mehr bewegen.	**move** He has hurt his arm; he cannot move it anymore.
sich bewegen *V* bewegt sich, bewegte sich, hat sich bewegt Wenn du abnehmen willst, musst du dich mehr bewegen.	**exercise** If you want to lose weight, you must exercise.
die **Bewegung** *N* der Bewegung, die Bewegungen Er lebt sehr gesund; er hat jeden Tag viel Bewegung an der frischen Luft.	**movement; exercise** He leads a very healthy life; he exercises every day in the fresh air.
gehen *V* geht, ging, ist gegangen	**go (by foot); walk; move**

Die Kinder gehen jeden Morgen zur Schule.	The children go to school every morning.
zu Fuß Herr Röhrig kommt nie mit dem Auto zur Arbeit; er kommt immer zu Fuß.	**on foot** Mr Röhrig never takes the car to work; he always goes on foot.
treten *V* tritt, trat, ist getreten *(in der Bedeutung "kick": hat getreten)* So ein Mist! Ich bin in einen Kaugummi getreten.	**step; kick** Damn! I stepped in chewing gum.
laufen *V* läuft, lief, ist gelaufen = joggen Er läuft jeden Tag eine Stunde im Wald.	**walk; run** jog He runs in the forest for an hour every day.
spazieren gehen *V* geht spazieren, ging spazieren, ist spazieren gegangen Wir gehen mit unserem Hund dreimal am Tag spazieren.	**go for a walk** We go for a walk with our dog three times a day.
verlassen *V* verlässt, verließ, hat verlassen Sie hat ihre Wohnung verlassen.	**leave** She left her flat.
rennen *V* rennt, rannte, ist gerannt Er musste rennen, um den Bus noch zu kriegen.	**run** He had to run to catch the bus.
folgen *V* folgt, folgte, ist gefolgt Das Kind folgt seiner Mutter überall hin.	**follow** The child follows her / his mother everywhere.
kommen *V* kommt, kam, ist gekommen Mein Mann kommt meistens gegen 19 Uhr nach Hause. Kannst du mal kommen?	**come** My husband usually comes home around 7 p.m. Can you come for a minute?
drehen *V* dreht, drehte, hat gedreht Sie dreht den Kopf zur Seite.	**turn** She turns her head to the side.
sich umdrehen *V* dreht sich um, drehte sich um, hat sich umgedreht Sie dreht sich um, um ihren Mann anzuschauen.	**turn around** She turns around to look at her husband.
fallen *V* fällt, fiel, ist gefallen Das Messer ist auf den Boden gefallen.	**fall** The knife fell on the floor.
stürzen *V*	**fall over**

stürzt, stürzte, ist gestürzt Tim ist gestürzt und hat sich am Knie verletzt.	Tim has fallen over and hurt his knee.
heben *V* hebt, hob, hat gehoben Können Sie mir helfen, die Kiste zu heben?	**lift** Could you please help me to lift up the box?
aufheben *V* hebt auf, hob auf, hat aufgehoben Heb deine Spielsachen auf!	**pick up** Pick up your toys!
halten *V* hält, hielt, hat gehalten Kannst du mal kurz meine Jacke halten?	**hold** Can you hold my jacket for a minute, please?
festhalten *V* hält fest, hielt fest, hat festgehalten ≠ loslassen Carmen hält ihre Freundin am Arm fest.	**hold on (to)** let go, let loose Carmen holds on to her friend's arm.
greifen *V* greift, griff, hat gegriffen Babys greifen oft nach bunten Gegenständen.	**grab; grasp** Babies often grab at brightly coloured objects.
stehen *V* steht, stand, hat gestanden Sie steht an der Tür.	**stand** She is standing at the door.
warten *V* wartet, wartete, hat gewartet Ich warte schon seit einer halben Stunde auf dich.	**wait** I have been waiting for you for half an hour.
stehen bleiben *V* bleibt stehen, blieb stehen, ist stehen geblieben Bleib bitte stehen, damit ich dir den Pullover anziehen kann.	**stand still stop** Please stand still so that I can put the pullover on you.
sich setzen *V* setzt sich, setzte sich, hat sich gesetzt = Platz nehmen Der Großvater setzt sich auf das Sofa. Setzt euch an den Tisch.	**sit down** take a seat The grandfather sits down on the couch. Sit down at the table please!
sich hinsetzen *V* setzt sich hin, setzte sich hin, hat sich hingesetzt Setz dich doch hin!	**sit down** Please sit down!
sitzen *V* sitzt, saß, hat gesessen Carola möchte neben ihrer Mama sitzen.	**sit** Carola would like to sit next to her mother.
liegen *V* liegt, lag, hat gelegen	**lie**

Er liegt noch im Bett.	He is still lying in bed.
legen *V* legt, legte, hat gelegt Sie legt die Zeitung auf den Tisch.	**lay down; put (down flat)** She puts the newspaper down on the table.

2.2 Ins Bett gehen, schlafen, aufstehen — Going to bed, sleeping, getting up

ins / zu Bett gehen = schlafen gehen Meine Eltern gehen immer gegen 23 Uhr ins Bett.	**go to bed** My parents always go to bed at 11 p.m.
der **Schlaf** *N* des Schlaf(e)s, *(nur Singular)* Er hat einen tiefen Schlaf. Der Großvater braucht mittags immer seinen Schlaf.	**sleep** He sleeps deeply. At noon the grandpa needs his sleep.
das **Nickerchen** *N* des Nickerchens, die Nickerchen Nach der Arbeit hält mein Vater immer ein Nickerchen.	**nap** After work my father always takes a nap.
schlafen *V* schläft, schlief, hat geschlafen Hast du gut geschlafen? ↳ ausschlafen	**sleep** Did you sleep well? sleep in
einschlafen *V* schläft ein, schlief ein, ist eingeschlafen ≠ aufwachen Weil sie immer an die Prüfung dachte, konnte sie nicht einschlafen.	**fall asleep, get to sleep** wake up She couldn't get to sleep for thinking about the exam.
fest *Adj* fester, am festesten Er schlief so fest, dass ich ihn fast nicht wecken konnte.	**deep; deeply sound** He slept so deeply that I could hardly wake him up.
noch *Adv* Schläfst du schon? Nein, noch nicht.	**yet** Are you asleep? No, not yet.
müde *Adj* müder, am müd(e)sten ≠ munter Sven hat in der Nacht wenig geschlafen, heute ist er müde.	**tired** alert, awake Sven slept little during the night, he is tired today.
träumen *V* träumt, träumte, hat geträumt	**dream**

Das Kind hat schlecht geträumt.	The child had bad dreams.
der **Traum** *N* des Traum(e)s, die Träume Er hatte immer wieder schlechte Träume.	**dream** He has bad dreams again and again.
die **Müdigkeit** *N* der Müdigkeit, *(nur Singular)* Die Kleine kann vor Müdigkeit kaum noch die Augen offen halten.	**tiredness** The little one can hardly keep her eyes open she is so tired.
wecken *V* weckt, weckte, hat geweckt Können Sie mich morgen bitte um 7 Uhr wecken?	**wake** Could you wake me up at 7 a.m. tomorrow, please?
der **Wecker** *N* des Weckers, die Wecker Ich muss noch den Wecker stellen.	**alarm clock** I still have to set the alarm clock.
aufwachen *V* wacht auf, wachte auf, ist aufgewacht = wach werden ≠ einschlafen Er wacht immer auf, wenn es morgens hell wird.	**wake up** awake fall asleep He always wakes up when it gets light in the morning.
aufstehen *V* steht auf, stand auf, ist aufgestanden Sie stehen unter der Woche um 6 Uhr auf; nur am Wochenende schlafen sie länger. Bleiben Sie doch sitzen, Sie brauchen nicht aufzustehen.	**get up; stand up** They get up at 6 a.m. during the week; only at the weekend do they sleep longer. Please, stay put, you needn't stand up.
wach *Adj* wacher, am wachsten Abends bin ich oft noch einmal richtig wach!	**awake** In the evening I often feel fully awake.
auf sein = aufgestanden sein Ist er schon auf oder schläft er noch?	**be up** Is he already up or is he still sleeping?
immer *Adv* Frau Kant trinkt morgens immer Tee.	**always** *(usually)* Mrs Kant always drinks tea in the morning.
immer *Adv (+ Komparativ)* Es fällt mir immer schwerer, morgens um 4 Uhr aufzustehen.	**increasingly** It is increasingly difficult for me to get up at 4 a.m.
immer *Partikel*	**still** *(used as an intensifier before or after "noch")*

Er ist immer noch nicht aufgestanden.	He has still not got up.
gewöhnlich *Adv* Er verlässt gewöhnlich um 7:30 Uhr seine Wohnung, um zur Arbeit zu gehen.	**usually** He usually leaves his flat at 7.30 a.m. to go to work.
eher *Adv* = früher Mein Mann steht meistens eher auf als ich.	**earlier; sooner** My husband usually gets up earlier than I.
sich ausruhen *V* ruht sich aus, ruhte sich aus, hat sich ausgeruht = sich erholen Sie ruht sich vom Fensterputzen aus.	**have a rest** recover, rally She has a rest from cleaning the windows.
sich hinlegen *V* legt sich hin, legte sich hin, hat sich hingelegt = sich schlafen legen Sie legt sich mittags gerne eine halbe Stunde hin.	**lie down** lie down to sleep She likes to lie down for half an hour at midday.
entspannend *Adj* = erholsam Unser Spaziergang war richtig entspannend.	**relaxing** Our walk was really relaxing.
guttun *V* tut gut, tat gut, hat gut getan Heute hatte ich keinen Stress – das tut gut.	**feel good** I had no stress today – that feels good.
viel zu tun haben Sie hat heute viel zu tun: Sie muss einkaufen gehen, kochen, bügeln und die Kinder vom Kindergarten abholen.	**have a lot on** She has a lot on today: She has to go shopping, cook, iron and pick up the children from kindergarten.
eilig *Adj* Ich habe es sehr eilig!	**hurried** I am in a great hurry!
anziehen *V* zieht an, zog an, hat angezogen Isabella zieht ihr neues Kleid an.	**put on; dress** Isabella puts on her new dress.
sich anziehen *V* zieht sich an, zog sich an, hat sich angezogen ≠ sich ausziehen Du musst dich warm anziehen – es ist draußen sehr kalt.	**get dressed** undress, take off one's clothes You have to get dressed warmly – it is very cold outside.
fertig *Adj* Bist du fertig? Können wir jetzt gehen?	**finished** Have you finished? Can we go now?
bereit *Adj* Alle außer dir sind schon bereit zum Gehen.	**ready; prepared** Everybody but you is ready to go.

2.3 Körperpflege, Kosmetik | Personal hygiene and cosmetics

2.3 Körperpflege, Kosmetik	Personal hygiene and cosmetics
sich waschen *V* wäscht sich, wusch sich, hat sich gewaschen Wasch dir bitte die Hände!	**wash** Wash your hands, please!
duschen *V* duscht, duschte, hat geduscht Vor Betreten des Bades bitte duschen! Kannst du heute die Kinder duschen? Ich koche in der Zwischenzeit.	**take a shower; give a shower** Please take a shower before entering the pool. Could you give the children a shower please? Meanwhile I'll be cooking dinner.
sich duschen *V* duscht sich, duschte sich, hat sich geduscht Er duscht sich jeden Morgen kalt.	**take a shower** He takes a cold shower every morning.
baden *V* badet, badete, hat gebadet Möchtest du duschen oder baden?	**take a bath** Would you like to take a shower or a bath?
das **Bad** *N* des Bad(e)s, die Bäder Ein heißes Bad würde dir vielleicht gut tun. ein Bad nehmen ⚠ das Bad *(Kurzform für Badezimmer)*	**bath** A hot bath would maybe do you good. to take a bath bathroom
die **Seife** *N* der Seife, die Seifen Die Seife riecht gut.	**soap** The soap smells good.
das **Shampoo** [ˈʃampu] *N* des Shampoos, die Shampoos = das Haarwaschmittel Das Shampoo ist fast leer.	**shampoo** The shampoo is almost empty.
das **Handtuch** *N* des Handtuch(e)s, die Handtücher Sie braucht ein großes Handtuch.	**(hand)towel** She needs a big towel.
abtrocknen *V* trocknet ab, trocknete ab, hat abgetrocknet Kann ich mit diesem Handtuch den Hund abtrocknen?	**dry (off)** Can I use this towel to dry off the dog?
die **Bürste** *N (Kurzform für Haarbürste)* der Bürste, die Bürsten Für meine langen Haare brauche ich eine Bürste.	**hairbrush** I need a hairbrush for my long hair.
der **Kamm** *N* des Kamm(e)s, die Kämme Hast du einen Kamm?	**comb** Do you have a comb?

kämmen *V* kämmt, kämmte, hat gekämmt Sie kämmt ihren Kindern die Haare.	**comb** She combs her children's hair.
sich kämmen *V* kämmt sich, kämmte sich, hat sich gekämmt Sie kämmt sich die Haare.	**comb one's hair** She is combing her hair.
schneiden *V* schneidet, schnitt, hat geschnitten Sie schneidet ihrem Mann die Haare.	**cut** She cuts her husband's hair.
der **Fön®** *N (auch: Föhn)* des Föns, die Föne Sie trocknet sich die Haare mit einem Fön. ↳ fönen	**hairdryer** She dries her hair with a hairdryer. blowdry one's hair
die **Zahnbürste** *N* der Zahnbürste, die Zahnbürsten Hast du eine Zahnbürste dabei?	**toothbrush** Do you have a toothbrush?
Zähne putzen Hast du schon Zähne geputzt?	**brush one's teeth** Have you already brushed your teeth?
die **Zahnpasta** *N* der Zahnpasta, die Zahnpastas Diese Zahnpasta ist für sensible Zähne.	**toothpaste** This toothpaste is for sensitive teeth.
die **Zahncreme** [ˈtsaːnkreːm] *N* der Zahncreme, die Zahncremes = die Zahnpasta	**toothpaste**
sich schminken *V* schminkt sich, schminkte sich, hat sich geschminkt Sie braucht noch ein bisschen Zeit, um sich zu schminken.	**put on make-up** She still needs some time to put her make-up on.
schminken *V* schminkt, schminkte, hat geschminkt Ich schminke die Kinder für den Karneval.	**paint one´s face** I am painting the children´s faces for carnival.
die **Creme** [kreːm] *N* der Creme, die Cremes Sie verwendet eine Creme für trockene Haut. ↳ sich eincremen	**cream** She uses a cream for dry skin. to put cream on
das **Parfüm** *N* des Parfüms, die Parfüme / Parfüms Dein Parfüm riecht ganz toll!	**perfume** Your perfume smells absolutely super!

der **Lippenstift** *N* des Lippenstift(e)s, die Lippenstifte Das ist ein schöner Lippenstift.	**lipstick** That's a beautiful lipstick.
der **Bart** *N* des Bart(e)s, die Bärte Er lässt sich einen Bart wachsen. einen Bart tragen	**beard** He is growing a beard. have / be growing / wear a beard
rasieren *V* rasiert, rasierte, hat rasiert Sie rasierte ihrem Mann die Haare.	**shave** She shaved her husband's hair off.
sich rasieren *V* rasiert sich, rasierte sich, hat sich rasiert Du müsstest dich mal wieder rasieren.	**shave** You should have another shave.
der **Rasierapparat** *N* des Rasierapparat(e)s, die Rasierapparate Wo ist denn der Rasierapparat?	**razor** Where is the razor?
der **Spiegel** *N* des Spiegels, die Spiegel Marietta betrachtet sich im Spiegel.	**mirror** Marietta looks at herself in the mirror.
die **Toilette** [to̯aˈlɛtə] *N* der Toilette, die Toiletten = das WC = das Klo *(ugs.)* Ich muss auf (die) Toilette. auf (die) Toilette gehen *(ugs: aufs Klo gehen)*	**toilet** WC loo *(BE)*, john *(AE)* I need to go to the toilet. go to the toilet
das **WC** [veːtseː] *N* des WC(s), die WC(s) = die Toilette Wo ist das WC, bitte?	**WC** toilet Where is the WC, please?
das **Toilettenpapier** [to̯aˈlɛtn̩papiːɐ̯] *N* des Toilettenpapier(e)s, die Toilettenpapiere = das Klopapier Das Toilettenpapier ist fast alle.	**toilet paper** There's hardly any toilet paper.
die **Binde** *N* der Binde, die Binden Ich habe vergessen, Binden zu kaufen.	**sanitary towel** *(BE)*, **sanitary napkin** *(AE)* I forgot to buy sanitary towels.
der **Tampon** *N* des Tampons, die Tampons Ich brauche Tampons.	**tampon** I need tampons.

die **Windel** *N* der Windel, die Windeln Die Windeln sind aus.	**nappy** *(BE)*, **diaper** *(AE)* There are no nappies left.
die **Drogerie** *N* der Drogerie, die Drogerien Kannst du mir aus der Drogerie Deospray und Klopapier mitbringen?	**chemist's** *(BE)*, **drugstore** *(AE)* Can you bring me some deodorant spray and toilet paper from the drugstore?
→ See also chapter *11.5 Haushalt* (pages 174 ff).	
die **Frisur** *N* der Frisur, die Frisuren Sie hätte gerne mal wieder eine neue Frisur.	**hairstyle** She would like to have a new hairstyle.
schneiden *V* schneidet, schnitt, hat geschnitten Er geht nicht zum Friseur, seine Frau schneidet ihm immer die Haare.	**cut** He does not go to the hairdresser's, his wife always cuts his hair.
sich die Haare schneiden lassen Du solltest dir mal wieder die Haare schneiden lassen!	**have / get one´s hair cut** You should have / get your hair cut.
die **Schere** *N* der Schere, die Scheren Hol mal eine Schere, bitte!	**scissors** Get the scissors, please!
der **Salon** *N* des Salons, die Salons Daniel ist ein erfolgreicher Friseur. Vor kurzem hat er seinen eigenen Salon eröffnet.	**parlour** *(BE)*, **parlor** *(AE)*; **salon** Daniel is a successful hairdresser. He has recently opened his own salon.

3 Der menschliche Körper

3.1 Von der Geburt bis zum Tod — From birth to death

das **Leben** *N* des Lebens, die Leben Er hatte ein langes und schönes Leben.	**life** He had a long and wonderful life.
leben *V* lebt, lebte, hat gelebt Manche Menschen leben länger als 100 Jahre.	**live** *(be alive)* Some people live to be over 100 years old.
leben *V* lebt, lebte, hat gelebt Sie hat ein großes Vermögen geerbt; davon lebt sie.	**live** *(survive, subsist)* She inherited a huge fortune on which she can live.
geboren werden *V* wird geboren, wurde geboren, ist geboren worden = zur Welt kommen Seine Tochter wurde im Mai geboren.	**be born** His daughter was born in May.
die **Geburt** *N* der Geburt, die Geburten Herzliche Glückwünsche zur Geburt eures Sohnes!	**birth** Congratulations on the birth of your son!
ein Kind bekommen Sie bekommen im Herbst ihr zweites Kind.	**have a child** They will have their second child in autumn.
der **Nachwuchs** *N* des Nachwuchses, *(nur Singular)* Und, was macht der Nachwuchs?	**offspring** And, how's the offspring?

die **Sexualität** *N*	**sexuality**
der Sexualität, *(nur Singular)*	
Die männliche und weibliche Sexualität sind verschieden.	The male and female sexuality are different.
der **Sex** [zɛks, sɛks] *N*	**sex**
des Sex(e)s, *(nur Singular)*	
= der Geschlechtsverkehr	sexual intercourse
Sie hatten häufig Sex.	They had sex frequently.
die **Pille** *N (Kurzform für Antibabypille)*	**pill**
der Pille, die Pillen	
Sie nimmt die Pille.	She is on the pill.
das **Kondom** *N (auch: der)*	**condom**
des Kondoms, die Kondome	
= das Präservativ	(contraceptive) sheath
Es gibt verschiedene Möglichkeiten, eine Schwangerschaft zu vermeiden, zum Beispiel, indem der Mann ein Kondom benutzt.	There are many ways to avoid pregnancy, for example if the man uses a condom.
homosexuell *Adj*	**homosexual**
≠ heterosexuell	heterosexual
Am Christopher Street Day demonstrieren homosexuelle Menschen gegen ihre Diskriminierung.	Homosexual people demonstrate against discrimination on Christopher Street Day.
lesbisch *Adj*	**lesbian**
Lesbische Frauen sind nicht immer Feministinnen.	Lesbian women are not always feminists.
schwul *Adj*	**gay**
In diesem Lokal sind meistens schwule Paare.	There are mostly gay couples in this bar.
schwanger *Adj*	**pregnant**
Die Frau ist schwanger.	The woman is pregnant.
die **Schwangerschaft** *N*	**pregnancy**
der Schwangerschaft, die Schwangerschaften	
Während der Schwangerschaft ging es ihr gut.	She was fine during the pregnancy.
im ... Monat sein	**be ... months pregnant**
Gabriele ist im siebten Monat.	Gabriele is seven months pregnant.
das **Baby** [ˈbeːbi, ˈbeɪbi] *N*	**baby**
des Babys, die Babys	
Wie alt ist denn Ihr Baby?	How old is your baby?
süß *Adj*	**sweet**
süßer, am süßesten	
Ist das ein süßes Baby!	What a sweet baby!
das **Kind** *N*	**child**
des Kindes, die Kinder	

Anke erwartet ihr erstes Kind im Mai. Als Kind habe ich gerne mit Puppen gespielt.	Anke is expecting her first baby in May. As a child, I liked to play with dolls.
wachsen *V* wächst, wuchs, ist gewachsen Seine Schuhe sind ihm zu klein, seine Füße sind schon wieder gewachsen.	**grow** His shoes are too small, his feet have grown again.
sich entwickeln *V* entwickelt sich, entwickelte sich, hat sich entwickelt Ihr Kind entwickelt sich ganz normal.	**develop** Your child is developing normally.
die **Entwicklung** *N* der Entwicklung, die Entwicklungen Für die gute Entwicklung eines Kindes ist eine gesunde Ernährung wichtig.	**development** A healthy diet is important for the good development of a child.
die **Kindheit** *N* der Kindheit, *(nur Singular)* Er hatte eine glückliche Kindheit.	**childhood** He had a happy childhood.
das **Alter** *N* des Alters, die Alter Die beiden Kinder sind ungefähr im gleichen Alter.	**age** Both of the children are approximately the same age.
die **Jugend** *N* der Jugend, *(nur Singular)* In seiner Jugend war er auf vielen Rockkonzerten.	**youth** He went to many rock concerts in his youth.
erwachsen *Adj* erwachsener, am erwachsensten Sie ist zwar erst 16 Jahre alt, aber sie sieht schon ziemlich erwachsen aus.	**adult** She is only 16 years old but she already looks adult.
der / die **Jugendliche** *N* des / der Jugendlichen, die Jugendlichen Die Jugendlichen gehen abends gerne in die Disko.	**young person; adolescent** The young people like to go to the disco in the evening.
der / die **Erwachsene** *N* des / der Erwachsenen, die Erwachsenen Der Eintritt kostet für Erwachsene 12 €, für Kinder 5 €.	**adult** Admission costs €12 for adults, €5 for children.
groß *Adj* größer, am größten = erwachsen Wenn unsere Kinder groß sind, sollen sie sich eine eigene Wohnung nehmen.	**grown up** mature, adult When our children are grown up, they should get their own flat.
jung *Adj*	**young**

jünger, am jüngsten Sie wirkt viel jünger als ich.	 She seems much younger than me.
alt *Adj* älter, am ältesten Seine Mutter ist schon sehr alt. Wie alt bist du?	**old** His mother is very old. How old are you?
die **Senioren** *N (meist im Plural)* der Senioren Die Mahlzeiten sind extra für Senioren.	**seniors; senior citizens** The meals are especially for seniors.
das **Alter** *N* des Alters, die Alter ≠ die Jugend Im Alter hört man oft nicht mehr so gut.	**old age** youth You do not often hear all that well in old age.
über *Präp* Er ist über 90 Jahre alt.	**over** He is over 90 years old.
sterben *V* stirbt, starb, ist gestorben Ihre Mutter starb gestern Nacht im Krankenhaus.	**die** Her mother died in hospital last night.
ums Leben kommen Mario ist bei einem Unfall ums Leben gekommen.	**be killed** *(accidentally also)*; **lose one's life** Mario has been killed in an accident.
der **Tod** *N* des Todes, die Tode Sein Tod kam für alle völlig überraschend.	**death** His death came completely unexpected for everybody.
tot *Adj* Ihr Mann ist schon seit zehn Jahren tot.	**dead** Her husband has been dead for ten years now.
der / die **Tote** *N* des / der Toten, die Toten Nach dem Tsunami konnten manche Toten nicht identifiziert werden.	**dead man / woman** Some of the dead could not be identified after the tsunami.
tödlich *Adj* tödlicher, am tödlichsten Giftige Pilze zu essen, kann tödlich sein.	**deadly** Eating poisonous mushrooms can be deadly.

3.2 Körperteile und Organe — Body parts and organs

der **Kopf** *N* des Kopfes, die Köpfe Er hat nur noch wenige Haare auf dem Kopf.	**head** He only has a few hairs on his head.
das **Haar** *N*	**hair**

des Haares, die Haare
Sie hat sich die Haare blond färben lassen. — She had her hair dyed blonde.

das **Haar** *N* — **hair**
des Haares, *(nur Singular)*
Sie hat wundervolles Haar. — She has wonderful hair.

das **Gesicht** *N* — **face**
des Gesicht(e)s, die Gesichter
Sie ist schön braun im Gesicht. — She has a nicely tanned face.

das **Auge** *N* — **eye**
des Auges, die Augen
Viele Babys haben bei ihrer Geburt blaue Augen. — Many babies have blue eyes at their birth.

das **Ohr** *N* — **ear**
des Ohr(e)s, die Ohren
Auf dem rechten Ohr hört er kaum noch etwas. — He can hardly hear anything with his right ear.
gute Ohren haben — have good hearing

die **Nase** *N* — **nose**
der Nase, die Nasen
Sie hat die große Nase von ihrem Vater geerbt. — She inherited the big nose from her father.

der **Mund** *N* — **mouth**
des Mundes, die Münder
Beim Zahnarzt musst du den Mund öffnen, damit er die Zähne untersuchen kann. — You have to open your mouth at the dentist so he can examine your teeth.
den Mund halten — hold one's tongue, keep one's mouth shut

die **Lippe** *N* — **lip**
der Lippe, die Lippen
Im Winter hat man oft trockene Lippen. — You often have dry lips in the winter.

der **Zahn** *N* — **tooth**
des Zahn(e)s, die Zähne
Wenn Paula lächelt, sieht man ihre weißen Zähne blitzen. — You can see her white teeth flashing when Paula smiles.

das **Gehirn** *N* — **brain**
des Gehirns, die Gehirne
Das Gehirn besteht aus einer linken und einer rechten Hälfte. — The brain consists of a left and a right half.

---

der **Hals** *N* — **throat**
des Halses, die Hälse
Ihm tut der Hals weh. — His throat is hurting.
↳ die Halsschmerzen — sore throat

die **Brust** *N* — **breast; chest**
der Brust, die Brüste
Das Hemd ist zu eng über der Brust. — The shirt is too tight around the chest.

atmen *V* atmet, atmete, hat geatmet Maria geht es gut, wenn sie frische Luft atmen kann.	**breathe** Maria is fine if she can breathe fresh air.
der **Atem** *N* des Atems, *(nur Singular)* Ihr Atem ist tief und regelmäßig.	**breath, breathing** Her breathing is deep and regular.
der **Bauch** *N* des Bauch(e)s, die Bäuche Sie ist erst im sechsten Monat, hat aber schon einen ganz dicken Bauch.	**belly; stomach** She is only six months pregnant, but her belly is already quite big.
der **Magen** *N* des Magens, die Mägen Ich muss bald etwas essen, mein Magen knurrt.	**stomach** I have to eat something soon, my stomach is rumbling.
das **Herz** *N* des Herzens, die Herzen Wenn ich aufgeregt bin, schlägt mein Herz ganz schnell.	**heart** If I am excited, my heart beats very fast.
die **Lunge** *N* der Lunge, die Lungen Rauchen ist für die Lunge schädlich.	**lungs** Smoking damages the lungs.
der **Rücken** *N* des Rückens, die Rücken Manche Menschen schlafen auf dem Bauch, andere auf dem Rücken oder auf der Seite.	**back** Some people sleep on their belly, others sleep on their back or side.
der **Po** [poː] *N* des Pos, die Pos = der Hintern Sie hat zugenommen: Die Hose ist zu eng am Po.	**bottom** She has put on weight: The trousers are too tight on her bottom.
die **Schulter** *N* der Schulter, die Schultern Theresa hatte keine Ahnung, sie zuckte mit den Schultern.	**shoulder** Theresa had no idea, she shrugged her shoulders.
der **Arm** *N* des Arm(e)s, die Arme Er hat im Krieg den rechten Arm verloren. ein Kind auf den Arm nehmen jemanden auf den Arm nehmen	**arm** He lost his right arm in the war. pick up a child pull so's leg
die **Hand** *N* der Hand, die Hände	**hand**

Er ist Linkshänder, er schreibt mit der linken Hand.	He is left-handed, he writes with his left hand.
der **Finger** *N* des Fingers, die Finger Er trägt den Ehering seiner verstorbenen Frau am kleinen Finger.	**finger** He wears his dead wife's wedding ring on his little finger.
der **Nagel** *N (Kurzform für Fingernagel)* des Nagels, die Nägel Er muss sich die Fingernägel schneiden. ↳ der Fußnagel / der Zehennagel	**nail** He has to cut his nails. toenail
das **Bein** *N* des Bein(e)s, die Beine Der Mensch läuft auf zwei Beinen, die meisten Tiere auf vier.	**leg** Humans walk on two legs, most animals walk on four legs.
der **Fuß** *N* des Fußes, die Füße Er kann nicht gut tanzen; er tritt seiner Partnerin immer auf die Füße.	**foot** He cannot dance well; he always stands on his partner's feet.
das **Knie** *N* des Knies, die Knie Der Rock geht über das Knie.	**knee** The skirt is above the knee.
der **Körper** *N* des Körpers, die Körper Er geht ins Fitnessstudio, um etwas für seinen Körper zu tun.	**body** He goes to the gym to keep his body fit.
der **Knochen** *N* des Knochens, die Knochen Ich war gestern joggen; heute tun mir alle Knochen weh.	**bone** I went jogging yesterday; today all my bones are hurting.
die **Haut** *N* der Haut, die Häute Babys haben eine ganz weiche, zarte Haut.	**skin** Babies have very soft and tender skin.
der **Muskel** *N* des Muskels, die Muskeln Beim Bodybuilding trainiert man speziell die Muskeln.	**muscle** Bodybuilding trains specifically the muscles.
der **Nerv** *N* des Nervs, die Nerven Markus ist Lehrer. Für diesen Beruf braucht man starke Nerven. Beim Sport habe ich mir einen Nerv eingeklemmt.	**nerve** Markus is a teacher. You need strong nerves for this job. While doing sports I trapped a nerve.
das **Blut** *N* des Blut(e)s, *(nur Singular)*	**blood**

Bei der Verkehrskontrolle wurde festgestellt, dass er zu viel Alkohol im Blut hatte. Blut verlieren	The traffic check found that he had too much alcohol in his blood. lose blood
bluten *V* blutet, blutete, hat geblutet Das Kind blutete am Knie, denn es war hingefallen.	**bleed** The child's knee was bleeding because he fell.

3.3 Aussehen — Appearance

aussehen *V* sieht aus, sah aus, hat ausgesehen Dein Freund sieht echt gut aus! ↳ das Aussehen	**look** Your friend looks really good! appearance
hübsch *Adj* hübscher, am hübschesten Die Schneiders haben zwei hübsche Töchter.	**pretty** The Schneiders have got two pretty daughters.
schön *Adj* schöner, am schönsten Sie ist eine schöne Frau.	**beautiful, nice** She is a beautiful woman.
hässlich *Adj* hässlicher, am hässlichsten ≠ schön Sie ist nicht schön, aber auch nicht hässlich.	**ugly** beautiful, handsome She is not beautiful but not ugly eather.
blass *Adj* blasser, am blassesten Sie ist noch immer nicht richtig gesund; sie sieht noch blass aus.	**pale** She has not fully recovered yet; she still looks pale.
die **Figur** *N* der Figur, die Figuren Christian hat eine gute Figur.	**body** Christian has a great body.
⊕ **jugendlich** *Adj* jugendlicher, am jugendlichsten Maren sieht immer noch jugendlich aus, obwohl sie 40 Jahre alt ist.	**young** Maren still looks young although she is 40 years old.
⊕ **attraktiv** *Adj* attraktiver, am attraktivsten Sie ist zwar nicht mehr jung, aber immer noch eine sehr attraktive Frau.	**attractive** She is not young anymore but is still a very attractive woman.
sich ähnlich sehen Die Geschwister sehen sich gar nicht ähnlich.	**look alike** The siblings do not look alike at all.

unterscheiden *V* unterscheidet, unterschied, hat unterschieden Man kann die Zwillinge kaum unterscheiden – sie sehen gleich aus.	**tell apart** You can hardly tell the twins apart – they look identical.
der **Unterschied** *N* des Unterschied(e)s, die Unterschiede Die Augenfarbe ist der einzige Unterschied zwischen Lisa und ihrer Zwillingsschwester.	**difference, distinction** The Eye colour is the only difference between Lisa and her twin sister.
sich verändern *V* verändert sich, veränderte sich, hat sich verändert Du hast dich gar nicht verändert, seit wir uns das letzte Mal gesehen haben!	**change** You have not changed a bit since we last saw each other.
unter etwas leiden Joachim leidet unter Migräne. Samuel leidet darunter, dass er nur 1,58 Meter groß ist.	**suffer from sth; be embarassed about sth** Joachim suffers from migraines. Samuel suffers from the fact that he is only 1.58 m tall.
groß *Adj* größer, am größten Wie groß sind Sie?	**tall** How tall are you?
klein *Adj* kleiner, am kleinsten ≠ groß	**small, short** big, tall
die **Größe** *N* der Größe, die Größen Größe: 1,80 Meter Um Model zu werden, braucht man die richtige Größe.	**height** Height: 1.80 metres To become a model, you have to be the right height.
dick *Adj* dicker, am dicksten Ich bin zu dick, ich muss abnehmen.	**fat** I am too fat, I have to lose weight.
dünn *Adj* dünner, am dünnsten ≠ dick	**thin** thick, fat
schlank *Adj* schlanker, am schlank(e)sten Sie treibt viel Sport, um schlank zu werden.	**slim** She does a lot of sport in order to get slim.
wiegen *V* wiegt, wog, hat gewogen Wie viel wiegen Sie?	**weigh** How much do you weigh?
abnehmen *V* nimmt ab, nahm ab, hat abgenommen = Gewicht reduzieren	**lose weight**

Paul hat 10 Kilo abgenommen.	Paul has lost 10 kilos.
zunehmen *V* nimmt zu, nahm zu, hat zugenommen ≠ abnehmen Er hat im letzten Jahr fünf Kilo zugenommen.	**put on weight** lose weight He put on 5 kilos last year.
blond *Adj* blonder, am blondesten Linda hat von Natur aus braune Haare, sie färbt sie sich immer blond.	**blond(e)** Linda has naturally brown hair, she always dyes her hair blond.
braun *Adj* brauner, am braunsten	**brown**
schwarz *Adj* schwärzer, am schwärzesten Als er noch jung war, hatte er schwarze Haare, jetzt sind sie grau.	**black** He had black hair when he was young, now it is grey.
grau *Adj* grauer, am grausten	**grey** *(BE)*, **gray** *(AE)*
kurz *Adj* kürzer, am kürzesten Ihr Mann findet, dass ihr kurze Haare besser stehen als lange.	**short** Her husband thinks that short hair suits her better than long hair.
lang *Adj* länger, am längsten ≠ kurz	**long** short
dunkel *Adj* dunkler, am dunkelsten ≠ hell Mein Bruder hat dunklere Haare als ich.	**dark** bright My brother has darker hair than I.
grün *Adj* grüner, am grünsten Ihr Sohn hat grüne und ihre Tochter blaue Augen.	**green** Her son has green eyes and her daughter blue eyes.
blau *Adj* blauer, am blausten	**blue**

3.4 Wahrnehmung mit den Sinnen — Perception

sehen *V* sieht, sah, hat gesehen Er sieht mit dem rechten Auge fast nichts mehr. Sie hat die Stufe nicht gesehen und ist gestolpert.	**see** He can hardly see anything with his right eye. She did not see the step and stumbled.

sichtbar *Adj* sichtbarer, am sichtbarsten Die Unterschiede sind wirklich kaum sichtbar.	**visible** The differences are really hardly visible.
schauen *V (vor allem A und Süddeutschland)* schaut, schaute, hat geschaut Leon schaut seine Mutter an. Schau mal!	**look** Leon looks at his mother. Look!

→ See also section *16.2 Unterricht und Lernen – schauen / sehen* (pages 259 ff).

gucken *V (ugs.)* guckt, guckte, hat geguckt Er guckt aus dem Fenster. Guck mal!	**look** He looks out of the window. Look!
ansehen *V* sieht an, sah an, hat angesehen = angucken *(ugs.)* Er sah sie an und lachte.	**look at** He looked at her and laughed.
beobachten *V* beobachtet, beobachtete, hat beobachtet Sie beobachten die Sterne.	**observe** They observe the stars.
⊕ **betrachten** *V* betrachtet, betrachtete, hat betrachtet Betrachten Sie dieses Bild etwas genauer.	**look at, consider** Look at the picture carefully.
hören *V* hört, hörte, hat gehört Mein Opa hört nicht mehr gut. Sie hört Musik.	**hear; listen** My grandpa does not hear very well anymore. She listens to music.
verstehen *V* versteht, verstand, hat verstanden Wegen des Lärms konnte man den anderen kaum verstehen.	**understand, hear** You could hardly understand the other because of the noise.
die **Stimme** *N* der Stimme, die Stimmen Jan hat am Telefon eine sehr angenehme Stimme.	**voice** Jan has a very pleasant voice on the phone.
leise *Adj* leiser, am leisesten Die leise Musik im Hintergrund war sehr angenehm. Man konnte den Redner kaum verstehen, er sprach sehr leise.	**quiet; low, soft** The quiet music in the background was very pleasing. You could hardly understand the speaker, he spoke very softly.
still *Adj* stiller, am stillsten	**silent, quiet**

Je mehr die anderen redeten, desto stiller wurde Max.	The more the others talked, the quieter Max became.
laut *Adj* lauter, am lautesten ≠ leise	**loud, noisy** quiet, low
riechen *V* riecht, roch, hat gerochen Sie hat den Brand und den Rauch gerochen. Sein Parfüm riecht angenehm. ↳ der Geruch	**smell** She smelled the fire and the smoke. His perfume smells nice. smell
stinken *V* stinkt, stank, hat gestunken = schlecht riechen Fisch stinkt, wenn er nicht mehr frisch ist.	**stink** Fish stinks if it is not fresh anymore.
der **Geschmack** *N* des Geschmack(e)s, die Geschmäcker Die meisten Kaugummis haben Pfefferminzgeschmack. ↳ schmecken	**taste** Most chewing gums have a peppermint taste. taste
süß *Adj* süßer, am süßesten Die Cola ist mir zu süß.	**sweet** The coke is too sweet for me.
sauer *Adj* saurer, am sauersten ≠ süß Die Äpfel sind noch nicht reif, sie schmecken sauer.	**sour** sweet The apples are not ripe yet, they taste sour.
bitter *Adj* bitterer, am bittersten Starken Kaffee mag ich nicht, er schmeckt sehr bitter.	**bitter** I do not like strong coffee, it tastes very bitter.
scharf *Adj* schärfer, am schärfsten Chili ist mir zu scharf.	**spicy, hot** Chilli is too hot for me.
salzig *Adj* salziger, am salzigsten Die Soße ist mir zu salzig.	**salty, savoury** The sauce is too salty for me.
mild *Adj* milder, am mildesten ≠ scharf Möchten Sie das Curry scharf oder etwas milder?	**mild** hot Would you like the curry hot or a little milder?

das **Gefühl** *N* des Gefühls, die Gefühle Es ist sehr kalt draußen, ich habe kein Gefühl mehr in den Fingern.	**feeling** It is very cold outside, I have no feeling in my fingers anymore.
fühlen *V* fühlt, fühlte, hat gefühlt Fühl mal, ob das Wasser die richtige Temperatur hat, um das Baby zu baden.	**feel** Could you please feel if the water has the right temperature to bath the baby.
berühren *V* berührt, berührte, hat berührt Im Museum soll man nichts berühren.	**touch** You are not allowed to touch anything in a museum.
anfassen *V* fasst an, fasste an, hat angefasst = berühren Bitte nichts anfassen!	**touch** Please do not touch!
spüren *V* spürt, spürte, hat gespürt Er spürt den Wind auf seiner Haut.	**feel** He feels the wind on his skin.
wahrnehmen *V* nimmt wahr, nahm wahr, hat wahrgenommen Er hat die anderen Menschen gar nicht wahrgenommen. ↳ die Wahrnehmung	**notice** He did not notice the others at all. perception
warm *Adj* wärmer, am wärmsten Das Meer ist angenehm warm.	**warm** The sea is pleasantly warm.
heiß *Adj* heißer, am heißesten Mir ist es hier zu heiß.	**hot** It is too hot for me here.
kalt *Adj* kälter, am kältesten ≠ heiß	**cold** hot
die **Hitze** *N* der Hitze, die Hitzen *(Fachsprache)*	**heat**
die **Wärme** *N* der Wärme, *(nur Singular)* Die Wärme tut mir gut.	**warmth** Warmth does me good.
die **Kälte** *N* der Kälte, *(nur Singular)* Bei dieser Kälte wollen sie nicht spazieren gehen.	**cold** They do not want to take a walk in this cold.

bemerken *V* bemerkt, bemerkte, hat bemerkt Er bemerkte seinen Fehler erst, als es schon zu spät war.	**notice** He didn't notice his mistake until it was already too late.
erkennen *V* erkennt, erkannte, hat erkannt Es war bereits dunkel, deswegen konnte ich keine Gesichter erkennen.	**recognize** It was already dark, so I could not recognize any faces.
merken *V* merkt, merkte, hat gemerkt Er hat gar nicht gemerkt, dass seine Frau wieder da ist.	**notice** He did not notice that his wife was back again.
realisieren *V* realisiert, realisierte, hat realisiert = mitbekommen Brigitte realisierte gar nicht, dass ihre Mutter ins Zimmer gekommen war.	**realize** be aware of Brigitte did not realize that her mother had come into the room.
die **Realität** *N* der Realität, die Realitäten Die Realität sieht leider meistens ganz anders aus.	**reality** Unfortunately, in reality things usually look completely different.
die **Wirklichkeit** *N* der Wirklichkeit, die Wirklichkeiten Alle halten mich für 29 – in Wirklichkeit bin ich aber schon 37 Jahre alt.	**reality** Everybody thinks I'm 29 – in reality I am 37 years old.
aufpassen *V* passt auf, passte auf, hat aufgepasst Wenn ihr die Straße überquert, müsst ihr aufpassen, dass kein Auto kommt.	**be careful** If you cross the street, you have to be careful that there is no car coming.

4 Charakter und Gefühle

4.1 Eigenschaften — Attributes

der **Typ** *N* des Typs, die Typen Sie ist ein heller / dunkler Typ.	**complexion, type** She has a light / dark complexion.
typisch *Adj* typischer, am typischsten Robin kommt immer zu spät – das ist typisch.	**typical** Robin always comes too late – that's typical of him.
die **Art** *N* der Art, die Arten = der Charakter Es ist nicht seine Art, direkt auf andere Leute zuzugehen.	**nature** character It is not his nature to approach other people directly.
das **Gegenteil** *N* des Gegenteil(e)s, die Gegenteile Das Gegenteil von rational ist emotional.	**opposite** The opposite of rational is emotional.
ziemlich *Adv* Sie redet ziemlich offen über ihre Probleme. Er ist bei seiner Arbeit ziemlich genau.	**fairly, quite** *(expressing a relatively strong attribute)* She talks fairly openly about her problems. He is quite meticulous in his work.
was für Was für ein Mensch ist deine Mutter?	**what kind of** What kind of person is your mother?

wie *Adv*
Wie ist dein Bruder?

how
How is your brother?

wie *Konj*
Sie ist kalt wie ein Fisch.
Er ist mutig wie ein Löwe.

as *(used in comparisons)*
She is cold as a fish.
He is brave as a lion.

Typical visual comparisons

Vergleich	comparison	meaning
(so) weiß wie Schnee	as white as snow	very white
(so) stark wie ein Bär	as strong as an ox built like a Mack truck *(AE)*	very strong
(so) schlau wie ein Fuchs	as cunning as a fox	very smart
(so) fleißig wie eine Biene	as busy as a bee	hard-working
(so) schwarz wie die Nacht	as black as coal	very black / dark
(so) kalt wie Eis	as cold as ice	very cold
(so) strahlend wie die Sonne	as radiant as the sun	very happy
sich fühlen wie ein Fisch im Wasser	as happy as a lark	very happy

welcher, welche, welches *Pron*
Welche Frau ist älter?

which, what
Which woman is older?

die **Eigenschaft** *N*
der Eigenschaft, die Eigenschaften
Jeder Mensch hat nicht nur gute, sondern auch schlechte Eigenschaften.

quality
Every person has not only good but also bad qualities.

der **Charakter** [ka'raktɐ] *N*
des Charakters, die Charaktere
Sie hat einen guten / schlechten Charakter.

character
She has a good / bad character.

sympathisch *Adj*
sympathischer, am sympathischsten
≠ unsympathisch
Max ist mir sehr sympathisch.

likeable
unpleasant
I find Max very likeable.

nett *Adj*
netter, am nettesten
Neben uns wohnt eine ganz nette Familie.

nice
A very nice family lives next to us.

lieb *Adj*
lieber, am liebsten

sweet

Die Kinder waren heute sehr lieb.	The children were very sweet today.
höflich *Adj* höflicher, am höflichsten ≠ unhöflich Eine höfliche Frage verdient eine höfliche Antwort.	**polite** impolite A polite question deserves a polite answer.
freundlich *Adj* freundlicher, am freundlichsten ≠ unfreundlich Ein freundlicher Umgang mit den Kollegen ist mir wichtig.	**friendly** unfriendly Friendly contact with my colleagues is important to me.
ehrlich *Adj* ehrlicher, am ehrlichsten ≠ unehrlich Sie lügt nie – sie ist immer ehrlich.	**honest** dishonest She never lies – she is always honest.
optimistisch *Adj* optimistischer, am optimistischsten ≠ pessimistisch Anne ist ein sehr optimistischer Mensch, sie schaut immer positiv in die Zukunft.	**optimistic** pessimistic Anne is a very optimistic person, she always looks positively to the future.
blöd *Adj* blöder, am blödesten Susi findet, dass alle Jungs in ihrer Klasse blöd sind. eine blöde Situation	**stupid** Susi thinks that all boys in her class are stupid. an awkward situation
bescheiden *Adj* bescheidener, am bescheidensten Er möchte kein Leben im Luxus – er ist sehr bescheiden.	**modest** He does not want a life of luxury – he is very modest.
schüchtern *Adj* schüchterner, am schüchternsten Wenn viele Menschen da sind, traut er sich nicht, etwas zu sagen. Er ist ziemlich schüchtern.	**shy** He doesn't have the courage to speak when a lot of people are there. He is fairly shy.
großzügig *Adj* großzügiger, am großzügigsten Sebastian ist großzügig: Er gibt meistens viel Trinkgeld.	**generous** Sebastian is generous: He usually tips well.
gerecht *Adj* gerechter, am gerechtesten = fair Herr Bauer ist ein gerechter Lehrer. Er behandelt alle Schüler gleich.	**just, fair** Mr Bauer is a fair teacher. He treats all pupils equally.
entschlossen *Adj*	**determined**

entschlossener, am entschlossensten	
≠ unentschlossen	indecisive, irresolute
Er ist fest entschlossen, seine Ausbildung in drei Jahren zu absolvieren.	He is absolutely determined to complete his apprenticeship in three years.
mutig *Adj*	**brave**
mutiger, am mutigsten	
Es war sehr mutig von dir, dass du ins Wasser gesprungen bist, um das Kind zu retten.	It was very brave of you to dive in to save the child.
ängstlich *Adj*	**timid**
ängstlicher, am ängstlichsten	
≠ mutig	brave
Lars ist ein ängstliches Kind.	Lars is a timid child.
vernünftig *Adj*	**sensible; reasonable**
vernünftiger, am vernünftigsten	
≠ unvernünftig	stupid, foolish
Für sein Alter ist der Junge schon sehr vernünftig.	The boy is very sensible for his age.
ernsthaft *Adj*	**serious**
ernsthafter, am ernsthaftesten	
Wir müssen eine ernsthafte Unterhaltung führen.	We must have a serious talk.
tolerant *Adj*	**tolerant**
toleranter, am tolerantesten	
≠ intolerant	intolerant
Warum soll ich tolerant sein? Die anderen respektieren meine Meinung ja auch nicht.	Why should I be tolerant? The others don't respect my opinion either.
die **Geduld** *N*	**patience**
der Geduld, *(nur Singular)*	
Geduld ist eine Tugend.	Patience is a virtue.
↳ geduldig	patient
fleißig *Adj*	**industrious, hardworking**
fleißiger, am fleißigsten	
Antonia ist eine fleißige Schülerin.	Antonia is a hardworking pupil.
faul *Adj*	**lazy**
fauler, am faulsten	
≠ fleißig	industrious, hardworking
Johannes war während seines Studiums ziemlich faul.	Johannes was fairly lazy during his studies.
ordentlich *Adj*	**tidy**
ordentlicher, am ordentlichsten	
≠ unordentlich	untidy
Meine Tochter ist sehr ordentlich – ihr Zimmer ist immer aufgeräumt.	My daughter is very tidy – her room is always neat.
pünktlich *Adj*	**punctual**

pünktlicher, am pünktlichsten ≠ unpünktlich Meine Schwester ist nie pünktlich; sie kommt immer zu spät.	 unpunctual My sister is never punctual; she always comes too late.
treu *Adj* treuer, am treu(e)sten Auf Maik kann man sich verlassen – er ist wirklich ein treuer Freund.	**faithful, loyal** You can rely on Maik – he really is a loyal friend.
zuverlässig *Adj* zuverlässiger, am zuverlässigsten ≠ unzuverlässig Oliver ist ein zuverlässiger Mensch.	**reliable** unreliable Oliver is a reliable person.
streng *Adj* strenger, am strengsten ≠ nachsichtig Er ist sehr streng zu seinen Kindern.	**strict** lenient He is very strict with his children.
lustig *Adj* lustiger, am lustigsten ≠ ernst Melanie ist eine lustige Person. Sie macht gerne Witze.	**funny** serious Melanie is a funny person. She likes to tell jokes.
der **Humor** *N* des Humors, die Humore *(selten)* Sally hat keinen Humor: Sie versteht keinen Spaß. ↳ humorlos ↳ humorvoll	**humour** *(BE)*, **humor** *(AE)* Sally has no sense of humour: She can't take a joke. humourless *(BE)*, humorless *(AE)* humorous
fröhlich *Adj* fröhlicher, am fröhlichsten Simon ist ein fröhliches Kind.	**cheerful** Simon is a cheerful child.
frech *Adj* frecher, am frechsten Sei nicht so frech zu deiner Mutter.	**cheeky, fresh** *(AE)* Do not be so cheeky with your mother.
passiv *Adj* passiver, am passivsten ≠ aktiv Das Publikum war ziemlich passiv: Es hat keine Fragen gestellt.	**passive** active The audience was fairly passive: They did not ask any questions.
neugierig *Adj* neugieriger, am neugierigsten = wissbegierig Unsere Tochter ist sehr neugierig, sie interessiert sich für alles.	**inquisitive** Our daughter is very inquisitive, she is interested in everything.

neugierig *Adj* — **curious; nosy**
neugieriger, am neugierigsten
Ich finde, deine Mutter ist ziemlich neugierig. — I think your mother is a little too nosy.

Prefix *un-*

The prefix un- is often used to form the antonym of an adjective.

aufmerksam	≠	unaufmerksam	attentive	≠	inattentive
höflich	≠	unhöflich	polite	≠	impolite
christlich	≠	unchristlich	Christian	≠	un-Christian
ehelich	≠	unehelich	in wedlock	≠	out of wedlock

⚠ Be careful! Not every adjective can be treated this way.

fleißig	≠	faul	hard-working	≠	lazy
tot	≠	lebendig / lebend	dead	≠	alive / living

Also in- can be used to form the antonym of some adjectives.

tolerant	≠	intolerant	tolerant	≠	intolerant
direkt	≠	indirekt	direct	≠	indirect
korrekt	≠	inkorrekt	correct	≠	incorrect
offiziell	≠	inoffiziell	official	≠	unofficial

4.2 Angenehme und neutrale Gefühle — Pleasant and neutral feelings

fühlen *V* — **sense**
fühlt, fühlte, hat gefühlt
= empfinden — experience
Paulina fühlt, ob es anderen Menschen gut geht. — Paulina can sense what other people are feeling.

das **Gefühl** *N* — **feeling**
des Gefühl(e)s, die Gefühle
Mario spricht nicht gerne über Gefühle. — Mario does not like to talk about feelings.

die **Laune** *N* — **mood**
der Laune, die Launen
Meine Schwester hat morgens immer schlechte Laune. — My sister is always in a bad mood in the morning.

erleben *V* — **experience**
erlebt, erlebte, hat erlebt
Im Krieg haben die Menschen Schlimmes erlebt. — People experienced dreadful things in the war.

das **Erlebnis** *N* — **experience**
des Erlebnisses, die Erlebnisse

Der Besuch der Pariser Oper war ein tolles Erlebnis.	Our visit to the Paris Opera was a fantastic experience.
genießen *V* genießt, genoss, hat genossen Andreas genießt es, am Wochenende mit seinen Kindern zu spielen.	**enjoy** Andreas enjoys playing with his children at the weekend.
ausmachen *V* macht aus, machte aus, hat ausgemacht = stören Macht es dir etwas aus, alleine ins Theater zu gehen?	**bother; mind** disrupt Would you mind going to the theatre alone?
glücklich *Adj* glücklicher, am glücklichsten ≠ unglücklich Sie ist mit ihrem Mann sehr glücklich. Er ist glücklich verheiratet.	**happy; happily** unhappy She is very happy with her husband. He is happily married.
das **Glück** *N* des Glück(e)s, die Glücke *(selten)* Es war ein wunderbarer Moment des Glücks, als wir auf dem Eiffelturm standen.	**happiness** It was a wonderful moment of happiness when we stood on the Eiffel Tower.
zufrieden *Adj* zufriedener, am zufriedensten ≠ unzufrieden Bist du in deinem Beruf zufrieden?	**satisfied** dissatisfied Are you satisfied with your job?
angenehm *Adj* angenehmer, am angenehmsten ≠ unangenehm Marion findet Marthas Stimme angenehm.	**pleasant** unpleasant Marion thinks that Martha has a pleasant voice.
das **Gewissen** *N* des Gewissens, die Gewissen Ich kann mit gutem Gewissen sagen, dass ich alles getan habe, was möglich war.	**conscience** I can say with a clear conscience that I did everything possible.
sich freuen *V* freut sich, freute sich, hat sich gefreut Sie freut sich über die Blumen, die Mattis mitgebracht hat.	**be pleased / happy** She is pleased with the flowers Mattis brought.
die **Freude** *N* der Freude, die Freuden Man sah ihr die Freude an, als ihre Schwester auf sie zukam. Meine Arbeit macht mir keine Freude.	**joy, pleasure, delight** You could see the joy on her face when her sister came up to her. I find no pleasure in my work.
froh *Adj*	**glad**

froher, am froh(e)sten = erleichtert Ich bin froh, dass dir nichts passiert ist!	 relieved I am glad that nothing happened to you!
lachen *V* lacht, lachte, hat gelacht An dem Abend ging es uns gut – wir haben viel gelacht.	**laugh** We had a good time that evening – we laughed a lot.
lächeln *V* lächelt, lächelte, hat gelächelt Sie sah ihn an und lächelte.	**smile** She looked at him and smiled.
begeistert *Adj* begeisterter, am begeistertsten Merle ist ganz begeistert von dem Festival.	**excited; enthusiastic** Merle is really excited about the festival.
stolz *Adj* stolzer, am stolzesten Du hast die Prüfung bestanden! Du kannst stolz auf dich sein.	**proud** You passed the exam! You can be proud of yourself.
verliebt *Adj* verliebter, am verliebtesten Sie ist in Henrico verliebt.	**in love, loving** She is in love with Henrico.
sich verlieben *V* verliebt sich, verliebte sich, hat sich verliebt Die beiden haben sich verliebt.	**fall in love** Both of them have fallen in love.
lieben *V* liebt, liebte, hat geliebt Er liebt seine Ex-Frau immer noch. Susan liebt diesen Roman.	**love** He still loves his ex-wife. Susan loves this novel.
lieb haben *V* hat lieb, hatte lieb, hat lieb gehabt Er hat dich lieb.	**love** He loves you.
die **Liebe** *N* der Liebe, die Lieben Die Liebe zu seiner Frau ist unendlich. Er ist aus Liebe in die Stadt gezogen, wo Margret wohnt.	**love** His love for his wife is endless. Out of love for Margret he moved to the city where she lives.
das **Symbol** *N* des Symbols, die Symbole Das Symbol für die Liebe ist ein Herz.	**symbol** The symbol of love is a heart.
das **Zeichen** *N* des Zeichens, die Zeichen Er hat dir zugezwinkert; das war ein Zeichen!	**sign** He winked at you; that was a sign.

küssen *V* küsst, küsste, hat geküsst Als sie sich endlich wiedersahen, küssten sie sich.	**kiss** When they eventually saw each other again, they kissed each other.
der **Kuss** *N* des Kusses, die Küsse Gibst du mir noch einen Kuss, bevor du ins Bett gehst?	**kiss** Will you give me a kiss before you go to bed?
mögen *V* mag, mochte, hat gemocht = sympathisch finden Ich mag die Frau meines Bruders nicht. Der Hund mag dich.	**like** find likeable I do not like my brother's wife. The dog likes you.
gernhaben *V* hat gern, hatte gern, hat gerngehabt Sie liebt Alexander nicht mehr, aber sie hat ihn immer noch gern.	**like** She does not love Alexander anymore but she still likes him.
dankbar *Adj* dankbarer, am dankbarsten Ich werde Ihnen für immer dankbar sein.	**grateful** I will be grateful to you forever.
vertrauen *V* vertraut, vertraute, hat vertraut Er vertraut seinem Kollegen, er gibt ihm sogar sein Passwort.	**trust** He trusts his colleague, he even gives him his password.
das **Vertrauen** *N* des Vertrauens, *(nur Singular)* Sie hat Vertrauen zu ihrer Mutter.	**trust** She trusts her mother.
das **Mitleid** *N* des Mitleid(e)s, *(nur Singular)* Er ist selbst schuld! Mit ihm habe ich kein Mitleid.	**sympathy** That's his own fault! I have no sympathy with him.
sich wundern *V* wundert sich, wunderte sich, hat sich gewundert = erstaunt sein Ich wundere mich, dass du schon wieder Hunger hast. Wir haben doch erst vor einer Stunde gegessen.	**be surprised** be amazed I am surprised that you are already hungry again. We only ate an hour ago.
überraschen *V* überrascht, überraschte, hat überrascht Er überrascht sie mit einem Blumenstrauß. Ich bin ganz überrascht, dass du schon da bist.	**surprise** He surprises her with a bunch of flowers. I am completely surprised that you are here already.

die **Überraschung** *N* der Überraschung, die Überraschungen Du bist schwanger – das ist aber eine schöne Überraschung!	**surprise** You are pregnant – that is a nice surprise!
die **Hoffnung** *N* der Hoffnung, die Hoffnungen Sie hat die Hoffnung noch nicht aufgegeben, dass er mit dem Trinken aufhört.	**hope** She has still not given up hope that he'll stop drinking.
hoffen *V* hofft, hoffte, hat gehofft Ich hoffe, dass ihr alle zu meinem Fest kommt. Wir hoffen auf besseres Wetter.	**hope** I hope that all of you will be coming to my party. We hope for better weather.
beruhigen *V* beruhigt, beruhigte, hat beruhigt Beruhige dich doch – es ist nichts passiert. Ich kann dich beruhigen: Du bist nicht durch die Prüfung gefallen.	**calm; reassure** Calm down – nothing has happened. I can reassure you that you have not failed the exam.
egal sein = gleich sein Es ist mir egal, ob sie anruft.	**it's all the same** It's all the same to me if she calls or not.
die **Langeweile** *N* der Langeweile, *(nur Singular)* Abends überkommt mich oft die Langeweile.	**boredom** Boredom often overcomes me in the evenings.
langweilig *Adj* langweiliger, am langweiligsten Mir ist langweilig.	**boring** I am bored.

4.3 Negative Gefühle — Negative feelings

unglücklich *Adj* unglücklicher, am unglücklichsten Celia ist über die Scheidung sehr unglücklich.	**unhappy** Celia is very unhappy about the divorce.
traurig *Adj* trauriger, am traurigsten Sie ist traurig, dass ihre Freundin morgen wegfährt.	**sad** She is sad that her friend is leaving tomorrow.
weinen *V* weint, weinte, hat geweint Sie weinte, als sie merkte, dass sie ihre Kette verloren hatte.	**cry** She cried when she saw that she had lost her necklace.
die **Träne** *N* der Träne, die Tränen	**tear**

Bettina liefen die Tränen, als sie ihr Kind im Krankenhaus zurücklassen musste.	The tears ran down Bettina's cheeks when she had to leave her child in hospital.
wehtun *V* tut weh, tat weh, hat wehgetan Es tut ihm weh, dass seine Kinder eine schlechte Meinung von ihm haben.	**hurt** It hurts him that his children have a low opinion of him.
leiden *V* leidet, litt, hat gelitten Sie leidet unter der schlechten Atmosphäre in ihrem Büro.	**suffer; have a bad effect on sb / sth** The bad atmosphere in the office has a bad effect on her.
enttäuschen *V* enttäuscht, enttäuschte, hat enttäuscht Klar, ich komme – ich möchte Sie ja nicht enttäuschen. Er ist von seinem neuen Auto enttäuscht.	**disappoint** Sure I'll come – I do not want to disappoint you. He is disappointed with his new car.
die **Enttäuschung** *N* der Enttäuschung, die Enttäuschungen Die Enttäuschung war ihm deutlich anzusehen.	**disappointment** His disappointment was clear to see.
vermissen *V* vermisst, vermisste, hat vermisst Sie vermisst ihre Familie.	**miss** She misses her family.
vermissen *V* vermisst, vermisste, hat vermisst Ich vermisse meinen Schlüssel, hast du ihn irgendwo gesehen?	*here:* **cannot find** I can't find my key. Have you seen it anywhere?
das **Heimweh** *N* des Heimwehs, *(nur Singular)* Ich bin schon seit 12 Monaten in Deutschland, aber ich habe immer noch Heimweh.	**homesickness** I have already been in Germany for 12 months, but I am still homesick.

Stating a feeling as a reason

Vor can be used to introduce an emotional reason or cause.

Sie zitterte vor Angst.	She was quivering with fear.
Sie weinte vor Freude.	She was crying for joy.
Vor Schreck ließ er den Teller fallen.	He dropped the plate in fright.
Er schrie vor Schmerzen.	He screamed in pain.

leidtun *V*	**sb is sorry**
tut leid, tat leid, hat leidgetan	
= bedauern	regret
Der alte Mann tut ihnen leid.	They are sorry about the old man.
Tut mir leid, da kann ich Ihnen nicht helfen.	I am sorry, I cannot help you.
sich sorgen *V*	**be worried**
sorgt sich, sorgte sich, hat sich gesorgt	
Seit sie von dem Unfall gehört hat, sorgt sie sich um ihren Sohn.	She has been worried about her son since she heard about the accident.
↳ besorgt sein	be concerned
die **Sorge** *N*	**worry**
der Sorge, die Sorgen	
Meine größte Sorge ist, dass ihm etwas passiert ist.	My biggest worry is that something has happened to him.
die **Angst** *N*	**fear**
der Angst, die Ängste	
Susi hat Angst vor Hunden.	Susi is afraid of dogs.
Angst bekommen / kriegen	become afraid, get scared
sich fürchten *V*	**fear**
fürchtet sich, fürchtete sich, hat sich gefürchtet	
= Angst haben	be afraid
Sie fürchtet sich vor der Dunkelheit.	She is afraid of the dark.
erschrecken *V*	**give a fright**
erschreckt, erschreckte, hat erschreckt	
Du sollst mich doch nicht erschrecken!	You should not give me a fright!
erschrecken *V*	**get a fright**
erschrickt, erschrak, ist erschrocken	
= einen Schreck(en) bekommen / kriegen	
= sich erschrecken *(ugs.)*	
Sie ist so erschrocken, dass ihr das Glas aus der Hand fiel.	She got such a fright that the glass fell out of her hand.
der **Schreck** *N (auch: Schrecken)*	**fright, scare**
des Schreck(e)s, die Schrecke *(selten)*	
Als er sein Portemonnaie nicht gleich fand, hat er einen großen Schreck bekommen.	He got a big fright when he couldn't find his wallet straightaway.
sich aufregen *V*	**get worked up**
regt sich auf, regte sich auf, hat sich aufgeregt	
= sich empören	be filled with indignation
Alle Nachbarn regen sich auf, weil Herr Mantei in der Mittagszeit den Rasen mäht.	All of the neighbours are getting worked up because Mr Mantei mows the lawn at lunchtime.
Reg dich nicht auf!	Don't get worked up (about it)!
aufgeregt *Adj*	**excited, nervous**
aufgeregter, am aufgeregtesten	

= nervös Bist du aufgeregt?	nervous Are you excited / nervous?
aufregend *Adj* aufregender, am aufregendsten = bewegend Unsere Hochzeit war der aufregendste Moment meines Lebens.	**exciting** moving Our wedding was the most exciting moment in my life.
nervös *Adj* nervöser, am nervösesten = unruhig Vor mündlichen Prüfungen ist Stefan immer sehr nervös.	**nervous** restless Stefan is always very nervous before the oral exams.
das Herz schlägt bis zum Hals Als ich ihn sah, schlug mir das Herz bis zum Hals.	**sb's heart is in their mouth** *(be very excited)* My heart was in my mouth when I saw him.
ärgern *V* ärgert, ärgerte, hat geärgert Er ärgert seinen Bruder.	**annoy** He annoys his brother.
sich ärgern *V* ärgert sich, ärgerte sich, hat sich geärgert Sie ärgert sich über ihren Chef. Ich ärgere mich darüber, dass du mir nicht die Wahrheit gesagt hast.	**be annoyed** She is annoyed with her boss. I am annoyed that you did not tell me the truth.
der **Ärger** *N* des Ärgers, *(nur Singular)* Heute hatte ich mit der Praktikantin wieder viel Ärger. Manchmal ist es am besten, seinen Ärger herunterzuschlucken. ↳ ärgerlich	**trouble; annoyance** I had a lot of trouble with the trainee again today. It is sometimes best to bottle up one's annoy-ance. annoyed, cross
jemandem auf die Nerven gehen Der Verkehrslärm geht mir auf die Nerven.	**get on sb's nerves** The traffic noise gets on my nerves.
wütend *Adj* wütender, am wütendsten Er lief wütend aus dem Zimmer. Nachdem sie ihren Mann auch nach fünf Anrufen nicht erreichen konnte, wurde sie langsam wütend.	**furious, enraged** He walked out of the room in a rage. After she had failed to reach her husband after five phone calls, she began to get furious.
sauer sein *(ugs.)* Ich bin wirklich sauer auf dich.	**be cross** I am really cross with you.
auf jemanden böse sein = sich über jemanden ärgern	**be angry / cross with sb** be / get annoyed with sb

Sie ist böse auf ihre Tochter, weil sie ihre Hausaufgaben nicht gemacht hat.	She is angry with her daughter because she did not do her homework.
jemandem böse sein Sie ist ihrem Mann böse, weil er den Hochzeitstag vergessen hat.	**be angry / cross with sb** She is cross with her husband because he forgot the anniversary.
ein schlechtes Gewissen haben = sich schuldig fühlen Ich habe ein ganz schlechtes Gewissen, weil ich mich so lange nicht bei dir gemeldet habe. Gewissensbisse haben	**have a bad conscience** feel guilty I have a really bad conscience because I did not call you for a long time. have a guilty conscience
peinlich *Adj* peinlicher, am peinlichsten = unangenehm Es ist mir sehr peinlich, dass ich Ihren Namen vergessen habe.	**embarrassing** unpleasant It is very embarrassing for me that I have forgotten your name.
hassen *V* hasst, hasste, hat gehasst Ich hasse es, früh aufstehen zu müssen.	**hate** I hate having to get up early.
beleidigen *V* beleidigt, beleidigte, hat beleidigt Ich hoffe, ich habe Sie nicht beleidigt.	**insult** I hope that I did not insult you.
beleidigt *Adj* Sei doch nicht so schnell beleidigt!	**offended** Do not be so quick to take offence!
stören *V* stört, störte, hat gestört Der Lärm der startenden und landenden Flugzeuge stört mich.	**disturb; disrupt** The noise of the planes taking off and landing disturbs me.

5 Mentale Fähigkeiten

5.1 Denken und verstehen | Thinking and understanding

die **Intelligenz** *N* der Intelligenz, *(in dieser Bedeutung nur Singular)* Es gibt viele Tests, um Intelligenz zu messen.	**intelligence** There are many tests to measure intelligence.
intelligent *Adj* intelligenter, am intelligentesten Meine Schwester ist sehr intelligent.	**intelligent** My sister is very intelligent.
denken *V* denkt, dachte, hat gedacht Logisches Denken war noch nie meine Stärke.	**think** *(mental activity)* Logical thinking never was my strong point.
denken *V* denkt, dachte, hat gedacht Sie denkt oft an ihren verstorbenen Vater.	**think** *(be with somebody in one's thoughts)* She often thinks of her deceased father.
denken *V* denkt, dachte, hat gedacht Ich denke, bis zum Gipfel sind es noch zwei Stunden. Wer hätte das gedacht!	**think, reckon** *(believe; presume)* I think we'll reach the peak in another two hours. Who would have thought!
der **Gedanke** *N* des Gedankens, die Gedanken Der Gedanke an meine Operation macht mir Angst. Ich finde, das ist ein guter Gedanke – so machen wir es.	**thought; idea** The thought of my operation frightens me. I think that is a good idea – let's do it.

in Gedanken versunken sein	be lost in contemplation
die **Idee** *N* der Idee, die Ideen Hast du schon eine Idee, was wir am Wochenende machen könnten?	**idea** Do you have an idea what we could do at the weekend?
auf eine Idee kommen Auf diese Idee wäre ich nie gekommen!	**come up with an idea** I would never have come up with this idea!
einfallen *V* fällt ein, fiel ein, ist eingefallen Katrin ist gerade eingefallen, dass sie noch einen anderen Termin hat.	**remember** Katrin has just remembered that she has another appointment as well.
der **Einfall** *N* des Einfalls, die Einfälle = die Idee Christian hatte den Einfall, dass wir schwimmen gehen könnten.	**idea** Christian had the idea of us going swimming.
realisieren *V* realisiert, realisierte, hat realisiert = bemerken Ich habe erst später realisiert, dass er eine neue Brille trägt.	**realize** notice It was only later that I realised he has new glasses.
nachdenken *V* denkt nach, dachte nach, hat nachgedacht Das ist ein echtes Problem – darüber muss ich erst einmal in Ruhe nachdenken.	**think (about)** That's a real problem – I'll need some time to think about it.
sich überlegen *V* überlegt sich, überlegte sich, hat sich überlegt Willst du morgen zum Paragliding mitkommen? – Weiß nicht, das muss ich mir erst noch überlegen.	**consider, think about** Would you like to come with me to the paragliding course? – I don't know, I'll have to think about it.
planen *V* plant, plante, hat geplant Stefan plant alles ganz genau.	**plan** Stefan plans everything very carefully.
sich beschäftigen *V* beschäftigt sich, beschäftigte sich, hat sich beschäftigt Carolo beschäftigt sich schon lange mit philosophischen Fragen.	**occupy oneself, busy oneself** Carolo has been occupying himself with philosophical questions for a long time.
sich konzentrieren *V* konzentriert sich, konzentrierte sich, hat sich konzentriert	**concentrate**

Kinder, seid ruhig. Papa muss arbeiten und sich konzentrieren.	Children, please be quiet. Dad has to concentrate on his work.
sich interessieren *V* interessiert sich, interessierte sich, hat sich interessiert Ich interessiere mich brennend für die Neurowissenschaften.	**be interested** I am incredibly interested in neuroscience.
das **Interesse** *N* des Interesses, *(in dieser Bedeutung nur Singular)* Sein Freund hat wenig Interesse an Kunst.	**interest** Art is of little interest to his friend.
interessiert *Adj* interessierter, am interessiertesten Marina ist an Astrologie interessiert.	**interested** Marina is interested in astrology.
erinnern *V* erinnert, erinnerte, hat erinnert Erinnern Sie meine Tochter daran, die Hausaufgaben zu machen.	**remind** Remind my daughter to do her homework.
sich erinnern *V* erinnert sich, erinnerte sich, hat sich erinnert Erinnerst du dich an Toms Unfall?	**remember** Do you remember Tom's accident?
die **Erinnerung** *N* der Erinnerung, die Erinnerungen Die meisten Menschen haben keine Erinnerungen an die Zeit, als sie noch Baby waren. etwas in Erinnerung behalten	**memory** Most people have no memory of the time when they were still a baby. carry the memory of sth (with one)
das **Verständnis** *N* des Verständnisses, die Verständnisse	**understanding**
verständlich *Adj* verständlicher, am verständlichsten Was meinst du? Ist das so verständlich genug? Der Artikel ist verständlich geschrieben.	**clear, comprehensible** What do you mean? Is that clear enough? The article is written in an easily comprehensible way.

5.2 Entscheiden und Wissen — Deciding and knowing

vergleichen *V* vergleicht, verglich, hat verglichen Er vergleicht die Situation A mit der Situation B.	**compare** He compares situation A with situation B.
der **Vergleich** *N* des Vergleich(e)s, die Vergleiche	**comparison**

Im Vergleich zu gestern ist die Situation heute viel besser.	Compared with yesterday, the situation today is far better.

→ For comparison see also section *34.3 Vergleich und Steigerung* (pages 538 ff).

analysieren *V* analysiert, analysierte, hat analysiert Bevor wir eine Strategie für die Zukunft entwickeln, müssen wir die gegenwärtige Situation analysieren.	**analyse** *(BE)*, **analyze** *(AE)* We must analyse the present situation before we develop a strategy for the future.
rechnen *V* rechnet, rechnete, hat gerechnet Das Rechnen fällt Sarah leicht. Kannst du die Kosten zusammenrechnen?	**calculate** Sarah finds calculating easy. Can you add up the costs?
verstehen *V* versteht, verstand, hat verstanden Haben Sie die Frage verstanden? Michael versteht nichts von Fußball.	**understand** Did you understand the question? Michael does not understand anything about football.
erkennen *V* erkennt, erkannte, hat erkannt Er hat erkannt, dass er einen Fehler gemacht hat. Die Bedeutung ihrer Worte erkannte er erst viel später.	**realise; recognize** He realised that he had made a mistake. He did not recognize the meaning of her words until much later.
sich entscheiden *V* entscheidet sich, entschied sich, hat sich entschieden Ich kann mich einfach nicht entscheiden: Beide Angebote sind interessant.	**decide** I simply cannot decide: Both offers are interesting.
die **Entscheidung** *N* der Entscheidung, die Entscheidungen Es fällt mir schwer, eine Entscheidung zu treffen.	**decision** I'm finding it hard to make a decision.
einen Entschluss fassen = sich entscheiden Sie hat den Entschluss gefasst, ihren Mann zu verlassen.	**make a decision** decide She made the decision to leave her husband.
sich irren *V* irrt sich, irrte sich, hat sich geirrt = sich täuschen Ich habe mich im Datum geirrt.	**be wrong about** fool oneself in doing sth I was wrong about the date.
verwechseln *V* verwechselt, verwechselte, hat verwechselt An der Garderobe sind zwei Mäntel verwechselt worden.	**mix up** Two coats got mixed up in the cloakroom.

wissen *V*	**know**
weiß, wusste, hat gewusst	
Man kann meinen Onkel alles fragen, er weiß alles.	You can ask my uncle anything, he knows everything.
Silas weiß nicht, was er will.	Silas does not know what he wants.
das **Wissen** *N*	**knowledge**
des Wissens, *(nur Singular)*	
Die Frau hat ein enormes Wissen über Pferde.	The woman has a vast knowledge of horses.
klug *Adj*	**clever, intelligent**
klüger, am klügsten	
≠ unklug	imprudent
Sandra ist eine kluge Person.	Sandra is a clever person.
Das ist eine kluge Anwort.	That is an intelligent answer.
dumm *Adj*	**stupid; silly**
dümmer, am dümmsten	
= unklug	imprudent
Das war wirklich eine dumme Idee.	This was really a silly idea.
die **Erfahrung** *N*	**experience; routine**
der Erfahrung, die Erfahrungen	
Sie weiß aus Erfahrung, dass es bei diesem Thema immer Ärger gibt.	She knows from experience that there is always trouble with this topic.
Erfahrungen sammeln	gain experience
die **Ahnung** *N*	**idea, clue**
der Ahnung, die Ahnungen	
Weißt du, wo meine Handschuhe sind? – Keine Ahnung.	Do you know where my gloves are? – I haven't a clue.
Von Mathe habe ich keine Ahnung.	I have no idea about maths.
sich merken *V*	**remember**
merkt sich, merkte sich, hat sich gemerkt	
= behalten	
Ich kann mir seinen Namen einfach nicht merken.	I simply cannot remember his name.
vergessen *V*	**forget**
vergisst, vergaß, hat vergessen	
Ich habe Sabines Geburtstag vergessen.	I forgot Sabine's birthday.
erfinden *V*	**invent**
erfindet, erfand, hat erfunden	
1873 erfand Levi Strauss die Jeans.	Levi Strauss invented jeans in 1873.
die **Erfindung** *N*	**invention**
der Erfindung, die Erfindungen	
Die Erfindung des Internets ist eine digitale Revolution.	The invention of the internet is a digital revolution.
↳ der Erfinder, die Erfinderin	inventor

6 Krankheit und medizinische Versorgung

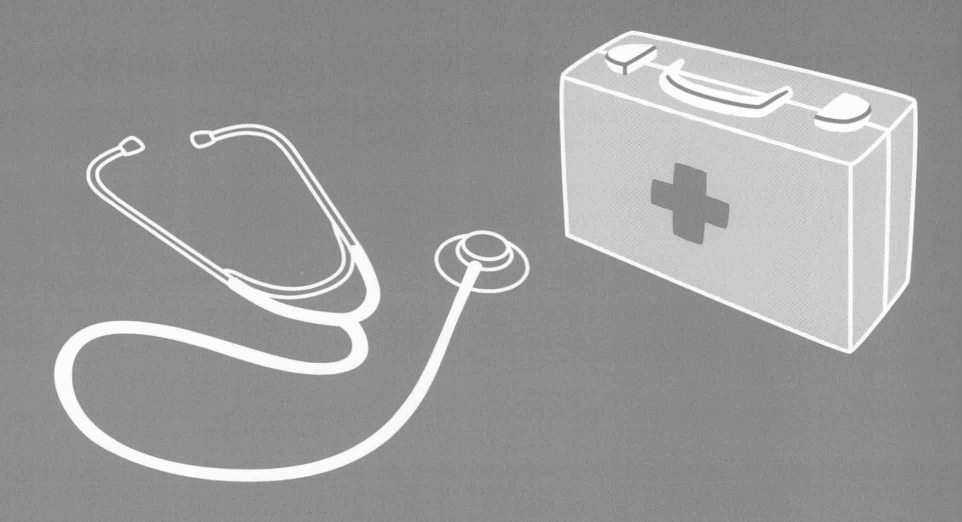

6.1 Allgemeines Befinden — General state of health

die **Gesundheit** *N* der Gesundheit, *(nur Singular)* ≠ die Krankheit Du musst mehr für deine Gesundheit tun!	**health** disease, illness You have to do more for your health!
gesund *Adj* gesünder, am gesündesten ≠ krank Sind Sie wieder gesund? Ich hoffe, du wirst schnell wieder gesund.	**back to health; healthy, well** sick, ill Are you back to health? I hope you get well soon.
sich fühlen *V* fühlt sich, fühlte sich, hat sich gefühlt Wie fühlen Sie sich? Ich bin nicht krank, aber ich fühle mich nicht gut.	**feel** How do you feel? I am not ill, but I do not feel well.
gut gehen ≠ schlecht gehen Heute geht es mir gar nicht gut.	**be well** feel bad I am absolutely not well today.
schlecht gehen Es geht mir schlecht, ich habe Kopfschmerzen.	**feel bad** I feel bad. I have a headache.
wohl *Adv* Max fühlt sich wohl, wenn er zu seinen Eltern fährt.	**at ease, comfortable; well** Max feels at ease when he goes to his parents.
fit *Adj*	**fit, in good shape** *(healthy)*

fitter, am fittesten Ich bin einfach noch nicht richtig fit.	I am simply not quite fit yet.
klagen *V* klagt, klagte, hat geklagt Sie klagt über Bauchschmerzen. Ich kann nicht klagen.	**complain** She complains about stomach ache. I can not complain.
blass *Adj* blasser, am blassesten Sie ist noch immer nicht richtig gesund; sie sieht noch blass aus.	**pale** She is not quite well yet; she still looks pale.
normal *Adj* normaler, am normalsten Es ist ganz normal, auch mal etwas zu vergessen.	**normal** It is quite normal to forget something now and then.
normalerweise *Adv* = in der Regel Wenn ich eine Grippe habe, gehe ich normalerweise drei Tage nicht zur Arbeit.	**normally** as a rule If I have the flu, I normally don't go to work for three days.
überhaupt *Partikel* Haben sie heute Nacht überhaupt geschlafen?	*here:* **at all** *(expressing scepticism)* Did you sleep at all last night?
gar nicht Es geht mir gar nicht gut.	**at all** I am not feeling well at all.
aller- *Präfix* Spaziergänge an der frischen Luft sind gut für Ihre Gesundheit. Am allerbesten dreimal am Tag.	**... of all** *(intensifying)* Walks in the fresh air are good for your health. Best of all three times a day.
gehen *V* geht, ging, ist gegangen Wie geht es Ihnen? – Danke, gut.	**feel** *(state of health)* How do you feel? – I'm fine, thank you.
es geht Wie fühlen Sie sich? – Es geht so.	**all right** *(vague answer)* How do you feel? – All right.
nicht besonders Wie geht's dir? – Nicht besonders gut.	**not very; not too** How do you feel? – Not too good.
schlecht sein / werden = übel sein / werden Mir ist schlecht. Mir wird schlecht.	*here:* **sb is not feeling well, sb is going to be sick** feel sick I'm not feeling well. I'm going to be sick.
müde *Adj* müder, am müd(e)sten Julian ist müde.	**tired** Julian is tired.

erschöpft *Adj* erschöpfter, am erschöpftesten Ich hatte drei Jahre keinen Urlaub. Ich bin total erschöpft.	**exhausted** I have not had a holiday for three years. I am totally exhausted.
fertig *Adj (ugs.)* = erledigt *(ugs.)* Ich hatte heute viel Stress. Ich bin völlig fertig.	**exhausted** shattered, worn out I had a lot of stress today. I am completely exhausted.
kaputt *Adj (ugs.)* kaputter, am kaputtesten = erschöpft Bist du auch so kaputt?	**shattered** exhausted Are you shattered as well?

6.2 Krankheiten und Verletzungen — Illnesses and injuries

krank *Adj* kränker, am kränksten ≠ gesund Mein Bruder ist krank.	**sick, ill** healthy My brother is ill / sick.
etwa *Partikel* Bist du etwa krank? Kannst du etwa schon aufstehen?	*not translated* *(expressing a presumption / surprise)* You're not ill, are you? What? You can get up already?
die **Krankheit** *N* der Krankheit, die Krankheiten ≠ die Gesundheit Ebola ist eine ansteckende Krankheit.	**illness, disease** health Ebola is an infectious disease.
sich erkälten *V* erkältet sich, erkältete sich, hat sich erkältet Im Winter erkälten sich viele Menschen.	**catch a cold** Many people catch a cold in the winter.
die **Erkältung** *N* der Erkältung, die Erkältungen Silvia hat eine schwere Erkältung.	**cold** Silvia has a bad cold.
erkältet sein Wenn man erkältet ist, geht man am besten ins Bett.	**have a cold** If you have a cold, you are best going to bed.
husten *V* hustet, hustete, hat gehustet Das Kind hustet vor allem nachts.	**cough** The child coughs mainly at night.
der **Husten** *N* des Hustens, die Husten Ich habe seit drei Tagen einen starken Husten.	**cough** I have had a bad cough for three days.

↳ der Hustensaft	cough mixture
der **Schnupfen** *N* des Schnupfens, die Schnupfen Ich glaube, ich bekomme einen Schnupfen.	**cold** I think I'm getting a cold.
das **Fieber** *N* des Fiebers, die Fieber Meine Tochter hat hohes Fieber.	**high temperature, fever** My daughter has a high temperature.
die **Grippe** *N* der Grippe, die Grippen Meine Tochter hat die Grippe aus dem Kindergarten.	**influenza, flu** My daughter got the flu from kindergarten.
tief *Adv* tiefer, am tiefsten Jetzt bitte mal tief einatmen!	**deep; deeply** Please breathe deeply now!
das **Taschentuch** *N* des Taschentuch(e)s, die Taschentücher Bring bitte Taschentücher mit, wir haben keine mehr.	**tissue; handkerchief** Please bring tissues, we have run out.
sich die Nase putzen Putz dir die Nase!	**wipe / blow one's nose** Wipe your nose!
sich übergeben *V* übergibt sich, übergab sich, hat sich übergeben = kotzen *(ugs.)* Tibor hat sich heute schon zweimal übergeben.	**vomit** Tibor has already vomited twice today.
der **Durchfall** *N* des Durchfalls, die Durchfälle Haben Sie Durchfall?	**diarrhoea** *(BE)*, **diarrhea** *(AE)* Do you have diarrhoea?
leiden *V* leidet, litt, hat gelitten Karina leidet an Migräne.	**suffer** Karina suffers from migraine.
der **Schmerz** *N* des Schmerzes, die Schmerzen Ich konnte heute Nacht vor Schmerzen nicht schlafen. ↳ der Kopfschmerz ↳ die Halsschmerzen ↳ die Bauchschmerzen	**pain** I could not sleep for pain last night. headache sore throat stomachache
wehtun *V* tut weh, tat weh, hat wehgetan Wo tut es denn weh? Sabrina tut der Bauch weh.	**hurt** Where does it hurt? Sabrina's stomach is hurting.

gute Besserung Sie wünscht ihrem Kollegen gute Besserung.	**Get well soon.** She wishes her colleague: "Get well soon."
au! *Interjektion*	**ouch, ow!** *(interjection of pain)*
sich verletzen *V* verletzt sich, verletzte sich, hat sich verletzt Martha hat sich am Fuß verletzt.	**hurt oneself** Martha has hurt her foot.
die **Verletzung** *N* der Verletzung, die Verletzungen Zum Glück hat sie nur leichte Verletzungen.	**injury** Fortunately, she has only minor injuries.
die **Wunde** *N* der Wunde, die Wunden Die frische Wunde blutet sehr stark.	**wound** The fresh wound is bleeding very badly.
bluten *V* blutet, blutete, hat geblutet Sie ist mit dem Fahrrad gestürzt. Jetzt blutet sie am Bein.	**bleed** She has fallen off the bike. Now her leg is bleeding.
das **Blut** *N* des Blutes, die Blute *(selten)* Wir müssen Ihnen Blut abnehmen. ↳ das Nasenbluten	**blood** We have to take blood from you. nosebleed
böse *Adj* böser, am bösesten = schlimm Das ist aber ein böser Schnitt! Die Wunde sieht aber böse aus.	**bad** That's a bad cut! The wound looks bad.
sich vergrößern *V* vergrößert sich, vergrößerte sich, hat sich vergrößert ≠ sich verkleinern Der Tumor hat sich vergrößert.	**grow bigger, increase** grow smaller, decrease The tumour grew bigger.
sich schneiden *V* schneidet sich, schnitt sich, hat sich geschnitten Er hat sich in den Finger geschnitten.	**cut** He has cut his finger.
sich verbrennen *V* verbrennt sich, verbrannte sich, hat sich verbrannt Spiel nicht mit dem Feuerzeug – man kann sich dabei verbrennen.	**burn oneself** Don't play with the lighter – you could burn yourself.
sich stoßen *V* stößt sich, stieß sich, hat sich gestoßen Ich habe mich an der Tür gestoßen – es tut sehr weh.	**bump, stumble against** I bumped into the door – it hurts very much.

brechen *V* bricht, brach, ist gebrochen Der Knochen ist gebrochen.	**break** The bone is broken.
sich etwas brechen *V* bricht sich, brach sich, hat sich gebrochen Er hat sich beim Snowboarden den Arm gebrochen.	**break** He broke his arm while snowboarding.
sich festhalten *V* hält sich fest, hielt sich fest, hat sich festgehalten Vor ihren Augen dreht sich alles. Deswegen hält sie sich am Tisch fest.	**hold on** She's holding on to the table because her head is spinning.
bewegen *V* bewegt, bewegte, hat bewegt Ich kann meinen rechten Arm nicht mehr bewegen.	**move** I cannot move my right arm anymore.
blind *Adj* Können Sie dem Mann über die Straße helfen? Er ist blind.	**blind** Could you help the man to cross over the street? He is blind.
taub *Adj* Mein Vater ist nicht taub, aber er braucht ein Hörgerät. Bist du taub? Ich spreche mit dir.	**deaf** My father is not deaf but he needs a hearing aid. Are you deaf? I'm talking to you.
stumm *Adj* Das Kind ist von Geburt an stumm.	**dumb; mute** The child was born mute.
behindert *Adj* Unsere Nachbarn haben ein behindertes Kind.	**disabled** Our neighbours have a disabled child.
der **Krebs** *N* des Krebs, die Krebse Olafs Tante ist an Krebs gestorben.	**cancer** Olaf's aunt has died of cancer.
das **Aids** [eɪts] *N (meist ohne Artikel)* des Aids, *(nur Singular)* Sein Bruder hat Aids.	**Aids** His brother has Aids.

6.3 Medizinische Versorgung — Medical care

der **Arzt** *N* des Arztes, die Ärzte Wir müssen einen Arzt rufen. ↳ der Zahnarzt, die Zahnärztin ↳ der Facharzt, die Fachärztin	**doctor, physician** *(AE)* We have to call a doctor. dentist specialist

die **Ärztin** *N* der Ärztin, die Ärztinnen	**doctor, physician** *(AE)*
der **Doktor** *N* des Doktors, die Doktoren = der Arzt Warst du schon beim Doktor?	**doctor** Have you already been to the doctor?
die **Doktorin** *N* der Doktorin, die Doktorinnen	**doctor**
fehlen *V* fehlt, fehlte, hat gefehlt Was fehlt Ihnen denn?	**be wrong** What is wrong with you?
behandeln *V* behandelt, behandelte, hat behandelt Sie müssen von einem Facharzt behandelt werden.	**treat** You have to be treated by a specialist.
untersuchen *V* untersucht, untersuchte, hat untersucht Der Internist hat mich gründlich untersucht.	**examine** The internist examined me thoroughly.
die **Untersuchung** *N* der Untersuchung, die Untersuchungen Kommen Sie bitte am Dienstag um 9 Uhr zur Untersuchung.	**examination** Please come to the examination on Tuesday at 9 a.m.
die **Praxis** *N (D, CH; Kurzform für Arztpraxis)* der Praxis, die Praxen = die Ordination *(A)* Die Praxis ist in der Friedrichstraße.	**practice, surgery** *(BE)*, **doctor's office** *(AE)* The doctor's office is on Friedrichstraße.
vereinbaren *V* vereinbart, vereinbarte, hat vereinbart Ich möchte gerne einen Termin mit Ihnen vereinbaren.	**arrange** I would like to arrange an appointment with you.
die **Sprechstunde** *N (D, CH)* der Sprechstunde, die Sprechstunden = die Ordination *(A)* Mittwochnachmittag ist keine Sprechstunde.	**consultating hours, surgery hours** *(BE)* There is no surgery on Wednesday afternoons.
der **Notruf** *N* des Notruf(e)s, die Notrufe Er hat über den Notruf einen Krankenwagen gerufen.	**emergency call; emergency number** He called an ambulance using the emergency number.
der **Notfall** *N* des Notfall(e)s, die Notfälle	**emergency**

Das ist ein Notfall! Der Mann muss sofort in ein Krankenhaus.	This is an emergency! The man has to go to hospital immediately.
der **Krankenwagen** *N* des Krankenwagens, die Krankenwagen = die Rettung *(A)* = die Sanität *(CH)* Der Krankenwagen war in wenigen Minuten an der Unfallstelle.	**ambulance** The ambulance arrived at the accident scene a few minutes later.
holen *V* holt, holte, hat geholt Kann jemand einen Arzt holen?	**send for** Can anybody send for a doctor?
die Erste Hilfe Der Notarzt leistet Erste Hilfe.	**first aid** The emergency doctor gives first aid.
die **Notaufnahme** *N* der Notaufnahme, die Notaufnahmen Die Notaufnahme ist auch an Sonn- und Feiertagen geöffnet.	**accident and emergency (A & E) department** The accident and emergency department is also open on Sundays and bank holidays.
das **Krankenhaus** *N* des Krankenhauses, die Krankenhäuser Sein Vater hatte einen Herzinfarkt. Er musste sofort ins Krankenhaus.	**hospital** His father had a heart attack. He had to go to hospital immediately.
die **Station** *N* der Station, die Stationen Herr Moltmann liegt auf Station 2 B. ↳ die Intensivstation	**ward** Mr Moltmann is on ward 2 B. intensive care unit
die **Krankenschwester** *N* der Krankenschwester, die Krankenschwestern = die Krankenpflegerin	**nurse**
die **Schwester** *N (Kurzform für Krankenschwester)* der Schwester, die Schwestern Schwester, könnte ich ein Beruhigungsmittel bekommen?	**nurse** Nurse, could I get a sedative?
der **Krankenpfleger** *N* des Krankenpflegers, die Krankenpfleger	**(male) nurse**
die **Klinik** *N* der Klinik, die Kliniken	**clinic**
entlassen *V* entlässt, entließ, hat entlassen Sie machen gute Fortschritte. Sie können nächste Woche entlassen werden.	**discharge** You are making good progress. You can be discharged next week.

völlig *Adj* Er ist wieder völlig gesund.	**complete; completely** He is completely all right again.
die **Krankenkasse** *N* der Krankenkasse, die Krankenkassen Ich bin bei einer privaten Krankenkasse.	**health insurance company** I'm with a private health insurance company.
der **Patient** *N* des Patienten, die Patienten Der Arzt nimmt sich für seine Patienten viel Zeit. ↳ der Kassenpatient, die Kassenpatientin ↳ der Privatpatient, die Privatpatientin	**patient** The doctor takes a lot of time for his patients. NHS patient *(BE)*, public health patient private patient
die **Patientin** *N* der Patientin, die Patientinnen	**patient**
überweisen *V* überweist, überwies, hat überwiesen Der Hausarzt hat mich zum Neurologen überwiesen.	**refer** The family doctor referred me to a neurologist.
die **Überweisung** *N* der Überweisung, die Überweisungen Wir geben Ihnen eine Überweisung für das Krankenhaus mit.	**referral** We are giving you a referral to hospital.
die **Versichertenkarte** *N* der Versichertenkarte, die Versichertenkarten	**healthinsurance card**
die **elektronische Gesundheitskarte** *N (Abkürzung: eGK)* Seit 2015 gilt in Deutschland die elektronische Gesundheitskarte, eine erweiterbare Versichertenkarte mit Foto.	**electronic healthinsurance card** In 2015 Germany introduced the electronic healthinsurance card with photo.
die **e-card** *N (A) (Abkürzung für Europäische Krankenversicherungskarte)* der e-card, die e-cards Die e-card gilt im Urlaub in den Ländern der Europäischen Union, aber auch in der Schweiz und in anderen Ländern.	**e-card** The e-card is valid in countries of the European Union during the holidays, but also in Switzerland and other countries.
die **Chipkarte** *N* der Chipkarte, die Chipkarten Auf der Chipkarte sind alle wichtigen Informationen zu einer Person gespeichert.	**smart card** All the important information about a person is stored on the smart card.
die **Krankenversicherung** *N* der Krankenversicherung, die Krankenversicherungen Ich bin mit meiner Krankenversicherung nicht zufrieden.	**health insurance** I am not satisfied with my health insurance.

↳ die gesetzliche Krankenversicherung (GKV) ↳ die private Krankenversicherung (PKV)	statutory health insurance private health insurance
krankenversichert *Adj* Wo sind Sie krankenversichert?	**health insured** Who is your health insurance provider?
der / die **Kranke** *N* des / der Kranken, die Kranken Kranke haben oft wenig Appetit.	**sick person, patient** Sick people often have little appetite.
besuchen *V* besucht, besuchte, hat besucht Sie können Ihre Mutter schon heute Nachmittag besuchen.	**visit** You can visit your mother this afternoon.
der **Besuch** *N (meist ohne Artikel)* des Besuch(e)s, die Besuche Besuch ist nur bis 17 Uhr erlaubt.	**visit** Visits are only allowed until 5 p.m.
das **Altersheim** *N* des Altersheim(e)s, die Altersheime = das Altenheim Im Altersheim gibt es zu wenig Pflegekräfte.	**old people's home** There are too few nurses at the old people's home.
allein *Adj* Sie ist oft allein zuhause. Seit seine Frau gestorben ist, fühlt er sich oft allein.	**alone; lonely** She is often alone at home. Since his wife died, he often feels lonely.
allein *Adj* Meine Oma macht noch viele Dinge ganz allein.	**on one's own** *(independent)* My grandma still does many things on her own.
einsam *Adj* einsamer, am einsamsten = allein Sie hat nicht viele Freunde. Sie ist sehr einsam.	**lonely** She does not have many friends. She is very lonely.
pflegen *V* pflegt, pflegte, hat gepflegt Janina pflegt ihre Mutter schon seit vielen Jahren.	**care for, look after, nurse** Janina has been caring for her mother for many years.
der **Pfleger** *N* des Pflegers, die Pfleger Der Pfleger hilft der Frau beim Aufstehen.	**(male) nurse** The nurse helps the women to get up.
die **Pflegerin** *N* der Pflegerin, die Pflegerinnen	**nurse**

6.4 Behandlungsmethoden und Medikamente | Treatments and medicines

die **Brille** *N* der Brille, die Brillen Er sieht schlecht, er braucht eine neue Brille.	**glasses, spectacles** He has poor eyesight, he needs new glasses.
die **Diät** *N* der Diät, die Diäten Sie sind übergewichtig. Sie sollten eine Diät machen.	**diet** You are overweight. You should go on a diet.
das **Medikament** *N* des Medikament(e)s, die Medikamente = die Arznei Sie verträgt das Medikament nicht.	**medicine** The medicine doesn't agree with her.
das **Rezept** *N* des Rezept(e)s, die Rezepte Cortison gibt es nur auf Rezept.	**prescription** Cortison is only available on prescription.
verschreiben *V* verschreibt, verschrieb, hat verschrieben Der Arzt hat mir ein Medikament gegen Rheuma verschrieben.	**prescribe** The doctor prescribed me medicine for rheumatism.
das **Schmerzmittel** *N* des Schmerzmittels, die Schmerzmittel Ich verschreibe Ihnen ein leichtes Schmerzmittel, dann müsste es besser werden.	**analgesic, painkiller** I'll prescribe you a light painkiller then it should get better.
die **Apotheke** *N* der Apotheke, die Apotheken Diese Creme gibt es ohne Rezept in der Apotheke.	**pharmacy, dispensary** You can get this cream in the pharmacy without a prescription.
die **Medizin** *N* der Medizin, die Medizinen Haben Sie schon Ihre Medizin eingenommen?	**medicine** *(medicament)* Did you take your medicine?
wirken *V* wirkt, wirkte, hat gewirkt Die Schlaftablette wirkt bei mir nicht. Kann ich noch eine haben?	**have an effect** The sleeping pill has no effect on me. Can I have another one?
die **Wirkung** *N* der Wirkung, die Wirkungen Bei mir haben homöopathische Medikamente keine Wirkung.	**effect** Homeopathic medicine has no effect on me.
einnehmen *V* nimmt ein, nahm ein, hat eingenommen	**take (medicine)** *(swallow medicine)*

Sie müssen die Tabletten dreimal am Tag einnehmen. | You have to take the pills three times a day.

die **Tablette** *N*
der Tablette, die Tabletten
Ich hätte gerne eine Tablette gegen Kopfschmerzen.

pill, tablet
I would like to have a pill for headaches.

die **Flüssigkeit** *N*
der Flüssigkeit, die Flüssigkeiten
Nehmen Sie die Tablette nach dem Essen mit viel Flüssigkeit ein.

liquid; fluid
Take the pill with a lot of liquid after a meal.

möglichst *Adv*
Sie sollten möglichst viel trinken.
Sie sollte möglichst schnell ins Krankenhaus.

as ... as possible
You should drink as much as possible.
She should go to hospital as fast as possible.

auflösen *V*
löst auf, löste auf, hat aufgelöst
Die Tablette muss man in Wasser auflösen.

dissolve *(break down in liquid)*
The pill must be dissolved in water.

die **Tropfen** *N (in dieser Bedeutung nur Plural)*
der Tropfen
Er soll die Tropfen nur morgens nehmen.

drops
He should take the drops only in the morning.

die **Salbe** *N*
der Salbe, die Salben
Tragen Sie diese Salbe nur ganz dünn auf.

ointment
Rub in a very small quantity of this ointment.

das **Pflaster** *N*
des Pflasters, die Pflaster
Ich habe mich geschnitten – ich brauche ein Pflaster.

plaster *(BE)*, **adhesive bandage** *(AE)*
I cut myself – I need a plaster.

---

die **Spritze** *N*
der Spritze, die Spritzen
Der Arzt gab dem Mann eine Spritze.

injection; syringe
The doctor gave the man an injection.

regelmäßig *Adj*
regelmäßiger, am regelmäßigsten
≠ unregelmäßig
Sie können das Medikament morgens oder abends nehmen, achten Sie aber auf eine regelmäßige Einnahme.

regular
irregular
You can take the medicine in the morning or in the evening, but make sure you take it regularly.

die **Infektion** *N*
der Infektion, die Infektionen
Im Urlaub in den Tropen hat er eine lebensgefährliche Infektion bekommen.

infection
He got an extremely dangerous infection on his holiday in the tropics.

stechen *V*
sticht, stach, hat gestochen

bite; prick

Mich hat eine Mücke an der Hand gestochen.	A mosquito bit me on the hand.
verbinden *V* verbindet, verband, hat verbunden Wir müssen die Wunde schnell verbinden.	**dress sb's wound(s)** We have to dress the wound fast.
locker *Adj* lockerer, am lockersten Der Verband ist zu locker. Lassen Sie die Hand ganz locker.	**loose; relaxed** The bandage is too loose. Please relax your hand.
operieren *V* operiert, operierte, hat operiert Sie wurde an der rechten Hand operiert.	**operate** She was operated on her right hand.
die **Operation** *N (Abkürzung: OP)* der Operation, die Operationen Die Operation dauerte mehrere Stunden.	**operation** The operation took several hours.
die **Therapie** *N* der Therapie, die Therapien Falls die Therapie nicht anschlägt, müssen wir doch operieren.	**therapy** If the therapy does not take effect, we will have to operate after all.
der **Zustand** *N* des Zustand(e)s, die Zustände = die Verfassung Der Patient ist in einem kritischen Zustand.	**state, condition** The patient is in critical condition.
ernst *Adj* ernster, am ernstesten = kritisch = bedenklich Sein Zustand ist ernst.	**serious** critical alarming His condition is serious.
schwach *Adj* schwächer, am schwächsten = kraftlos Der Kranke kann noch nicht aufstehen, er ist noch zu schwach.	**weak** weary, tired The patient can still not get up, he is still too weak.
anstrengen *V* strengt an, strengte an, hat angestrengt Das Treppensteigen strengt ihn noch an.	**strain; tire out** Climbing the stairs still puts a strain on him.
der **Verband** *N* des Verband(e)s, die Verbände Die Schwester legt einen Verband an. Nächste Woche kann der Verband abgenommen werden.	**bandage** The nurse puts on a bandage. The bandage can be taken off next week.
ziehen *V*	**pull; extract**

zieht, zog, hat gezogen
Sie war gestern beim Zahnarzt. Er hat ihr einen Zahn gezogen.

She was at the dentist yesterday. He pulled one of her teeth.

beobachten *V*
beobachtet, beobachtete, hat beobachtet
Nach der Operation muss der Patient zwei Tage auf der Intensivstation beobachtet werden.

observe, watch *(put under surveillance)*

After the operation, the patient must be kept under observation for two days in the intensive care unit.

6.5 Suchtmittel

Addictive substances

die **Droge** *N*
der Droge, die Drogen
Crystal Meth ist eine Droge, die den Körper zerstört.
Drogen nehmen

drug

Crystal Meth is a drug that destroys the body.

take drugs

das **Suchtmittel** *N*
des Suchtmittels, die Suchtmittel
Nikotin ist ein Suchtmittel.

addictive substance

Nicotine is an addictive substance.

die **Sucht** *N*
der Sucht, die Süchte
Nicht nur Alkohol und Drogen, sondern auch Computerspiele können zur Sucht führen.

addiction

Not only alcohol and drugs but also computer games can lead to addiction.

süchtig *Adj*
Workaholics sind süchtig nach Arbeit.

addicted
Workaholics are addicted to work.

abhängig *Adj*
Er war lange Zeit drogenabhängig, aber jetzt ist er clean.

addicted
He was addicted to drugs for a long time, but now he is clean.

gefährlich *Adj*
gefährlicher, am gefährlichsten
Heroin ist eine gefährliche Droge.

dangerous

Heroin is a dangerous drug.

das **Heroin** *N*
des Heroins, *(nur Singular)*
Benjamin versucht vom Heroin wegzukommen.

heroin

Benjamin is trying to get off heroin.

das **Kokain** *N*
des Kokains, *(nur Singular)*
= das Koks

cocaine

das **Haschisch** *N*
des Haschisch(s), *(nur Singular)*
Experten sagen, dass Haschisch eine Einstiegsdroge ist.

hashish

Experts say that hashish leads to further drug addiction.

der **Alkohol** *N*	**alcohol**
des Alkohols, die Alkohole	
Strenggläubige Muslims trinken keinen Alkohol.	Strict Muslims do not drink alcohol.
die **Zigarette** *N*	**cigarette**
der Zigarette, die Zigaretten	
Katja raucht eine Schachtel Zigaretten am Tag.	Katja smokes a pack of cigarettes a day.
↳ der Zigarettenautomat	cigarette machine
rauchen *V*	**smoke, have a smoke**
raucht, rauchte, hat geraucht	
Mein Opa raucht abends eine Zigarre.	My grandpa smokes a cigar in the evening.
Ich gehe eine Zigarette rauchen.	I'll go and have a smoke.
der **Raucher** *N*	**smoker**
des Rauchers, die Raucher	
≠ der Nichtraucher	non-smoker
Sein Onkel ist ein starker Raucher.	His uncle is a heavy smoker.
die **Raucherin** *N*	**smoker**
der Raucherin, die Raucherinnen	
anzünden *V*	**light**
zündet an, zündete an, hat angezündet	
Sie zündet sich eine Zigarette an.	She lights a cigarette.
die **Pfeife** *N*	**pipe**
der Pfeife, die Pfeifen	
Er raucht gerne Pfeife.	He likes to smoke a pipe.
die **Zigarre** *N*	**cigar**
der Zigarre, die Zigarren	
Nach dem Essen rauchten die Männer eine dicke Zigarre.	The men smoked a fat cigar after the meal.

7 Essen

7.1 Lebensmittel — Food

das **Lebensmittel** *N*	**food(s), groceries**
des Lebensmittels, die Lebensmittel	
Verderbliche Lebensmittel müssen nach dem Einkauf schnell in den Kühlschrank.	Perishable foods must be put in the refrigerator very soon after purchase.
das **Nahrungsmittel** *N*	**food(s)**
des Nahrungsmittels, die Nahrungsmittel	
= das Lebensmittel	groceries
Viele Menschen lehnen genmanipulierte Nahrungsmittel ab.	Many people say no to genetically modified foods.
haltbar *Adj*	**long-life, non-perishable**
Diese Milch ist nicht lange haltbar.	This milk is not long-life.
mindestens haltbar bis ...	best before ...
halten *V*	**keep**
hält, hielt, hat gehalten	
= haltbar sein	be long-life
Im Kühlschrank hält die Milch drei Tage.	The milk keeps three days in the refrigerator.
das **Fleisch** *N*	**meat**
des Fleisch(e)s, *(nur Singular)*	
Ich esse kein Fleisch, ich bin Vegetarier.	I don't eat meat, I am vegetarian.
mageres Fleisch	lean meat
↳ das Schweinefleisch	pork
↳ das Rindfleisch	beef
↳ das Kalbfleisch	veal

das **Steak** *N* des Steaks, die Steaks Heute gibt es saftige Steaks im Sonderangebot.	**steak** Succulent steaks are a special offer today.
das **Schnitzel** *N* des Schnitzels, die Schnitzel Ein richtiges Wiener Schnitzel ist aus Kalbfleisch, nicht aus Schweinefleisch.	**veal / pork escalope, schnitzel** A real Wiener Schnitzel is made of veal not pork.
das **Hackfleisch** *N (D, CH)* des Hackfleisch(e)s, *(nur Singular)* = das Faschierte *(A)* Ich hätte gern ein Pfund Hackfleisch.	**mince** *(BE)*, **ground meat** *(AE)* I would like a pound of mince.
fett *Adj* fetter, am fettesten ≠ mager Ich mag lieber mageres als fettes Fleisch.	**fatty** lean I like lean meat rather than fatty meat.
die **Wurst** *N* der Wurst, die Würste Er legt sich eine Scheibe Wurst auf das Brot. ↳ die Currywurst ↳ die Bratwurst	**cold sausage** *(BE)*, **cuts** *(AE)* He puts a slice of cold sausage on his bread. currywurst bratwurst, fried sausage
der **Schinken** *N* des Schinkens, die Schinken Manche mögen lieber rohen Schinken, andere gekochten Schinken.	**ham** Some people prefer uncooked ham, others cooked ham.
das **Geflügel** *N* des Geflügels, *(nur Singular)* Außer Fleisch isst sie auch gerne Geflügel.	**poultry, fowl** She also likes to eat poultry as well as red meat.
das **Hühnchen** *N* des Hühnchens, die Hühnchen Das Fleisch vom Hühnchen ist sehr mager. mit jemandem ein Hühnchen zu rupfen haben	**chicken** Chicken meat is very low-fat. have a bone to pick with so
der **Fisch** *N* des Fisch(e)s *(in dieser Bedeutung nur Singular)* Linda isst lieber Fisch als Fleisch.	**fish** Linda prefers eating fish to meat.
der **Hering** *N* des Herings, die Heringe	**herring**
die **Forelle** *N* der Forelle, die Forellen die geräucherte Forelle	**trout** smoked trout
die **Milch** *N* der Milch, die Milche(n) *(Fachsprache)*	**milk**

Ich nehme lieber frische Milch als Kondensmilch zum Kaffee. ↳ haltbare Milch	I prefer fresh milk to condensed milk in my coffee. long-life milk
sauer *Adj* saurer, am sauersten Die Milch ist sauer.	**sour** The milk is sour.
die **Sahne** *N* der Sahne, *(nur Singular)* Zum Pflaumenkuchen mag ich viel Schlagsahne. die süße Sahne die saure Sahne	**cream** I like a lot of whipped cream on my plum cake. sweet cream sour cream
der **Schlagobers** *N (A)* des Schlagobers, *(nur Singular)* = die Schlagsahne = der Schlagrahm *(CH)*	**whipped cream**
die **Butter** *N* der Butter, *(nur Singular)* Kannst du mir mal die Butter reichen?	**butter** May I have the butter, please?
weich *Adj* weicher, am weichesten ≠ hart Stell doch die Butter zurück in den Kühlschrank, sie ist schon ganz weich.	**soft** hard Please put the butter back in the refrigerator, it is already very soft.
die **Margarine** *N* der Margarine, die Margarinen Butter ist teurer als Margarine.	**margarine** Butter is more expensive than margarine.
der **Käse** *N* des Käses, die Käse Ich hätte gern 200 Gramm Emmentaler Käse am Stück.	**cheese** I would like 200 grams of unsliced Emmentaler cheese.
geschnitten *Adj* Möchten Sie das Brot geschnitten?	**sliced** Would you like the bread sliced?
der **Jog(h)urt** *N (in A auch: das oder die* des Joghurts, die Joghurts Zum Kochen brauche ich noch zwei Joghurts.	**yoghurt** I need two yoghurts for cooking.
das **Ei** *N* des Ei(e)s, die Eier Kaufe bitte auch noch zehn frische Eier auf dem Markt!	**egg** Please also buy ten fresh eggs at the market!
das **Kotelett** [kɔtˈlɛt] *N* des Koteletts, die Koteletts	**chop, cutlet** *(meat from an animal's ribs)*

Ich hätte gerne drei kleine Schweinekoteletts und drei große Kalbsschnitzel.	I would like three small pork cutlets and three big veal schnitzels, please.
das **Gulasch** [ˈgʊlaʃ, ˈguːlaʃ] *N (auch: der)* des Gulasch(e)s, die Gulasche / Gulaschs Ihr ungarisches Gulasch ist das beste!	**goulash** *(dish of small chunks of meat)* Her Hungarian goulash is the best!
das **Würstchen** *N* des Würstchens, die Würstchen Zum Kartoffelsalat esse ich am liebsten Wiener Würstchen.	**sausage** I like to eat wiener sausage with my potato salad.
der **Speck** *N* des Speck(e)s, die Specke *(selten)* Sie macht Bratkartoffeln mit Speck und Zwiebeln.	**bacon (fat)** She cooks fried potatoes with bacon and onions.
der **Senf** *N* des Senf(e)s, die Senfe Möchten Sie Senf zum Würstchen?	**mustard** Would you like some mustard with your sausage?
die **Nudel** *N* der Nudel, die Nudeln Als Beilage können Sie wählen zwischen Nudeln, Reis und Kartoffeln.	**pasta, noodle** You can choose between pasta, rice, and potatoes for the side dish.
der **Reis** *N* des Reises, die Reise *(Reissorten)* In vielen asiatischen Ländern ist Reis das Hauptnahrungsmittel.	**rice** Rice is the staple food in many Asian countries.
das **Brot** *N* des Brot(e)s, die Brote Ich hätte gerne dieses Brot. – Geschnitten oder am Stück? ↳ das Weißbrot ↳ das Vollkornbrot	**bread** I would like this bread, please. – Sliced or unsliced? white bread whole-grain bread, wholemeal bread *(BE)*, wholewheat bread *(AE)*
die **Scheibe** *N* der Scheibe, die Scheiben Gib mir noch eine Scheibe Brot, bitte.	**slice** Pass me another slice of bread, please.
das **Brötchen** *N* des Brötchens, die Brötchen Sonntags frühstücken wir immer mit frischen Brötchen.	**(bread) roll** We always have fresh bread rolls for breakfast on Sundays.
die **Semmel** *N (A, bayrisch)* der Semmel, die Semmeln	**(bread) roll**

das **Brötli** *N (CH)* des Brötlis, die Brötli	**(bread) roll**
die **Brezel** *N (A auch: das)* der Brezel, die Brezeln Es gab nur kleine Snacks wie Brezeln mit Butter.	**pretzel** There were only small snacks like pretzels with butter.
der **Honig** *N* des Honigs, die Honige Zum Frühstück gibt es Honig und Marmelade.	**honey** There is honey and jam for breakfast.
die **Marmelade** *N* der Marmelade, die Marmeladen Sie streichen die Marmelade ziemlich dick aufs Brot.	**jam** You spread the jam quite thickly on the bread.
die **Konfitüre** *N* der Konfitüre, die Konfitüren = die Marmelade Im Supermarkt gibt es Erdbeer- und Kirschkonfitüren von vielen verschiedenen Herstellern.	**jam** The supermarket has a lot of strawberry and cherry jams from a large number of producers.
das **Müsli** *N* des Müslis, die Müslis = das Müesli *(CH)* Zum Frühstück gibt es ein leckeres Müsli.	**muesli** There is tasty muesli for breakfast.
die **Nuss** *N* der Nuss, die Nüsse Kannst du bitte ein paar Nüsse für mich knacken? Ich möchte einen Nusszopf backen. eine harte Nuss zu knacken haben ↳ die Haselnuss ↳ die Walnuss ↳ die Erdnuss	**nut** Could you crack some nuts for me, please? I would like to bake a nut plait. have (got) a hard nut to crack hazelnut walnut peanut
der **Zucker** *N* des Zuckers, die Zucker Für den Teig braucht man Mehl, Eier und Zucker. ↳ der Würfelzucker	**sugar** You need flour, eggs and sugar for the dough. sugar cubes
die **Torte** *N* der Torte, die Torten Zu seinem 70. Geburtstag gab es eine selbst gebackene Torte. ↳ die Schwarzwälder Kirschtorte	**gateau** *(BE)*, **layer cake** *(AE)* There was a handmade gateau for his 70th birthday. Black Forest gateau
der **Kuchen** *N* des Kuchens, die Kuchen	**cake**

In den meisten Bäckereien gibt es außer Brot und Brötchen auch Kuchen. ↳ der Erdbeerkuchen	Most bakeries offer cakes as well as bread and rolls. strawberry cake
das **Stück** *N* des Stück(e)s, die Stücke Möchtest du lieber ein Stück Käsekuchen oder ein Stück von dem Obstkuchen?	**piece** What would you prefer: a piece of cheesecake or fruit cake?
das **Gebäck** *N* des Gebäck(e)s, die Gebäcke Sie aßen zum Tee Gebäck. ↳ das Weihnachtsgebäck	**biscuits** *(BE)*, **cookies** *(AE) (sweet baked goods)* They ate biscuits with their tea. Christmas biscuits *(BE)* / cookies *(AE)*
das **Gebäck** *N (A)* des Gebäcks, die Gebäcke	**pastries (pl)** *(salty baked goods)*
die **Süßigkeit** *N* der Süßigkeit, die Süßigkeiten Süßigkeiten haben viele Kalorien, sie machen dick.	**sweets** *(BE)*, **candy** *(AE)* Sweets have a lot of calories, they are fattening.
das **Bonbon** *N (auch: der)* des Bonbons, die Bonbons Kann ich noch ein Bonbon haben?	**sweet** *(BE)*, **candy** *(AE)*, **bonbon** *(AE)* Can I have one more sweet?
die **Schokolade** *N* der Schokolade, die Schokoladen Du bekommst ein Stück Schokolade, aber nicht die ganze Tafel.	**chocolate** You can have one piece of chocolate but not the whole bar.
der **Quark** *N* des Quark(e)s, *(nur Singular)* Viele Ernährungsberater empfehlen Gerichte mit Quark zum Abnehmen.	**quark** Many nutritionists recommend dishes with quark to lose weight.
der **Topfen** *N (A)* des Topfens, *(nur Singular)* = der Quark ↳ der Topfenstrudel	**quark** *(soft cheese made from soured milk)* quark strudel

7.2 Obst und Gemüse — Fruit and vegetables

das **Obst** *N (D, A)* des Obst(e)s, *(nur Singular)* Viel frisches Obst ist gesund.	**fruit** A lot of fresh fruit is healthy.
die **Früchte** *N (CH; Pluralwort)*	**fruits**

= das Obst	
die **Frucht** *N* der Frucht, die Früchte Im Spätsommer kann man Früchte wie Äpfel und Pflaumen ernten.	**fruit** *(edible produce from plants or trees)* You can harvest fruits like apples and plums in late summer.
reif *Adj* reifer, am reifsten ≠ unreif	**ripe** not ripe
die **Region** *N* der Region, die Regionen Diese Region ist berühmt für ihren Wein.	**region** This region is famous for its wine.
regional *Adj* regionaler, am regionalsten Auf dem Markt gibt es nur regionale Produkte.	**regional** There are only regional products at the market.
die **Ernte** *N* der Ernte, die Ernten In diesem Jahr gibt es eine gute Ernte.	**harvest** There will be a good harvest this year.
die **Banane** *N* der Banane, die Bananen Kannst du mir die Banane aufmachen?	**banana** Can you peel the banana for me?
der **Apfel** *N* des Apfels, die Äpfel	**apple**
die **Birne** *N* der Birne, die Birnen In Omas Obstsalat sind immer reife Birnen und zerkleinerte Haselnüsse.	**pear** Ripe pears and chopped hazelnuts are always in grandma's fruit salad.
die **Aprikose** *N (D, CH)* der Aprikose, die Aprikosen Die meisten Aprikosen werden in der Türkei angebaut. getrocknete Aprikosen	**apricot** Most apricots are grown in Turkey. dried apricots
die **Marille** *N (A)* der Marille, die Marillen Für eine Sachertorte braucht man eine aus Marillen hergestelle Marmelade. ↳ der Marillenknödel	**apricot** You need apricot jam for a Sachertorte. apricot dumplings
die **Orange** *N* der Orange, die Orangen = die Apfelsine eine Orange schälen	**orange** peel an orange

die **Zitrone** *N*	**lemon**
der Zitrone, die Zitronen	
eine Zitrone auspressen	squeeze a lemon
die **Pflaume** *N*	**plum**
der Pflaume, die Pflaumen	
Pflaumen entkernen	pit plums
die **Melone** *N*	**melon**
der Melone, die Melonen	
die **Weintraube** *N (Kurzform: Traube)*	**grape**
der Weintraube, die Weintrauben	
ein Pfund Trauben	one pound of grapes
die **Erdbeere** *N*	**strawberry**
der Erdbeere, die Erdbeeren	
frische Erdbeeren mit Sahne	fresh strawberries and cream
die **Kirsche** *N*	**cherry**
der Kirsche, die Kirschen	
Kirschen pflücken	pick cherries
die **Tomate** *N*	**tomato**
der Tomate, die Tomaten	
= der Paradeiser *(A)*	
Unreife Tomaten erkennt man daran, dass sie nicht rot, sondern grün sind.	You can tell that tomatoes are not ripe if they are green instead of red.
↳ die Tomatensuppe	tomato soup
die **Kartoffel** *N*	**potato**
der Kartoffel, die Kartoffeln	
= der Erdapfel *(A, CH)*	
Kannst du schon einmal die Kartoffeln schälen?	Can you peel the potatoes?
Kartoffeln pellen	peel potatoes
mehlige Kartoffeln	floury potatoes
die **Karotte** *N*	**carrot**
der Karotte, die Karotten	
= die (Gelbe) Rübe	
= die Möhre	
= das Rüebli *(CH)*	
die **Bohne** *N*	**bean**
der Bohne, die Bohnen	
= die Fisole *(A)*	
Bohnen gehören wie Linsen und Erbsen zu den Hülsenfrüchten und sind sehr eiweißreich.	Beans are pulses like lentils and peas and they are very rich in protein.
sich nicht die Bohne für etwas interessieren	not to care a fig for sth
↳ die Kaffeebohne	(coffee) bean
der **Pilz** *N*	**mushroom**
des Pilzes, die Pilze	

Frische Pilze gibt es nur im Herbst, sonst kauft man sie getrocknet.
There are only fresh mushrooms in autumn, otherwise you buy them dried.

giftige Pilze
poisonous mushroom

das, der **Schwammerl** *N (A, bayrisch)*
mushroom

des Schwammerls, die Schwammerl

Sie gingen in den Wald, um Schwammerl zu suchen.
They went into the forest to search for mushrooms.

die **Zwiebel** *N*
onion

der Zwiebel, die Zwiebeln

Zwiebeln andünsten
lightly braise onions

der **Salat** *N*
salad

des Salats, die Salate

Zum Hauptgericht gibt es einen gemischten Salat.
There is a mixed salad with the main dish.

Salat mit Essig und Öl anmachen
dress a salad with oil and vinegar

↳ der Kopfsalat
lettuce

↳ die Salatsoße / das Dressing
dressing

---

das **Gemüse** *N*
vegetable(s)

des Gemüses, die Gemüse

Wir essen viel mehr Gemüse als Fleisch.
We eat more vegetables than meat.

die **Gurke** *N*
cucumber

der Gurke, die Gurken

Um einen griechischen Salat zuzubereiten, braucht man außer Tomaten, Paprika und Schafskäse auch Gurke.
You need cucumber as well as tomatoes, bell pepper and sheep's milk cheese to prepare a Greek salad.

↳ die Gewürzgurke
gherkin

die **Paprika** *N*
pepper

der Paprika, die Paprika(s)

= die Paprikaschote
sweet pepper, bell pepper

⚠ der Paprika
paprika (shrub; spice)

die **Erbse** *N*
pea

der Erbse, die Erbsen

grüne Erbsen
(green) peas

↳ erbsengroß
pea-sized

der **Lauch** *N*
leek

des Lauches, die Lauche

= der Porree

der **Blumenkohl** *N*
cauliflower

des Blumenkohl(e)s, die Blumenkohle

Kauf bitte auch zwei Köpfe Blumenkohl!
Please remember to buy two cauliflowers!

der **Spinat** [ʃpiˈnaːt] *N*
spinach

des Spinat(e)s, die Spinate

der **Kohl** *N*
cabbage

des Kohl(e)s, die Kohle	
↳ der Rotkohl	red cabbage
↳ der Grünkohl	curly kale
der **Spargel** *N*	**asparagus**
des Spargels, die Spargel	
Was kosten der grüne und der weiße Spargel?	What do the green and the white asparagus cost?
Spargel stechen	cut asparagus
der **Schnittlauch** *N*	**chives**
des Schnittlauch(e)s, *(nur Singular)*	
die **Petersilie** [petɐˈziːli̯ə] *N*	**parsley**
der Petersilie, die Petersilien	
= das Peterle *(CH)*	
der **Knoblauch** *N*	**garlic**
des Knoblauch(e)s, die Knoblauche	

7.3 Ernährung, Hunger und Durst — Nutrition, hunger and thirst

der **Appetit** *N*	**appetite**
des Appetit(e)s, die Appetite	
Ich habe Appetit auf Omelett.	I feel like having an omelette.
essen *V*	**eat**
isst, aß, hat gegessen	
Weil sie abnehmen möchte, isst sie weniger als sonst.	She is eating less than usual because she wants to lose weight.
gern *Adv (auch: gerne)*	**like to**
Ich möchte gerne etwas essen, ich habe Hunger.	I would like to eat something, I am hungry.
die **Ernährung** *N*	**diet**
der Ernährung, die Ernährungen	
sich ernähren *V*	**subsist, live on**
ernährt sich, ernährte sich, hat sich ernährt	
Sich nur von Fast Food zu ernähren, ist nicht gesund.	It is not healthy to only live on fast food.
satt *Adj*	**full, sated**
Möchtest du noch etwas essen? – Danke, ich bin satt.	Would you like anything else to eat? – Thank you I am full.
hungrig *Adj*	**hungry**
hungriger, am hungrigsten	
≠ satt	full
Ich habe noch etwas Appetit, aber hungrig bin ich nicht.	I still have an appetite but I am not hungry.

leiden *V* leidet, litt, hat gelitten Er leidet unter Hunger und Durst.	**suffer** He suffers from hunger and thirst.
der **Hunger** *N* des Hungers, *(nur Singular)* Das Baby schreit, weil es Hunger hat. großen Hunger haben ↳ hungern	**hunger** The baby is crying because he is hungry. be very hungry starve
gar *Adv* Sascha hat gar keinen Hunger. Er möchte gar nichts essen.	**at all** *(intensifying a negation)* Sascha is not hungry at all. He does not want to eat anything at all.
der **Durst** *N* des Durst(e)s, *(nur Singular)* Hast du Durst? den Durst löschen	**thirst** Are you thirsty? quench one's thirst
durstig *Adj* durstiger, am durstigsten Nach dem Sport bin ich meist richtig durstig.	**thirsty** I am usually really thirsty after sports.
trinken *V* trinkt, trank, hat getrunken Ich habe Kopfschmerzen, weil ich zu wenig getrunken habe. ↳ das Trinkwasser	**drink** I have headache because I haven´t drunk enough. drinking water, tap water
genug *Adv* = ausreichend ≠ zu wenig Hast du genug getrunken?	**enough** sufficient too little / few Did you drink enough?
ausreichend *Adj* Eigentlich muss niemand auf der Welt Durst haben, es ist ausreichend Wasser vorhanden.	**enough** There is enough water in the world, so nobody should go thirsty.
ausreichen *V* reicht aus, reichte aus, hat ausgereicht Es ist viel Salat und Brot da; das Essen reicht bestimmt für alle aus.	**be sufficient / enough** There is a lot of salad and bread, there should be enough food for everybody.
schütteln *V* schüttelt, schüttelte, hat geschüttelt Man muss die Flasche vor dem Öffnen schütteln.	**shake** You have to shake the bottle before you open it.
die **Nahrung** *N* der Nahrung, die Nahrungen Er war schon sehr geschwächt, er konnte keine Nahrung mehr zu sich nehmen. ↳ die Babynahrung	**food** He was so weak that he could no longer eat any food. baby food

füttern *V* füttert, fütterte, hat gefüttert Mark füttert seine kleine Tochter sehr gerne.	**feed** Mark likes feeding his little daughter.
die **Verpflegung** *N* der Verpflegung, die Verpflegungen = das Essen Die Verpflegung in der Jugendherberge war nicht besonders gut.	**food, catering** The catering in the youth hostel was not especially good.
verpflegen *V* verpflegt, verpflegte, hat verpflegt Wir wurden mit leckeren Snacks verpflegt.	**serve** We were served delicious snacks.
das **Vitamin** *N* des Vitamins, die Vitamine Obst ist wegen seiner vielen Vitamine sehr gesund. Vitamin C	**vitamin** Fruit is very healthy because of its vitamins. vitamin C
die **Diät** *N* der Diät, die Diäten Er ist krank, er muss eine zuckerlose Diät einhalten.	**diet** He is ill, he has to keep to a sugar-free diet.
konsumieren *V* konsumiert, konsumierte, hat konsumiert = verbrauchen Die Familie konsumiert viel Obst und Gemüse.	**consume** consume, use up The family consumes a lot of fruit and vegetables.

7.4 Kochen und Gerichte — Cooking and meals

der **Topf** *N* des Topf(e)s, die Töpfe = der Kochtopf	**pot; saucepan** cooking pot
der **Deckel** *N* des Deckels, die Deckel Dieser Deckel passt nicht auf den großen Topf.	**lid** This lid does not fit on the big pot.
backen *V* backt / bäckt, backte / buk, hat gebacken Zu seinem Geburtstag wird sie einen Kuchen backen.	**bake** She will bake a cake for his birthday.
der **Backofen** *N* des Backofens, die Backöfen = das Backrohr *(A)* Wie lange muss die tiefgefrorene Pizza in den Backofen?	**oven** How long does the frozen pizza have to be in the oven?

den Braten in den Backofen schieben	put the roast in the oven
drehen *V* dreht, drehte, hat gedreht Dreh den Backofen mal etwas kleiner, sonst verbrennt der Gänsebraten. herunter / kleiner drehen hoch / höher drehen	**turn** Please turn the oven down a little, otherwise the roast goose will burn. turn down turn up
die **Pfanne** *N* Um Bratkartoffeln zu machen, braucht man eine Pfanne. jemanden in die Pfanne hauen	**(frying) pan** To fry potatoes, you need a (frying) pan. criticize someone severely, play a mean trick on sb
braten *V* brät, briet, hat gebraten Das Fleisch soll man lange braten. kurz anbraten	**fry; roast** The meat should be fried for some time. brown a little
grillen *V* grillt, grillte, hat gegrillt = grillieren *(CH)* Wollen wir morgen ein paar Freunde zum Grillen einladen?	**grill; have a barbecue** Should we invite some friends for a barbecue tomorrow?
der **Grill** *N* des Grills, die Grills Im Garten steht unser Grill.	**grill** Our grill is in the garden.

→ Further words for cooking can be found in chapter *11.5 Haushalt* (pages 174 ff).

kochen *V* kocht, kochte, hat gekocht Sie kann gut kochen. bei mittlerer Hitze kochen ↳ köcheln	**cook; boil** She is a good cook. cook on medium simmer
vegetarisch *Adj* = fleischlos Sie ernähren sich vegetarisch. ↳ der Vegetarier, die Vegetarierin ↳ vegan	**vegetarian** meatless They eat a vegetarian diet. vegetarian vegan
der **Trend** *N* des Trends, die Trends Der Trend geht zu veganem Essen.	**trend** There is a trend towards vegan food.
das **Rezept** *N* des Rezept(e)s, die Rezepte Sie probiert gerne neue Rezepte aus. ⚠ ein Rezept ausstellen	**recipe** She likes to try new recipes. write (out) a prescription

mögen *V* mag, mochte, hat gemocht Sie mag keinen Gänsebraten.	**like** She does not like roast goose.
das **Gericht** *N* des Gericht(e)s, die Gerichte = die Speise In der Kantine kann man zwischen drei Gerichten wählen. ↳ das Lieblingsgericht	**dish** You can choose between three dishes in the canteen. favourite dish
zubereiten *V* bereitet zu, bereitete zu, hat zubereitet Sie hat das Frühstück liebevoll zubereitet.	**make, prepare** She prepared the breakfast lovingly.
fertig *Adj* Das Essen ist fertig!	**ready** Dinner's ready!
gar *Adj* = durch Die Nudeln sind noch nicht gar.	**done, cooked** The pasta is not done.
die **Zutat** *N* der Zutat, die Zutaten Für diesen Käsekuchen braucht man viele Zutaten.	**ingredient** You need a lot of ingredients for this cheese cake.
schneiden *V* schneidet, schnitt, hat geschnitten Den Speck soll man in kleine Würfel schneiden.	**cut** The bacon should be cut into small cubes.
das **Gewürz** *N* des Gewürzes, die Gewürze In der indischen Küche verwendet man viele scharfe Gewürze.	**spice** Many hot spices are used in Indian cuisine.
das **Salz** *N* des Salzes, die Salze Sie würzt nicht nur mit Salz und Pfeffer, sondern auch mit frischen Kräutern.	**salt** She does not only season with salt and pepper, but also with fresh herbs.
der **Pfeffer** *N* des Pfeffers, die Pfeffer	**pepper**
das **Öl** *N* des Öl(e)s, die Öle Zum scharfen Anbraten verwendet man besser keine Butter, sondern Öl. ↳ das Olivenöl	**oil** Oil, not butter, is better for searing. olive oil
der **Essig** *N* des Essigs, die Essige	**vinegar**

Öl und Essig stehen auf dem Tisch.	Oil and vinegar are on the table.
der **Geschmack** *N* des Geschmacks, die Geschmäcke(r) Der Wein hat einen fruchtigen Geschmack. Die Geschmäcker sind verschieden.	**taste** The wine has a fruity taste. There's no accounting for taste.
mild *Adj* milder, am mildesten Meine Kinder mögen nur milden Käse.	**mild** My children only like mild cheese.
scharf *Adj* schärfer, am schärfsten Indisches Essen ist oft sehr scharf.	**hot** Indian food is often very hot.
das **Hähnchen** *N* des Hähnchens, die Hähnchen Sie isst gerne ein knuspriges halbes Hähnchen. ↳ die Hähnchenbrust	**(grilled) chicken** She likes to eat half a crispy chicken. chicken breast
das **Hend(e)l** *N (A)* des Hend(e)ls, die Hend(e)l	**chicken**
das **Poulet** [pu'le:] *N (CH)* des Poulets, die Poulets	**chicken**
die **Pizza** *N* der Pizza, die Pizzas / Pizzen Toni mag am liebsten Pizza mit Peperoni und Salami.	**pizza** Toni likes pizza with chillies and salami best.
der **Hamburger** *N* des Hamburgers, die Hamburger	**hamburger**
die **Pommes frites** [pɔm'frɪt] *N (Pluralwort)* der Pommes frites Wollen Sie Ihre Pommes frites mit Ketchup oder Mayonnaise?	**chips** *(BE)*, **French fries** *(AE)* Would you like your chips with ketchup or mayonnaise?
der, das **Ketchup** ['kɛtʃap, 'kɛtʃʊp] *N (auch: Ketschup)* des Ketchup(s), die Ketchups Bratwurst esse ich lieber mit Senf als mit Ketchup.	**ketchup** I like to eat my grilled sausage with mustard rather than ketchup.
die **Suppe** *N* der Suppe, die Suppen Rühr doch die Suppe um, damit sie schneller abkühlt.	**soup** Stir the soup so that it cools down faster.
der **Braten** *N* des Bratens, die Braten Früher gab es nur sonntags einen Braten.	**joint; roast (meat)** In the past there was a joint only on Sundays.

↳ der Weihnachtsbraten	Christmas roast
das **Wild** *N* des Wild(e)s, *(nur Singular)* Er isst gerne Wild mit Knödeln und Preiselbeeren.	**game; venison** He likes to eat game with dumplings and cranberries.
der **Knödel** *N* des Knödels, die Knödel = der Kloß Zur Schweinshaxe gibt es selbstgemachte Knödel.	**dumpling** The knuckle of pork is served with homemade dumplings.
die **Soße** *N* der Soße, die Soßen Mit Mehl kann man eine Soße etwas dicker machen. ↳ die Bratensoße	**sauce; gravy** You can make gravy a little bit thicker with flour. gravy
das **Mehl** *N* des Mehls, die Mehle Mehl braucht man zum Backen und auch zum Kochen.	**flour** You need flour for baking and for cooking.
roh *Adj* roher, am roh(e)sten ≠ gar, gegart Sushi ist nichts für mich, denn ich mag keinen rohen Fisch.	**raw** cooked I do not like sushi because I do not like raw fish.
die **Schweinshaxe** *N* der Schweinshaxe, die Schweinshaxen Schweinshaxe wird in Bayern mit Sauerkraut und Knödeln serviert.	**knuckle of pork, pork knuckle** Knuckle of pork is served with sauerkraut and dumplings in Bavaria.
das **Sauerkraut** *N* des Sauerkraut(e)s, *(nur Singular)*	**sauerkraut**
die **Bratkartoffeln** *N (Pluralwort)* der Bratkartoffeln Bratkartoffeln mit Zwiebeln und Speck ist sein Lieblingsessen.	**fried / roast potatoes** Fried potatoes with onions and bacon is his favourite meal.
das **Dessert** [dɛˈseːɐ̯] *N* des Desserts, die Desserts = die Nachspeise Als Dessert gibt es Eis oder Obst.	**dessert** There is ice cream or fruit for dessert.
das **Eis** *N* des Eises, *(nur Singular)* = die Glace *(CH)* = das Speiseeis	**ice cream**

Ich nehme zwei Kugeln Eis mit Sahne.	I'd like two scoops of ice cream with whipped cream.
die **Creme** [kreːm] *N* der Creme, die Cremes Zu den Erdbeeren gibt es eine Creme aus Mascarpone und Vanille.	**mousse** The strawberries are served with mascarpone and vanilla mousse.
der **Pudding** *N* des Puddings, die Puddings Mein Mann isst lieber Vanille- als Schokoladen-pudding.	**pudding** My husband prefers vanilla to chocolate pudding.
der **Apfelstrudel** *N* des Apfelstrudels, die Apfelstrudel In einen Apfelstrudel gehören Haselnüsse und Rosinen.	**apple strudel** *(apple-filled pastry served hot)* An apple strudel should contain hazelnuts and raisins.

7.5 Getränke — Drinks

das **Getränk** *N* des Getränk(e)s, die Getränke Eine kalte Cola ist ein erfrischendes Getränk. alkoholfreie Getränke warme / kalte Getränke	**drink; beverage** A chilled coke is a refreshing drink. non-alcoholic drinks / beverages hot / cold drinks / beverages
der **Kaffee** *N* des Kaffees, die Kaffees Willst du eine Tasse Kaffee trinken? koffeinfreier / entkoffeinierter Kaffee	**coffee** Would you like a cup of coffee? decaffeinated coffee
der **Tee** *N* des Tees, die Tees Sowohl grüner als auch schwarzer Tee haben eine anregende Wirkung. Tee ziehen lassen	**tea** Both green and black tea have a stimulating effect. let the tea brew / steep
stark *Adj* stärker, am stärksten ≠ schwach Wenn ich starken Kaffee trinke, kann ich abends nicht schlafen.	**strong** *(intense, concentrated)* weak If I drink strong coffee, I cannot sleep in the evenings.
schwach *Adj* schwächer, am schwächsten ≠ stark Der Tee schmeckt mir nicht, er ist zu schwach.	**weak** strong I don't like the tea, it is too weak.
kräftig *Adj* kräftiger, am kräftigsten	**strong**

Der Kaffee hat einen besonders kräftigen Geschmack.	The coffee has an especially strong flavour.
der **Kakao** [kaˈkau̯, kaˈkaːo] *N*	**chocolate drink, cocoa**
des Kakaos, die Kakaos	
↳ die heiße Schokolade	hot chocolate
der **Saft** *N*	**(fruit) juice**
des Saft(e)s, die Säfte	
Möchten Sie lieber einen Apfelsaft oder einen Orangensaft?	What would you prefer: an apple juice or an orange juice?
die **Limonade** *N*	**lemonade** *(BE)*, **soda pop** *(AE)*
der Limonade, die Limonaden	
↳ die Zitronenlimonade	lemonade
das **Mineralwasser** *N (Kurzform: Wasser)*	**mineral water**
des Mineralwassers, die Mineralwässer	
= der Sprudel	sparkling mineral water
Zum Essen trinke ich immer Mineralwasser.	I always drink mineral water with my meals.
das, die **Cola** *N*	**coke**
der Cola / des Cola(s), die Colas	
Ich nehme eine Cola und was nimmst du?	I'll have a coke and what do you want?
der **Alkohol** *N*	**alcohol**
des Alkohols, die Alkohole	
Er trinkt zu viel Alkohol, er ist betrunken.	He drinks too much alcohol, he is drunk.
betrunken *Adj*	**drunk**
betrunkener, am betrunkensten	
völlig	**completely**
Sibylle ist ja völlig betrunken!	Sibylle is completely drunk!
das **Bier** *N*	**beer**
des Bier(e)s, die Biere	
Ich muss noch Auto fahren, ich bestelle ein alkoholfreies Bier.	I'm driving, so I'll order an alcohol-free beer.
↳ das Pils	Pils
↳ das Weizen(bier)	wheat beer
der **Wein** *N*	**wine**
des Wein(e)s, die Weine	
Marina trinkt lieber Rotwein als Weißwein.	Marina likes to drink red wine more than white wine.
ein Viertel Wein	a quarter litre of wine
der **Sekt** *N*	**sparkling wine**
des Sekt(e)s, die Sekte	
trockener Sekt	dry sparkling wine

Prost! | **Cheers!**
= Prosit!
Ich freue mich, dass ihr alle gekommen seid. Prost! | I am pleased that you have all come. Cheers!

der **Schnaps** *N* | **schnapps**
des Schnapses, die Schnäpse

der **Likör** *N* | **liqueur**
des Likörs, die Liköre
Kann ich Ihnen ein Gläschen Likör anbieten? | Can I offer you a nip of liqueur?

der **Schluck** *N* | **sip**
des Schluck(e)s, die Schlucke
Bitte nur einen kleinen Schluck! | Just a little sip!

7.6 Mahlzeiten, Geschirr | Meals, tablewear

die **Mahlzeit** *N* | **meal**
der Mahlzeit, die Mahlzeiten
= das Essen
Kindern und Jugendlichen werden drei Mahlzeiten am Tag empfohlen. | Three meals a day are recommended for children and young people.

das **Essen** *N* | **meal**
des Essens, die Essen
Mittags will sie zuhause sein, um das Essen für ihre Kinder zu kochen. | She wants to be at home at lunchtime to cook a meal for her children.

essen *V* | **eat**
isst, aß, hat gegessen
Was möchtest du heute essen? | What do you want to eat today?
sich satt essen | eat one's fill
↳ essbar | edible

der **Appetit** [apəˈtɪt] *N* | **appetite**
des Appetits, die Appetite *(selten)*
Guten Appetit! | Enjoy your meal!

warm *Adj* | **warm; hot**
wärmer, am wärmsten
Viele sagen, dass man einmal am Tag warm essen sollte. | Many people say that you should have a hot meal once a day.

das **Frühstück** *N* | **breakfast**
des Frühstücks, die Frühstücke

frühstücken *V* | **have breakfast**
frühstückt, frühstückte, hat gefrühstückt

zu Mittag essen Wollen wir in einem Lokal zu Mittag essen? das Mittagessen	**lunch, have lunch, eat lunch** Should we lunch in a restaurant? lunch
das **Abendessen** *N* des Abendessens, die Abendessen Um 19 Uhr gibt es Abendessen. ↳ das Abendbrot	**dinner** Dinner is at 7 p.m. supper *(simple food in the evening, usually with bread)*
geben *V* gibt, gab, hat gegeben = reichen Kannst du mir mal die Butter geben?	*here:* **hand, pass** give, pass Can you pass me the butter, please?
es gibt Was gibt es heute Mittag zu essen?	**there is / are** What is there for lunch today?
bitte *Partikel* Kannst du mir bitte einen Löffel holen?	**please** Can you get me a spoon, please?
das, der **Sandwich** [ˈzɛntvɪtʃ] *N* des Sandwich(e)s, die Sandwiche(s) Mittags isst sie nur schnell ein Sandwich.	**sandwich** She has a quick sandwich at lunchtime.

Zwischenmahlzeiten – Snacks

The names given to the Zwischenmahlzeiten, or the snacks between breakfast, lunch and evening meal, differ depending on region and time of day.

der Snack *(D)* des Snacks, die Snacks = der Imbiss	A small hot or cold meal at any time of day. For example: tomato soup, buttered pretzel, kebab, flapjack.
der Imbiss *(D)* des Imbisses, die Imbisse	A small snack eaten at any time of the day and bought at the butcher's or baker's. There are also snack bars called Imbissstuben or Imbissstände. For example: half a bread roll with a topping, slice of pizza, currywurst.
die Brotzeit *(D, bayrisch)* der Brotzeit, die Brotzeiten	A small, usually savoury meal in the mornings or afternoons that can be either hot or cold. For example: half a bread roll with a topping, hot slice of Leberkäse, Munich Weisswürste.
das / die Vesper *(süddeutsch)* des Vespers / der Vesper, die Vespern	A small, savoury meal eaten mostly in the afternoon.

die **Jause** *(A)* der Jause, die Jausen = die Brotzeit, das / die Vesper	A small, often cold snack eaten mostly at midday, but also in the morning or afternoon. The term Jause can also be found on Austrian menus. A Jause is also equivalent to the German Schulbrot / Pausenbrot.
das / der **Znüni** *(CH)* des Znüni(s), die Znüni(s)	The Znüni (literally "at nine o'clock") is a small mid-morning refreshment. For example: an apple, buttered slice of bread, café au lait.
das / der **Zvieri** *(CH)* des Zvieri(s), die Zvieri(s)	The Zvieri (literally "at four o'clock") is a small sweet or savoury snack taken in the afternoon. For example: a piece of cake

das **Geschirr** *N*	**crockery, dishes**
des Geschirrs, die Geschirre	
= das Service [zɛrˈviːs]	
Ist das Geschirr spülmaschinenfest?	Is the crockery dishwasher-safe?
↳ das Kaffeegeschirr	coffee set
der **Teller** *N*	**plate**
des Tellers, die Teller	
↳ der flache Teller	dinner plate
↳ der tiefe Teller	soup plate
↳ der Suppenteller	soup plate
die **Tasse** *N*	**cup**
der Tasse, die Tassen	
Trink bitte deine Tasse aus.	Please finish your cup.
↳ die Kaffeetasse	coffee cup
die **Untertasse** *N*	**saucer**
der Untertasse, die Untertassen	
die **Kanne** *N*	**pot**
der Kanne, die Kannen	
Die Kanne hat eine hübsche Form.	The pot has a pretty shape.
↳ die Teekanne	teapot
↳ die Kaffeekanne	coffee pot
das **Glas** *N*	**glass** *(to drink out of)*
des Glases, die Gläser	
Kaffee trinkt man aus einer Tasse, nicht aus einem Glas.	You drink coffee out of a cup not a glass.
↳ das Weinglas	wine glass
das **Glas** *N*	**glass** *(material)*
des Glases, die Gläser	
Die Schüssel ist aus Glas.	The bowl is made of glass.

die **Schüssel** *N* der Schüssel, die Schüsseln Jens gibt den Kartoffelbrei in eine Schüssel.	**bowl** Jens puts the mashed potatoes in a bowl.
die **Schale** *N* der Schale, die Schalen In der Schale liegt noch etwas Gebäck. ⚠ die Schale einer Banane / eines Apfels / ...	**bowl** *(small flat bowl)* There are still some biscuits in the bowl. peel
stellen *V* stellt, stellte, hat gestellt Stell die Schüssel auf den Tisch!	**put** Put the bowl on the table!
kaputtgehen *V (ugs.)* geht kaputt, ging kaputt, ist kaputtgegangen Pass doch auf, sonst gehen die Gläser kaputt.	**break** Be careful, otherwise the glasses will break.
das **Messer** *N* des Messers, die Messer Seine kleine Tochter isst noch nicht mit Messer und Gabel.	**knife** His small daughter does not eat with knife and fork yet.
scharf *Adj* schärfer, am schärfsten ≠ stumpf Das Messer ist nicht scharf.	**sharp, keen** blunt The knife is not sharp.
schneiden *V* schneidet, schnitt, hat geschnitten Das Messer schneidet nicht.	**cut** The knife does not cut.
die **Gabel** *N* der Gabel, die Gabeln	**fork**
der **Löffel** *N* des Löffels, die Löffel ↳ der Esslöffel ↳ der Teelöffel	**spoon** tablespoon teaspoon
das **Besteck** *N* des Bestecks, die Bestecke Für Fisch gibt es ein eigenes Besteck.	**cutlery** Fish is eaten with special cutlery.
der **Korkenzieher** *N* des Korkenziehers, die Korkenzieher Wir können die Weinflasche nicht aufmachen, wir haben keinen Korkenzieher.	**corkscrew** We cannot open the bottle of wine, we do not have a corkscrew.
die **Tischdecke** *N* der Tischdecke, die Tischdecken Die rote Tischdecke passt sehr gut zu dem Geschirr.	**tablecloth** The red tablecloth matches the crockery perfectly.

der **Aschenbecher** *N* des Aschenbechers, die Aschenbecher Könnten Sie mir bitte einen Aschenbecher bringen?	**ashtray** Could you please bring me an ashtray?
die **Kerze** *N* der Kerze, die Kerzen Sie dekorierte den Tisch mit verschiedenen Kerzen und Blumen.	**candle** She decorated the table with various candles and flowers.
das **Feuerzeug** *N* des Feuerzeuges, die Feuerzeuge Er zündete sich die Zigarette mit dem Feuerzeug an.	**lighter** He lit his cigarette with a lighter.
das **Streichholz** *N* des Streichholzes, die Streichhölzer = das Zündholz = der Zünder (A) Hast du ein Streichholz oder ein Feuerzeug, um die Kerze anzuzünden?	**match** Do you have a match or a lighter to light the candles?

7.7 Restaurantbesuch — Visits to restaurants

das **Restaurant** *N* des Restaurant(e)s, die Restaurants	**restaurant**
das **Lokal** *N* des Lokals, die Lokale In diesem Lokal isst man wirklich gut.	**pub, bar** You can eat really well in this pub.
empfehlen *V* empfiehlt, empfahl, hat empfohlen Sein Nachbar hat ihm die Gaststätte wärmstens empfohlen. ↳ empfehlenswert	**recommend** His neighbour highly recommended this restaurant. recommendable
die **Gaststätte** *N* der Gaststätte, die Gaststätten = der Gasthof = das Gasthaus *(A)*	**restaurant**
die **Küche** *N* der Küche, die Küchen Das Lokal hat eine ausgezeichnete französische Küche. warme Küche ⚠ die Küche *(Raum, in dem gekocht wird)*	**cuisine** The restaurant serves excellent French cuisine. hot food kitchen
essen gehen Wollen wir heute Abend essen gehen?	**go out for a meal** Shall we go out for a meal this evening?

genießen *V* genießt, genoss, hat genossen Wir haben den Abend in dem Restaurant sehr genossen.	**enjoy** We very much enjoyed the evening in the restaurant.
reservieren *V* reserviert, reservierte, hat reserviert Wir sollten besser einen Tisch reservieren.	**reserve, book** We had better reserve a table.
die **Reservierung** *N* der Reservierung, die Reservierungen Können Sie mir die Reservierung für „Mertens“ bestätigen?	**reservation** Could you confirm the reservation for "Mertens"?
der **Nichtraucher** *N* des Nichtrauchers, die Nichtraucher Wir hätten gern einen Tisch im Nichtraucher-bereich.	**non-smoker** We would like to have a table in the non-smoking area.
frei *Adj* ≠ belegt / besetzt Entschuldigung, ist dieser Tisch noch frei?	**free** occupied Excuse me, is this table still free?
die **Veranstaltung** *N* der Veranstaltung, die Veranstaltungen In dem Lokal feiert eine Hochzeitsgesellschaft. Diese Veranstaltung ist privat.	**event** There will be a wedding celebration in this restaurant. This is a private event.
der **Wirt** *N (Kurzform für Gastwirt)* des Wirt(e)s, die Wirte Der neue Wirt soll sehr gut sein.	**landlord (of a pub)** The new landlord is said to be very good.
die **Wirtin** *N* der Wirtin, die Wirtinnen	**landlady (of a pub)**
der **Koch** *N* des Koch(e)s, die Köche	**cook, chef**
die **Köchin** *N* der Köchin, die Köchinnen	**cook, chef**
die **Aushilfe** *N* der Aushilfe, die Aushilfen Das Restaurant sucht eine Aushilfe für die Küche.	**temporary help, assistance** The restaurant is looking for temporary help in the kitchen.
das **Café** *N* des Cafés, die Cafés Sie ging mit ihrer Freundin ins Café.	**café** She went with her friend to the café.
das **Kaffeehaus** *N (A)* des Kaffeehauses, die Kaffeehäuser	**coffee house**

In der Schillerstraße gibt es ein schönes Kaffeehaus.	There is a nice coffee house on Schillerstraße.
das **Kännchen** *N* des Kännchens, die Kännchen Möchten Sie eine Tasse oder ein Kännchen Kaffee?	**pot** Would you like a cup or a pot of coffee?
die **Cafeteria** *N* der Cafeteria, die Cafeterias / Cafeterien Nach dem Mittagessen in der Mensa gingen sie in der Cafeteria einen Kaffee trinken.	**cafeteria** After lunch in the refectory, they went to the cafeteria for a coffee.
die **Kantine** *N* der Kantine, die Kantinen Frau Wächter isst nur donnerstags in der Kantine.	**canteen** Mrs Wächter only eats in the cantine on Thursdays.
die **Mensa** *N* der Mensa, die Mensas / Mensen Für Studierende ist das Essen in der Mensa sehr günstig.	**refectory, canteen** Students eat very cheaply in the refectory.
die **Bar** *N* der Bar, die Bars = der Tresen Sie tranken einen Whiskey an der Bar.	**bar** They drank a whiskey at the bar.
die **Kneipe** *N* der Kneipe, die Kneipen Das beste Bier gibt es in der Kneipe am Domplatz.	**pub** The pub on the *Domplatz* serves the best beer.
die **Bar** *N* der Bar, die Bars = das Lokal Möchtest du in eine Bar gehen?	**bar, pub** *(night club)* Would you like to go to a bar?
die **Selbstbedienung** *N* der Selbstbedienung *(nur Singular)* In unserem Gartenlokal ist Selbstbedienung.	**self-service** It is self-service in our outdoor café.
die **Theke** *N* der Theke, die Theken Die Männer trinken ihr Bier am liebsten im Stehen an der Theke.	**bar, counter** Men usually like to drink their beer standing at the bar.
die **Speise** *N* der Speise, die Speisen = das Gericht Alle Speisen und Getränke bezahle ich! warme und kalte Speisen	**food; meal; dish** Food and drinks are on me! hot and cold meals
die **Mahlzeit** *N*	**meal**

der Mahlzeit, die Mahlzeiten

die **Speisekarte** *N* der Speisekarte, die Speisekarten Ich hätte gerne die Speisekarte.	**menu** May I have the menu please?
die **Getränkekarte** *N* der Getränkekarte, die Getränkekarten Könnte ich noch einmal die Getränkekarte haben?	**drinks menu** Could I have the drinks menu again?
das **Menü** *N* des Menüs, die Menüs Das Menü hat drei Gänge: Vorspeise, Hauptspeise und Nachtisch.	**menu** The menu has three courses: a starter, a main dish and a dessert.
die **Vorspeise** *N* der Vorspeise, die Vorspeisen Ich hätte gerne eine Suppe als Vorspeise.	**starter, hors d'oeuvre** I would like soup as a starter.
die **Hauptspeise** *N* der Hauptspeise, die Hauptspeisen Als Hauptspeise gibt es heute Braten mit Kartoffeln und Rotkohl.	**main dish** Today's main dish is a roast with potatoes and red cabbage.
die **Nachspeise** *N* der Nachspeise, die Nachspeisen = der Nachtisch	**dessert**
das **Büfett** [byˈfɛt] *N (besonders A und CH auch: Buffet)* des Büfett(e)s, die Büfetts / Büfette Sie können sich den Salat selbst am Büfett nehmen.	**buffet** The salad buffet is self-service.
die **Spezialität** *N* der Spezialität, die Spezialitäten Spezialität des Hauses	**speciality** *(BE)*, **specialty** *(AE)* speciality of the house
die **Beilage** *N* der Beilage, die Beilagen Ich hätte gerne eine andere Beilage als Kartoffeln.	**side dish** I would like a different side dish other than potatoes.
das **Gericht** *N* des Gericht(e)s, die Gerichte Wenn sich jeder ein Gericht ausgesucht hat, können wir bestellen. ⚠ das Gericht *(Institution der Justiz)*	**dish** When everybody has chosen a dish, we can order. court
aussuchen *V* sucht aus, suchte aus, hat ausgesucht Ben sucht immer die besten Restaurants aus.	**choose** Ben always chooses the best restaurants.

groß *Adj* größer, am größten Ich habe großen Hunger, ich nehme eine Suppe und einen großen gemischten Salat.	**big, great, large** I am very hungry, I'll have a soup and a large mixed vegetable salad.
reichen *V* reicht, reichte, hat gereicht Ich bin eigentlich noch satt, mir reicht ein Salat.	**be enough** Actually, I am still not hungry. A salad is enough.
bestellen *V* bestellt, bestellte, hat bestellt Wenn der Kellner das nächste Mal vorbeikommt, können wir bestellen.	**order** When the waiter passes our table again, we can order.
möchten *V* möchte, mochte, hat gemocht Ich möchte gerne einen Kaffee.	**would like** I would like a coffee, please.
nehmen *V* nimmt, nahm, hat genommen Ich nehme ein Glas Rotwein.	**take** I'll take a glass of red wine.
bringen *V* bringt, brachte, hat gebracht Bringen Sie mir bitte eine Tasse Kaffee!	**bring** Could you please bring me a cup of coffee!
folgend *Adj* Wir haben heute folgende Kuchen: Käsekuchen, Himbeertorte, Streusel- und Apfelkuchen.	**following** Today we have the following cakes: cheese cake, raspberry tart, crumble and apple cake.
noch *Adv* Noch ein Bier bitte!	**another, in addition** Another beer, please!
lecker *Adj* leckerer, am leckersten Mein Essen ist sehr lecker!	**tasty** My meal is very tasty!
schmecken *V* schmeckt, schmeckte, hat geschmeckt Die Suppe schmeckt nach Knoblauch. Schmeckt es?	**taste** The soup tastes of garlic. Do you like it?
die **Portion** *N* der Portion, die Portionen Könnten Sie mir noch eine Portion Nudeln bringen?	**serving** Could you please bring me another serving of pasta?
probieren *V* probiert, probierte, hat probiert = versuchen Möchten Sie den Wein probieren?	**taste, try** Would you like to taste the wine?

kosten *V (A)* kostet, kostete, hat gekostet Hast du schon die Nachspeise gekostet? Sie schmeckt hervorragend! ⚠ kosten *(der Preis von etwas sein)*	**try, taste** Have you tried the dessert? It is excellent! cost
etwas gerne essen Ich esse gerne italienisch. Ich esse gerne Pizza.	**like to eat** I like to eat Italian food. I like to eat pizza.
ruhig *Partikel* Ihr könnt ruhig schon mit dem Essen anfangen.	*here:* **feel free; if you want** Feel free to start eating.

der **Kellner** *N* des Kellners, die Kellner Der Kellner bedient immer auf eine angenehme Art.	**waiter** The waiter is always very pleasant.
die **Kellnerin** *N* der Kellnerin, die Kellnerinnen	**waitress**
der **Ober** *N (D, A; veraltend)* des Obers, die Ober = der Kellner	**(head) waiter**
der **Service** [ˈsəːvɪs] *N* des Service(s), die Services	**service**
der / die **Serviceangestellte** *N (CH)* des / der Serviceangestellten, die Serviceangestellten	**service**
servieren *V* serviert, servierte, hat serviert	**serve**
bedienen *V* bedient, bediente, hat bedient	**serve**
die **Bedienung** *N* der Bedienung, die Bedienungen = der Kellner, die Kellnerin Die Bedienung in dem Café ist oft unfreundlich. ↳ die Selbstbedienung	**service** waiter, waitress The service in the café is often unfriendly. self-service

zahlen *V* zahlt, zahlte, hat gezahlt = bezahlen Zahlen, bitte!	**pay** I would like to pay, please!
zusammen *Adv* Wie möchten Sie zahlen? Zusammen oder getrennt?	**together** How would you like the bill? Together or separately?

die **Rechnung** *N* der Rechnung, die Rechnungen Würden Sie mir bitte die Rechnung bringen?	**bill, check** *(AE)* Would you please bring me the bill?
das macht ... = kosten Das macht 80 Euro.	**that will be ...** cost That will be 80 euros.
das **Trinkgeld** *N* des Trinkgeld(e)s, die Trinkgelder Wenn der Service gut ist, gebe ich gerne Trinkgeld.	**tip** If the service is good, I gladly give a tip.

8 Einkaufen

8.1 Lebensmittel einkaufen — Buying groceries

kaufen *V* kauft, kaufte, hat gekauft Ich habe gestern frische Erdbeeren gekauft. ↳ der Kauf	**buy; purchase** I bought fresh strawberries yesterday. purchase
verkaufen *V* verkauft, verkaufte, hat verkauft Nein, wir verkaufen hier keine Blumen.	**sell** No, we don't sell flowers here.
einkaufen *V* kauft ein, kaufte ein, hat eingekauft Wir brauchen Brot und Gemüse; ich gehe heute Abend einkaufen.	**go shopping** We need bread and vegetables ; I'll go shopping this evening.
der **Einkauf** *N* des Einkauf(e)s, die Einkäufe Viele Berufstätige erledigen den wöchentlichen Einkauf samstags.	**shopping** Many working people do their weekly shopping on Saturdays.
die **Liste** *N* der Liste, die Listen Am besten schreibst du eine Liste, bevor du einkaufen gehst.	**list** It would be best to write a list before you go shopping.
besorgen *V* besorgt, besorgte, hat besorgt Kannst du bitte noch Getränke besorgen?	**get** Can you please get some drinks as well?
bezahlen *V*	**pay (for)**

bezahlt, bezahlte, hat bezahlt	
Bezahlen Sie bitte vorne an der Kasse.	Please pay at the front at the cash desk.
↳ die Bezahlung	payment

die **Dose** *N*	**tin** *(BE)*, **can**
der Dose, die Dosen	
Wenn es keine frischen Erbsen gibt, kannst du welche in der Dose kaufen.	If there are no fresh peas, you can buy them in a tin.
↳ die Bierdose	beer can
↳ die Coladose	coke can
die **Büchse** *N (D, CH)*	**tin** *(BE)*, **can**
der Büchse, die Büchsen	
= die Konservendose	
Im Regal stehen Büchsen mit den verschiedensten Gemüsen.	There are tins with all sorts of vegetables on the shelves.
die **Schachtel** *N*	**box**
der Schachtel, die Schachteln	
Ich kaufe für meine Oma eine Schachtel Pralinen.	I'm buying a box of chocolates for my grand-mother.
↳ die Zigarettenschachtel	cigarette packet
der **Kasten** *N*	**crate**
des Kastens, die Kästen	
Wir brauchen wieder einen Kasten Bier.	We need a crate of beer again.
die **Kiste** *N*	**box**
der Kiste, die Kisten	
Bring aus Kuba bitte eine Kiste Zigarren mit.	Please bring me back a box of cigars from Cuba.
das **Päckchen** *N*	**small packet**
des Päckchens, die Päckchen	
Sie kauft ein Päckchen Butter.	She buys a small packet of butter.
der **Sack** *N*	**bag, sack**
des Sack(e)s, die Säcke	
Beim Bauern kaufe ich einen Sack Kartoffeln.	I buy a bag of potatoes from the farmer.
mit Sack und Pack	with bag and baggage
die **Flasche** *N*	**bottle**
der Flasche, die Flaschen	
Sie kauft für den Abend eine Flasche Wein.	She buys a bottle of wine for the evening.
↳ die Pfandflasche	returnable bottle *(on which a refundable deposit is paid)*
↳ die Mehrwegflasche	re-usable bottle
die **Tüte** *N*	**bag**
der Tüte, die Tüten	
= der Beutel	
= das Sackerl *(A)*	

Hätten Sie gern eine Tüte? – Nein danke, das geht so.	Would you like a bag? No, thank you, it's all right.
↳ die Plastiktüte	plastic bag
der **Supermarkt** *N*	**supermarket**
des Supermarkt(e)s, die Supermärkte	
In dem neuen Supermarkt bekommt man alles, was man braucht.	You can get everything you need in the new supermarket.
der **Markt** *N*	**market**
des Markt(e)s, die Märkte	
Zweimal in der Woche ist Markt.	There is a market twice a week.
der **Stand** *N*	**stand**
des Stand(e)s, die Stände	
Auf dem Markt gibt es einen Obst- und Käsestand.	There is a fruit and cheese stand on the market.
das **Lager** *N*	**store**
des Lagers, die Lager	
Einen Augenblick bitte, ich sehe nach, ob wir diesen Saft noch im Lager haben.	Just a minute please, I will see whether we still have this juice in store.
bio-, Bio- *Präfix*	**organic**
In vielen Geschäften kann man Biowaren an dem Biosiegel erkennen.	In many shops you can recognize the organic articles by the organic seal on them.
↳ das Biofleisch	organic meat
biologisch *Adj*	**organic**
= ökologisch	ecological
Ich esse nur Lebensmittel aus biologischem Anbau, gentechnische Veränderungen lehne ich ab.	I only eat foods from organic farms, I reject genetic engineering.
frisch *Adj*	**fresh**
frischer, am frischesten	
Im Urlaub essen wir oft frischen Fisch.	We often eat fresh fish during the holidays.
haltbar *Adj*	**non-perishable**
Durch Konservierungsstoffe ist die Wurst bis zum 20. Oktober haltbar.	The preservatives in the cold meats mean you can keep them until 20th October.
gekühlt *Adj*	**chilled**
In vielen Supermärkten gibt es auch gekühlte Getränke zu kaufen.	Many supermarkets also sell chilled drinks.
gekühlt lagern	store in a cool place
tiefgekühlt *Adj*	**frozen**
Tiefgekühlte Lebensmittel sind oft mehrere Monate haltbar.	Frozen foods often keep for months.
die **Metzgerei** *N*	**butcher's shop**

der Metzgerei, die Metzgereien = die Fleischerei = die Fleischhauerei *(A)* In dieser Metzgerei gibt es sehr leckeren Schinken.	They have very tasty ham in this butcher's shop.
der **Metzger** *N* des Metzgers, die Metzger = der Fleischhauer *(A)* = der Fleischer Bring bitte ein Kilo Kalbfleisch vom Metzger mit.	**butcher** Please bring me a kilo of veal from the butcher.
die **Metzgerin** *N* der Metzgerin, die Metzgerinnen = die Fleischhauerin *(A)* = die Fleischerin	**butcher**
die **Bäckerei** *N* der Bäckerei, die Bäckereien Die Bäckerei in meiner Straße öffnet morgens bereits um 6 Uhr.	**bakery** The bakery on my street opens as early as 6 a.m.
der **Bäcker** *N* des Bäckers, die Bäcker Sonntags kaufen wir Brötchen beim Bäcker.	**baker** We buy rolls from the baker on Sundays.
die **Bäckerin** *N* der Bäckerin, die Bäckerinnen	**baker**
holen *V* holt, holte, hat geholt = besorgen Sonntagnachmittag holen wir immer Kuchen beim Bäcker.	**get** buy We always get cake from the baker on Sunday afternoon.

8.2 Rund um den Einkauf — Shopping terms

das **Geschäft** *N* des Geschäft(e)s, die Geschäfte = der Laden Die meisten Geschäfte schließen um 20:00 Uhr. ↳ das Schuhgeschäft	**shop; store** Most shops close at 8 p.m. shoe shop / store
der **Laden** *N* des Ladens, die Läden In dem neuen Laden gibt es Schokolade und Kaffee.	**shop** The new shop sells chocolate and coffee.
das **Schaufenster** *N* des Schaufensters, die Schaufenster Laura probiert die Schuhe an, die sie im Schaufenster gesehen hat.	**shop window; display window** Laura tries on the shoes which she saw in the shop window.

↳ die Schaufensterpuppe	display dummy, mannequin *(AE)*
ausstellen *V* stellt aus, stellte aus, hat ausgestellt Im Schaufenster ist die neue Wintermode ausgestellt.	**exhibit** The new winter fashion is exhibited in the shop window.
öffnen *V* öffnet, öffnete, hat geöffnet ≠ schließen Das Geschäft öffnet erst um 10:00 Uhr. ↳ die Öffnungszeiten	**open** close The shop does not open until 10 a.m. opening hours
offen sein / haben *(ugs.)* = geöffnet ≠ geschlossen Ist das Geschäft jetzt noch offen?	**open** closed Is the shop still open?
zu sein / haben *(ugs.)* ≠ offen sein / haben Der Kiosk hat schon zu.	**closed** open The kiosk is already closed.
schließen *V* schließt, schloss, hat geschlossen Einige Geschäfte schließen über Mittag.	**close** Some shops close at lunchtime.
der **Verkäufer** *N* des Verkäufers, die Verkäufer In der Anzeige werden Verkäufer und Verkäuferinnen für Sportartikel gesucht.	**sales / shop assistant** The advertisement is seeking sales assistants for sports equipment.
die **Verkäuferin** *N* der Verkäuferin, die Verkäuferinnen	**saleswoman, shop assistant**
beraten *V* berät, beriet, hat beraten Die Verkäuferin berät ihre Kundin sehr kompetent. ↳ die Beratung	**advise** The shop assistant advises her customer very competently. advice
tun *V* tut, tat, hat getan Was kann ich für Sie tun?	**do** What can I do for you?
der **Wunsch** *N* des Wunsches, die Wünsche Haben Sie sonst noch einen Wunsch?	**wish, request** Anything else?
sonst *Adv* Hätten Sie sonst noch gerne etwas?	**else** Would you like anything else?
alles *unbest. Zahlwort*	**all**

Sonst noch etwas? – Nein, danke, das ist alles.	Anything else? – No, thanks, that's all for now.
noch *Adv* Ich hätte gern noch vier Brezeln.	*here:* **as well** I would like four pretzels as well.
die **Abteilung** *N* der Abteilung, die Abteilungen In der Kosmetikabteilung arbeiten vor allem Verkäuferinnen. ↳ die Herrenabteilung ↳ die Damenabteilung	**department** Mostly female shop assistants work in the cosmetics department. menswear ladieswear
shoppen *V* shoppt, shoppte, hat geshoppt Die beiden Freundinnen gehen gerne shoppen.	**go shopping, shop** The two friends love going shopping.
das **Kaufhaus** *N* des Kaufhauses, die Kaufhäuser = das Warenhaus Im obersten Stockwerk des Kaufhauses befindet sich ein Restaurant.	**department store** There is a restaurant on the top floor of the department store.
die **Boutique** *N* der Boutique, die Boutiquen Wenn sie etwas Ausgefallenes sucht, geht sie in eine Boutique.	**boutique** When she's looking for something unusual, she goes to a boutique.
die **Drogerie** *N* der Drogerie, die Drogerien	**chemist's (shop)** *(BE)*, **drugstore** *(AE)*

→ See also chapter *2.3 Körperpflege, Kosmetik* (pages 39 ff).

der **Schlussverkauf** *N* des Schlussverkauf(e)s, die Schlussverkäufe Am Ende der Sommer- oder Wintersaison werden im Schlussverkauf viele Artikel stark reduziert.	**sales** There are big reductions in many articles during the summer and winter sales.
das **Angebot** *N* des Angebot(e)s, die Angebote In vielen Supermärkten gibt es ein großes Angebot an frischen Lebensmitteln.	**supply** Many supermarkets have a wide range of fresh groceries.
die **Kasse** *N* der Kasse, die Kassen An der Kasse bildet sich manchmal eine lange Schlange. ↳ der Kassenzettel	**check-out, cash desk** There is sometimes a long queue at the check-out. receipt
sich anstellen *V* stellt sich an, stellte sich an, hat sich angestellt Zum Bezahlen muss man sich an der Kasse anstellen.	**queue** *(BE)*, **stand in line, line up** *(AE)* You have to queue at the check-out.

die **Quittung** *N* der Quittung, die Quittungen Können Sie mir bitte eine Quittung geben?	**receipt** Could you please give me a receipt?
aufheben *V* hebt auf, hob auf, hat aufgehoben = aufbewahren Die Quittung bitte gut aufheben!	**keep** Please keep the receipt!
umtauschen *V* tauscht um, tauschte um, hat umgetauscht Mit dem Kassenzettel können Sie das Telefon umtauschen.	**exchange** I'm sorry but you can't exchange this.
der **Umtausch** *N* des Umtausch(e)s, die Umtäusche / Umtausche Tut mir leid, bei diesem Artikel ist der Umtausch leider ausgeschlossen.	**exchange** I am sorry, this article cannot be exchanged.
der **Preis** *N* des Preises, die Preise Die Preise für Lebensmittel sind in den letzten Jahren gestiegen.	**price** Food prices have increased in recent years.
kosten *V* kostet, kostete, hat gekostet Was kostet ein Kilo Spargel?	**cost** How much does a kilo of asparagus cost?
steigen *V* steigt, stieg, ist gestiegen Die Strompreise sind gestiegen.	**increase** Electricity prices have increased.
reduzieren *V* reduziert, reduzierte, hat reduziert Im Herbst werden die Preise für Sommersachen reduziert.	**reduce** The prices of summer clothes will be reduced in the autumn.
preiswert *Adj* preiswerter, am preiswertesten Ich habe das Handy im Internet bestellt, das war ein sehr preiswertes Angebot.	**reasonable, inexpensive** I ordered the mobile phone on the internet, it was very reasonable.
günstig *Adj* günstiger, am günstigsten Die Kunden wollen gute Qualität zum günstigen Preis.	**reasonable** The customers want good quality at a reasonable price.
billig *Adj* billiger, am billigsten ≠ teuer Im Schlussverkauf gibt es viele Produkte billiger.	**cheap** expensive In the final sales a lot of products are cheaper.

teuer *Adj*	**expensive**
teurer, am teuersten	
Die Handtasche ist wunderschön, aber sie ist mir ehrlich gesagt zu teuer.	The handbag is lovely but to be honest it is too expensive for me.
ein teurer Spaß	an expensive business
die **Ware** *N*	**article**
der Ware, die Waren	
Reduzierte Ware ist vom Umtausch ausgeschlossen.	Reduced articles cannot be exchanged.
die **Qualität** *N*	**quality**
der Qualität, die Qualitäten	
Ware von guter Qualität hat ihren Preis.	You have to pay the price to get good quality.
die **Auswahl** *N*	**selection, range**
der Auswahl, die Auswahlen	
Sie haben eine große Auswahl an vegetarischen Produkten.	They have a wide range of vegetarian products.
viel / wenig Auswahl haben	have a broad / limited range
↳ auswählen	choose
verschieden *Adj*	**various, different**
Die Jacke gibt es in verschiedenen Farben.	We have this jacket in various colours.
im Angebot sein	**to be on special offer**
= reduziert sein	reduced
Die Birnen sind günstig, sie sind diese Woche im Angebot.	The pears are reasonable, they are on special offer this week.
das **Sonderangebot** *N*	**special offer, on sale** *(AE)*
des Sonderangebot(e)s, die Sonderangebote	
Keine Angst, es war ein Sonderangebot.	Don't worry, it was a special offer.
handeln *V*	**negotiate**
handelt, handelte, hat gehandelt	
= feilschen	haggle
Auf dem Basar kann man gut handeln. Die Preise sind nicht festgelegt.	On the bazaar you can negotiate as the prices are not fixed.
anschaffen *V*	**purchase; buy**
schafft an, schaffte an, hat angeschafft	
Er hat sich gerade ein neues Sofa angeschafft.	He has just purchased a new sofa.

9 Mengen, Zahlen, Maße

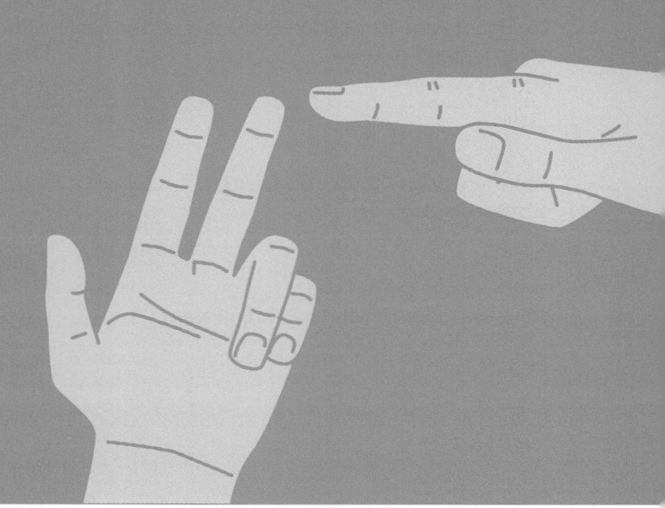

9.1 Mengenangaben — Quantities

die **Menge** *N* der Menge, die Mengen Getränke sind in ausreichender Menge vorhanden.	**quantity, amount** There is a sufficient quantity of drinks available.
die **Menge** *N* der Menge, die Mengen *(meist mit unbestimmtem Artikel)* = viel, viele Das Auto hat eine Menge Geld gekostet. Du brauchst dich nicht zu beeilen, wir haben noch eine Menge Zeit.	**a lot of** The car cost a lot of money. You don't need to rush, we still have a lot of time.
die **Menge** *N* der Menge, die Mengen In der Menge hat sie Panik bekommen.	**crowd** She panicked in the crowd.
der **Teil** *N* des Teil(e)s, die Teile Das Fahrrad besteht aus vielen Teilen: Lenkstange, Räder, Sattel ...	**part** A bicycle consists of many parts: handlebars, wheels, saddle ...
das **Paar** *N* des Paar(e)s, die Paare Zu der Hose ziehe ich ein Paar schwarze Strümpfe an.	**pair** I'll put on a pair of black socks to go with the trousers.
ein paar *Pron*	**a few**

Zu ihrem Konzert waren nur ein paar Freunde gekommen.	Only a few friends came to the concert.
genau *Adv* genauer, am genausten In einer Packung Spaghetti sind genau 500 g.	**exactly** There are exactly 500 g in a packet of spaghetti.
speziell *Adj* Diesen Stoff sollten Sie nur mit einem speziellen Pflegewaschmittel waschen.	**special** You should only wash this material using a special delicate washing liquid.
das **Stück** *N* des Stück(e)s, die Stücke Haben Sie noch mehr von diesem Kuchen? – Ja, aber nur noch drei Stück.	**piece** Do you have any more of this cake? – Yes, but only three pieces are left.
pro *Präp* Es gibt pro Kind ein Spielzeug.	**per** There is one toy per child.
je nach Der Ring kostet je nach Qualität zwischen 200 und 2000 Euro.	**depending on** The ring costs between 200 and 2,000 euros depending on the quality.
je *Adv* Je 10 Bücher kommen in einen Karton.	**each, every** 10 books are placed in each box.
je ... desto *Konj* Je später du die Reise buchst, desto teurer ist sie.	**the more ... the more** *(linking two comparatives)* The later you book a trip, the more expensive it is.
jeweils *Adv* Die Klassen haben jeweils einen Klassensprecher gewählt.	**each** The classes each chose a class representative.
inklusive *Adv* = inbegriffen Der Tisch kostet 429 € inklusive Mehrwertsteuer.	**including** The table costs €429 including value-added tax.
mit *Präp* Mit mir sind wir 20 Personen.	*here:* **including** There are 20 of us, including myself.
der **Inhalt** *N* des Inhalt(e)s, die Inhalte Geben Sie den Inhalt dieses Beutels in eine Schüssel.	**content(s)** Place the contents of this bag in a bowl.
enthalten *V* enthält, enthielt, hat enthalten Enthält der Preis auch die Fahrtkosten?	**include** Does the price also include travel expenses?
gesamt *Adj* Die gesamte Bevölkerung war in Aufruhr. Bei dem Brand wurde das gesamte Haus zerstört.	**whole, entire** The whole population was up in arms. The entire house was destroyed by fire.

9 Mengen, Zahlen, Maße

Gesamt- *Präfix* Wie setzt sich die Gesamtsumme zusammen?	**total** How is the total amount calculated?
voll *Adj* voller, am vollsten ≠ leer Der Mülleimer ist voll.	**full** empty The dustbin is full.
leer *Adj* leerer, am leersten Das Glas ist fast leer.	**empty** The glass is nearly empty.
wie viel(e) Wie viel verdienst du? Wie viele Geschwister hast du?	**how much / many** How much do you earn? How many brothers and sisters do you have?
zu *Adv (+ Adjektiv)* Ich finde das Kleid zu groß.	**too** I think the dress is too big.
einige *unbest. Zahlwort und Pron (+ Plural)* An einigen Stellen ist der Weg sehr eng. Ich habe in der Prüfung einige Fehler gemacht. Hier sind einige Vorschläge.	**some, several, a few** The path is very narrow in some places. I made several mistakes in the exam. Here are a few suggestions.
viel, viele *unbest. Zahlwort und Pron* Beeilt euch. Wir haben nicht viel Zeit. In vielen Fällen wusste sie auch keine Antwort. Er musste viele Fragen beantworten.	**much, many, a lot of** Hurry up! We haven't got much time. Even she didn't know the answer in many cases. He had to answer a lot of questions.
viel *Adv (+ Komparativ)* Die Miete ist viel höher als ich dachte.	**much** *(intensifying the comparative)* The rent is much higher than I thought.
viel zu *(+ Adjektiv)* Der Koffer ist viel zu schwer für dich.	**far too** *(intensifying the adjective)* That suitcase is far too heavy for you.
all- *unbest. Zahlwort und Pron* Er sagte in aller Öffentlichkeit, dass er seine Frau liebt. Alle Kinder spielen gerne. Gegen 22 Uhr sind alle gegangen.	**all; everybody** He said in public that he loves his wife. All children like playing. Everybody left around 10 p.m.
sämtlich *unbest. Zahlwort und Pron* = alle Aufgrund eines Unfalls auf der Autobahn werden sämtliche Verkehrsteilnehmer umgeleitet.	**all** They are diverting all the traffic because of an accident on the motorway.
ganz *Adv* Ich bin ganz sicher, dass ich den Schlüssel auf den Tisch gelegt habe. Ich bin ganz baff.	**quite; comletely** I am quite sure that I put the key on the table. I'm completely flabbergasted.
mehr *unbest. Zahlwort und Pron*	**more**

Ich brauche mehr Mehl für den Pizzateig.	I need more flour for the pizza dough.
mehr *Adv* Ich möchte gerne mehr über dieses Thema wissen.	**more** I would like to know more about this topic.
mehrere *unbest. Zahlwort und Pron* Es gibt mehrere Alternativen. Die Nachbarn sind für mehrere Wochen in ihrem Ferienhaus auf Mallorca.	**several, a number of** There are several alternatives. The neighbours are staying in their holiday home on Majorca for a number of weeks.
meiste *unbest. Zahlwort und Pron* Im Sommer ist er die meiste Zeit in seinem Garten.	**most** In the summer he's in his garden most of the time.
genug *Adv* Ich finde, du hast lange genug gespielt. Geh jetzt bitte ins Bett. Ich habe riesigen Hunger. – Kein Problem, es ist genug zu essen da.	**enough** I think you have played long enough. Please go to bed now. I am very hungry. – No problem, we've got enough to eat.
genügen *V* genügt, genügte, hat genügt = reichen Ich buche für Sie ein komfortables Hotelzimmer. – Danke, mir genügt ein einfaches Zimmer in einer Pension.	**be (good) enough** I'll book a comfortable hotel room for you. – Thanks, a simple room in a guesthouse is (good) enough for me.
reichen *V* reicht, reichte, hat gereicht = genügen Reicht der Kartoffelsalat für acht Personen?	**be enough / sufficient** Will the potato salad be enough for eight people?
insgesamt *Adv* In dem Aufzug dürfen insgesamt 6 Personen fahren.	*here:* **a total of** A total of 6 people are allowed to take the lift.
komplett *Adj* Brauchst du das Auto nur am Samstag oder für das komplette Wochenende?	**complete** Do you need the car only on Saturday or for the complete weekend?
total *Adj (ugs.)* Hier herrscht das totale Chaos! Der Urlaub war der totale Reinfall.	**total, complete** This place is in total chaos. The holiday was a complete disaster.
extra *Adv* = zusätzlich Die Fahrt auf den Berggipfel kostet extra.	**extra** additional The trip to the peak costs extra.
zusätzlich *Adj*	**additional**

Alle zusätzlichen Getränke müssen Sie selbst bezahlen.	You have to pay for all additional drinks.
außerdem *Adv* = zudem Zigaretten sind teuer und außerdem gesundheitsschädlich. Ich nehme einen Espresso und außerdem ein Wasser.	**moreover, besides; as well** Cigarettes are expensive and, moreover, they are bad for your health. I'll have an espresso and a water as well.
weiterer, weitere, weiteres *Adj* Die Kursteilnehmer hatten keine weiteren Fragen.	**further** The course participants did not have any further questions.
einer, eine, ein *Zahlwort* Ich habe *einen* einzigen guten Freund. Möchtest du *ein* Eis? – Nein danke, ich hatte gerade *eins*. Kannst du mir deinen Schirm leihen? – Nein, ich habe nur diesen *einen*.	**one; a(n)** I have only one good friend. Would you like an ice cream? – No thanks, I have just had one. Could you lend me your umbrella? – No, I only have this one.

einer, eine, ein

Unlike the other cardinal numbers (zwei, drei, etc.), einer, eine, ein agree with their nouns.

Ich habe zwei Kinder. – Ich habe nur ein(e)s. Möchtest du einen oder zwei Luftballons? – Danke, ich möchte nur einen.	I have two children. – I have only one. Would you like one or two balloons? – I'd like only one balloon, please.

einziger, einzige, einziges *Adj* Wir waren die einzigen Gäste in dem Restaurant. Nele ist ihr einziges Kind.	**only** We were the only guests in the restaurant. Nele is her only child.
etwas *Pron* = ein bisschen Kann ich etwas Nachtisch haben?	**some** a bit Could I have some dessert, please?
ein bisschen *Pron* Du solltest jeden Tag ein bisschen spazieren gehen. Möchtest du so viel wie dein Bruder? – Nein, ein bisschen weniger.	**a bit** You should go for a bit of a walk every day. Would you like as much as your brother? – No, a bit less.
gering *Adj* geringer, am geringsten Friseure haben in Deutschland ein geringes Einkommen. Eine geringe Anzahl der Tiere war infiziert.	**low; small** Hairdressers have a low income in Germany. A small number of the animals were infected.
wenig *unbest. Zahlwort und Pron*	**(a) little**

Es gab wenig, womit sie ihm helfen konnten.	There was little they could do to help him.
wenig *Adv* Es macht ihr wenig aus, was ihre Eltern sagen.	**little** It matters little to her what her parents say.
kaum *Adv* Es hat kaum geregnet. Das kann ich kaum glauben.	**hardly** It hardly rained. I can hardly believe that.
knapp *Adj* knapper, am knappsten Die Ressourcen sind knapp. Wir sollten sparen.	**scarce; meagre** *(BE)*, **meager** *(AE) (barely enough)* Resources are scarce. We should start saving.
knapp *Adj* knapper, am knappsten = etwas weniger als Die Fahrt nach Berlin dauerte knappe fünf Stunden. Der Mantel hat knapp 100 € gekostet.	**almost; just over / under** a little less than The drive to Berlin took almost five hours. The coat costs just under €100.
übrig *Adj* Von dem Kuchen ist nichts übrig.	**left (over)** There is nothing left of the cake.
der **Rest** *N* des Rest(e)s, die Reste Von dem Käse ist nur noch ein Rest da.	**leftover(s)** *(small remaining part)* There are only leftovers of the cheese.
der **Rest** *N* des Rest(e)s, *(in dieser Bedeutung nur Singular)* Von dem Gedicht weiß ich nur noch den Anfang, den Rest habe ich vergessen.	**rest** I only know the beginning of the poem. I have forgotten the rest.
noch *Adv* Sie hatte nur noch 8 € in ihrem Portemonnaie.	**only** She only had €8 in her purse.
fehlen *V* fehlt, fehlte, hat gefehlt Wegen Krankheit fehlten gestern viele Kinder. Erst als er zu Hause war, stellte er fest, dass sein Wörterbuch fehlte.	**be absent; be missing** Many children were absent yesterday because of illness It wasn't 'till he got home that he noticed his dictionary was missing.
etwa *Adv* = ungefähr Bis ins Stadtzentrum sind es etwa 5 Kilometer.	**about** approximately It is about 5 kilometres to the city centre.
ungefähr *Adv* Er hat ungefähr 90 Gäste eingeladen. Die Party fängt ungefähr um 22 Uhr an.	**approximately, about** He has invited approximately 90 guests. The party starts about 10 p.m.
ungefähr *Adj* Was ist die ungefähre Zeit deiner Ankunft?	**approximate** What is the approximate time of your arrival?

9 Mengen, Zahlen, Maße

circa [ˈtsɪrka] *Adv (auch: zirka; Abkürzung: ca.)* Antje wiegt circa 55 kg.	**about, approximately** Antje weighs about 55 kilos.
so *Adv* Wie viele Äpfel möchten Sie denn? – So zwei Kilo.	**around** How many apples would you like? – Around two kilos.
fast *Adv* Er wiegt fast 120 kg.	**nearly** He weighs nearly 120 kilos.
beinahe *Adv* = fast Tim ist beinahe so groß wie sein Vater.	**almost, nearly** Tim is almost as tall as his father.
mindestens *Adv* Morgens brauche ich mindestens 20 Minuten im Bad.	**at least** In the morning I need at least 20 minutes in the bathroom.
zumindest *Adv* = wenigstens Die neue Arbeit gefällt mir zwar nicht, aber ich verdiene zumindest mehr Geld.	**at least** It's true that I don't like the new job, but at least I earn more money.
wenigstens *Adv* Du solltest wenigstens „Guten Tag" zu ihm sagen.	**at least** You should at least say "Hello" to him.
maximal *Adj* Die maximale Geschwindigkeit beträgt 100 km/h.	**maximum** The maximum speed is 100 km/h.
minimal *Adj* ≠ maximal	**minimum** maximum
einzeln *Adj* Hier können Sie sich einzelne Pralinen aussuchen.	**single, individual** You can choose single chocolates here.
Einzel- *Präfix* In meinem Zimmer ist wenig Platz, dort habe ich nur ein Einzelbett.	**single** There is little space in my room; I have only a single bed there.
doppelt *Adj* Seit mein Kollege krank ist, habe ich die doppelte Arbeit. Sie verdient doppelt so viel wie er.	**double; twice** Since my colleague has been ill, I have had to do double the work. She earns twice as much as he.
Doppel- *Präfix* ≠ Einzel- Ich brauche kein Doppelzimmer, ich möchte ein Einzelzimmer. ↳ Doppelpack	**double** single I do not need a double room, I would like a single room. twin-pack

9.2 Kardinalzahlen | Cardinal numbers

Cardinal numbers from 0 to 30		
0	null	zero, nought, nil
1	eins	one
2	zwei	two
3	drei	three
4	vier	four
5	fünf	five
6	sechs	six
7	sieben	seven
8	acht	eight
9	neun	nine
10	zehn	ten
11	elf	eleven
12	zwölf	twelve
13	dreizehn	thirteen
14	vierzehn	fourteen
15	fünfzehn	fifteen
16	sechzehn	sixteen
17	siebzehn	seventeen
18	achtzehn	eighteen
19	neunzehn	nineteen
20	zwanzig	twenty
21	einundzwanzig	twenty-one
22	zweiundzwanzig	twenty-two
23	dreiundzwanzig	twenty-three
24	vierundzwanzig	twenty-four
25	fünfundzwanzig	twenty-five

26	sechsundzwanzig	twenty-six
27	siebenundzwanzig	twenty-seven
28	achtundzwanzig	twenty-eight
29	neunundzwanzig	twenty-nine
30	dreißig	thirty

Cardinal numbers from 40		
40	vierzig	forty
50	fünfzig	fifty
60	sechzig	sixty
70	siebzig	seventy
80	achtzig	eighty
90	neunzig	ninety
100	(ein)hundert	one hundred
101	(ein)hundert(und)eins	one hundred and one
200	zweihundert	two hundred
300	dreihundert	three hundred
400	vierhundert	four hundred
1000	(ein)tausend	one thousand
1001	(ein)tausend(und)eins	one thousand and one
2000	zweitausend	two thousand
20.000	zwanzigtausend	twenty thousand
1.000.000	eine Million	one million
1.000.000.000	eine Milliarde	one billion

null *Zahlwort*	**zero**
Er hat die Prüfung mit 1,0 (eins Komma null) bestanden.	He passed the exam with 1.0 (one point zero).
eins *Zahlwort*	**one**
Seine Telefonnummer fängt mit einer Eins an.	His telephone number starts with a one.
das **Hundert** *N*	**one / a hundred** *(after undefined numerals)*
des Hunderts, die Hundert(e)	
Zu dem Spiel kamen mehrere Hundert Fans.	Several hundred fans came to the match.
(ein)tausend *Zahlwort*	**one / a thousand**
Er kann bis tausend zählen.	He can count to one thousand.
In der Halle können (ein)tausend Menschen unterkommen.	The hall can accommodate a thousand people.
Tausend Dank!	Many thanks!
das **Tausend** *N*	**thousand** *(after undefined numerals)*
des Tausends, die Tausend(e)	
Zu der Demonstration waren ein paar Tausend Menschen gekommen.	A few thousand people came to the demonstration.
die **Million** *N*	**million**
der Million, die Millionen	
Deutschland hat mehr als 80 Millionen Einwohner.	Germany has more than 80 million inhabitants.
↳ der Millionär, die Millionärin	millionaire, millionairess
die **Milliarde** *N*	**billion**
der Milliarde, die Milliarden	
⚠ die Billion	trillion
die **Nummer** *N (Abkürzung: Nr.)*	**number**
der Nummer, die Nummern	
Sie haben das Zimmer Nummer vier.	You have room number four.
die **Zahl** *N*	**number; figure**
der Zahl, die Zahlen	
Die Zahl ihrer Leser ist gesunken.	The number of her readers has sunk.
Schreiben Sie bitte die Summe in Zahlen und in Worten.	Please write the amount in figures and in words.
zählen *V*	**count**
zählt, zählte, hat gezählt	
Ich zähle bis zehn, dann suche ich euch.	I'll count to ten then I'll come looking for you.
zahlreich *Adj*	**numerous**
zahlreicher, am zahlreichsten	
= viele	much, many, a lot of
Meine Tante hat zahlreiche Ringe.	My aunt has numerous rings.

9.3 Ordinalzahlen — Ordinal numbers

erster, erste, erstes *Zahlwort* — **first**
Paul ist ihr erstes Kind. — Paul is her first child.
Der erste Mai ist in vielen Ländern ein Feiertag. — The first of May is a holiday in many countries.

dritter, dritte, drittes *Zahlwort* — **third**
Am dritten Oktober wird in Deutschland der Tag der deutschen Einheit gefeiert. — In Germany they celebrate German Unity Day on the third of October.

Ordinal numbers		
1.	erster, erste, erstes	first
2.	zweiter, zweite, zweites	second
3.	dritter, dritte, drittes	third
4.	vierter, vierte, viertes	fourth
20.	zwanzigster, zwanzigste, zwanzigstes	twentieth
30.	dreißigster, dreißigste, dreißigstes	thirtieth
100.	(ein)hundertster, (ein)hundertste, (ein)hundertstes	(one) hundredth
101.	(ein)hundert(und)erster, (ein)hundert(und)erste, (ein)hundert(und)erstes	hundred and first
1000.	(ein)tausendster, (ein)tausendste, (ein)tausendstes	(one) thousandth

9.4 Bruchzahlen — Fractions

die **Hälfte** *N* — **half**
der Hälfte, die Hälften
Jeder von euch bekommt eine Hälfte des Apfels. — Each of you gets half of the apple.
In der zweiten Hälfte des Winters sind die Tage etwas länger. — The days are a little longer in the second half of winter.

halb *Adj* — **half**
Das ist nur die halbe Wahrheit. — That is only half the truth.
Das Glas ist halb voll. — The glass is half-full.
↳ halbieren — halve

das **Drittel** *N* — **third**
des Drittels, die Drittel
Ungefähr ein Drittel des Weges haben wir schon hinter uns. — We have already covered almost a third of the way.
↳ dritteln — divide into three parts

das **Viertel** *N* des Viertels, die Viertel Im letzten Viertel des 19. Jahrhunderts gab es in Deutschland mehrere Wirtschaftskrisen. ↳ vierteln	**quarter** There were several economic crises in Germany in the last quarter of the 19th century. divide into four parts

9.5 Rechnen — Arithmetic

rechnen *V* rechnet, rechnete, hat gerechnet Sie konnte schon als Kind gut rechnen.	**calculate** Even as a child she was good at Maths.
berechnen *V* berechnet, berechnete, hat berechnet Sie weiß nicht, wie man die Fläche eines Kreises berechnet.	**calculate** She does not know how to calculate the area of a circle.
plus *Konj* Zehn plus zwei ist gleich zwölf.	**plus** Ten plus two equals twelve.
minus *Konj* ≠ plus	**minus** plus
und *Konj* Zwei und vier sind sechs.	**and; plus** Two plus four is six.
machen *V* = sein = geben Eins plus zwei macht drei.	*here:* **be** One plus two is three.
die **Summe** *N* der Summe, die Summen Die Summe von fünf plus vier ist neun.	**sum** The sum of four and five is nine.
die **Summe** *N* der Summe, die Summen = der (Geld-)Betrag Er hat eine große Summe gespendet.	**amount, sum** He has donated a large amount.
mal *Konj* = multipliziert mit Drei mal drei ist neun.	**multiplied by, times** Three multiplied by three is nine.
teilen durch = dividieren durch Acht geteilt durch zwei macht vier.	**divide by** Eight divided by two is four.

9.6 Maße und Gewichte — Measurements and weights

der **Meter** *N (Abkürzung: m)* — **metre** *(BE)*, **meter** *(AE)*
des Meters, die Meter
Das Wohnzimmer ist sechs Meter lang und fünf Meter breit. — The living room is six metres long and five metres wide.

der **Zentimeter** *N (Abkürzung: cm)* — **centimetre** *(BE)*, **centimeter** *(AE)*
des Zentimeters, die Zentimeter
Das Kissen hat die Maße 30 mal 30 Zentimeter. — The pillow measures 30 by 30 centimetres.

der **Kilometer** *N (Abkürzung: km)* — **kilometre** *(BE)*, **kilometer** *(AE)*
des Kilometers, die Kilometer
Er joggt täglich 10 Kilometer. — He runs 10 kilometres every day.

der **Quadratmeter** *N (Abkürzung: m², qm)* — **square metre** *(BE)*, **square meter** *(AE)*
des Quadratmeters, die Quadratmeter
Der Balkon hat eine Fläche von 6 Quadratmetern. — The balcony has an area of 6 square metres.

lengths		
2,54 Zentimeter (cm)	1 Zoll	1 inch
30,48 Zentimeter (cm)	1 Fuß	1 foot
0,91 Meter (m)	1 Schritt	1 yard
1,61 Kilometer (km)	1 Meile	1 mile

das **Kilo(gramm)** *N (Abkürzung: kg)* — **kilogram, kilo, kilogramme** *(BE)*
des Kilos / Kilogramms, die Kilos / Kilogramm(e)
Kauf bitte zwei Kilo Kartoffeln und ein Kilo Äpfel. — Please buy two kilos of potatoes and one kilo of apples.

das **Gramm** *N (Abkürzung: g)* — **gram, gramme** *(BE)*
des Gramms, die Gramm(e)
Das Baby wog bei der Geburt 3500 Gramm. — The baby weighed 3,500 grams at birth.

das **Pfund** *N (Abkürzung: Pfd.)* — **pound**
des Pfund(e)s, die Pfunde
Für den Kuchen braucht man ein Pfund Mehl und 250 Gramm Zucker. — You need one pound of flour and 250 grams of sugar for the cake.

das **Deka(gramm)** *N (A; Abkürzung: dag; 1 dag = 10 g)* — **decagram, ten grams, ten grammes** *(BE)*
des Dekagramms, die Dekagramm(e)

Weight		
28,35 Gramm (g)	1 Unze	1 ounce
454 Gramm (g) / 0,454 Kilogramm (kg)	1 Pfund	1 pound
6,35 Kilogramm (kg)	1 Stone	1 stone *(BE)*
907 Kilogramm (kg) / 0,907 Tonnen (t)	1 Amerikanische Tonne	1 short ton *(AE)*
1016 Kilogramm (kg) / 1,016 Tonnen (t)	1 Britische Tonne	1 long ton *(BE)*

messen *V* — **measure**
missst, maß, hat gemessen
Er misst seine Zeit beim Joggen. — He measures his time when he's jogging.
Die Kiste misst 6 mal 2 mal 3 Meter. — The box measures 6m by 2m by 3m.
↳ ausmessen — measure (out)

der **Liter** *N (Abkürzung: l)* — **litre** *(BE)*, **liter** *(AE)*
des Liters, die Liter
Sie trinkt jeden Morgen einen halben Liter Milch. — She drinks half a litre of milk every morning.

das **Grad** *N (Abkürzung: °)* — **degree**
des Grad(e)s, die Grade *(aber: 15 Grad)*
Wasser kocht bei 100 Grad Celsius. — Water boils at 100 degrees Celsius.
Wir haben heute etwa 25 Grad. — It's approximately 25 degrees today.
Es hat ein Grad unter Null / minus ein Grad. — It is one degree below zero / minus one degree.

Temperature			
-17	Grad Celsius (°C)	0	Degree Fahrenheit (°F)
0	Grad Celsius (°C)	32	Degree Fahrenheit (°F)
37,8	Grad Celsius (°C)	100	Degree Fahrenheit (°F)
100	Grad Celsius (°C)	212	Degree Fahrenheit (°F)

schwer *Adj* — **heavy**
schwerer, am schwersten
Der Koffer ist schwer. — The suitcase is heavy.

leicht *Adj* — **light**
leichter, am leichtesten
≠ schwer — heavy

wiegen *V*	**weigh**
wiegt, wog, hat gewogen	
Wie viel wiegst du?	How much do you weigh?
Die Frau wiegt 59 Kilo.	The woman weighs 59 kilos.
der **Durchschnitt** *N*	**average**
des Durchschnitt(e)s, die Durchschnitte	
Der Durchschnitt seiner Noten liegt bei 1,9.	His average mark is 1.9.
Im Durchschnitt brauche ich morgens 25 Minuten bis zur Arbeit.	I need 25 minutes on average to get to work.
durchschnittlich *Adj*	**average**
durchschnittlicher, am durchschnittlichsten	
Wie hoch ist das durchschnittliche Einkommen in Deutschland?	How high is the average income in Germany?
das **Prozent** *N (Abkürzung: %)*	**percent**
des Prozent(e)s, die Prozente	
30 Prozent seines Gehalts braucht er für die Miete.	He needs 30 percent of his salary for the rent.
Sie erhalten 3 % Rabatt, wenn Sie bar bezahlen.	You get a 3% discount if you pay cash.
↳ prozentual	

10 Kleidung

10.1 Kleidungsstücke | Items of clothing

die **Hose** *N* — **trousers** *(pl)*
der Hose, die Hosen *(häufig auch im Plural singularische Bedeutung)*
Die Hose und der Pullover passen farblich gut zusammen. — The colours of the trousers and the pullover go well together.
die Hosen anhaben — wear the trousers *(BE)* / pants *(AE)*
↳ die Kordhose — cords

die **Jeans** [dʃiːns] *N (Pluralwort)* — **jeans**
der Jeans
Jeans sind immer modern. — Jeans are always modern.
↳ die Bluejeans — blue jeans

der **Pullover** *N* — **pullover**
des Pullovers, die Pullover
= der Pulli — jumper
Sie hat einen gemusterten Pullover an. — She is wearing a patterned pullover.
↳ der Rollkragenpullover — turtleneck

das **T-Shirt** [ˈtiːʃəːt] *N* — **T-shirt**
des T-Shirts, die T-Shirts
Die T-Shirts wurden in Pakistan hergestellt. — The T-shirts were produced in Pakistan.

die **Jacke** *N* — **jacket**
der Jacke, die Jacken
Er wollte seine warme Jacke nicht ausziehen. — He did not want to take off his warm jacket.
↳ die Strickjacke — cardigan

10 Kleidung

die **Kleidung** *N* der Kleidung, die Kleidungen *(selten)* Im Winter trägt man wärmere Kleidung als im Sommer. ↳ sich kleiden ↳ der Kleiderschrank	**clothes; clothing** You wear warmer clothes during the winter than during the summer. dress wardrobe
die **Garderobe** *N* der Garderobe, die Garderoben Ich habe für diesen Anlass nicht die richtige Garderobe. ↳ die Sommer-/Wintergarderobe ↳ die Abendgarderobe	**wardrobe** *(all of the clothes somebody owns or is wearing)* I do not have the right wardrobe for this event. summer / winter wardrobe evening dress
anziehen *V* zieht an, zog an, hat angezogen = anlegen Er zog zuerst seine Hose, dann sein Hemd an.	**put on** He first puts on his trousers then his shirt.
ausziehen *V* zieht aus, zog aus, hat ausgezogen ≠ anziehen	**take off** put on
anhaben *V* hat an, hatte an, hat angehabt Was um Himmels willen hat sie heute an? Du hast aber eine hübsche Bluse an!	**have on; wear** What on earth has she got on today? You are wearing a nice blouse!
tragen *V* trägt, trug, hat getragen Sie trägt heute einen sehr kurzen Rock!	**wear** She is wearing a very short skirt today.
passen *V* passt, passte, hat gepasst = harmonieren Passt das rosafarbene Hemd zu dem blauen Anzug?	**match** Does the pink shirt match the blue suit?
sitzen *V* sitzt, saß, hat gesessen Der Anzug sitzt sehr gut. wie angegossen sitzen	**fit** The suit fits very well. fit like a glove
stehen *V* steht, stand, hat gestanden Frau Singer, das Abendkleid steht Ihnen ganz ausgezeichnet.	**suit** Mrs Singer, your evening dress suits you very well.
sich umziehen *V* zieht sich um, zog sich um, hat sich umgezogen = sich umkleiden Für die Verabredung am Abend zog sie sich um.	**change, get changed** She changed for her date in the evening.

gehören *V* gehört, gehörte, hat gehört Wem gehören die blauen Schuhe?	**belong** Who do the blue shoes belong to?
der **Anzug** *N* des Anzug(e)s, die Anzüge Jens trägt nicht gerne Anzüge, er mag lieber bequeme Kleidung.	**suit** Jens doesn't like wearing suits. He prefers casual clothes.
das **Hemd** *N* des Hemd(e)s, die Hemden Hemd und Anzug wirken sehr elegant. das langärmelige Hemd das kurzärmelige Hemd	**shirt** A shirt and suit look elegant. long-sleeve shirt short-sleeve shirt
das **Kleid** *N* des Kleid(e)s, die Kleider Je nach Mode tragen Frauen längere oder kürzere Kleider. ↳ das Brautkleid ↳ das Abendkleid	**dress** Women wear longer or shorter dresses depending on the fashion. wedding dress evening gown
der **Rock** *N* des Rock(e)s, die Röcke Die Stiefel passen gut zu ihrem Rock. ↳ der Faltenrock	**skirt** The boots go well with her skirt. pleated skirt
die **Bluse** *N* der Bluse, die Blusen Die sportliche Bluse passt zu ihrem Typ. ↳ die Seidenbluse	**blouse** The sporty blouse suits her type. silk blouse
das **Tuch** *N* des Tuch(e)s, die Tücher Das blaue Tuch ist nicht aus Baumwolle, sondern aus Seide. ↳ das Kopftuch ↳ das Halstuch	**scarf** The blue scarf is not made of cotton but of silk. headscarf scarf, neckerchief
der **Blazer** [ˈbleːzɐ] *N* des Blazers, die Blazer = das Jackett Sowohl Frauen als auch Männer können einen Blazer tragen.	**blazer** Both women and men can wear blazers.
die **Weste** *N* der Weste, die Westen Manche Menschen tragen lieber Westen, andere Jacken.	**waistcoat** *(BE)*, **vest** *(AE)* Some people prefer wearing waistcoats, others jackets.
die **Krawatte** *N* der Krawatte, die Krawatten = der Schlips	**tie**

In manchen Firmen sind Anzug und Krawatte für Männer Pflicht.	Suits and ties are mandatory for men in some companies.
die **Fliege** *N*	**bow tie**
der Fliege, die Fliegen	
Die meisten Männer bevorzugen eine Krawatte gegenüber einer Fliege.	Most men prefer a tie to a bow tie.
das **Kostüm** *N*	**(woman's) suit**
des Kostüm(e)s, die Kostüme	
Marinas Kostüm hat einen hübschen Schnitt.	Marina's suit has a nice cut.
die **Strumpfhose** *N*	**tights**
der Strumpfhose, die Strumpfhosen	
Die Strumpfhose hat leider eine Laufmasche.	Unfortunately the tights have a ladder in them.
der **Ärmel** *N*	**sleeve**
des Ärmels, die Ärmel	
Unter diesem Blazer können Sie eine Bluse mit langen Ärmeln tragen.	You can wear a blouse with long sleeves under this blazer.
die Ärmel hochkrempeln *(auch im übertragenen Sinn: anpacken, loslegen)*	turn up one's sleeves *(also figurative: get going / started)*
kurze / lange Ärmel	short / long sleeves
↳ ärmellos	sleeveless
die **Hosentasche** *N*	**trouser pocket**
der Hosentasche, die Hosentaschen	
In seiner rechten Hosentasche hat er immer ein Taschentuch.	He always has a handkerchief in his right trouser pocket.
die **Bekleidung** *N*	**clothing; clothes** *(used mostly in the textile industry)*
der Bekleidung, die Bekleidungen	
Im Erdgeschoss des Warenhauses gibt es Damen- und Herrenbekleidung, im Untergeschoss Kinderbekleidung.	The department store has women's and men's clothing on the ground floor and children's clothing in the basement.
↳ die Sportbekleidung	sportswear
↳ die Berufsbekleidung	business clothing
das **Modell** *N*	**model** *(a particular item of clothing)*
des Modells, die Modelle	
Wie gefällt Ihnen dieses Modell?	How do you like this model?
der **Hut** *N*	**hat**
des Hut(e)s, die Hüte	
Früher trugen viele Männer Hüte.	A lot of men wore hats in the past.
Hut ab!	Well done!
verschiedene Interessen unter einen Hut bringen	balance / reconcile different interests
seinen Hut nehmen	resign
der **Mantel** *N*	**coat**
des Mantels, die Mäntel	

Sie können Ihren Mantel gerne hier ablegen! — You are welcome to leave your coat here!
↳ der Wintermantel — winter coat
↳ der Regenmantel — macintosh, raincoat, trench coat

die **Garderobe** *N* — **cloakroom, checkroom** *(AE)*
der Garderobe, die Garderoben
Im Theater kann man seinen Mantel an der Garderobe abgeben. — You can hand your coat in to the cloakroom in the theatre.

der **Bügel** *N* — **coat hanger**
des Bügels, die Bügel
= der Kleiderbügel
Hast du einen Bügel für mich? Dann kann ich meinen Mantel aufhängen. — Do you have a coat hanger? Then I can hang up my coat.

---

der **Strumpf** *N* — **(knee-length) sock**
des Strumpf(e)s, die Strümpfe
Sie strickt für alle Familienmitglieder Strümpfe aus Wolle. — She knits woollen socks for all of the family.
ein Loch im Strumpf — a hole in the sock

die **Socke** *N* — **(short) sock**
der Socke, die Socken
Im Winter trägt er ein Paar dicke Socken. — He wears a pair of thick socks in the winter.
wollene Socken — woollen socks
sich auf die Socken machen — get going
von den Socken sein — be thrilled

der **Schuh** *N* — **shoe**
des Schuh(e)s, die Schuhe
Die kleine Clara kann ihre Schuhe schon selbst zubinden. — Little Clara can already tie her shoes herself.
Wo drückt der Schuh? — What's wrong?
hochhackige Schuhe — high-heeled shoes, stilettos
↳ die Schuhgröße — shoe size
↳ der Hausschuh — slipper
↳ der Turnschuh / Sportschuh — trainer *(BE)*, sneaker *(AE)*

drücken *V* — **to be tight; pinch**
drückt, drückte, hat gedrückt
Der linke Schuh drückt ein bisschen. Könnte ich eine Nummer größer haben? — The left shoe is a bit tight. Could I have a larger size, please?
Er drückt auf den großen Zeh. — It is pinching my big toe.

der **Stiefel** *N* — **boot**
des Stiefels, die Stiefel
Im Sommer trägt man Sandalen, keine Stiefel. — You wear sandals in summer, not boots.
der gefütterte Stiefel — fur-lined boot
↳ Gummistiefel — Wellingtons, rubber boots

die **Sandale** *N* — **sandal**
der Sandale, die Sandalen

Schon die Römer trugen Sandalen.	Sandals were worn even by the Romans.
das **Paar** *N*	**pair**
des Paares, die Paar	
Hätten Sie lieber ein Paar Stiefel oder zwei Paar Turnschuhe?	Would you rather have a pair of boots or two pairs of sneakers?
die **Mütze** *N*	**cap**
der Mütze, die Mützen	
Die Mutter setzt ihrem Kind eine Mütze auf.	The mother puts a cap on her child.
↳ die Wollmütze	woollen hat
↳ die Strickmütze	knitted hat
der **Handschuh** *N*	**glove**
des Handschuh(e)s, die Handschuhe	
Wenn man bei großer Kälte Handschuhe anhat, frieren die Hände nicht.	If you wear gloves when it is very cold, your hands do not get cold.
der **Schal** *N*	**scarf**
des Schal(e)s, die Schals	
Schals kann man sowohl im Winter als auch im Sommer tragen.	You can wear scarfs both in winter and in summer.
der **Kragen** *N*	**collar**
des Kragens, die Kragen / Krägen	
Weil es windig war, schlug er den Kragen seines Mantels hoch.	He turned up the collar of his coat because it was windy.
↳ der Hemdkragen	shirt collar
die **Badehose** *N*	**swimming trunks, bathing trunks**
der Badehose, die Badehosen	
Hast du schon deine Badehose angezogen?	Have you already got your swimming trunks on?
der **Badeanzug** *N*	**swimming costume**
des Badeanzug(e)s, die Badeanzüge	
Der neue Badeanzug steht ihr sehr gut.	Her new swimming costume suits her very well.
der **Bikini** *N*	**bikini**
des Bikinis, die Bikinis	
Jeden Sommer gibt es eine riesige Auswahl an Bikinis.	There is a huge selection of bikinis on sale every summer.
die **Unterwäsche** *N*	**underwear**
der Unterwäsche, die Unterwäschen *(selten)*	
= Dessous	lingerie
Unterwäsche tragen	wear underwear
das **Unterhemd** *N*	**vest** *(BE)*, **undershirt** *(AE)*, **singlet (Austr.)**
des Unterhemd(e)s, die Unterhemden	
Die Unterhemden für Frauen und für Herren gibt es in verschiedenen Abteilungen.	Vests for women and for men are available in different departments.

die **Unterhose** *N* — **underpants; knickers** *(BE)*, **panties**
der Unterhose, die Unterhosen
= der Slip — panties, briefs
Laurenz trägt ziemlich altmodische Unterhosen. — Laurenz wears fairly old-fashioned underpants.
die lange Unterhose — long johns, long underwear

der **Büstenhalter** *N (Abkürzung: BH)* — **bra**
des Büstenhalters, die Büstenhalter
In dem Geschäft finden Sie Büstenhalter in allen Größen und Farben. — You'll find bras in all sizes and colours in this shop.

das **Nachthemd** *N* — **nightdress, nightie**
des Nachthemd(e)s, die Nachthemden
Das Nachthemd aus Seide fühlt sich sehr angenehm an. — The silk nightdress has a very pleasant feel.

der **Schlafanzug** *N* — **pyjamas** *(BE)*, **pajamas** *(AE)*
des Schlafanzug(e)s, die Schlafanzüge
Zieh bitte deinen Schlafanzug an! — Please put on your pyjamas!

der **Pyjama** [pyˈd͜ʃaːma, pyˈʒaːma] *N* — **pyjamas** *(BE)*, **pajamas** *(AE)*
des Pyjamas, die Pyjamas
= der Schlafanzug

10.2 Kleidung kaufen — Buying clothes

die **Kabine** *N* — **changing room**
der Kabine, die Kabinen
= die Umkleide(kabine) — changing room
Sie können das Kleid gerne in der Kabine anprobieren. — You are welcome to try on the dress in the changing room.

anprobieren *V* — **try on**
probiert an, probierte an, hat anprobiert

die **Größe** *N* — **size**
der Größe, die Größen
Welche Größe haben Sie denn? — What size do you take?

weit *Adj* — **baggy**
weiter, am weitesten
≠ eng — tight
Der Pullover ist viel zu weit. — The pullover is much too baggy.

eng *Adj* — **tight**
enger, am engsten
Der Rock sitzt ziemlich eng. — The skirt is quite a tight fit.

die **Mode** *N* — **fashion**
der Mode, die Moden
Sie kleidet sich gerne nach der neuesten Mode. — She likes to dress according to the latest fashion.

aus der Mode kommen ↳ modisch ↳ die Herbstmode	go out of style fashionable autumn fashion
elegant *Adj* eleganter, am elegantesten = fein Ihr Kleid ist sehr elegant.	**elegant** Her dress is really elegant.
modern *Adj* moderner, am modernsten = modisch Dieser Mantelschnitt ist nicht mehr modern.	**modern, fashionable** This style of coat is no longer modern.
altmodisch *Adj* altmodischer, am altmodischsten = überholt Ihre Frisur ist einfach altmodisch.	**old-fashioned** outdated Her hairstyle is simply old-fashioned.
chic *Adj (auch: schick; in allen flektierten Formen: schick)* Du siehst heute sehr chic aus. Das ist ein wirklich schicker Mantel! sich schick machen	**chic; fashionable** You look really chic today. This is a really fashionable coat! dress up
die **Marke** *N* der Marke, die Marken Diese Marke steht für gute Qualität.	**brand; label** This brand stands for good quality.
hässlich *Adj* hässlicher, am hässlichsten ≠ schön Ich finde ihn hässlich und seinen Pullover auch.	**ugly, hideous** beautiful, handsome I think he's ugly and his pullover is hideous.
komisch *Adj* komischer, am komischsten Ich finde, es sieht komisch aus, Sportschuhe zum Anzug zu tragen.	**funny, strange** I think it looks funny wearing sneakers with a suit.

10.3 Accessoires und Schmuck — Accessories and jewellery

das **Portemonnaie** [pɔrtmɔˈneː] *N (auch: Portmonee)* des Portemonnaies, die Portemonnaies = der Geldbeutel Ihr Portemonnaie hat Fächer für Kleingeld, Geldscheine und Scheckkarten.	**purse, change purse** *(AE)*, **wallet** Her purse has pockets for change, banknotes and cheque cards.
die **Geldbörse** *N* der Geldbörse, die Geldbörsen Ihm wurde die Geldbörse mit viel Geld gestohlen.	**wallet; purse** His wallet with a lot of money inside was stolen.

die **Brieftasche** *N* der Brieftasche, die Brieftaschen In einer Brieftasche kann man nicht nur Geld, sondern auch den Personalausweis und den Führerschein unterbringen.	**wallet** You can't put just money in a wallet but also your identity card and your driving licence.
die **Tasche** *N* der Tasche, die Taschen = der Beutel In kleinen Taschen kann man nur wenige Gegenstände unterbringen. ↳ die Aktentasche ↳ die Tragetasche	**bag** You can put only a few objects in small bags. briefcase carrier bag
die **Handtasche** *N* der Handtasche, die Handtaschen Leider kann ich den Lippenstift nicht in meiner Handtasche finden.	**handbag** *(BE)*, **purse** *(AE)* Unfortunately I can't find my lipstick in my handbag.
das **Accessoire** [aksɛˈso̯aːɐ̯] *N* des Accessoires, die Accessoires = das Zubehör Sie kann die neuen Accessoires geschickt auf die Kleidung abstimmen.	**accessory** She has a knack of coordinating her accessories with her clothes.
der **Gürtel** *N* des Gürtels, die Gürtel Sie findet breite Gürtel aus Leder am schönsten. den Gürtel enger schnallen	**belt** She thinks that wide leather belts are the nicest. tighten one's belt
die **Sonnenbrille** *N* der Sonnenbrille, die Sonnenbrillen Im Laden setzte sie ihre Sonnenbrille ab.	**sunglasses; sunshades** *(AE)* She took off her sunglasses in the shop.
der **Schirm** *N (auch: Regenschirm)* des Schirm(e)s, die Schirme Da es nicht mehr regnet, kann ich den Schirm wieder zumachen. den Regenschirm aufspannen	**umbrella** I can close the umbrella again because it's not raining anymore. open an umbrella
lassen *V* lässt, ließ, hat gelassen Ich habe den Schirm leider im Lokal gelassen. Ich lasse heute die Sonnenbrille zuhause, es regnet ja.	**leave** *(leave behind)* Unfortunately, I left my umbrella in the restaurant. I'll leave my sunglasses at home today. It's raining.
der **Schmuck** *N* des Schmuck(e)s, die Schmucke *(selten)* Die Königin hat ihren kostbarsten Schmuck angelegt. ↳ der Goldschmuck	**jewellery** *(BE)*, **jewelry** *(AE)* The queen put on her most valuable jewellery. gold jewellery

↳ der Silberschmuck	silver jewellery
der **Modeschmuck** *N* des Modeschmuck(e)s, die Modeschmucke Katja bewahrt ihren Modeschmuck in einer Schachtel auf.	**costume jewellery** Katja keeps her costume jewellery in a box.
echt *Adj* ≠ unecht Der Ring ist aus echtem Gold.	**real; genuine** unreal, fake The ring is made out of real gold.
wertvoll *Adj* wertvoller, am wertvollsten = kostbar Sie trägt ein wertvolles Collier.	**valuable** She wears a valuable necklace.
kostbar *Adj* kostbarer, am kostbarsten Ihr kostbarer Schmuck ist hoch versichert.	**valuable** Her valuable jewellery is well insured.
wertlos *Adj* Ich dachte, die alte Uhr meiner Tante wäre wertlos, aber ein Juwelier meinte, sie sei sehr selten und kostbar.	**worthless** I thought my aunt's old clock was worthless but a jeweller told me it was very rare and valuable.
bieten *V* bietet, bot, hat geboten Der Juwelier bietet Swenja 500 Euro für den Ring.	**offer** The jeweller offers Swenja 500 euros for the ring.
das **Gold** *N* des Gold(e)s, *(nur Singular)* Die Brosche besteht aus 24-karätigem Gold. ↳ golden ⚠ goldig *(ein goldiges Kind)*	**gold** The brooch is made of 24-carat gold. golden cute
das **Silber** *N* des Silbers, *(nur Singular)* Ihr Ring ist aus Silber. Sie mag keinen Goldschmuck. ↳ silbern	**silver** Her ring is made of silver. She does not like gold jewellery. silver
die **Kette** *N* Ich kann meine neue Kette nicht finden. ↳ die Halskette	**necklace** I can't find my new necklace. necklace
der **Ring** *N* des Ring(e)s, die Ringe Verheiratete Deutsche tragen ihren Ring meistens an der rechten Hand. ↳ der Ehering	**ring** Married Germans mostly wear their ring on their right hand. wedding ring, wedding band *(AE)*

der **Ohrring** *N* | **earring**
des Ohrring(e)s, die Ohrringe
Sie trägt hübsche Ohrringe aus Smaragd. | She is wearing pretty emerald earrings.

das **Armband** *N* | **bracelet**
des Armband(e)s, die Armbänder
Das Armband rutscht immer wieder über ihr Handgelenk. | The bracelet is always sliding over her wrist.

die **Brosche** *N* | **brooch**
= die Anstecknadel | pin
Kannst du mir die Brosche anstecken? | Could you please pin on my brooch?

die **Perle** *N* | **pearl**
der Perle, die Perlen
Die Perlen ihrer Kette schimmern ganz hell. | The pearls in her necklace shimmer very brightly.
↳ die Perlenkette | pearl necklace

die **Haarspange** *N* | **(hair) slide** *(BE)*, **barrette** *(AE)*
der Haarspange, die Haarspangen
Für ihre Hochsteckfrisur verwendet sie mehrere Haarspangen. | She uses several slides in her pinned up hairstyle.

das **Haargummi** *N (auch: der)* | **scrunchy, scrunchie** *(AE)*; **hair tie**
des Haargummis, die Haargummis
Wie gefällt dir mein rosa Haargummi? | How do you like my pink scrunchy?

→ For cloth and material see chapter *33.3 Materialien und ihre Eigenschaften* (pages 531 ff).

10.4 Reinigung und Pflege | Cleaning and care

die **Reinigung** *N* | **cleaning, dry-cleaning**
der Reinigung, die Reinigungen *(selten)*
Die Reinigung des Anzugs dauert acht Tage. | It will take eight days to have the suit dry-cleaned.

reinigen *V* | **clean**
reinigt, reinigte, hat gereinigt
Ich muss den Mantel reinigen lassen. | I must have the coat cleaned.

die **Reinigung** *N* | **the cleaner's**
der Reinigung, die Reinigungen
Sie gibt den Rock in die Reinigung. | She gives her skirt to the cleaner's.

die **Wäsche** *N* | **washing, laundry**
der Wäsche, die Wäschen *(selten)*
Sie hat wenig Lust, die Wäsche aufzuhängen. | She does not feel like hanging out the washing.
Die Hose ist bei der Wäsche eingegangen. | The trousers shrank in the wash.
↳ der Wäscheständer | clotheshorse

waschen *V* | **wash**
wäscht, wusch, hat gewaschen

Den Kaschmirpullover wasche ich lieber mit der Hand.	I'd better hand-wash the cashmere pullover.
nass *Adj*	**wet**
nasser / nässer, am nassesten / nässesten	
Sogar meine Socken sind nass.	Even my socks are wet.
↳ klatschnass	soaking wet
↳ die Nässe	wetness
feucht *Adj*	**damp**
feuchter, am feuchtesten	
Das Handtuch ist noch nicht ganz trocken, es ist noch feucht.	The towel is not quite dry yet, it is still wet.
trocken *Adj*	**dry**
trockener, am trockensten	
≠ nass	wet
Fühl mal, ob die Wäsche schon trocken ist.	Can you feel if the clothes are already dry?
der trockene Humor	dry humour
seine Schäfchen ins Trockene bringen	feather one's nest
↳ die Trockenheit	drought
trocknen *V*	**dry**
trocknet, trocknete, ist getrocknet	
Die Wäsche trocknet an der Leine.	The washing is drying on the clothesline.
die **Waschmaschine** *N*	**washing machine**
der Waschmaschine, die Waschmaschinen	
Das kann man mit der Waschmaschine bei 30 Grad waschen.	You can wash that in the washing machine at 30 degrees.
anstellen *V*	**start, turn on, switch on**
stellt an, stellte an, hat angestellt	
= einschalten	
≠ ausstellen	turn off, switch off
Stell doch bitte die Waschmaschine an.	Please start the washing machine.
der **Knopfdruck** *N*	**push of a button**
des Knopfdruck(e)s, die Knopfdrücke	
Mit einem Knopfdruck läuft die Waschmaschine.	The washing machine starts at the push of a button.
das **Waschpulver** *N*	**washing powder**
des Waschpulvers, die Waschpulver	
= das Waschmittel	washing powder, (laundry) detergent
Es gibt Waschpulver für normale Wäsche und für empfindliche Textilien wie Seide.	There is washing powder for your normal wash and for sensitive textiles like silk.
aufhängen *V*	**hang up**
hängt auf, hängte auf, hat aufgehängt	
Sie bittet ihn, die Wäsche aufzuhängen.	She asks him to hang up the washing.

der **Wäschetrockner** *N* des Wäschetrockners, die Wäschetrockner Nicht jede Wäsche kann man in den Wäschetrockner tun.	**(tumble-)drier** Not all items of laundry can be put in the drier.
das **Bügeleisen** *N* des Bügeleisens, die Bügeleisen Das neue Bügeleisen hat eine Abschaltautomatik.	**iron** The new iron has an automatic switch-off function.
bügeln *V* bügelt, bügelte, hat gebügelt Sie achtet beim Bügeln auf perfekte Bügelfalten in der Mitte der Hosenbeine.	**iron** When ironing, she makes a perfect crease down the centre of each trouser leg.
nähen *V* näht, nähte, hat genäht Sie kann mit der Nähmaschine eine gerade Naht nähen.	**sew** She can sew a straight seam on the sewing machine.
stricken *V* strickt, strickte, hat gestrickt Sie strickt einen bunten Schal.	**knit** She is knitting a colourful scarf.
die **Nadel** *N* der Nadel, die Nadeln Sie hat sich versehentlich mit der Nadel in den Finger gestochen.	**needle** She accidentally pricked her finger with the needle.
der **Faden** *N* des Fadens, die Fäden = das Garn Für alle Fälle habe ich im Reisegepäck Nadel und Faden dabei. etwas geschickt einfädeln der rote Faden am seidenen Faden hängen	**thread; string** thread, yarn Just in case, I have a needle and thread in my luggage. set things up well central / recurrent theme, leitmotif hang by a thread
die **Schere** *N* der Schere, die Scheren Mit dieser stumpfen Schere kann man den Stoff nicht gut schneiden.	**scissors** You can't cut the cloth properly well with these blunt scissors.
der **Knopf** *N* des Knopf(e)s, die Knöpfe Er muss an seinem Hemd einen Knopf annähen.	**button** He has to sew a button on his shirt.
das **Loch** *N* des Loch(e)s, die Löcher Meine Kinder haben immer Löcher in den Strümpfen.	**hole** My children always have holes in their socks.

jemandem Löcher in den Bauch fragen	drive sb up the wall with questions, pick sb's brain(s)
das **Knopfloch** *N* des Knopflochs, die Knopflöcher	**buttonhole**
der **Reißverschluss** *N* des Reißverschlusses, die Reißverschlüsse Manche Westen haben einen Reißverschluss, andere Knöpfe. Der Reißverschluss klemmt.	**zip** *(BE)*, **zipper** *(AE)* Some waiscoats have a zip, others have buttons. The zip is stuck.
kürzen *V* kürzt, kürzte, hat gekürzt = abschneiden Der Rock ist zu lang. Wir müssen ihn kürzen. In dem Bekleidungsgeschäft kann man die Ärmel kürzen lassen.	**shorten** cut The skirt is too long. We will have to shorten it. You can have the sleeves shortened in the clothing store.

11 Wohnen

11.1 Hausbau — House building

bauen *V* — **build**
baut, baute, hat gebaut
Familie Radke will nächstes Jahr ein Haus bauen. — The Radkes want to build a house next year.

der **Bau** *N* — **building**
des Bau(e)s, *(in dieser Bedeutung nur Singular)*
Sie planen den Bau eines eigenen Hauses. — They are planning to build their own house.

entstehen *V* — **be built / made / created**
entsteht, entstand, ist entstanden
Hier entstehen viele neue Häuser. — A lot of new houses are being built here.

erhalten *V* — **receive**
erhält, erhielt, hat erhalten
= bekommen / kriegen — get
Wir haben die Erlaubnis erhalten, die Garage zu bauen. — We have received permission to build this garage.

das **Grundstück** *N* — **plot (of land); lot** *(AE)*
des Grundstück(e)s, die Grundstücke
Sie haben ein großes Grundstück geerbt. — They inherited a large plot of land.

die **Fläche** *N* — **expanse; area**
der Fläche, die Flächen
Unser Grundstück hat eine Fläche von 400 Quadratmetern. — Our plot has an area of 400 square metres.

die **Baustelle** *N* — **building site**
der Baustelle, die Baustellen

Das Betreten der Baustelle ist verboten.	No entry to the building site.
die **Mauer** *N* der Mauer, die Mauern Sie errichten Mauern aus Beton.	**wall** They are using concrete for the walls.
die **Wand** *N* der Wand, die Wände Die Wand zwischen Wohn- und Esszimmer wird eingerissen.	**wall** The wall between the living room and dining room will be torn down.
dick *Adj* dicker, am dicksten Die dicken Wände sind gut isoliert.	**thick** The thick walls are well insulated.
das **Fenster** *N* des Fensters, die Fenster Die Fenster sind dreifach verglast. ↳ die Fensterscheibe	**window** The windows are triple-glazed. window pane
dicht *Adj* dichter, am dichtesten Wenn die Fenster nicht dicht sind, zieht es.	**sealed; tight** If the windows are not sealed, there will be a draft.
die **Decke** *N* der Decke, die Decken In Altbauwohnungen sind die Decken bis zu 3,60 Meter hoch.	**ceiling** Flats in old buildings have ceilings up to 3.60 metres high.
die **Leiter** *N* der Leiter, die Leitern Bevor er die Decke streicht, stellt er eine Leiter auf.	**ladder** Before he paints the ceiling, he puts up a ladder.
der **Boden** *N (Kurzform für Fußboden)* des Bodens, die Böden Welchen Boden gibt es in der Wohnung? Parkett oder Laminat?	**flooring, floor** What kind of flooring is there in the flat? Parquet or laminate?
die **Stelle** *N* der Stelle, die Stellen An den markierten Stellen werden Steckdosen angebracht.	**position, place** Power points will be installed at the marked positions.
das **Kabel** *N* des Kabels, die Kabel Morgen kommt ein Elektriker und verlegt die Kabel.	**cable; wire** An electrician will come tomorrow to lay the cables.
die **Steckdose** *N* der Steckdose, die Steckdosen	**(wall) socket, power point, (electrical) outlet** *(AE)*

Gibt es hier noch eine andere Steckdose?	Are there any other wall sockets here?
der **Stecker** *N*	**plug**
des Steckers, die Stecker	
Zieh doch lieber vorsichtshalber den Stecker raus.	Pull out the plug as a precaution.
den Stecker in die Steckdose stecken	put the plug into the socket
der **Schalter** *N*	**switch**
des Schalters, die Schalter	
Wo ist denn der Schalter für die Wohnzimmerlampe?	Where is the switch for the living room lamp?
das **Licht** *N*	**light**
des Licht(e)s, die Lichter	
Die Kerzen geben ein warmes Licht.	The candles give off a warm light.
ausmachen *V*	**switch off**
macht aus, machte aus, hat ausgemacht	
≠ anmachen	turn the light(s) on
Er machte schnell das Licht aus.	He quickly switched off the light.
ausschalten *V*	**switch off**
schaltet aus, schaltete aus, hat ausgeschaltet	
≠ anschalten	switch on
Kannst du endlich den Fernseher ausschalten?	Can't you switch off the TV for a change?
der **Nagel** *N*	**nail**
des Nagels, die Nägel	
Kannst du mir die Nägel geben?	Can you hand me the nails?
einen Nagel in die Wand schlagen	knock / hammer a nail into the wall
der **Hammer** *N*	**hammer**
des Hammers, die Hämmer	
Gib mir mal den Hammer, bitte!	Please hand me the hammer!
bohren *V*	**drill; bore**
bohrt, bohrte, hat gebohrt	
Um das Regal aufzuhängen, muss er Löcher in die Wand bohren und Dübel einsetzen.	He has to drill holes in the wall and put dowels in to hang up the shelves.
↳ die Bohrmaschine	(power) drill
renovieren *V*	**redecorate; renovate, refurbish**
renoviert, renovierte, hat renoviert	
Frau Kramer möchte gerne ihr Wohnzimmer renovieren.	Mrs Kramer would like to redecorate her living room.
die **Tapete** *N*	**wallpaper**
der Tapete, die Tapeten	
Emma findet weiße Tapeten am schönsten.	Emma thinks that white wallpaper is the nicest.
↳ tapezieren	wallpaper
↳ die Raufasertapete	woodchip paper

die **Farbe** *N* der Farbe, die Farben Sie wollen das Esszimmer in einer anderen Farbe streichen. ↳ farbig	**colour** *(BE)*, **color** *(AE)* They want to paint the dining room another colour. colourful
die **Farbe** *N (Kurzform für Wandfarbe)* der Farbe, die Farben Die Farbe für das Wohnzimmer war sehr teuer.	**paint** The paint for the living room was very expensive.
streichen *V* streicht, strich, hat gestrichen Die Wände müssen neu gestrichen werden.	**paint** The walls must be given a new coat of paint.
der **Maler** *N* des Malers, die Maler Ich will die Wohnung nicht selbst streichen. Nächste Woche kommt ein Maler.	**painter** I don't want to paint the flat myself. A painter will be coming next week.
die **Malerin** *N* der Malerin, die Malerinnen	**painter**

11.2 Haus außen und innen — Outside and inside the house

die **Lage** *N* der Lage, die Lagen Sie möchten ein Haus in sonniger Lage kaufen. verkehrsgünstige Lage	**location** They want to buy a house in a sunny location. conveniently situated location
liegen *V* liegt, lag, hat gelegen Die Wohnung liegt sehr zentral.	**be (situated), lie** The flat is right in the centre of town.
zentral *Adj* zentraler, am zentralsten ≠ abgelegen	**central** remote
gehen *V* geht, ging, ist gegangen Die Fenster des Schlafzimmers gehen zum Garten hin.	*here:* **face** The bedroom windows face on to the garden.
der **Lärm** *N* des Lärm(e)s, *(nur Singular)* Im Süden Frankfurts hört man den Lärm der startenden und landenden Flugzeuge.	**noise** In the south of Frankfurt you can hear the noise of the planes taking off and landing.
ruhig *Adj* ruhiger, am ruhigsten Unser Haus liegt in einer ruhigen Gegend.	**quiet** Our house is in a quiet area.

leise *Adj* leiser, am leisesten Der Verkehr ist hier kaum zu hören, er ist sehr leise.	**quiet** You can hardly hear the traffic here, it is very quiet.
laut *Adj* lauter, am lautesten ≠ leise Wir wohnen leider an einer lauten Straße.	**loud** quiet Unfortunately we live on a busy street.
die **Aussicht** *N* der Aussicht, die Aussichten Von unserem Balkon aus hat man eine wunderbare Aussicht auf den Schwarzwald. die Aussicht genießen	**view** You have a beautiful view of the Black Forest from our balcony. enjoy the view
der **Blick** *N* des Blick(e)s, die Blicke Hier haben Sie einen wunderbaren Blick bis zu den Alpen.	**view** Here you have a wonderful view as far as the Alps.
das **Haus** *N* des Hauses, die Häuser Sie wohnen in einem großen Haus.	**house** They live in a big house.
das **Dach** *N* des Dach(e)s, die Dächer Durch den Sturm wurde das Dach beschädigt.	**roof** The roof was damaged by the storm.
der **Dachboden** *N* des Dachbodens, die Dachböden Sie haben das alte Sofa auf den Dachboden gestellt.	**loft, attic** They put the sofa in the attic.
die **Terrasse** *N* der Terrasse, die Terrassen Im Sommer sitzen wir abends gerne auf unserer Terrasse.	**terrace** In the evenings in the summer we like to sit on our terrace.
der **Balkon** [balˈkɔŋ, balˈkõː] *N* des Balkon(e)s, die Balkone / Balkons Sie haben auf ihrem Balkon einen Sonnenschirm aufgestellt.	**balcony** They put up a sunshade on their balcony.
der **Keller** *N* des Kellers, die Keller Zu der Wohnung gehört ein kleiner Keller von 3 m^2.	**cellar** The flat comes with a small 3-metre square cellar.
nützlich *Adj* nützlicher, am nützlichsten	**useful**

In unserer Wohnung haben wir nicht genügend Platz, daher ist der Keller sehr nützlich.	We don't have enough room in our flat, so the cellar is very useful.
der **Swimmingpool** [swɪmɪŋpu:l] *N (Kurzform: Pool)*	**swimming pool**
des Swimmingpools, die Swimmingpools	
Wenn wir ein eigenes Haus bauen, wollen wir auch einen Swimmingpool.	If we build our own home, we also want a swimming pool.
der **Eingang** *N*	**entrance (hall)**
des Eingang(e)s, die Eingänge	
≠ der Ausgang	exit
Die Fahrräder stehen im Eingang des Hauses.	The bicycles are in the entrance hall of the house.
der **Ausgang** *N*	**exit**
des Ausgang(e)s, die Ausgänge	
der **Notausgang** *N*	**emergency exit**
des Notausgang(e)s, die Notausgänge	
Bei Feuer folgen Sie den Pfeilen zum Notausgang.	In the event of fire, follow the arrows to the emergency exit.
die **Tür** *N*	**door**
der Tür, die Türen	
Er geht durch die Tür.	He walks through the door.
eine Tür öffnen / schließen	open / close a door
↳ die Haustür	front door
die **Klingel** *N*	**(door)bell**
der Klingel, die Klingeln	
Drück noch mal die Klingel!	Push the doorbell again!
klingeln *V*	**ring**
klingelt, klingelte, hat geklingelt	
= läuten	
Sie verließ gerade das Haus, als es klingelte.	She was just leaving the house when the doorbell rang.
herein *Adv*	**in**
≠ heraus	out
Herein!	Come in, please!
herein- *Präfix*	**in**
≠ heraus-	out
Sie können die Möbel schon hereintragen.	You can bring in the furniture now.
heraus *Adv (Kurzform: raus)*	**out**
= hinaus	
Der ganze Sperrmüll muss bis morgen heraus auf die Straße.	All the rubbish for the skip will have to be put out on the street by tomorrow.

heraus- *Präfix* Sie stellen die schmutzigen Schuhe heraus.	**out** They put their dirty shoes outside.
öffnen *V* öffnet, öffnete, hat geöffnet = aufmachen *(ugs.)* Kannst du bitte das Fenster öffnen?	**open** Can you open the window, please?
aufschließen *V* schließt auf, schloss auf, hat aufgeschlossen Kannst du bitte die Tür aufschließen?	**unlock** Can you please unlock the door?
aufsperren *V (A)* sperrt auf, sperrte auf, hat aufgesperrt Der Bauer sperrte das Tor der Scheune auf.	**open up** The farmer opened up the barn doors.
schließen *V* schleißt, schloss, hat geschlossen = zumachen *(ugs.)* ≠ öffnen Kannst du bitte die Tür schließen? Es zieht.	**close** open Can you close the door, please? There is a draught.
abschließen *V* schließt ab, schloss ab, hat abgeschlossen ≠ aufschließen Er hatte vergessen, die Wohnung abzuschließen.	**lock** unlock He had forgotten to lock the door of his flat.
der **Schlüssel** *N* des Schlüssels, die Schlüssel Dieser Schlüssel ist für die Haustür und dieser für den Briefkasten. ↳ das Schloss	**key** This key is if for the front door and this one is for letterbox. lock
stecken *V* steckt, steckte, hat gesteckt Wo ist denn der Schlüssel? Ach, er steckt noch.	**be in the lock; be stuck** Where is the key? Ah, it is still in the lock.
verlieren *V* verliert, verlor, hat verloren Ich habe meinen Schlüssel verloren.	**lose** I have lost my key.
zugehen *V (ugs.)* geht zu, ging zu, ist zugegangen Schaust du später mal nach dem Fenster in der Küche, das geht nicht richtig zu.	**shut** Can you take a look at the window in the kitchen later, it is not shutting properly.
drücken *V* drückt, drückte, hat gedrückt Wenn Sie diesen Knopf drücken, geht die Tür auf.	**push** If you push this button, the door will open.
der **Briefkasten** *N* des Briefkastens, die Briefkästen / Briefkasten	**letterbox** *(BE)*, **mailbox** *(AE)*

Die Zeitung steckt im Briefkasten.	The newspaper is in the letterbox.
der **Garten** *N* des Gartens, die Gärten Hinter dem Haus haben sie einen kleinen Garten.	**garden** They have a small garden behind the house.
der **Hof** *N* des Hof(e)s, die Höfe Die Kinder spielen im Hof.	**courtyard** The children are playing in the courtyard.
das **Tor** *N* des Tor(e)s, die Tore Sie macht das Tor zur Garage auf.	**gate; door** She opens the door to the garage.
die **Garage** [gaˈraːʒə] *N* der Garage, die Garagen	**garage**
der **Zugang** *N* des Zugang(e)s, die Zugänge Der Zugang zu den hinteren Wohnungen geht über den Hof.	**entrance; access** The rear flats can be accessed through the courtyard.
das **Gebäude** *N* des Gebäudes, die Gebäude Ihre Wohnung liegt in dem neuen Gebäude.	**building** Her flat is in the new building.
das **Hochhaus** *N* des Hochhauses, die Hochhäuser In dem Hochhaus gibt es 60 Wohnungen.	**high-rise building** There are 60 flats in the high-rise building.
das **Erdgeschoss** *N (Abkürzung: EG)* des Erdgeschosses, die Erdgeschosse = das Parterre [parˈtɛr(ə)] Sie wohnen im Erdgeschoss.	**ground floor, first floor** *(AE)* They live on the ground floor.
die **Etage** [eˈtaːʒə] *N* der Etage, die Etagen = das Stockwerk Auf dieser Etage wohnen nur junge Leute.	**floor** storey There are only young people living on this floor.
das **Stockwerk** *N (Kurzform: der Stock)* des Stockwerk(e)s, die Stockwerke Sebastian wohnt im dritten Stockwerk.	**floor, storey** *(BE)*, **story** *(AE)* Sebastian lives on the third floor.
das **OG** [oːˈgeː] *N (Abkürzung für Obergeschoss)* des OGs, die OGs Wir wohnen im 3. OG.	**floor; top floor** We live on the third floor.
das **UG** [uːˈgeː] *N (Abkürzung für Untergeschoss)* des UGs, die UGs Der Hausmeister wohnt im UG.	**basement** The caretaker lives in the basement.

die **Treppe** *N (D, CH)*	**stairs**
der Treppe, die Treppen	
= die Stiege *(A)*	
Der Aufzug ist kaputt, Sie müssen die Treppe nehmen.	The lift is defect, you'll have to take the stairs.
Treppen steigen	climb stairs
das **Treppenhaus** *N (D, CH)*	**stairwell**
des Treppenhauses, die Treppenhäuser	
= das Stiegenhaus *(A)*	
Im Treppenhaus ist das Licht ausgefallen.	The light in the stairwell is not working.
herunter- *Präfix (Kurzform: runter)*	**down**
= hinunter-	
Er lief alle acht Stockwerke herunter.	He walked down all eight storeys.
die **Stufe** *N*	**step**
der Stufe, die Stufen	
Er hat die letzte Stufe übersehen und ist gestürzt.	He failed to see the last step and fell.
der **Aufzug** *N*	**lift** *(BE)*, **elevator** *(AE)*
des Aufzug(e)s, die Aufzüge	
= der Fahrstuhl	
Gehen wir zu Fuß oder nehmen wir den Aufzug?	Shall we walk or shall we take the lift?
der **Lift** *N*	**lift** *(BE)*, **elevator** *(AE)*
des Lift(e)s, die Lifts / Lifte	
= der Aufzug	
Lass uns den Lift nehmen!	Let's take the lift!
benutzen *V*	**use**
benutzt, benutzte, hat benutzt	
Benutzen Sie den Fahrstuhl.	Use the lift.
hoch- *Präfix*	**up**
Sollen wir mit dem Aufzug hochfahren?	Should we go up in the lift?

11.3 Wohnungsausstattung — Home facilities

zu Hause *Adv (auch: zuhause)*	**at home**
Nirgends ist es so schön wie zu Hause!	There is no place like home!
sich wie zu Hause fühlen	feel at home
das **Zuhause** *N*	**home**
des Zuhauses, *(nur Singular)*	
Sie hat kein Zuhause mehr.	She doesn't have a home anymore.
das **Heim** *N*	**home** *(sb's dwelling; home)*
des Heim(e)s, die Heime *(selten)*	
= das Zuhause	
Ihr habt aber ein schönes Heim!	You have a nice home!

das **Heim** *N (Kurzform für z. B. Kinderheim, Pflegeheim)* des Heim(e)s, die Heime Sie ist in einem Heim groß geworden.	**home** She grew up in a children's home.
das **Altersheim** *N* des Altersheim(e)s, die Altersheime = das Altenheim = das Seniorenheim Seine Eltern leben seit zwei Jahren in einem Altersheim.	**old people's home** His parents have been living in an old people's home for two years.
das **Altersasyl** *N (CH)* des Altersasyls, die Altersasyle	**old people's home**
das **Studentenwohnheim** *N* des Studentenwohnheim(e)s, die Studentenwohnheime = das Studierendenwohnheim	**hall of residence** *(BE)*, **dormitory** *(AE)*
der **Gemeinschaftsraum** *N* des Gemeinschaftsraum(e)s, die Gemeinschaftsräume In dem Studentenwohnheim gibt es nur die Küche als Gemeinschaftsraum.	**common room** The only common room in the hall of residence is the kitchen.
wohnen *V* wohnt, wohnte, hat gewohnt Er wohnt bei seiner Freundin.	**live** He is living with his girlfriend.
die **Wohnung** *N* der Wohnung, die Wohnungen Sie ziehen in eine Wohnung unter dem Dach. ↳ die Ferienwohnung ↳ die Altbauwohnung	**flat** *(BE)*, **apartment** *(AE)* They are moving into a flat under the roof. holiday flat *(BE)*, vacation apartment *(AE)* flat *(BE)* / apartment *(AE)* in an old building
das **Appartement** [apart(ə)ˈmãː, apartˈmɛnt] *N (auch: Apartment)* des Appartements, die Appartements / Appartemente Suche Mieterin für 1-Zimmer-Appartement.	**flat** *(BE)*, **apartment** *(AE)* Looking for a female renter for a 1-room apartment.
das **Zimmer** *N* des Zimmers, die Zimmer Wir haben ein Zimmer für Gäste.	**room** We have got a room for guests.
der **Raum** *N* des Raum(e)s, die Räume Die meisten Räume sind hell und freundlich.	**room** Most of the rooms are bright and friendly.
der **Raum** *N* des Raum(e)s, *(in dieser Bedeutung nur Singular)*	**space**

Die Familie wohnt auf engstem Raum. ↳ geräumig	The family lives in a very confined space. spacious, roomy, capacious
der **Saal** *N* des Saal(e)s, die Säle Der Saal ist für die Hochzeit festlich geschmückt.	**hall** The hall is festively decorated for the wedding.
die **Halle** *N* der Halle, die Hallen Die Rezeption des Hotels befindet sich in einer vornehmen Halle.	**hall** The hotel reception is in a high-class hall.
der **Gang** *N* des Gang(e)s, die Gänge = der Flur = der Korridor Am Ende des Ganges befindet sich das Wohnzimmer.	**corridor** The living room is at the end of the corridor.
die **Küche** *N* der Küche, die Küchen Es gibt nur eine winzige Küche.	**kitchen** Theres is only a tiny kitchen.
das **Wohnzimmer** *N* des Wohnzimmers, die Wohnzimmer	**living room, lounge**
das **Bad** *N* des Bad(e)s, die Bäder = das Badezimmer	**bathroom**
sich befinden *V* befindet sich, befand sich, hat sich befunden Das Bad befindet sich am Ende des Flurs.	**be** The bathroom is at the end of the corridor.
dienen *V* dient, diente, hat gedient Dieser Raum dient als Arbeitszimmer.	**serve** This room serves as a study.
das **Schlafzimmer** *N* des Schlafzimmers, die Schlafzimmer	**bedroom**
das **Kinderzimmer** *N* des Kinderzimmers, die Kinderzimmer	**children's room**
der **Komfort** *N* des Komforts, *(nur Singular)* Die Ferienwohnung bietet allen Komfort. viel / wenig Komfort	**comfort** The holiday flat provides every comfort. many / few conveniences
das **Wasser** *N* des Wassers, *(in dieser Bedeutung nur Singular)* Sie lässt Wasser in die Badewanne ein.	**water** She runs water into the bath.

die **Badewanne** *N*	**bath(tub)**
der Badewanne, die Badewannen	
In dem Bad gibt es leider nur eine sehr kleine Badewanne.	Unfortunately there is only a very small bath in the bathroom.
↳ baden	bathe, have a bath
die **Dusche** *N*	**shower** *(fixture)*
der Dusche, die Duschen	
Unsere neue Dusche ist schön geräumig.	Our new shower is good and spacious.
die **Dusche** *N*	**shower** *(activity)*
der Dusche, die Duschen	
= das Duschen	
Im Sommer ist eine kalte Dusche richtig erfrischend.	A cold shower is really refreshing in the summer.
↳ duschen	have / take a shower
die **Toilette** [to̯aˈlɛtə] *N*	**toilet**
der Toilette, die Toiletten	
Ich muss dringend auf die Toilette!	I need to go to the toilet urgently!
Wo ist die Toilette, bitte?	Where is the toilet, please?
↳ das Toilettenpapier	toilet paper
das **WC** [veːˈt͡seː] *N (Abkürzung für engl. water closet)*	**WC** *(BE)*, **bathroom** *(AE)*
des WCs, die WCs	
= die Toilette, das Klo *(ugs.)*	toilet, loo *(BE)*, john *(AE)*
das **Klo** *N (Kurzform für Klosett; ugs.)*	**loo** *(BE)*, **john** *(AE)*
des Klos, die Klos	
↳ das Klopapier	toilet paper
die **Spülung** *N*	**flushing system**
der Spülung, die Spülungen	
Die Spülung ist defekt.	The flushing system isn't working.
↳ spülen	flush
das **Waschbecken** *N (D, A)*	**washbasin**
des Waschbeckens, die Waschbecken	
= das Lavabo *(CH)*	
In dem Bad gibt es nur ein Waschbecken und eine Dusche.	There is only a washbasin and a shower in the bathroom.
der **Wasserhahn** *N*	**tap** *(BE)*, **faucet** *(AE)*
des Wasserhahn(e)s, die Wasserhähne	
Dreh bitte den Wasserhahn zu.	Turn off the tap, please.
den Wasserhahn aufdrehen	open the tap, turn the tap on
die **Heizung** *N*	**heating; radiator**
der Heizung, die Heizungen	
Mir ist kalt, kannst du bitte die Heizung wärmer stellen?	I am cold, can you turn the heating up, please?
die Heizung aufdrehen / abdrehen	turn the heating on / off

anstellen *V* stellt an, stellte an, hat angestellt ≠ ausstellen / abstellen Kannst du bitte die Heizung anstellen?	**turn on** turn off Can you turn the radiator on, please?
gehen *V* geht, ging, ist gegangen = funktionieren Geht die Heizung?	*here:* **work** Is the radiator working?
heizen *V* heizt, heizte, hat geheizt	**heat**
die **Klimaanlage** *N* der Klimaanlage, die Klimaanlagen In diesem Sommer braucht man sogar in Deutschland eine Klimaanlage.	**air conditioning** This summer you need air conditioning even in Germany.
warm *Adj* wärmer, am wärmsten Der Heizkörper ist immer noch nicht warm.	**warm** The radiator is still not warm.
lauwarm *Adj* Das Wasser ist nur lauwarm. Da stimmt etwas mit der Heizung nicht.	**lukewarm** The water is only lukewarm. There is something wrong with the heating.
kalt *Adj* kälter, am kältesten ≠ warm	**cold** warm
die **Wärme** *N* der Wärme, *(nur Singular)* ≠ die Kälte Der Kamin verbreitet eine wohlige Wärme.	**warmth** cold The open fire gives off a pleasant warmth.
die **Kälte** *N* der Kälte, *(nur Singular)* Da die Heizung ausgefallen ist, herrscht in der Wohnung eine eisige Kälte.	**cold** The flat is icy cold because the heating broke down.

11.4 Wohnungseinrichtung — Furnishings

einrichten *V* richtet ein, richtete ein, hat eingerichtet Sie haben ihre Wohnung sehr modern eingerichtet.	**furnish** They have furnished their flat in a very modern style.
die **Einrichtung** *N* der Einrichtung, *(in dieser Bedeutung nur Singular)* Die Einrichtung ihres Hauses ist sehr stilvoll.	**furnishings** The furnishings in her house are very stylish.

gemütlich *Adj* gemütlicher, am gemütlichsten Euer Wohnzimmer ist sehr gemütlich.	**cosy** Your living room is very cosy.
dekorieren *V* dekoriert, dekorierte, hat dekoriert Natalie dekoriert jeden Raum in einer anderen Farbe.	**decorate** Natalie decorates every room in a different colour.
die **Garderobe** *N* der Garderobe, die Garderoben Du kannst deinen Mantel an die Garderobe hängen.	**hallstand** You can hang up your coat on the hallstand.
das **Möbel** *N (meist im Plural)* der Möbel, die Möbel Wir finden praktische Möbel am besten.	**furniture** We think practical furniture is the best.
der **Schrank** *N (D, CH)* des Schrank(e)s, die Schränke Robin hängt seine Hemden in den Schrank.	**cupboard, closet** *(AE)*; **wardrobe** Robin hangs up his shirts in the wardrobe.
der **Kasten** *N (A, CH)* des Kastens, die Kästen = der Kleiderschrank	**wardrobe**
schmal *Adj* schmaler / schmäler, am schmalsten / schmälsten ≠ breit In dem schmalen Flur kann man keinen Schrank hinstellen.	**narrow** wide You can't put a cupboard in narrow corridor.
die **Kommode** *N* der Kommode, die Kommoden Diese antike Kommode haben sie in Frankreich gekauft.	**chest of drawers** They bought this antique chest of drawers in France.
die **Schublade** *N* der Schublade, die Schubladen Der Schreibtisch hat nur eine Schublade.	**drawer** The desk has got only one drawer.
das **Sofa** *N* des Sofas, die Sofas = die Couch Das Sofa ist überhaupt nicht bequem.	**sofa** couch The sofa is really uncomfortable.
die **Couch** [kautʃ] *N* der Couch, die Couch(e)s / Couchen ↳ die Schlafcouch	**couch** sofa bed, studio couch
der **Sessel** *N (D, CH)* des Sessels, die Sessel	**armchair**

Möchten Sie lieber auf einem Stuhl statt in diesem alten Sessel sitzen?	Would you prefer to sit on a chair instead of in that old armchair?
⚠ der Sessel *(A)*	chair
der **Fauteuil** [fo'tœj] *N (A, CH)*	**armchair**
des Fauteuils, die Fauteuils	
= der Polstersessel	
bequem *Adj*	**comfortable**
bequemer, am bequemsten	
≠ unbequem	uncomfortable
Der neue Sessel ist wirklich bequem.	The new armchair is really comfortable.
schieben *V*	**push**
schiebt, schob, hat geschoben	
Lass uns die Couch an die Wand schieben, das sieht besser aus.	Let's push the couch up against the wall. That looks better.
der **Tisch** *N*	**table**
des Tisch(e)s, die Tische	
Der Tisch steht vor dem Fenster.	The table is in front of the window.
vom Tisch aufstehen	get down from the table
Zu Tisch!	Lunch / dinner is served!
↳ der Esstisch	dining table
↳ der Schreibtisch	desk
der **Stuhl** *N*	**chair**
des Stuhl(e)s, die Stühle	
= der Sessel *(A)*	
Zu dem Esszimmertisch haben sie vier neue Stühle gekauft.	They have bought four new chairs for the dining room table.
↳ der Schreibtischstuhl	desk chair
↳ der Gartenstuhl	garden chair
das **Regal** *N*	**shelf**
des Regals, die Regale	
Stell doch bitte das Buch ins Regal zurück!	Please put the book back on the shelf!
das **Bett** *N*	**bed**
des Bett(e)s, die Betten	
Heute gehe ich früh ins Bett.	I'm going to bed early tonight.
die Betten machen	make the beds
↳ das Doppelbett	double bed
die **Decke** *N (Kurzform für Bettdecke)*	**blanket**
der Decke, die Decken	
Im Winter braucht man eine warme Decke.	You need a warm blanket in the winter.
das **Kissen** *N*	**pillow**
des Kissens, die Kissen	
Zum Schlafen brauche ich immer ein kleines und ein großes Kissen.	I always need a small and a big pillow in bed.

liegen *V* liegt, lag, hat gelegen Die Kinder liegen noch im Bett.	**lie** The children are still lying in bed.
liegen bleiben Sonntags kann ich etwas länger liegen bleiben.	**stay longer in bed** On Sundays I can stay a bit longer in bed.
zudecken *V* deckt zu, deckte zu, hat zugedeckt Es ist kalt, deck dich gut zu!	**cover up** It is cold, cover up well!
die **Bettwäsche** *N* der Bettwäsche, die Bettwäschen Sie bezieht die Betten mit frischer Bettwäsche.	**(bed) linen; sheets** She puts clean sheets on the beds.
die **Lampe** *N* der Lampe, die Lampen Über dem Esstisch hängt eine ziemlich hässliche Lampe. ↳ die Energiesparlampe	**light, lamp** There is a fairly hideous lamp hanging above the table. low-energy (electric) bulb, old light bulbs.
die **Glühbirne** *N* der Glühbirne, die Glühbirnen In vielen Ländern werden die alten Glühbirnen zusehends von Energiesparlampen abgelöst.	**light bulb** In many countries, energy saving bulbs are increasingly replacing the old light bulbs.
das **Bild** *N* des Bild(e)s, die Bilder Sie wollte kein einziges Bild aufhängen.	**picture** She did not want to hang up a single picture.
die **Gardine** *N* der Gardine, die Gardinen Ich sollte mal wieder die Gardinen waschen. die Gardinen zuziehen	**curtain** I should wash the curtains again. close / draw the curtains
der **Vorhang** *N* des Vorhang(e)s, die Vorhänge = die Gardine Als es dunkel wurde, zog er die Vorhänge zu. die Vorhänge aufziehen	**curtain** When it got dark he drew the curtains. draw back / open the curtains
halten *V* hält, hielt, hat gehalten Kannst du das Bild halten bis ich den Nagel eingeschlagen habe?	**hold** Can you hold the picture until I've knocked in the nail?
hängen *V* hängt, hing, hat gehangen *(süddeutsch, A, CH: ist gehangen)* An der Wand hingen interessante Fotografien aus den 1950er-Jahren.	**hang** Interesting photos from the 1950s hung on the wall.

hängen *V* hängt, hängte, hat gehängt Jessica hat ihr Lieblingsbild an die Wand gehängt.	**hang (up)** Jessica has hung her favourite picture on the wall.
schief *Adj* schiefer, am schiefsten Das Bild hängt schief.	**crookéd** The picture is crookéd.
gerade *Adj* ≠ schief Das Bild hängt ja immer noch nicht gerade. In dem Altbau gibt es keine geraden Wände.	**straight** crookéd The picture is still not straight. There are no straight walls in this old building.
der **Spiegel** *N* des Spiegels, die Spiegel Sie betrachtet sich im Spiegel.	**mirror** She looks at herself in the mirror.
der **Teppich** *N* des Teppichs, die Teppiche Auf dem Boden liegen teure Teppiche.	**carpet** There are expensive carpets on the floor.
die **Vase** *N (Kurzform für Blumenvase)* der Vase, die Vasen Tanja stellt die Blumen in eine Vase.	**vase** Tanja puts the flowers into a vase.
das **Plastik** *N (meist ohne Artikel)* des Plastiks, *(nur Singular)* Sind die Blumen echt? – Nein, sie sind aus Plastik.	**plastic** Are the flowers real? – No, they are plastic.
künstlich *Adj* künstlicher, am künstlichsten Die künstlichen Blumen sehen überraschend echt aus.	**artificial** The artificial flowers look surprisingly real.
stehen *V* steht, stand, hat gestanden Auf dem Tisch steht eine Kerze.	**be; stand** There is a candle on the table.
der **Herd** *N* des Herd(e)s, die Herde Der Herd steht neben der Spüle. am Herd stehen ↳ die Herdplatte	**cooker, stove** The cooker is next to the sink. slave over a hot stove hotplate, stove top
der **Backofen** *N* des Backofens, die Backöfen = das Backrohr *(A)* Der Backofen ist kaputt gegangen. Wir brauchen einen neuen.	**oven** The oven is not working. We need a new one.
der **Kühlschrank** *N* des Kühlschrank(e)s, die Kühlschränke	**refrigerator, fridge**

Der Kühlschrank hat auch ein Eisfach.	The refrigerator has also got a freezer compartment.
etwas im Kühlschrank aufbewahren	refrigerate sth
der **Gefrierschrank** *N* des Gefrierschrank(e)s, die Gefrierschränke = die Gefriertruhe Unser Gefrierschrank ist nur halbvoll.	**(upright) freezer** chest freezer Our upright freezer is only half full.
die **Spülmaschine** *N (Kurzform für Geschirrspülmaschine)* der Spülmaschine, die Spülmaschinen = die Abwaschmaschine *(CH)* Kannst du bitte die Spülmaschine ausräumen? die Spülmaschine ein-/ausräumen	**dishwasher** Can you empty the dishwasher, please? load / empty the dishwasher
die **Mikrowelle** *N (Kurzform: Mikro)* der Mikrowelle, die Mikrowellen Du kannst dir das Essen in der Mikrowelle aufwärmen.	**microwave** You can warm up your meal in the microwave.
praktisch *Adj* praktischer, am praktischsten Ich finde, eine Mikrowelle ist sehr praktisch.	**practical** I think a microwave is very practical.
praktisch *Adv* = so gut wie Mit einer Mikrowelle kann man praktisch alles machen: auftauen, aufwärmen und kochen.	**practically, basically** virtually You can do practically everything in a microwave: thawing, heating up and cooking.

11.5 Haushalt — Household

der **Haushalt** *N* des Haushalt(e)s, die Haushalte Seit er in Rente ist, hilft er seiner Frau im Haushalt. einen Haushalt führen	**household** He has been helping his wife in the household since he retired. run a household
aufräumen *V* räumt auf, räumte auf, hat aufgeräumt Räumst du bitte dein Zimmer auf?	**clear up, tidy up** Can you tidy up your room, please?
die **Ordnung** *N* der Ordnung, *(in dieser Bedeutung nur Singular)* ≠ die Unordnung Warum kannst du deine Sachen nicht in Ordnung halten?	**order, tidiness** chaos Why can't you keep your things in order?
ordentlich *Adj* ordentlicher, am ordentlichsten = aufgeräumt	**tidy** cheerful

≠ unordentlich	untidy
Im Zimmer unserer Tochter ist es selten ordentlich.	Our daughter's room is seldom tidy.
durcheinander *Adv*	**mess**
Auf deinem Schreibtisch ist alles durcheinander. Du musst dringend aufräumen.	Everything is in a mess on your desk. You really need to tidy it up.
kommen *V*	**go**
kommt, kam, ist gekommen	
= hingehören	belong
Die Gläser kommen in die Vitrine.	The glasses go into the glass cabinet.
die **Hausfrau** *N*	**housewife**
der Hausfrau, die Hausfrauen	
Sie möchte keine Hausfrau sein, sondern wieder arbeiten gehen.	She doesn't want to be a housewife but to start working again.
der **Hausmann** *N*	**househusband**
des Hausmann(e)s, die Hausmänner	
putzen *V*	**clean**
putzt, putzte, hat geputzt	
Die Fenster müssen dringend geputzt werden.	The windows must be cleaned urgently.
putzen gehen *(ugs.)*	work as a cleaner
gründlich *Adj*	**thorough**
gründlicher, am gründlichsten	
= sorgfältig	careful
Der Teppich benötigt eine gründliche Reinigung.	The carpet needs a thorough cleaning.
der **Staub** *N*	**dust**
des Staub(e)s, die Staube / Stäube *(Fachsprache)*	
Bitte wischen Sie den Staub von den Büchern!	Please wipe the dust off the books!
↳ staubig	dusty
der **Staubsauger** *N*	**vacuum cleaner**
des Staubsaugers, die Staubsauger	
Bringst du mir den Staubsauger, bitte?	Can you bring me the vacuum cleaner, please?
staubsaugen *V*	**vacuum(-clean)**
staubsaugt, staubsaugte, hat gestaubsaugt	
Hast du schon das Wohnzimmer gestaubsaugt?	Have you already vacuum-cleaned the living room?
das **Putztuch** *N*	**(cleaning) cloth**
des Putztuch(e)s, die Putztücher	
= der (Putz-)Lappen	
Nimm doch ein neues Putztuch!	Just take a new cloth!
wischen *V*	**wipe**
wischt, wischte, hat gewischt	
Hier müsste auch gewischt werden.	This needs wiping as well.

aufheben *V* hebt auf, hob auf, hat aufgehoben Kannst du bitte die Blätter aufheben?	**pick up** Can you pick up the leaves, please?
an der Reihe sein = dran sein *(ugs.)* Du brauchst nicht den Tisch zu decken, ich bin an der Reihe.	**be sb's turn / go** have a turn You don't need to set the table, it is my turn.
abwaschen *V* wäscht ab, wusch ab, hat abgewaschen = abspülen Kannst du schon mal abwaschen?	**do the dishes, wash up** Can you do the dishes now?
spülen *V* spült, spülte, hat gespült = abwaschen Ich habe keine Lust, das Geschirr zu spülen.	**wash (up)** I don't feel like washing up.
abtrocknen *V* trocknet ab, trocknete ab, hat abgetrocknet Warum muss immer ich das Geschirr abtrocknen?	**dry** Why do I always have to dry the dishes?
sauber *Adj* sauberer, am saubersten Bringst du mir bitte ein sauberes Glas?	**clean** Can you bring me a clean glass, please?
schmutzig *Adj* schmutziger, am schmutzigsten Kannst du das schmutzige Geschirr abwaschen?	**dirty** Can you wash up the dirty dishes?
der **Schmutz** *N* des Schmutzes, *(nur Singular)* Mit diesem neuen Putzmittel ist der Schmutz leicht zu entfernen.	**dirt; mess** It's easy to get rid of dirt with this new cleaning agent.
der **Fleck** *N* des Fleck(e)s, die Flecken Woher kommen die Flecken auf dem Teppich?	**stain** Where did the stains on the carpet come from?
dreckig *Adj* dreckiger, am dreckigsten	**dirty**
der **Dreck** *N* des Dreck(e)s, *(nur Singular)* Räum doch mal deinen Dreck weg!	**mess; dirt** Tidy up your mess!
die **Hausarbeit** *N* der Hausarbeit, die Hausarbeiten Männer und Frauen teilen sich heutzutage oft die Hausarbeit.	**housework** Nowadays men and women often share the housework.

sauber machen *V* macht sauber, machte sauber, hat sauber gemacht = reinigen Ich muss unbedingt die Küche sauber machen.	**clean** I really must clean the kitchen.
der **Besen** *N* des Besens, die Besen Nimm den großen Besen zum Fegen!	**broom** Use the big broom for sweeping!
kehren *V* kehrt, kehrte, hat gekehrt Achim hat die Straße bereits gestern gekehrt. ↳ die Kehrwoche *(süddeutsch)*	**sweep** Achim already swept the street yesterday. cleaning week *(a week in which it is a resident's turn to clean the communal areas in and around a block of flats)*
der **Eimer** *N* des Eimers, die Eimer Zum Putzen braucht sie einen Eimer mit Wasser und einen Lappen.	**bucket** She needs a bucket of water and a cleaning cloth for cleaning.
das **Putzmittel** *N* des Putzmittels, die Putzmittel Das Putzmittel für das Bad ist leer. Kannst du neues mitbringen?	**cleaning agent; cleaning things** We've run out of cleaning agent for the bathroom. Can you bring me more?
weg *Adv* Nach dem Staubwischen ist der Staub weg.	**gone** The dust is gone after dusting.
weg- *Präfix* ↳ wegwischen ↳ wegräumen ↳ wegstellen	**away** wipe away clear away move out of the way
wegwerfen *V* wirft weg, warf weg, hat weggeworfen Ich habe die Reste des Mittagessens nicht weggeworfen, sondern unserem Hund gegeben.	**throw away** I didn't throw away the leftovers from lunch but I gave them to our dog.
der **Abfall** *N* des Abfall(e)s, die Abfälle = der Müll Glas kommt nicht in den normalen Abfall. den Abfall trennen	**waste, refuse** rubbish *(BE)*, garbage *(AE)* You don't put glass in with normal waste. separate the waste
der **Abfalleimer** *N* = der Mülleimer = der Mistkübel *(A)* In diesen Abfalleimer kommt der Bioabfall, in den anderen der Plastikmüll.	**(rubbish) bin** *(BE)*, **(garbage) can** *(AE)* Organic waste goes into this rubbish bin, plastic waste goes into the other one.
der **Müll** *N* des Mülls, *(nur Singular)*	**rubbish, garbage** *(AE)*

Wann wird der Müll abgeholt? ↳ der Restmüll ↳ der Biomüll ↳ der Sperrmüll	When is the rubbish collected? general rubbish organic waste skip refuse *(large, unwieldy waste objects)*
die **Müllabfuhr** *N* der Müllabfuhr, die Müllabfuhren Die Müllabfuhr kommt zweimal die Woche.	**refuse collection** The refuse collection comes twice a week.
die **Mülltonne** *N* der Mülltonne, die Mülltonnen Morgen kommt die Müllabfuhr. Stellst du die Mülltonne an die Straße?	**dustbin** *(BE)*, **garbage can** *(AE)* The refuse collection is coming tomorrow. Do you put the dustbin out on the street?
das **Zeug** *N (ugs.)* des Zeug(e)s, *(nur Singular)* Das ganze Zeug kommt in den Müll.	**things, stuff** All of this stuff is to be thrown out.
die **Biotonne** *N* der Biotonne, die Biotonnen Was gehört in die Biotonne? – Die organischen Abfälle.	**organic waste bin** What goes in the organic waste bin? – Organic refuse.
der gelbe Sack *(D, A)* = die gelbe Tonne Mein altes Radio muss in den Elektromüll, nicht in den gelben Sack.	**plastic waste bag** *(yellow bag used to collect lightweight packaging waste)* recycling bin for plastic My old radio belongs in electronic waste, not in the plastic waste bag.
das **Altglas** *N* des Altglases, *(nur Singular)* Beim Altglas wird Weiß-, Grün- und Braunglas getrennt.	**glass for recycling** Glass for recycling is divided into white, green, and brown glass.
der **Altglascontainer** *N* des Altglascontainers, die Altglascontainer Kannst du die leeren Flaschen zum Altglascontainer bringen?	**bottle bank** Can you take the empty bottles to the bottle bank?
das **Altpapier** *N* des Altpapier(e)s, die Altpapiere Das Altpapier wird einmal im Monat abgeholt. ↳ die Altpapiertonne	**waste paper** Waste paper is collected once a month. waste paper bin
die **Altkleidersammlung** *N* der Altkleidersammlung, die Altkleidersammlungen Den Mantel gebe ich in die Altkleidersammlung. ↳ der Altkleidercontainer	**old clothes collection** I'll take the coat to the old clothes collection. container for old clothes

11.6 Wohnungssuche und Miete — Seeking and renting accommodation

das **Inserat** *N* des Inserat(e)s, die Inserate = die Anzeige = die Annonce Herr Böhm hat ein Inserat zur Wohnungssuche in die Zeitung gesetzt. ↳ inserieren	**advertisement** Mr Böhm has put an advertisement in the newspaper for a new flat. advertise
die **Annonce** [aˈnõːsə] *N* der Annonce, die Annoncen Vielleicht finden wir eine bezahlbare Wohnung, wenn wir eine Annonce aufgeben.	**advertisement** Maybe we'll find an affordable flat if we do an advertisement.
suchen *V* sucht, suchte, hat gesucht Sie suchen bislang vergeblich eine günstige Zweizimmerwohnung.	**look for, search for** So far they have been looking futile for an affordable two-room flat.
vergeblich *Adj* vergeblicher, am vergeblichsten = erfolglos = umsonst	**futile** unsuccessful in vain
finden *V* findet, fand, hat gefunden ≠ suchen	**find** look for, search for
möbliert *Adj* ≠ unmöbliert Der Student hat ein kleines, möbliertes Zimmer gefunden.	**furnished** unfurnished The student found a small furnished room.
die **WG** [veːˈgeː] *N (Abkürzung für Wohngemeinschaft)* der WG, die WGs Ich suche ein Zimmer in einer WG.	**flat share, communal residence** I'm looking for a flat share.
der **Mangel** *N* des Mangels, die Mängel In vielen Städten gibt es einen Mangel an billigen Wohnungen.	**lack** There is a lack of cheap flats in many towns.
etwas gebrauchen können Kannst du noch einen Schreibtisch gebrauchen?	**need sth** Do you still need a desk?
hübsch *Adj* hübscher, am hübschesten Wir suchen eine billige und hübsche Wohnung.	**pretty** We are looking for a cheap and pretty flat.
hell *Adj* heller, am hellsten	**light**

Das Wohnzimmer soll besonders hell sein.	The living room should be particularly light.
der **Traum** *N*	**dream**
des Traum(e)s, die Träume	
Sein Traum wäre ein Haus am Meer.	His dream would be a house by the sea.
↳ das Traumhaus	dreamhouse
vermieten *V*	**rent (out)**
vermietet, vermietete, hat vermietet	
Frau Sturm vermietet mehrere Wohnungen.	Mrs Sturm rents out several flats.
mieten *V*	**rent**
mietet, mietete, hat gemietet	
≠ vermieten	rent (out)
Hannes hat in Berlin ein Zimmer gemietet.	Hannes rented a room in Berlin.
die **Miete** *N*	**rent**
der Miete, die Mieten	
Die Miete soll im nächsten Jahr kräftig erhöht werden.	The rent is expected to go up sharply next year.
zur Miete wohnen	live in rented accommodation
↳ die Kaltmiete	rent without heating
↳ die Warmmiete	rent including heating
fällig *Adj*	**due**
Die Miete ist am ersten Werktag des Monats fällig.	The rent is due on the first working day of the month.
realistisch *Adj*	**realistic**
realistischer, am realistischsten	
Ich möchte für die Miete nicht mehr als 400 Euro ausgeben. Ist das realistisch?	I don't want to spend more than 400 euros on the rent. Is that realistic?
einschließlich *Präp (+ Genitiv)*	**including**
Die Miete beträgt 740 € einschließlich der zwei Garagenplätze.	The rent is €740 including two garage spaces.
die **Ausgabe** *N*	**expenses, costs**
der Ausgabe, die Ausgaben	
Unsere monatlichen Ausgaben liegen bei ca. 1200 €.	Our monthly costs are around €1200.
der **Vermieter** *N*	**landlord**
des Vermieters, die Vermieter	
die **Vermieterin** *N*	**landlady**
der Vermieterin, die Vermieterinnen	
Die Vermieterin bevorzugt kinderlose Nichtraucher als Mieter.	The landlady prefers childless non-smokers as tenants.
der **Mieter** *N*	**tenant**
des Mieters, die Mieter	

Die neuen Mieter sind nette Leute.	The new tenants are nice people.
die **Mieterin** *N* der Mieterin, die Mieterinnen	**tenant**
die **Vermietung** *N* der Vermietung, die Vermietungen Die Vermietung von Wohnungen ohne Balkon ist manchmal schwierig.	**renting out** It is sometimes difficult to find tenants for flats without a balcony.
die **Vermittlung** *N* der Vermittlung, die Vermittlungen Die Vermittlung einer Wohnung ist manchmal nicht kostenlos.	**finding** Sometimes you have to pay an agent for finding you a flat.
der **Bewohner** *N* des Bewohners, die Bewohner Die früheren Bewohner dieser Wohnung sind nach Spanien ausgewandert.	**resident** The former residents of this flat have emigrated to Spain.
die **Bewohnerin** *N* der Bewohnerin, die Bewohnerinnen	**resident**
die **Zweizimmerwohnung** *N* der Zweizimmerwohnung, die Zweizimmerwohnungen = die Zweiraumwohnung 2 ZKB *(Abkürzung für 2 Zimmer, Küche, Bad)*	**flat with two rooms** *(abbreviation in adverts for flat with 2 rooms, kitchen and bathroom)*
die **Nebenkosten** *N (Pluralwort)* der Nebenkosten Was ist in den Nebenkosten enthalten?	**additional costs** *(additional costs for heating, electricity, gas)* What is included in the additional costs?
enthalten *V* enthält, enthielt, hat enthalten Die Miete enthält bereits die Kosten für die Heizung.	**include** The rent already includes the heating costs.
die **Kaution** *N* der Kaution, die Kautionen Die Kaution beträgt das Zweifache einer Monatsmiete.	**deposit** The deposit is twice the monthly rent.
der **Makler** *N* des Maklers, die Makler Der Makler erhält eine Vermittlungsprovision.	**estate agent** *(BE)*, **realtor** *(AE)* The estate agent receives a commission.
die **Maklerin** *N* der Maklerin, die Maklerinnen	**estate agent** *(BE)*, **realtor** *(AE)*
nebenan *Adv*	**next-door**

In der Wohnung nebenan wohnen furchtbar laute Leute.	Terribly loud people live in the flat next-door.
einziehen *V* zieht ein, zog ein, ist eingezogen Sie sind letzte Woche in ihr Haus eingezogen.	**move in** They moved into their house last week.
ausziehen *V* zieht aus, zog aus, ist ausgezogen ≠ einziehen	**move out** move in
umziehen *V* zieht um, zog um, ist umgezogen Für den neuen Job musste Lara umziehen.	**move (house / flat)** Lara had to move house for her new job.
der **Umzug** *N* des Umzug(e)s, die Umzüge Der Umzug wird von einer Möbelspedition durchgeführt.	**move** The move is carried out by a removals company.
brauchen *V* braucht, brauchte, hat gebraucht Brauchst du noch jemanden, der dir beim Umzug hilft?	**need** Do you need anyone else to help you with the move?
heben *V* hebt, hob, hat gehoben Kannst du mir helfen? Ich kann den Schrank nicht alleine heben.	**lift** Can you help me? I can't lift the wardrobe on my own.
der **Nachbar** *N* des Nachbarn *(selten: Nachbars)*, die Nachbarn Zum Glück haben wir sehr ruhige Nachbarn!	**neighbour** *(BE)*, **neighbor** *(AE)* Luckily we have very quiet neighbours!
die **Nachbarin** *N* der Nachbarin, die Nachbarinnen	**neighbour** *(BE)*, **neighbor** *(AE)*
die **Hausordnung** *N* der Hausordnung, die Hausordnungen Laut Hausordnung ist das Abstellen der Fahrräder im Hausflur verboten.	**house rules** According to the house rules bicycles may not be put in the hallway.
sich halten an = einhalten Alle Mieter müssen sich an die Hausordnung halten.	**observe, keep to** Alle tenants must observe the house rules.
der **Hausmeister** *N (D, A)* des Hausmeisters, die Hausmeister	**caretaker, janitor** *(AE)*
die **Hausmeisterin** *N (D, A)* der Hausmeisterin, die Hausmeisterinnen	**caretaker, janitor** *(AE)*

der **Abwart** *N (CH)* des Abwarts, die Abwarte *(selten: Abwärte)*	**caretaker, janitor** *(AE)*
die **Abwartin** *N (CH)* der Abwartin, die Abwartinnen	**caretaker, janitor** *(AE)*
die **Eigentumswohnung** *N* der Eigentumswohnung, die Eigentums-wohnungen Für unsere Eigentumswohnung haben wir einen Kredit aufgenommen.	**owner-occupied flat** We took out a loan for our owner-occupied flat.
die **Immobilie** *N* der Immobilie, die Immobilien Zurzeit sind Immobilien sehr teuer.	**property, real estate** Property is very expensive at the moment.
die **Sozialwohnung** *N* der Sozialwohnung, die Sozialwohnungen In fast allen Städten gibt es vergünstigte Sozialwohnungen.	**council flat / house** *(BE)*, **municipal housing unit** *(AE)* In almost all towns there are cheap council houses.
obdachlos *Adj* Früher war er obdachlos, heute lebt er in einer Sozialwohnung.	**homeless** He used to be homeless, but today he lives in a council flat.
verkaufen *V* verkauft, verkaufte, hat verkauft Leider müssen wir unsere wunderschöne Villa in München verkaufen.	**sell** Unfortunately we have to sell our wonderful villa in Munich.
kaufen *V* kauft, kaufte, hat gekauft ≠ verkaufen	**buy** sell
der **Käufer** *N* des Käufers, die Käufer Heute treffe ich einen potenziellen Käufer für die Wohnung.	**buyer** Today I am going to meet a potential buyer of the flat.
die **Käuferin** *N* der Käuferin, die Käuferinnen	**buyer**
der **Verkäufer** *N* des Verkäufers, die Verkäufer ≠ der Käufer	**seller** buyer
die **Verkäuferin** *N* der Verkäuferin, die Verkäuferinnen	**seller**
der **Kauf** *N* des Kauf(e)s, die Käufe Sie hat die alte Wohnung zum Kauf angeboten.	**sale** She put her old flat up for sale.

hoch *Adj* höher, am höchsten ≠ niedrig Die Preise für Immobilien sind in München sehr hoch.	**high** low Property prices in Munich are very high.
günstig *Adj* günstiger, am günstigsten Der Preis des Hauses ist sehr günstig.	**cheap** The price for the house is very cheap.
die **Summe** *N* der Summe, die Summen Der Rest der Summe ist am Ende des Monats fällig.	**amount; sum, total** The rest of the amount should be paid at the end of the month.
der **Vertrag** *N* des Vertrag(e)s, die Verträge Käufer und Verkäufer haben einen Vertrag abgeschlossen, in dem alle Einzelheiten geregelt sind. einen Vertrag erfüllen / brechen ↳ der Kaufvertrag ↳ der Mietvertrag	**contract** Buyer and seller signed a contract regulating all of the details. fulfil / violate a contract bill of sale, sales contract tenancy agreement, lease, rental agreement

12 Soziale Beziehungen

12.1 Familie und Verwandtschaft — Family and relatives

die **Familie** *N* der Familie, die Familien Die Familie meines Mannes wohnt in Hamburg.	**family** My husband's family lives in Hamburg.
der / die **Verwandte** *N* des / der Verwandten, die Verwandten Sie laden zu ihrer Hochzeit alle nahen und entfernten Verwandten ein.	**relative** They are inviting all close and distant relatives to their wedding.
verwandt *Adj* Die Männer heißen zwar beide Kirchgessner, aber sie sind nicht miteinander verwandt.	**related** Although both men are called Kirchgessner they are not related.
die Verwandtschaft *N* der Verwandtschaft, die Verwandtschaften Er hat eine große Verwandtschaft.	**relatives; relations** He has a lot of relatives.
der / die **Angehörige** *N* des / der Angehörigen, die Angehörigen = der / die (enge) Verwandte Auskunft erhalten nur Angehörige.	**next-of-kin** (close) relative Only close relatives will be able to get any information.
die **Generation** *N* der Generation, die Generationen Die junge Generation hat andere Vorstellungen als ihre Eltern.	**generation** The young generation have different ideas than their parents.

12 Soziale Beziehungen

Personal and possessive pronoun		
Personal pronouns	**Possessive pronouns**	
	masculine / neuter	**feminine**
ich	mein	meine
du	dein	deine
er	sein	seine
sie	ihr	ihre
es	sein	seine
wir	unser	unsere
ihr	euer	eu(e)re
sie	ihr	ihre

---

der **Vater** *N* — **father**
des Vaters, die Väter
Sebastian ist Vater geworden. — Sebastian became a father.

die **Mutter** *N* — **mother**
der Mutter, die Mütter
Kerstins Mutter arbeitet als Sekretärin. — Kerstin's mother works as a secretary.

die **Eltern** *N (Pluralwort)* — **parents**
der Eltern
Konstantin besucht seine Eltern am Wochenende. — Konstantin will be visiting his parents at the weekend.

die **Mama** *N* — **mum, mummy** *(BE)*, **mom, mommy** *(AE)*
der Mama, die Mamas
= die Mami
Mama, kann ich eine Banane haben? — Can I have a banana, mummy?
Hilf deiner Mama beim Aufräumen. — Help your mum to tidy up.

der **Papa** *N* — **dad, daddy**
des Papas, die Papas
= der Vati
Papa, gehen wir heute in den Zoo? — Are we going to the zoo today, dad?
Das Kind kann schon „Papa“ sagen. — The child can already say "daddy".

das **Kind** *N* — **child**
des Kind(e)s, die Kinder
Die Schneiders haben zwei Kinder: ein Mädchen und einen Jungen. — The Schneiders have two children: a girl and a boy.

eigen *Adj* Das Paar kann keine eigenen Kinder bekommen, deswegen wollen sie eines adoptieren.	**own** The couple cannot have any children of their own, so they want to adopt one.
die **Tochter** *N* der Tochter, die Töchter Sie haben eine Tochter bekommen.	**daughter** They have had a daughter.
der **Sohn** *N* des Sohn(e)s, die Söhne Der Vater bringt seinen Sohn jeden Morgen in den Kindergarten.	**son** The father takes his son to kindergarten every morning.
die **Erziehung** *N* der Erziehung, *(nur Singular)* Felix kümmert sich auch um die Erziehung seiner Kinder.	**upbringing** Felix is also involved in of his children's upbringing.
erziehen *V* erzieht, erzog, hat erzogen Sie haben ihre Kinder zur Selbstständigkeit erzogen.	**bring up, teach** They brought up their children to be independent.
beeinflussen *V* beeinflusst, beeinflusste, hat beeinflusst Die anderen Kinder aus der Schule beeinflussen unsere Tochter.	**influence** Our daughter is influenced by the other children at her school.
der **Einfluss** *N* des Einflusses, die Einflüsse Ihre ältere Schwester hat großen Einfluss auf Tina.	**influence** Tina's older sister has a lot of influence on her.
allein lassen Regina möchte ihre Tochter abends nicht allein lassen.	**leave alone** Regina would not like to leave her daughter alone in the evening.
sich kümmern *V* kümmert sich, kümmerte sich, hat sich gekümmert Johanna kann sich nicht den ganzen Tag um ihre Kinder kümmern, denn sie arbeitet.	**look after, take care** Johanna has a job, so she cannot take care of her children all day.
helfen *V* hilft, half, hat geholfen Lea hilft ihrer Mutter im Garten.	**help** Lea helps her mother in the garden.
die **Hilfe** *N* der Hilfe, die Hilfen Kannst du mir bei den Hausaufgaben helfen? Darf ich dich noch einmal um deine Hilfe bitten?	**help** Can you help me with my homework? May I ask you once again for your help?
unterstützen *V* unterstützt, unterstützte, hat unterstützt Er unterstützt seine Kinder wo er kann.	**support** He supports his children in any way he can.

die **Unterstützung** *N* der Unterstützung, die Unterstützungen Die Kinder brauchen die finanzielle Unterstützung ihrer Eltern.	**support** The children need financial support from their parents.
die **Geschwister** *N (Pluralwort)* der Geschwister Nathalie ist ein Einzelkind. Sie wünscht sich Geschwister.	**brother(s) and sister(s)** Nathalie is an only child. She wants to have brothers and sisters.
der **Bruder** *N* des Bruders, die Brüder Mein ältester Bruder hat schon den Führerschein.	**brother** My oldest brother already has his driving licence.
die **Schwester** *N* der Schwester, die Schwestern Melissa hat eine jüngere Schwester und einen älteren Bruder.	**sister** Melissa has a younger sister and an older brother.
unterschiedlich *Adj* unterschiedlicher, am unterschiedlichsten Die beiden Kinder sind ganz unterschiedlich.	**different** The two children are completely different.
anders *Adv* Cecilie ist ganz anders als ihre Schwester.	**differently** Cecilie is very different from her sister.
verschieden *Adj* verschiedener, am verschiedensten Unsere Kinder sind alle sehr verschieden.	**different; various** Our children are all very different.
sich behaupten *V* behauptet sich, behauptete sich, hat sich behauptet = sich durchsetzen Mira fällt es schwer, sich gegen ihren älteren Bruder zu behaupten.	**hold one's own** be accepted, gain acceptance It is not easy for Mira to hold her own against her older brother.
die **Großeltern** *N (Pluralwort)* der Großeltern Die ganze Familie besucht die Großeltern.	**grandparents** The whole family visits the grandparents.
der **Großvater** *N* des Großvaters, die Großväter Der Großvater sitzt auf einer Bank und raucht Pfeife.	**grandfather** The grandfather sits on a bench and smokes a pipe.
die **Großmutter** *N* der Großmutter, die Großmütter Die Großmutter hat weiße Haare.	**grandmother** The grandmother has white hair.
die **Oma** *N* der Oma, die Omas	**gran(ny), grandma**

Deutsch	English
Meine Oma kommt aus Bayern. Oma, können wir einen Kuchen backen?	My grandma comes from Bavaria. Granny, can we bake a cake?
der **Opa** *N* des Opas, die Opas Der Opa liest seinem Enkel Geschichten vor. Opa, wann gehen wir auf den Spielplatz?	**granddad, grandpa** The granddad reads stories to his grandchild. Grandpa, when are we going to the playground?
der **Enkel** *N* des Enkels, die Enkel ↳ das Enkelkind	**grandson** grandchild
die **Enkelin** *N* der Enkelin, die Enkelinnen Sie freuen sich riesig über die Geburt ihrer ersten Enkelin.	**granddaughter** They are thrilled about the birth of their first granddaughter.
die **Tante** *N* der Tante, die Tanten Tante Ilsa ist Sofies Lieblingstante. Die Tante väterlicherseits mag er nicht besonders.	**aunt** Aunt Ilsa is Sofie's favourite aunt. He doesn't especially like his aunt on his father's side.
der **Onkel** *N* des Onkels, die Onkel Morgen telefoniere ich mit meinem Onkel.	**uncle** I will phone my uncle tomorrow.
der **Cousin** [kuˈzɛ̃ː] *N* des Cousins, die Cousins = der Vetter Karsten ist ein Cousin von mir.	**(male) cousin** Karsten is my cousin.
die **Cousine** [kuˈziːnə] *N (auch: Kusine)* der Cousine, die Cousinen Meine Cousine ist genauso alt wie ich.	**(female) cousin** My cousin is as old as I am.
der **Neffe** *N* des Neffen, die Neffen Ich rufe morgen meine Schwester an und frage sie, was sich mein Neffe zum Geburtstag wünscht.	**nephew** I'll call my sister tomorrow and ask her what my nephew wants for his birthday.
die **Nichte** *N* der Nichte, die Nichten Meine jüngste Nichte sieht meinem Bruder sehr ähnlich.	**niece** My youngest niece looks very like my brother.
Schwieger- *Präfix* ↳ die Schwiegereltern ↳ die Schwiegertochter ↳ der Schwiegersohn	**-in-law** *(member married into the family)* parents-in-law daughter-in-law son-in-law

12.2 Ehe und Partnerschaft — Marriage and partnership

heiraten *V*	**marry (someone)**
heiratet, heiratete, hat geheiratet	
= zur Frau / zum Mann nehmen	take somebody for one's wife / husband
= sich das Jawort geben	say I do, consent to marry sb
Unsere Freunde haben vor einem Jahr geheiratet.	Our friends married one year ago.
kirchlich heiraten	marry in church
standesamtlich heiraten	marry at the registry office
↳ die Heirat	marriage
die **Hochzeit** *N*	**wedding**
der Hochzeit, die Hochzeiten	
Wir waren auf einer türkischen Hochzeit. Dort waren 600 Gäste eingeladen.	We were at a Turkish wedding. There were 600 invited guests.
die **Ehe** *N*	**marriage**
der Ehe, die Ehen	
Sie führen eine glückliche Ehe.	They are happily married.
kinderlose Ehe	childless marriage
das **Ehepaar** *N*	**married couple**
des Ehepaar(e)s, die Ehepaare	
Wir fahren mit einem befreundeten Ehepaar in den Urlaub.	We are going on holiday with a married couple we are friends with.
das **Paar** *N*	**couple**
des Paar(e)s, die Paare	
Ines und Matthias sind ein Paar.	Ines and Matthias are a couple.

ein Paar / ein paar !

ein Paar	ein paar
The noun ein Paar has a capital letter.	The pronoun ein paar is written in small letters and means some, a few, or not many.
ein Paar is used to talk about two closely related persons: ein junges Paar a young couple ein glückliches Liebespaar a happy pair of lovers	The pronoun is used to talk about an undefined, not very large number of persons or things: Sie wollen ein paar (einige) Freunde treffen. They want to meet some friends. Kannst du ein paar (einige) Äpfel mitbringen? Can you bring some apples with you? Ich habe nur noch ein paar (wenige) Euro. I've only got a few euros left.
It also can be used to describe two things belonging to each other: ein Paar Schuhe / Socken a pair of shoes / socks	

der **Ehemann** *N* des Ehemann(e)s, die Ehemänner Sabrinas Ehemann ist jünger als sie.	**husband** Sabrina's husband is younger than her.
die **Ehefrau** *N* der Ehefrau, die Ehefrauen	**wife**

→ See also chapter *1.1 Name, Geschlecht, Familienstand* (p. 16 ff)

behalten *V* behält, behielt, hat behalten Mira könnte den Namen ihres Mannes annehmen, aber sie behält ihren Mädchennamen.	**keep** Mira could assume her husband's name, but she is going to keep her maiden name.
sich verpartnern *V (besonders Amtssprache)* verpartnert sich, verpartnerte sich, hat sich verpartnert Jakob und David haben sich verpartnert.	**enter (into) a domestic partnership with sb** Jakob and David entered into a domestic partnership.
die eingetragene Lebenspartnerschaft Jonathan und Karl sind nicht verheiratet, sie sind aber eine eingetragene Lebenspartnerschaft eingegangen.	**registered partnership** Jonathan and Karl are not married, but they have entered into a registered partnership.

die **Beziehung** *N* der Beziehung, die Beziehungen Jan ist seit fünf Jahren in einer festen Beziehung.	**relationship** Jan has had a steady relationship for five years.
sich verstehen *V* versteht sich, verstand sich, hat sich verstanden Meine Tante und mein Onkel verstehen sich nicht mehr. sich gut verstehen	**get along (with sb)** My aunt und my uncle do not get along with each other anymore. get along well with sb
das **Verhältnis** *N* des Verhältnisses, die Verhältnisse Mia hat ein gutes Verhältnis zu ihrer Schwiegermutter. ⚠ ein Verhältnis mit jemandem haben *(ugs.)*	**relationship** Mia has a good relationship with her mother-in-law. have an affair with sb
sich scheiden lassen *V* lässt sich scheiden, ließ sich scheiden, hat sich scheiden lassen Karin und Max haben sich schon nach acht Monaten scheiden lassen.	**get divorced** Karin and Max got divorced after only eight months.
die **Scheidung** *N* der Scheidung, die Scheidungen Nach langem Zögern reichte sie die Scheidung ein.	**divorce** After hesitating for a long time she filed for divorce.
sich trennen *V* trennt sich, trennte sich, hat sich getrennt	**separate, split up**

Katharina hat sich von ihrem Mann getrennt.	Katharina has split up with her husband.
die **Trennung** *N* der Trennung, die Trennungen Die Kinder leiden unter der Trennung ihrer Eltern.	**separation** The children are suffering under their parents' separation.
der **Partner** *N* des Partners, die Partner Clara hat nicht wieder geheiratet, aber sie hat einen neuen Partner.	**partner** Clara has not married again, but she has a new partner.
die **Partnerin** *N* der Partnerin, die Partnerinnen	**partner**

12.3 Soziale Kontakte — Social contacts

der **Mensch** *N* des Menschen, die Menschen Viele Menschen leben heutzutage in Städten. Er ist doch auch nur ein Mensch!	**people; man; human; person** Nowadays many people live in cities. He's only human after all!
menschlich *Adj* menschlicher, am menschlichsten Hat der Unfall technische oder menschliche Ursachen? Irren ist menschlich.	**human** Was the accident caused by a technical or by a human fault? To err is human.
individuell *Adj* individueller, am individuellsten Wie viel Schlaf jemand braucht, ist individuell verschieden. In der Familie achten alle auf die individuellen Bedürfnisse der anderen.	**from person to person; individual** How much sleep somebody needs differs from person to person. In their family everyone respects the individual needs of the others.
die **Leute** *N (Pluralwort)* der Leute Auf der Hochzeit waren viele nette Leute.	**people** There were lots of nice people at the wedding.
der **Typ** *N (ugs. für männliche Person)* des Typs / Typen, die Typen Der Typ ist witzig.	**guy, bloke** *(BE)* That guy is funny.
man *Pron* Man wird noch taub bei diesem Lärm. Was für ein Geschenk bringt man zum Geburtstag mit?	**one, I / we / you** This noise will make you go deaf. What kind of present do you bring to someone on their birthday?
der **Freund** *N* des Freund(e)s, die Freunde Er hat nur wenige gute Freunde.	**friend** He only has a few good friends.

die **Freundin** *N* der Freundin, die Freundinnen	**friend**
die **Freundschaft** *N* der Freundschaft, die Freundschaften Wir sind stolz auf unsere zwanzigjährige Freundschaft.	**friendship** We are proud of our twenty-year friendship.
kennen *V* kennt, kannte, hat gekannt Kennst du Marlene?	**know** Do you know Marlene?
kennenlernen *V* lernt kennen, lernte kennen, hat kennengelernt Ich habe mich gefreut, Sie kennenzulernen.	**get to know, meet** It was a pleasure to meet you.
der / die **Bekannte** *N* des / der Bekannten, die Bekannten	**friend; acquaintance**
alt *Adj* älter, am ältesten Harald ist ein alter Freund von mir.	**old** *(yearlong)* Harald is an old friend of mine.
der **Kontakt** *N* des Kontakt(e)s, die Kontakte Habt ihr noch Kontakt zu eurer Bekannten in Brasilien? Lass uns in Kontakt bleiben. Kontakte pflegen	**contact** Are you still in contact with your acquaintance in Brazil? Let's stay in touch. maintain contacts
begegnen *V* begegnet, begegnete, ist begegnet Ich bin meiner früheren Lehrerin gestern auf der Straße begegnet.	**bump into, meet** Yesterday I bumped into my former teacher on the street.
zufällig *Adj* Er freute sich sehr über die zufällige Begegnung.	**accidental** He was very happy about their accidental meeting.
die **Gruppe** *N* der Gruppe, die Gruppen Mir macht Skifahren in der Gruppe mehr Spaß als zu zweit.	**group** I prefer to go skiing in a group rather than with a partner.
der **Verein** *N* des Verein(e)s, die Vereine Bist du in einem Verein?	**club, association** Are you a member of a club?
das **Mitglied** *N* des Mitglied(e)s, die Mitglieder Er ist Mitglied in einem Automobilclub.	**member** He is member of an automobile association.

12 Soziale Beziehungen

die **Gesellschaft** *N*	**society; group of people**
der Gesellschaft, die Gesellschaften	
Die Medien spielen eine große Rolle in unserer Gesellschaft.	The media play an important role in our society.
Er fühlt sich in großer Gesellschaft nicht wohl.	He does not feel happy in a big group of people.
gute Gesellschaft	good company
sozial *Adj*	**social**
sozialer, am sozialsten	
Lukas kritisiert viele soziale Probleme.	Lukas criticizes many social problems.
duzen *V*	**address sb with "du"**
duzt, duzte, hat geduzt	
Kleine Kinder duzen alle Erwachsenen.	Small children address all adults with "du".
sich duzen	be on familiar terms with each other
siezen *V*	**address sb with "Sie"**
siezt, siezte, hat gesiezt	
Carola siezt ihre meisten Kolleginnen.	Carola addresses most of her colleagues in the "Sie" form.
sich siezen	address each other with "Sie"
privat *Adj*	**private**
privater, am privatesten	
Im privaten Bereich sagt man meistens „du".	You usually say "du" on private occasions.
persönlich *Adj*	**personal; personally**
persönlicher, am persönlichsten	
Persönliche Beziehungen können bei Geschäften sowohl Vorteil als auch Nachteil sein.	Personal relations can be an advantage as well as a disadvantage in business.
Ich kenne ihn persönlich.	I know him personally.
allein *Adj*	**alone**
Sie kann ihre Kinder allein lassen.	She can leave her children alone.
Robinson Crusoe strandete auf einer einsamen Insel, aber er war nicht allein.	Robinson Crusoe was stranded on a lonely island, but he was not alone.
allein *Adj*	**alone, lonely**
= einsam	lonely
Alte Menschen fühlen sich oft allein.	Old people often feel they are alone.
einsam *Adj*	**lonely**
einsamer, am einsamsten	
Sie fühlt sich nach dem Umzug noch einsam in der neuen Stadt.	She still feels lonely in the new town she moved to.
zusammen *Adv*	**together**
Wenn mein Mann von der Arbeit kommt, essen wir zusammen.	We eat together when my husband gets home from work.
zusammen- *Präfix*	**together**

↳ zusammenkommen ↳ zusammenarbeiten	get together work together
gemeinsam *Adj* Thomas und Iris haben gemeinsame Interessen.	**common** Thomas and Iris have common interests.
miteinander *Adv* Kommuniziert miteinander!	**with each other** Communicate with each other!
voneinander *Adv* Eine Freundin von mir ist vor einem Jahr nach Mexiko gegangen. Seitdem haben wir leider nichts mehr voneinander gehört.	**from each other** A friend of mine went to Mexico a year ago. Since then we unfortunately have not heard anything from each other.
beide *Zahlwort* Möchten Sie das kurze oder das lange Kleid? – Ich möchte beide.	**both** Would you like the short or the long dress? – I would like both (of them).
die **Rücksicht** *N* der Rücksicht, die Rücksichten Aus Rücksicht auf die Familie arbeitet er nicht am Wochenende.	**consideration** Out of consideration for his family he does not work at the weekend.
das **Verständnis** *N* des Verständnisses, die Verständnisse *(selten)* = die Nachsicht Martha hat viel Verständnis für Jugendliche.	**understanding** leniency Marta has a lot of understanding for young people.
schützen *V* schützt, schützte, hat geschützt = Schutz geben Er schützt Leonie vor den Beleidigungen des Kollegen.	**protect** give protection He protects Leonie against any insults from his colleague.
lieb sein Du kannst dich auf meinen Platz setzen. – Danke, das ist sehr lieb von dir.	**be nice** You can have my seat. – Thanks, that's very nice of you.
der **Respekt** *N* des Respekt(e)s, *(nur Singular)* Als Kind hatte ich großen Respekt vor meinem Opa.	**respect** When I was a child I had great respect for my grandpa.
sich verlassen *V* verlässt sich, verließ sich, hat sich verlassen Auf ihn kannst du dich hundertprozentig verlassen.	**rely** You can rely on him 100 percent.

verlassen / sich verlassen auf			
verlassen	leave	Er **verlässt** seine Frau.	He is leaving his wife.
sich verlassen auf	rely on	Er **verlässt sich** auf seine Frau.	He relies on his wife.

sympathisch *Adj* — **likeable**
sympathischer, am sympathischsten
≠ unsympathisch — unpleasant
Er ist mir sehr sympathisch. — I think he is very likeable.

sich einsetzen *V* — **stand up**
setzt sich ein, setzte sich ein, hat sich eingesetzt
Max setzt sich für seinen Freund ein. — Max stands up for his friend.

teilen *V* — **share**
teilt, teilte, hat geteilt
Wenn nur ein Stück Kuchen da ist, dann teilen wir es uns. — If there is only one piece of cake left, we will share it.

versprechen *V* — **promise**
verspricht, versprach, hat versprochen
Ich verspreche dir, dass wir im nächsten Urlaub ans Meer fahren. — I promise you that we will go to the coast on our next holiday.

12.4 Einladungen und Verabredungen — Invitations and arranging to meet

einladen *V* — **invite; treat to sth**
lädt ein, lud ein, hat eingeladen
Wir sind zu ihrer Geburtstagsparty eingeladen. — We are invited to her birthday party.
Darf ich dich auf einen Kaffee einladen? — Can I treat you to a coffee?

die **Einladung** *N* — **invitation**
der Einladung, die Einladungen
Herzlichen Dank für die Einladung! — Thank you very much for the invitation!

herzlich *Adj* — **warm; warmly**
herzlicher, am herzlichsten
Sie begrüßten sich mit einer herzlichen Umarmung. — They welcomed each other with a warm embrace.
Ihr seid herzlich eingeladen! — You are warmly invited!

kommen *V* — **come**
kommt, kam, ist gekommen
= besuchen — visit
Hast du Lust, mal zu mir zu kommen? — Would you like to come to my place?

annehmen *V* — **accept**
nimmt an, nahm an, hat angenommen
Wir nehmen Ihre Einladung gerne an. — We accept your invitation with pleasure.

passen *V* passt, passte, hat gepasst Passt es Ihnen, wenn ich Sie morgen um 19 Uhr abhole?	**be all right with** Is it all right with you if I pick you up tomorrow at 7 p.m.?
sich freuen *V* freut sich, freute sich, hat sich gefreut Wir freuen uns riesig, dass Sie gekommen sind.	**be pleased** We are thrilled that you came.
besuchen *V* besucht, besuchte, hat besucht Am Wochenende besuchen wir Oma und Opa.	**visit** We will be visiting our grandma and grandpa at the weekend.
der **Besuch** *N* des Besuch(e)s, die Besuche Seine Eltern waren letzte Woche zu Besuch bei uns. Besuch bekommen	**visit** His parents paid us a visit last week. have visitors / guests
der **Gast** *N* des Gast(e)s, die Gäste Ihr seid heute meine Gäste!	**guest** You are my guests today!
der **Gastgeber** *N* des Gastgebers, die Gastgeber Herr Schreiber ist ein aufmerksamer Gastgeber.	**host** Mr Schreiber is an attentive host.
die **Gastgeberin** *N* der Gastgeberin, die Gastgeberinnen	**hostess**
anbieten *V* bietet an, bot an, hat angeboten Darf ich Ihnen ein Glas Sekt anbieten?	**offer** May I offer you a glass of sparkling wine?
das **Geschenk** *N* des Geschenk(e)s, die Geschenke Wir haben ein kleines Geschenk für Sie.	**present, gift** We have a small present for you.
schenken *V* schenkt, schenkte, hat geschenkt Seine Eltern haben ihm zum Abitur ein Auto geschenkt.	**give** His parents gave him a car as a present for getting his Abitur.
einpacken *V* packt ein, packte ein, hat eingepackt Soll ich das Geschenk für Jenny mit dem blauen oder mit dem grünen Geschenkpapier einpacken?	**wrap** Sould I wrap the present for Jenny in the blue or the green wrapping paper?
verpacken *V* verpackt, verpackte, hat verpackt Das Geschirr ist für den Umzug gut verpackt.	**pack (up)** The crockery is well packed for the move.

bekommen *V* bekommt, bekam, hat bekommen = kriegen *(ugs.)* Papa, schau mal, ich habe eine Spielkonsole bekommen.	**get, receive** Dad, look, I got a game console.
besonderer, besondere, besonderes *Adj* Unsere Eltern wollten uns einen besonderen Urlaub schenken.	**special** Our parents wanted to give us a special holiday.
absagen *V* sagt ab, sagte ab, hat abgesagt Es tut mir sehr leid, ich muss meinen Besuch leider absagen. Ich bin krank.	**cancel** I am very sorry, I unfortunately have to cancel my visit. I am ill.
abholen *V* holt ab, holte ab, hat abgeholt Sollen wir dich am Bahnhof abholen?	**collect, pick up** Shall we collect you from the station?
begleiten *V* begleitet, begleitete, hat begleitet Er begleitet seine Frau zum Auto.	**accompany** He accompanies his wife to the car.
nett *Adj* netter, am nettesten Das war ein netter Abend gestern bei euch.	**nice** That was a nice evening at your home yesterday.
aufhalten *V* hält auf, hielt auf, hat aufgehalten Entschuldigen Sie bitte meine Verspätung. Ich wurde aufgehalten.	**be delayed** I'm sorry I'm late. I was delayed.
sich verabreden *V* verabredet sich, verabredete sich, hat sich verabredet Paul hat sich mit Karla fürs Kino verabredet.	**arrange to meet** Paul arranged to meet Karla to go to the cinema.
verabredet sein Sie sind mit ihren Freunden für morgen verabredet.	**have arranged to meet** They have arranged to meet their friends tomorrow.
die **Verabredung** *N* der Verabredung, die Verabredungen Sie hat um 20 Uhr eine Verabredung mit ihrer Cousine.	**date; meeting** She has a date with her cousin at 8 p.m.
treffen *V* trifft, traf, hat getroffen Wollen wir uns im Café treffen? – Ja, einverstanden.	**meet** Shall we meet in the café? – Yes, why not?

der **Treffpunkt** *N* des Treffpunkt(e)s, die Treffpunkte Unser Treffpunkt ist der Marktplatz.	**meeting point** Our meeting point is the market square.
ausmachen *V (ugs.)* macht aus, machte aus, hat ausgemacht = vereinbaren Wollen wir gleich ausmachen, wann wir uns treffen?	**agree** Shall we agree now when to meet?
vorbeikommen *V* kommt vorbei, kam vorbei, ist vorbeigekommen Ich könnte heute Abend um 19 Uhr bei euch vorbeikommen.	**drop in** I could drop in on you tonight at 7 p.m.
privat *Adj* privater, am privatesten Wir haben unsere Hochzeit in privatem Rahmen gefeiert. Ein großes Fest wollten wir nicht.	**private** We celebrated our wedding in private. We did not want a big party.
die **Versammlung** *N* der Versammlung, die Versammlungen Gehst du auch zu der Mitarbeiterversammlung am nächsten Mittwoch?	**meeting** Are you going to the staff meeting next Wednesday, too?

12.5 Begrüßung und Verabschiedung — Greeting and saying goodbye

grüßen *V* grüßt, grüßte, hat gegrüßt Unser Nachbar grüßt mich immer sehr freundlich.	**greet** Our neighbour always greets me in a very friendly manner.
grüßen *V (nur Imperativ)* Grüßen Sie bitte Frau Matzke von mir.	**give sb's regards** Please give Mrs Matzke my regards.
Guten Tag! = Grüß Gott! *(süddeutsch, A)* Guten Tag Herr Mertens!	**hello, good afternoon** Hello! Good afternoon, Mr Mertens!
Hallo!	**Hello!**
Guten Morgen!	**Good morning!**
Guten Abend!	**Good evening!**
Gute Nacht!	**Good night!**
der **Gruß** *N* des Grußes, die Grüße Schöne Grüße an Ihren Mann!	**greeting; regards** Give your husband my regards!

ausrichten *V* richtet aus, richtete aus, hat ausgerichtet Richten Sie ihm viele Grüße von mir aus!	**tell; give** Give him my regards!
begrüßen *V* begrüßt, begrüßte, hat begrüßt Meine Damen und Herren, ich begrüße Sie ganz herzlich zu unserem ersten Konzert.	**welcome; greet** Ladies and Gentlemen, I welcome you warmly to our first concert.
die **Hand** *N* der Hand, die Hände Er geht auf seinen Gast zu und schüttelt ihm die Hand.	**hand** He approaches his guest and shakes hands with him.
umarmen *V* umarmt, umarmte, hat umarmt Er umarmte seine Mutter und seine Kinder.	**embrace, hug** He embraced his mother and his children.
empfangen *V* empfängt, empfing, hat empfangen Die Gäste wurden mit einem Glas Sekt empfangen.	**welcome, receive** The guests were welcomed with a glass of sparkling wine.
der **Empfang** *N* des Empfang(e)s, die Empfänge Vor der Konferenz gab es einen kleinen Empfang.	**reception** There was a small reception before the conference started.
abnehmen *V* nimmt ab, nahm ab, hat abgenommen Darf ich Ihnen den Mantel abnehmen?	**take** May I take your coat?
ausziehen *V* zieht aus, zog aus, hat ausgezogen Wollen Sie nicht den Mantel ausziehen?	**take off** Won't you take off your coat?
willkommen *Adj* Du bist jederzeit willkommen. Herzlich willkommen!	**welcome** You are welcome any time. Welcome!
vorstellen *V* stellt vor, stellte vor, hat vorgestellt Darf ich Ihnen meine Frau vorstellen?	**introduce** May I introduce my wife to you?
verabschieden *V* verabschiedet, verabschiedete, hat verabschiedet Sie verabschiedeten ihren langjährigen Kollegen mit einer Party.	**say goodbye** They gave a party to say goodbye to their colleague who had been with them for many years.
sich verabschieden *V* verabschiedet sich, verabschiedete sich, hat sich verabschiedet	**say goodbye**

Vielen Dank für den schönen Abend. Wir möchten uns jetzt verabschieden.	Thank you for the nice evening. We would like to say goodbye now.
der **Abschied** *N* des Abschied(e)s, die Abschiede Alle weinten bei seiner Abschiedsrede.	**farewell** Everybody cried during his farewell speech.
Auf Wiedersehen!	**Goodbye!**
Tschüs! *(auch: Tschüss; ugs.)*	**See you!**
Bis bald / gleich / nachher!	**See you soon / in a minute / later!**
winken *V* winkt, winkte, hat gewunken Als der Zug losfuhr, winkte die Frau ihm hinterher.	**wave** When the train started moving the woman waved after him.
die **Tür** *N* der Tür, die Türen Mach bitte die Tür zu.	**door** Please close the door.
aufhalten *V* hält auf, hielt auf, hat aufgehalten Darf ich Ihnen die Tür aufhalten?	**hold open** May I hold the door open for you?
klopfen *V* klopft, klopfte, hat geklopft Ich glaube, es hat jemand an die Tür geklopft.	**knock** I think somebody was knocking on the door.
anklopfen *V* klopft an, klopfte an, hat angeklopft Klopfen Sie bitte an, bevor Sie ins Zimmer treten.	**knock (at the door)** Please knock (at the door) before you enter the room.
offen *Adj* ≠ geschlossen / zu Komm rein, die Tür ist offen.	**open** closed Come in, the door is open.

12.6 Konflikte — Conflicts

streiten *V* streitet, stritt, hat gestritten Streitet euch doch nicht schon wieder!	**argue** Don't start arguing again, will you?
der **Streit** *N* des Streit(e)s, die Streite *(selten)* Ich möchte keinen Streit mit Ihnen. in einen Streit geraten	**argument** I don't want an argument with you. get into an argument

der **Konflikt** *N*	**conflict**
des Konflikt(e)s, die Konflikte	
Klaus ist mit den Behörden in Konflikt geraten.	Klaus has come into conflict with the authorities.
einen Konflikt lösen	solve a conflict
zwingen *V*	**force**
zwingt, zwang, hat gezwungen	
Die Polizei zwingt den Demonstranten, sich hinzulegen.	The police force the demonstrator to lie down.
sich zwingen *V*	**force oneself**
zwingt sich, zwang sich, hat sich gezwungen	
Eigentlich mache ich gerne Sport, aber heute musste ich mich wirklich dazu zwingen, ins Fitnessstudio zu gehen.	Actually, I like doing sport, but today I really had to force myself to go to the fitness centre.
die **Gewalt** *N*	**violence; force**
der Gewalt, *(in dieser Bedeutung nur Singular)*	
Gewalt in der Ehe kann viele Gesichter haben.	Violence between married couples can have many faces.
jemandem Gewalt antun	do violence to somebody
lügen *V*	**lie**
lügt, log, hat gelogen	
= nicht die Wahrheit sagen	to not tell the truth
Ich habe gleich gewusst, dass sie lügt.	I knew straight away that she was lying.
die **Lüge** *N*	**lie**
der Lüge, die Lügen	
Das ist doch nicht wahr, das ist doch eine Lüge!	That is not true, that's a lie!
wahr *Adj*	**true, real**
≠ unwahr	untrue
Der wahre Grund ist doch, dass du keine Lust hattest.	The real reason is that you did not feel like doing it.
die **Wahrheit** *N*	**truth**
der Wahrheit, die Wahrheiten	
Sag die Wahrheit!	Tell the truth!
heimlich *Adj*	**secret**
Du hast wohl einen heimlichen Verehrer.	You probably have a secret admirer.
so tun, als ob	**pretend**
Sie tut so, als ob sie nichts von der Überraschung wüsste.	She pretends not to know anything about the surprise.
übertreiben *V*	**exaggerate**
übertreibt, übertrieb, hat übertrieben	
Sie übertreibt wieder mal.	She is exaggerating again.

sich weigern *V* weigert sich, weigerte sich, hat sich geweigert Er weigert sich, im Haushalt zu helfen.	**refuse** He refuses to help in the household.
verlassen *V* verlässt, verließ, hat verlassen Sie hat ihn nach jahrelangem Streit endlich verlassen.	**leave** She finally left him after years of quarrelling.
versäumen *V* versäumt, versäumte, hat versäumt Ich habe es leider versäumt, den Pass zu verlängern.	**neglect** I unfortunately neglected to renew the passport.

13 Gespräche I

Fragen

Diskussion und Kompromiss

Information und Erklärung

Vermutung und Wünsche

13.1 Reden, diskutieren und besprechen — Talking and discussing

sagen *V* sagt, sagte, hat gesagt Er hat seiner Mutter gesagt, dass er erst morgen nach Hause kommt.	**tell** He told his mother that he won't come home until tomorrow.
sagen *V* sagt, sagte, hat gesagt Wie sagt man „Entschuldigung" auf Spanisch?	**say** How do you say "excuse me" in Spanish?
sprechen *V* spricht, sprach, hat gesprochen Elena spricht fast ohne Akzent. Christian spricht Englisch, Französisch und Koreanisch.	**speak** Elena speaks with hardly any accent. Christian speaks English, French and Korean.
sprechen *V* spricht, sprach, hat gesprochen = sich unterhalten Sie sprechen über ihren letzten Urlaub.	**talk** They are talking about their last holiday.
schweigen *V* schweigt, schwieg, hat geschwiegen Anstatt seine Meinung offen auszusprechen, schwieg er mal wieder.	**remain silent** Instead of expressing his own opinion, he remained silent once again.
reden *V* redet, redete, hat geredet	**talk, speak**

Als der Chef hereinkam, redeten sie gerade über ihn.	They were talking about the boss just as he came in.
der **Ausdruck** *N* des Ausdruck(e)s, die Ausdrücke	**expression**
Diesen Ausdruck habe ich noch nie gehört.	I have never heard that expression.
rufen *V* ruft, rief, hat gerufen	**call**
Die Mutter ruft die Kinder zum Mittagessen.	The mother calls the children to lunch.
schreien *V* schreit, schrie, hat geschrien	**shout, yell, cry**
Hör doch mal auf so zu schreien, ich muss mich konzentrieren.	Stop yelling, I have to concentrate.
Das Baby schrie die ganze Nacht.	The baby was crying the whole night.
sich unterhalten *V* unterhält sich, unterhielt sich, hat sich unterhalten	**talk, have a conversation**
Sie haben sich über die Fernsehsendung unterhalten.	They talked about the television programme.
die **Unterhaltung** *N* der Unterhaltung, die Unterhaltungen	**conversation**
Gestern habe ich eine lebhafte Unterhaltung mit meinem Freund geführt.	Yesterday I had a lively conversation with my boyfriend.
das **Gespräch** *N* des Gespräch(e)s, die Gespräche	**discussion; conversation**
Die Studenten führen ein interessantes Gespräch.	The students are having an interesting discussion.
Herr Schmidt ist gerade im Gespräch mit einem Kunden.	Mr Schmidt is having a conversation with his customer at the moment.
der **Dialog** *N* des Dialog(e)s, die Dialoge	**dialogue** *(BE)*, **dialog** *(AE)*
Als Nächstes hören Sie einen Dialog.	Next you will hear a dialogue.
die **Rede** *N* der Rede, die Reden	**speech**
Der Vater hat zum Geburtstag seiner Tochter eine Rede gehalten.	The father gave a speech on his daughter's birthday.
diskutieren *V* diskutiert, diskutierte, hat diskutiert	**discuss**
Die Freunde diskutierten den ganzen Abend über Politik.	The friends were discussing politics the whole evening.
die **Diskussion** *N* der Diskussion, die Diskussionen	**discussion**
Zu dem Thema gibt es eine kontroverse Diskussion unter Experten.	There is a controversial discussion among experts on this topic.

↳ die Podiumsdiskussion	panel discussion
sich beteiligen *V* beteiligt sich, beteiligte sich, hat sich beteiligt Es beteiligten sich nur wenige Besucher an der Diskussion.	**take part** Only a few visitors took part in the discussion.
besprechen *V* bespricht, besprach, hat besprochen Wir müssen nächste Woche noch einmal genau besprechen, wie wir unsere Kunden erreichen.	**discuss, talk about** Next week we'll have to discuss again how to contact our costumers.
die **Besprechung** *N* der Besprechung, die Besprechungen In der Abteilung gibt es jeden Montag eine Besprechung. an einer Besprechung teilnehmen	**meeting, conference** There is a meeting in the department every Monday. take part in a meeting
ansprechen *V* spricht an, sprach an, hat angesprochen Heute hat mich eine fremde Frau angesprochen und mich nach meinem Alter gefragt!	**speak to** Today a woman I didn't know spoke to me and asked me my age!
vorschlagen *V* schlägt vor, schlug vor, hat vorgeschlagen = einen Vorschlag machen Ich schlage vor, dass wir die Besprechung verschieben.	**propose, suggest** make a suggestion I propose that we postpone the meeting.
der **Vorschlag** *N* des Vorschlag(e)s, die Vorschläge Bitte machen Sie einen neuen Vorschlag!	**suggestion, proposal** Please make a new suggestion!
behaupten *V* behauptet, behauptete, hat behauptet Er behauptet, er sei in Nordkorea gewesen.	**claim, maintain** He claims that he was in North Korea.
überzeugen *V* überzeugt, überzeugte, hat überzeugt Ihre Argumente überzeugen uns leider nicht.	**convince** Unfortunately your arguments do not convince us.
sich überzeugen *V* überzeugt sich, überzeugte sich, hat sich überzeugt Er hat sich überzeugt, dass der Balkon sicher ist.	**satisfy oneself; see for oneself** He has satisfied himself that the balcony is safe.
begründen *V* begründet, begründete, hat begründet Bitte begründen Sie Ihre Meinung!	**give reasons for** Please give reasons for your opinion!
die **Begründung** *N* der Begründung, die Begründungen	**reason**

Ich finde die Begründung nicht schlüssig.	I don't think your reason is logical.
der **Grund** *N*	**reason**
des Grund(e)s, die Gründe	
Sie haben keinen Grund, enttäuscht zu sein.	You have no reason to be disappointed.
Gründe angeben / nennen	give reasons
das **Beispiel** *N*	**example**
des Beispiel(e)s, die Beispiele	
Können Sie Beispiele nennen, wo diese Methode funktioniert hat?	Could you name some examples where this method worked?
zum Beispiel	for example
unterbrechen *V*	**interrupt**
unterbricht, unterbrach, hat unterbrochen	
Darf ich Sie kurz unterbrechen?	May I interrupt you for a moment?
überreden *V*	**persuade**
überredet, überredete, hat überredet	
Ich hatte eigentlich keine Lust in die Stadt zu gehen, aber meine Schwester hat mich überredet.	I didn't really feel like going to town but my sister persuaded me.
das **Thema** *N*	**subject, topic**
des Themas, die Themen	
= der Gesprächsgegenstand	topic / subject of conversation
Die Migrationspolitik ist ein aktuelles Thema in allen Medien.	Our policy on migration is a current topic in the media.
festlegen *V*	**fix; determine, establish**
legt fest, legte fest, hat festgelegt	
Der Chef legt den Termin für das nächste Meeting fest.	The boss fixes the date for the next meeting.
sich festlegen *V*	**commit (oneself)**
legt sich fest, legte sich fest, hat sich festgelegt	
Kann ich dir später Bescheid geben? Ich kann mich jetzt noch nicht festlegen.	Can I let you know later? I cannot commit myself yet.
sich um jemanden / etwas drehen	**revolve around sb / sth**
Es dreht sich alles um ihre Hochzeit.	Everything revolves around their wedding.
sich um etwas handeln	**concern, be about something**
Es handelt sich um seine Tochter.	It is about his daughter.
der **Faktor** *N*	**factor**
des Faktors, die Faktoren	
= der Aspekt	aspect
Die wesentlichen Faktoren haben Sie schon alle genannt.	You have already named all the main factors.
das **Problem** *N*	**problem**
des Problems, die Probleme	

Sie wollen versuchen, das Problem sachlich zu besprechen.	They want to try to discuss the problem objectively.
ein Problem lösen Wir sollten das Problem gemeinsam lösen.	**solve a problem** We should solve the problem together.
offen *Adj* Sie ist eine sehr offene Person. Sie sprechen ganz offen über das Problem.	**honest; honestly** She is a very honest person. They speak totally honestly about the problem.
klären *V* klärt, klärte, hat geklärt Durch eine Aussprache lässt sich vieles klären.	**resolve** Many things can be resolved in a discussion.
der **Zusammenhang** *N* des Zusammenhang(e)s, die Zusammenhänge Der Satz ist aus dem Zusammenhang gerissen. In dem Zusammenhang möchte ich auch Genf und Calvin erwähnen.	**context** The sentence is quoted out of context. In this context I would also like to mention Geneva and Calvin.
die **Reihenfolge** *N* der Reihenfolge, die Reihenfolgen Dann tauschen wir die Reihenfolge der Tagesordnungspunkte.	**order** Then let's change the order of the items on the agenda.
der **Schritt** *N* des Schritt(e)s, die Schritte Sie besprechen das Thema Schritt für Schritt, denn es ist sehr komplex.	**step** They discuss the topic step by step because it is very complex.
die **Einzelheit** *N* der Einzelheit, die Einzelheiten Das ist ja interessant! Das musst du mir in allen Einzelheiten erzählen.	**detail** That is interesting! You must tell me about it in detail.
das **Detail** *N* des Details, die Details = die Einzelheit Ich kann nicht auf jedes Detail eingehen.	**detail** I can't go into every detail.
das **Wort** *N* des Wort(e)s, die Worte Das kann man nicht in Worte fassen.	**word** *(spoken word)* You cannot put it into words.
zusammenfassen *V* fasst zusammen, fasste zusammen, hat zusammengefasst Können Sie die Erzählung kurz zusammenfassen?	**summarize; give a summary** Could you give a brief summary of the story?

13.2 Eine Meinung vertreten

Holding an opinion

die **Meinung** *N*
der Meinung, die Meinungen
= die Ansicht
Meiner Meinung nach sollte man nicht so viel arbeiten.
Ich bin der Meinung, dass ein Roboter nie einen Menschen ersetzen kann.
sich eine Meinung bilden

opinion
view
In my opinion you should not work so much.
I am of the opinion that a robot can never replace a human.
form an opinion

persönliche Meinung
Das ist meine persönliche Meinung. Nicht jeder muss dieser Ansicht sein.

personal opinion
That is my personal opinion. Not everybody has to think like that.

ändern *V*
ändert, änderte, hat geändert
Ich habe meine Meinung zu diesem Thema geändert.

change
I have changed my opinion on this topic.

meinen *V*
meint, meinte, hat gemeint
Wir könnten heute Abend ins Theater gehen. Was meinst du?

think
We could go to the theatre tonight. What do you think?

finden *V*
findet, fand, hat gefunden
= der Meinung sein
Ich finde, wir sollten morgen in den Gottesdienst gehen.

think
be of the opinion
I think we should go to the service tomorrow.

denken *V*
denkt, dachte, hat gedacht
Ich denke, du hast Recht.

think
I think you are right.

glauben *V*
glaubt, glaubte, hat geglaubt
= denken
Ich glaube, du solltest dein Fahrrad zur Reparatur bringen.

think
I think you should take your bike in for repair.

etwas von jemandem / etwas halten
Was hältst du von meinem Vorschlag? – Davon halte ich nichts.

think sth of sb / sth
What do you think of my suggestion? – I don't think much of it.

fest *Adj*
fester, am festesten
Nadine hat eine feste Vorstellung davon, wie ihr Leben in fünf Jahren aussehen wird.
Er glaubt fest daran, dass seine Frau zu ihm zurückkehrt.

strong; strongly
Nadine has a clear picture of in knowing in five years.
He strongly believes that his wife will come back to him.

Giving your opinion

You can express an opinion by combining the verb finden with an adjective:

Ich finde es	I think it's
positiv, dass ...	encouraging that ...
interessant / merkwürdig, dass ...	interesting / strange that ...
toll / super, dass ...	great / marvellous that ...
blöd / schlecht, dass ...	stupid / bad that ...

wichtig *Adj* — **important**
wichtiger, am wichtigsten
Das ist ein wichtiger Aspekt. — That is an important issue.

sinnvoll *Adj* — **sensible; appropriate**
sinnvoller, am sinnvollsten
≠ sinnlos — pointless
Das ist mal eine sinnvolle Idee! — That is a sensible idea for once.
Ich finde es sinnvoller, wenn wir im August Urlaub nehmen. — I find it more appropriate if we take our holiday in August.

normal *Adj* — **normal**
normaler, am normalsten
Es ist ganz normal, auch mal etwas zu vergessen. — It is quite normal to forget things.

vielleicht *Partikel* — *not translated (intensifying the sentence's meaning)*
Die Musik war vielleicht laut. — Boy, that music was loud!

ungewöhnlich *Adj* — **unusual**
ungewöhnlicher, am ungewöhnlichsten
= ausgefallen
Ich finde die Fotos ungewöhnlich, aber nicht schlecht. — I think the photos are unusual but they're not bad.

egal *Adj (indeklinabel)* — **so doesn't care, sth doesn't matter; no matter**
= einerlei
= gleichgültig — indifferent
Es ist mir egal, was du von mir denkst. — I don't care what you think about me.
Egal, wie viele Leute kommen, die Veranstaltung findet statt. — No matter how many people come the event will take place.

meinetwegen *Adv* — **as far as I'm concerned**
Meinetwegen müssen wir heute nicht einkaufen gehen. — We don't have to go shopping today as far as I'm concerned.

der **Standpunkt** *N* — **point of view**
des Standpunkt(e)s, die Standpunkte

Ich habe dazu einen anderen Standpunkt.	I have another point of view about that.
die **Überzeugung** *N* der Überzeugung, die Überzeugungen Das ist meine feste Überzeugung.	**convictions** Those are my firm convictions.
überzeugt sein Ich bin vollkommen überzeugt davon, dass sie Karriere machen wird.	**be convinced** I am completely convinced that she will climb the career ladder.
die **Tatsache** *N* der Tatsache, die Tatsachen Es ist einfach eine Tatsache, dass wir keine Konkurrenten haben. sich mit einer Tatsache abfinden	**fact** It is simply a fact that we have no competitors. come to terms with a fact
das **Urteil** *N* des Urteils, die Urteile Was meinen Sie dazu? Ich verlasse mich auf Ihr Urteil.	**judg(e)ment** What do you think about this? I'm relying on your judgement.
für etwas sein ≠ gegen etwas sein Ich bin für höhere Gehälter von Erzieherinnen.	**be for sth** be against sth I am for higher salaries for nursery school teachers.
pro- *Präfix* ≠ anti- Er ist proamerikanisch.	**pro-** anti- He is pro-American.
pro *Adv* ≠ kontra Du musst dich entscheiden. Bist du pro oder kontra?	**for** against You must decide. Are you for or against?

13.3 Fragen und Antworten — Questions and answers

die **Frage** *N* der Frage, die Fragen Der Reporter stellt dem Politiker unangenehme Fragen.	**question** The reporter asks the politician unpleasant questions.
fragen *V* fragt, fragte, hat gefragt Er fragt seinen Sohn, ob er die Hausaufgaben gemacht hat.	**ask** He asks his son whether he did his homework.
sich fragen *V* fragt sich, fragte sich, hat sich gefragt Ich frage mich, ob das Schild schon immer an der Ecke stand.	**wonder** I wonder whether the sign has always been there at the corner.

ob *Konj*
Sie wollte wissen, ob er den Zug noch bekommen hat.

whether
She wanted to know whether he managed to catch the train.

in Frage kommen
Dein zweiter Vorschlag kommt eher in Frage.

be worthy of consideration
Your second suggestion is more worthy of consideration.

Interrogatives

Fragewort	Interrogative	Beispielsatz	Example
wer?	who?	Wer hat noch Hunger?	Who is still hungry?
was?	what?	Was möchtet ihr essen?	What do you want to eat?
wessen?	whose?	Wessen Handtasche ist das?	Whose handbag is this?
wem?	to whom?	Wem gehört dieses Portemonnaie?	Who does this purse belong to?
wen?	who?	Wen wollt ihr treffen?	Who do you want to meet?
wann?	when?	Wann reist ihr ab?	When do you depart?
wie?	how?	Wie seid ihr hierher gekommen?	How did you get here?
wo?	where?	Wo möchtest du schlafen?	Where would you like to sleep?
wohin?	where?	Wohin geht ihr?	Where are you going?
woher?	where?	Woher kommst du?	Where do you come from?
warum?	why?	Warum ist er nicht verheiratet?	Why is he not married?
weshalb?	why?	Weshalb hat sie Angst vor Hunden?	Why is she afraid of dogs?
wieso?	why?	Wieso bist du nicht pünktlich?	Why are you not punctual?
womit?	with what?	Womit habt ihr euch beschäftigt?	What have you dealt with?
worüber?	about what? what of?	Worüber sollen wir sprechen?	What should we talk about?
worum?	what ... about?	Worum geht es in dem Krimi?	What is the thriller about?

sich erkundigen *V*
erkundigt sich, erkundigte sich, hat sich erkundigt
Ben erkundigt sich nach den Terminen für die Vorlesung.

ask about
Ben asks about the date for the lecture.

nicht wahr? *Interjektion*

= ne? *(ugs.)*

hasn't, isn't it?, doesn't it?, won't it? *(intensifying the preceding)*
right?

= oder? *(ugs.)*	or?
= gelt? gell? *(ugs.; süddeutsch, A, CH)*	right?
Wir sehen uns morgen, nicht wahr?	We'll be seeing you tomorrow, won't we?
recht sein	**be all right**
Ist es Ihnen recht, wenn ich am Mittwoch zu Ihnen komme?	Is it all right with you if I visit you on Wednesday?
gefallen *V*	**like sth**
gefällt, gefiel, hat gefallen	
Wie gefällt es Ihnen in Österreich?	How do you like Austria?
laufen *V (ugs.)*	**go**
läuft, lief, ist gelaufen	
Wie läuft es denn bei dir auf der Arbeit?	How is it going at work?
nötig *Adj*	**necessary**
nötiger, am nötigsten	
≠ unnötig	unnecessary
Meinst du, es ist nötig, dass wir eine dicke Jacke mitnehmen?	Do you think it is necessary that we take a warm jacket with us?
antworten *V*	**answer, reply**
antwortet, antwortete, hat geantwortet	
= eine Antwort geben	give an answer
Er antwortete sofort ohne nachzudenken.	He answered right away without thinking.
die **Antwort** *N*	**answer**
der Antwort, die Antworten	
Er gab ihr eine kurze, aber höfliche Antwort.	He gave her a brief but friendly answer.
beantworten *V*	**answer**
beantwortet, beantwortete, hat beantwortet	
Bitte beantworten Sie meine Frage!	Please answer my question!

13.4 Informieren, erklären und beraten | Informing, explaining and advising

mitteilen *V*	**inform, tell**
teilt mit, teilte mit, hat mitgeteilt	
Bitte teilen Sie uns mit, wenn Sie die Stadt verlassen.	Please inform us, if you leave the town.
Bitte teilen Sie uns Ihre Adresse mit.	Please tell us your address.
bekannt geben	**announce**
= mitteilen	inform, tell
Wir geben noch bekannt, wann die Party beginnt.	We will be announcing when the party starts.
informieren *V*	**inform**
informiert, informierte, hat informiert	

= benachrichtigen = in Kenntnis setzen Soll ich Ihre Mutter informieren?	 bring sth to sb's knowledge, apprise sb of sth Shall I inform your mother?
sich informieren *V* informiert sich, informierte sich, hat sich informiert Bevor ich dazu etwas sage, muss ich mich erst informieren.	**get some information on sth, find out about sth** Before I say anything about this I need to get some information on it.
die **Information** *N (Kurzform: Info)* der Information, die Informationen Falls Sie weitere Informationen benötigen, können Sie sich gerne an mich wenden.	**information** If you need further information, feel free to contact me.
verständlich *Adj* verständlicher, am verständlichsten Die Informationen sind gut verständlich.	**understandable** The information is easy to understand.
hinweisen *V* weist hin, wies hin, hat hingewiesen = aufmerksam machen Er wies sie darauf hin, dass man in der Straße nicht parken darf.	**point out** He pointed out to her that you are not allowed to park in that street.
der **Hinweis** *N* des Hinweises, die Hinweise = der Tipp Können Sie mir vielleicht einen Hinweis geben?	**hint** tip Can you maybe give me a hint?
aufmerksam machen Die Verkäuferin macht Emma darauf aufmerksam, dass das Geschäft in 10 Minuten schließt.	**point out** The sales assistant points out to Emma that the shop closes in 10 minutes.
Bescheid sagen Sag Bescheid, wenn du Hilfe brauchst!	**give sb a shout** Give me a shout if you need help!
Bescheid geben Kannst du mir Bescheid geben, wenn du zu Hause angekommen bist?	**let sb know; inform, notify** Can you let me know when you have arrived home?
selbstverständlich *Adv* = natürlich = freilich *(süddeutsch)* Wir informieren Sie selbstverständlich.	**naturally, of course** We shall of course inform you.
die **Neuigkeit** *N* der Neuigkeit, die Neuigkeiten Ich muss Ihnen eine wichtige Neuigkeit erzählen.	**news** I have to tell you some important news.
es gibt Gibt es sonst noch etwas Neues?	**there is, there are** Is there anything else new?

das **Geheimnis** *N* des Geheimnisses, die Geheimnisse Verrätst du mir, wie du die Soße würzt? - Tut mir leid, das ist ein Geheimnis.	**secret** Can you tell me how you flavour the sauce? - Sorry, that is a secret.
geheim *Adj* geheimer, am geheimsten Diese Nachricht ist geheim. Bitte behalten Sie sie für sich.	**secret** This message is secret. Please keep it to yourself.
verraten *V* verrät, verriet, hat verraten Irgendjemand muss das Geheimnis verraten haben.	**disclose, reveal; betray sb** Somebody must have disclosed the secret.
erklären *V* erklärt, erklärte, hat erklärt Sie erklärt ihm, wie der MP3-Player funktioniert.	**explain** She explains to him how the MP3 player works.
sich erklären *V* erklärt sich, erklärte ich, hat sich erklärt Ich kann mir nicht erklären, warum der Staubsauger nicht funktioniert.	**understand** I can't understand why the vaccum cleaner doesn't work.
die **Anleitung** *N* der Anleitung, die Anleitungen In der Anleitung steht, wie man das Regal montiert.	**instructions** The instructions tell you how to assemble the shelves.
berichten *V* berichtet, berichtete, hat berichtet Du musst mir später von dem Fußballspiel berichten.	**report, tell** You must tell me all about the football match later.
darstellen *V* stellt dar, stellte dar, hat dargestellt Als Erstes stellte er dar, warum sich das Projekt verzögert hatte.	**describe** First he described why the project had been delayed.
erzählen *V* erzählt, erzählte, hat erzählt In der Pause erzähle ich Ihnen von meinem Treffen mit Frau Helmke.	**tell** I will tell you about my meeting with Mrs Helmke in the break.
ankündigen *V* kündigt an, kündigte an, hat angekündigt Viele Menschen haben angekündigt, dass sie am 1. Mai demonstrieren wollen.	**announce** Many people announced that they wanted to demonstrate on May 1st.
die **Erklärung** *N* der Erklärung, die Erklärungen	**explanation**

Durch seine Erklärung habe ich das Phänomen erst richtig verstanden.	His explanation finally helped me to understand the phenomenon.
der **Bericht** *N* des Bericht(e)s, die Berichte Die Besprechung begann mit einem kurzen Bericht über die Geschäftslage.	**report** The meeting started with a short report on the business situation.
die **Darstellung** *N* der Darstellung, die Darstellungen Ich war mit seiner Darstellung des Problems nicht einverstanden.	**representation** I did not agree with his representation of the problem.
der **Vortrag** *N* des Vortrag(e)s, die Vorträge Der Vortrag von Frau Schmidt war richtig gut.	**lecture; talk** Mrs Schmidt's lecture was really good.
nämlich *Adv* Wir sollten nicht länger auf Anna warten. Sie ist nämlich immer unpünktlich.	*here:* **you see** *(introducing an explanation)* We shouldn't wait any longer for Anna. You see, she is always unpunctual.
sowieso *Adv* = ohnehin Ich kann dir ein Brot mitbringen. Ich gehe sowieso zum Bäcker.	**anyway, in any case** I can bring you a loaf. I'm going to the baker's anyway.
übrigens *Adv* Habe ich übrigens schon erwähnt, dass eine Nachfolgerin für Frau Klose gefunden wurde?	**by the way** Have I mentioned by the way that a successor has been found for Mrs Klose?
sogenannt *Adj (Abkürzung: sog.)* Die weißen Blutkörperchen, die sogenannten Leukozyten, sind für das Abwehrsystem des Organismus besonders wichtig.	**so-called** The white blood cells, the so-called leucocytes, are especially important for the organism's immune system.
beraten *V* berät, beriet, hat beraten Die Geschäftsführer beraten noch über die nächsten Schritte. Haben Sie noch Fragen? Wir beraten Sie gerne.	**deliberate; advise** The managers are still deliberating on the next steps to take. Do you have any questions? We'll be happy to advise you.
die **Beratung** *N* der Beratung, die Beratungen Die Beratung für werdende Mütter findet einmal in der Woche statt.	**advice, consultation** The consultation for expectant mothers takes place once a week.
raten *V* rät, riet, hat geraten = einen Rat geben Ich möchte ein Haus in der Gegend um Tübingen kaufen. Wozu würden Sie mir raten?	**advise** I would like to buy a house in the area around Tübingen. What would you advise me to do?

der **Rat** *N* — **advice**
des Rat(e)s, *(nur Singular)*
= der Ratschlag
Ich bin ganz verzweifelt, können Sie mir einen Rat geben? — I am really desperate, can you give me some advice?

der **Ratschlag** *N* — **advice**
des Ratschlag(e)s, die Ratschläge
Ich hätte Ihren Ratschlag befolgen sollen. — I should have followed your advice.

der **Tipp** *N* — **tip, advice**
des Tipps, die Tipps
Kann mir jemand einen Tipp geben? — Can somebody give me a tip?

ausführlich *Adj* — **detailed, in detail**
ausführlicher, am ausführlichsten
= eingehend
Jetzt habe ich es verstanden! Danke für deine ausführliche Erklärung. — Now I understand! Thanks for your detailed explanation.

13.5 Zustimmung, Lob und Komplimente — Agreement, praise and compliments

ja *Antwortpartikel* — **yes**
≠ nein — no
Hast du gut geschlafen? – Ja. — Did you sleep well? – Yes.

okay [oˈkeː] *Antwortpartikel (Abkürzung: o. k. / O. K.)* — **okay**
= einverstanden — agree
Kann ich die Musik lauter machen? – Okay. — Can I turn up the music? – Okay.

okay [oˈkeː] *Adj (Abkürzung: o. k. / O. K.)* — **okay**
= in Ordnung — all right
Ist es okay, wenn du alleine auf die Party gehst? — Is it okay if you go to the party on your own?

gut *Adj* — **good**
besser, am besten
Ich komme morgen. – Gut, das passt! — I'll come tomorrow. – Good, that suits me.

gern(e) *Adv* — **Yes, please!; with pleasure**
Möchten Sie eine Tasse Kaffee? – Gern. — Would you like a cup of coffee? – Yes, please!

gern(e) *Adv* — **quite** *(expressing confirmation)*
Das glaube ich dir gerne. — I quite believe you.

in Ordnung — **all right, OK**
Kannst du nachher bitte einkaufen gehen? – In Ordnung. — Can you go shopping later, please? – All right.

jemandem recht sein — **be all right with sb**
= einverstanden sein — agree

Ist es Ihnen recht, wenn ich schon um 9 Uhr komme?	Is it all right with you if I come at 9 a.m.?
recht haben Sie haben völlig recht.	**be (in the) right** You are completely right.
jemandem recht geben Da muss ich Ihnen wirklich recht geben.	**agree with** I do have to agree with you there.
richtig *Adv* = genau ≠ falsch Richtig! Das ist richtig.	**right, correct** exact wrong Correct! That's right.
wahr *Adj* Das ist wahr.	**true** That is true.
natürlich *Adv* = selbstverständlich Kommst du mit? – Natürlich.	**of course** Are you coming with me? – Of course.
selbstverständlich *Adv* Hast du deinen Ausweis dabei? – Selbstverständlich.	**of course** Have you got your identity card with you? – Of course, I have!.
klar *Adv (ugs.)* Kannst du auf unseren Hund aufpassen? – Klar!	**of course** Can you look after the dog? – Of course, I can!
(mit etwas) einverstanden sein Simon ist mit Maras Vorschlag einverstanden. Wir sollten als Erstes mit Herrn Rapp sprechen. – Gut, einverstanden.	**agree (with something)** Simon agrees with Mara's suggestion. We should speak to Mr Rapp first. – Yes, I agree.
geeignet *Adj* geeigneter, am geeignetsten Ich denke, Herr Mertens ist für die Stelle am besten geeignet.	**suitable** I think Mr Mertens is most suitable for the position.
stimmen *V* stimmt, stimmte, hat gestimmt = richtig sein Rosen sind doch deine Lieblingsblumen! – Ja, das stimmt. Stimmt es, dass du nächstes Jahr in die USA gehst?	**be right / correct** Roses are your favourite flowers, aren't they? – Yes, that's right. Is it correct that you are going to the USA next year?
klingen *V* klingt, klang, hat geklungen Wollen wir ein Eis essen gehen? – Ja, das klingt gut.	**sound** Shall we go for an ice cream? – Yes, that sounds good.

wirklich *Adv* Das ist wirklich ein schönes Kleid.	**really** That's really a nice dress.
da *Adv* = in dieser Hinsicht Da haben Sie vollkommen recht.	**there** in this regard You are completely right there.
allerdings *Adv* Hast du das gewusst? – Allerdings.	**of course, certainly; however** Did you know that? – Of course!
zustimmen *V* stimmt zu, stimmte zu, hat zugestimmt Ich stimme Ihnen grundsätzlich zu, allerdings bin ich skeptisch hinsichtlich der weiteren Entwicklung auf dem Markt. ↳ zustimmend	**agree** I agree with you in principle, I am however sceptical concerning the further development on the market. affirmative
die **Zustimmung** *N* der Zustimmung, die Zustimmungen = die Genehmigung Wir brauchen Ihre Zustimmung. Bitte unterschreiben Sie hier unten.	**agreement** approval We need your agreement. Please sign here.
positiv *Adj* positiver, am positivsten ≠ negativ Ich habe eine positive Antwort bekommen: Ich habe einen Studienplatz in Paris.	**positive** negative I received a positive answer: I have a university place in Paris.
zusagen *V* sagt zu, sagte zu, hat zugesagt ≠ absagen Wir sind morgen bei unseren Nachbarn eingeladen. Soll ich zusagen?	**accept** cancel We've been invited to our neighbours tomorrow. Should I accept?
genehmigen *V* genehmigt, genehmigte, hat genehmigt Die Behörde hat den Visumsantrag genehmigt.	**approve** The authority has approved the visa application.
akzeptieren *V* akzeptiert, akzeptierte, hat akzeptiert Er konnte Janas Antwort nicht akzeptieren.	**accept** He could not accept Jana's answer.
versprechen *V* verspricht, versprach, hat versprochen = ein Versprechen geben Ich verspreche dir, ich rufe Herrn Meckle an.	**promise** make a promise I promise that I'll call Mr Meckle.
meinetwegen *Adv* = von mir aus *(ugs.)* Gehen wir nächste Woche in die Oper? – Meinetwegen.	**if you like** Shall we go to the opera next week? – If you like.

das **Kompliment** *N* des Kompliment(e)s, die Komplimente Er macht Sarah Komplimente.	**compliment** He pays Sarah compliments.
loben *V* lobt, lobte, hat gelobt ≠ tadeln Vincent lobt seinen Sohn, wenn er eine gute Klassenarbeit nach Hause bringt.	**praise** reprimand Vincent praises his son when he brings home a very high mark in a test.
schätzen *V* schätzt, schätzte, hat geschätzt Wir schätzen Ihre Arbeit sehr.	**value** We value your work very much.
der **Vorteil** *N* des Vorteil(e)s, die Vorteile ≠ der Nachteil Dein Angebot hat viele Vorteile.	**advantage** disadvantage Your offer has many advantages.
sich lohnen *V* lohnt sich, lohnte sich, hat sich gelohnt Es hat sich gelohnt, den Vortrag zu hören.	**be worth** It was worth listening to the lecture.
sich eignen *V* eignet sich, eignete sich, hat sich geeignet Mein Fahrrad eignet sich vor allem für kurze Strecken in der Stadt.	**be suitable** My bicycle is especially suitable for short distances in town.
klappen *V (ugs.)* klappt, klappte, hat geklappt Mit dem Transport hat alles geklappt.	**work out** Everything worked out with the transport.
verdienen *V* verdient, verdiente, hat verdient Sie hat den Preis verdient.	**deserve** She deserved the prize.
gute Chancen haben Bewirb dich doch dort. Ich denke, dort hast du gute Chancen.	**have good prospects** Send in your application anyway. I think your prospects there are good.
nicht schlecht Sie spielt nicht schlecht Klavier.	**not bad** *(negating for a positive effect)* Her piano playing is not bad.
kein(e) *Pron* Elias ist kein fauler Schüler.	**not** *(inverting the following negative adjective)* Elias is not a lazy pupil.
die **Bedeutung** *N* der Bedeutung, die Bedeutungen Sein Geschenk hat für mich eine große Bedeutung.	**meaning** His present means a lot to me.
der **Wert** *N*	**value**

des Wert(e)s, die Werte auf etwas großen Wert legen	 take great pride in doing something

13.6 Gefallen und Begeisterung ausdrücken — Expressing pleasure and enthusiasm

gefallen *V* gefällt, gefiel, hat gefallen Mir gefallen diese Kleider überhaupt nicht.	**like** I do not like these dresses at all.
schön *Adj* schöner, am schönsten Sie zeichnet sehr schöne Porträts.	**beautiful** She draws very beautiful portraits.
interessant *Adj* interessanter, am interessantesten ≠ uninteressant In der Ausstellung sahen sie interessante Videoinstallationen.	**interesting** uninteresting They saw some interesting video installations in the exhibition.
begeistert *Adj* Sie war von dem Konzert begeistert.	**enthusiastic** She was enthusiastic about the concert.
verständlich *Adj* verständlicher, am verständlichsten = nachvollziehbar Es ist verständlich, dass sie die Hochzeit nicht mehr absagen wollten.	**understandable** comprehensible It is understandable that they did not want to call off the wedding at that stage.
ausgezeichnet *Adj* = hervorragend Das Restaurant ist ausgezeichnet.	**excellent** The restaurant is excellent.
wunderbar *Adj* wunderbarer, am wunderbarsten Er ist ein wunderbarer Fotograf.	**wonderful** He is a wonderful photographer.
wunderbar *Adv* Die Wohnung ist wunderbar hell.	**wonderfully** *(intensifying following adjective)* The flat is wonderfully light.
fantastisch *Adj* fantastischer, am fantastischsten = großartig Ich finde diese Architektur fantastisch.	**fantastic** brilliant I think this architecture is fantastic.
ideal *Adj* = perfekt Die Aufteilung ist zwar nicht ideal, aber es ist die einfachste Lösung.	**ideal** perfect The partitioning is not ideal, but it is the easiest solution.
wunderschön *Adj* = bezaubernd	**wonderful** enchanting

Meine Freunde finden die Mona Lisa wunderschön.	My friends think the Mona Lisa is wonderful.
perfekt *Adj*	**perfect; perfectly**
Der neue Kollege ist eine perfekte Ergänzung für unser Team.	The new colleague is a perfect addition to our team.
Sie spricht perfekt Englisch.	She speaks English perfectly.
toll *Adj (ugs.)*	**great**
toller, am tollsten	
Er hat eine tolle Frau.	He has a great wife.
prima *Adj (indeklinabel; ugs.)*	**great**
= toll	
Du bist ein prima Koch.	You are a great cook.
super *Adj (indeklinabel; ugs.)*	**great**
= toll	
Ihr Kleid sieht super aus.	Her dress looks great.
Wollen wir heute schwimmen gehen? – Das ist eine super Idee!	Shall we go swimming today? – That's a great idea.
klasse *Adj (indeklinabel; ugs.)*	**great**
= super	
= toll	
Das ist ein klasse Auto.	That is a great car.
einfach *Adj*	**easy**
einfacher, am einfachsten	
Tom findet Mathe einfach.	Tom thinks maths is easy.

einfach

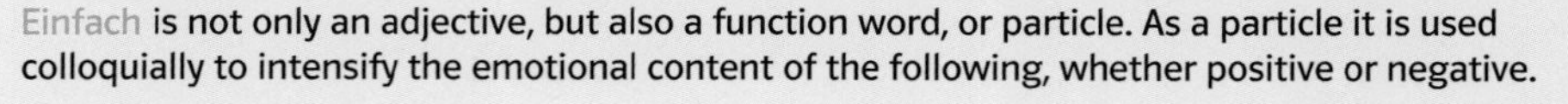
Einfach is not only an adjective, but also a function word, or particle. As a particle it is used colloquially to intensify the emotional content of the following, whether positive or negative.

Das ist einfach toll!	That's marvellous!
Sein Englisch ist einfach fürchterlich.	His English is just terrible.

aller- (+ Superlativ) *Präfix*	**ever, very; of all**
Das war das allerschönste Konzert, was ich je gehört habe!	That was the nicest concert I have ever heard!
Am allerbesten wäre es, wenn du dich sofort bei ihr entschuldigst.	It would be best of all if you apologized immediately.
Lieblings- *Präfix*	**favourite** *(BE)*, **favorite** *(AE)*
Das Lieblingsessen meiner Kinder ist Spaghetti mit Tomatensoße.	My children's favourite meal is spaghetti with tomato sauce.
↳ die Lieblingsfarbe	favourite colour

das **Glück** *N*	**luck**
des Glück(e)s, *(nur Singular)*	
≠ das Pech	bad luck
≠ das Unglück	misfortune
Viel Glück mit der Prüfung!	Good luck with your test!
erleichtert *Adj*	**relieved**
Louis ist erleichtert, dass er ein gutes Abitur gemacht hat.	Louis is relieved that he passed his Abitur with good grades.
Gott sei Dank	**thank God**
= zum Gück	luckily
Unser Hund war verschwunden. Unsere Nachbarn haben ihn aber Gott sei Dank gefunden.	Our dog had disappeared. Our neighbours found him, thank God!

13.7 Einen Kompromiss schließen — Making a compromise

entgegenkommen *V*	**accommodate**
kommt entgegen, kam entgegen, ist entgegengekommen	
Können Sie mir mit dem Termin entgegenkommen? Dafür akzeptiere ich Ihren Preis.	Could you accommodate me with the deadline? In return, I'll accept your price.
nicht brauchen (+ zu + Infinitiv)	**do not need to**
Sie brauchen nicht anzurufen.	You don't need to call.
nicht müssen	**do not have to** *(negated)*
Sie müssen nicht um 8 Uhr hier sein. Es reicht auch 9 Uhr.	You do not have to be here at 8 a.m. 9 a.m. is early enough.
sich einigen *V*	**agree**
einigt sich, einigte sich, hat sich geeinigt	
Können wir uns auf Marinas Vorschlag einigen?	Can we agree on Marina's proposal?
der **Kompromiss** *N*	**compromise**
des Kompromisses, die Kompromisse	
Beide Seiten sind bereit, einen Kompromiss zu suchen.	Both parties are willing to find a compromise.
einen Kompromiss schließen	reach a compromise
fair *Adj*	**fair; fairly**
Ich finde, das ist ein faires Angebot.	I think this is a fair offer.
Markus hat sich sehr fair verhalten.	Markus behaved very fairly.
abmachen *V*	**agree**
macht ab, machte ab, hat abgemacht	
Wir hatten das so abgemacht!	It was what we agreed!
Abgemacht!	Agreed!
die **Alternative** *N*	**alternative**
der Alternative, die Alternativen	

Eigentlich gibt es keine Alternative dazu. Wir müssen es so machen. ↳ alternativlos	Actually, there is no alternative. We must do it like this. non-negotiable
alternativ *Adj* Er hat einen alternativen Lebensstil.	**alternative** He has an alternative life style.
wählen *V* wählt, wählte, hat gewählt Du kannst wählen: Du bekommst eine Reise nach Mallorca oder einen Gutschein über 1000,- Euro.	**choose** You can choose: You can win a trip to Majorca or a voucher for 1,000 euros.
auswählen *V* wählt aus, wählte aus, hat ausgewählt = aussuchen Welchen Film sollen wir heute Abend anschauen? – Das ist mir egal, du kannst gerne auswählen.	**choose, select** Which film should we watch tonight? – It makes no difference to me, feel free to choose one.
aussuchen *V* sucht aus, suchte aus, hat ausgesucht Du kannst dir ein Geschenk aussuchen.	**pick** You can pick a present for yourself.

→ See also chapter 5 *Mentale Fähigkeiten* (p. 71 ff)

oder *Konj* Wollen wir uns heute oder morgen treffen?	**or** Shall we meet today or tomorrow?
entweder ... oder *Konj* Die Spieler trainieren entweder draußen oder drinnen.	**either ... or** The players will be practising either outside or inside.

13.8 Vermuten, feststellen und zweifeln — Presuming, ascertaining and doubting

der **Eindruck** *N* des Eindruck(e)s, die Eindrücke Welchen Eindruck hast du von dem neuen Kollegen? – Der erste Eindruck war sehr positiv.	**impression** What's your impression of our new colleague? – My first impression was very positive.
scheinen *V* scheint, schien, hat geschienen Seine Erwartungen scheinen mir unrealistisch.	**seem** His expectations seem unrealistic to me.
scheinen (+ zu + Infinitiv) Der Hund scheint Schmerzen zu haben.	**seem** The dog seems to be in pain.
aussehen *V* sieht aus, sah aus, hat ausgesehen Es sieht so aus, als ob wir heute keine Lösung finden.	**appear, look** It looks as though we won't be finding a solution today.

annehmen *V* nimmt an, nahm an, hat angenommen Ich nehme an, dass ihr eine Pause machen möchtet. Wir nehmen an, dass Ihre Antworten korrekt sind.	**suppose; assume** I suppose that you would like to take a break. We assume that your answers are correct.
vermuten *V* vermutet, vermutete, hat vermutet = annehmen Ich vermute, dass Sie ziemlich erschöpft sind.	**suspect** suppose I suspect that you are fairly exhausted.
vermutlich *Adv* Er sagt vermutlich nicht die Wahrheit.	**probably** He probably is not telling the truth.
offenbar *Adv* Das Internet scheint heute offenbar nicht zu funktionieren.	**obviously** The internet obviously does not appear to be working today.
vielleicht *Adv* = eventuell Ich fahre morgen vielleicht nach Mannheim.	**perhaps** maybe Perhaps I will go to Mannheim tomorrow.
vielleicht *Adv* = etwa Sie ist vielleicht vierzig.	**maybe** about She is maybe forty.
eventuell *Adv* Karla reist eventuell etwas früher ab.	**maybe, perhaps** Maybe Karla will be leaving a little earlier.
wohl *Partikel* = vermutlich Der Vortrag wird wohl etwas länger dauern.	**probably** *(expressing a presumption)* The lecture will probably take a bit longer.
wahrscheinlich *Adv* wahrscheinlicher, am wahrscheinlichsten Ihrem Akzent nach ist sie wahrscheinlich Engländerin.	**probably** Listening to her accent I think she is probably an Englishwoman.
bestimmt *Adv* = sicher Klara wird bestimmt anrufen.	**certainly** certain Klara will certainly call.
tatsächlich *Adv* Das hätte ich nicht gedacht: Er ist tatsächlich zu meinem Geburtstag gekommen.	**really** I wouldn't have thought it: He really did come to my birthday.
kaum *Adv* Er hat sich den Knöchel verstaucht und kann kaum laufen.	**hardly** He sprained his ankle and can hardly walk.

sicher sein Ich bin sicher, er hat den Zug verpasst.	**be sure / certain** I'm sure he has missed his train.
sicher *Adv* Ich schicke ihm sicher kein Geschenk.	**certainly** I'm certainly not going to send him a present.
zweifeln *V* zweifelt, zweifelte, hat gezweifelt Manchmal zweifle ich, ob ich ihm vertrauen kann.	**doubt** I sometimes doubt whether I can trust him.
der **Zweifel** *N* des Zweifels, die Zweifel Ich habe ernsthafte Zweifel an seiner Loyalität.	**doubt** I have serious doubts about his loyalty.
glauben *V* glaubt, glaubte, hat geglaubt Das glaube ich dir nicht.	**believe** I do not believe you.
jemandem etwas nicht abnehmen *(ugs.)* Du hast wirklich gekündigt? Das nehme ich dir nicht ab!	**I don't buy it** *(AE)* You have really given notice? I don't buy it!
mit etwas rechnen = erwarten Ich hatte nicht damit gerechnet, dass er noch antwortet.	**reckon with sth** expect I did not reckon with an answer from him.
lieber *Adv (Komparativ von gern)* Ich hätte lieber warten sollen als gleich zu schimpfen.	**rather** I should rather have waited than grumble rigth away.
bemerken *V* bemerkt, bemerkte, hat bemerkt Er hat sofort bemerkt, dass einer seiner Mitarbeiter fehlte.	**notice** He immediately noticed that one of his employees was absent.
erfahren *V* erfährt, erfuhr, hat erfahren = mitbekommen Ich habe nur durch Zufall erfahren, dass die Veranstaltung nicht stattfindet.	**find out** be aware of I only found out by chance that the event will not be taking place.
auffallen *V* fällt auf, fiel auf, ist aufgefallen Max fiel erst sehr spät auf, dass alle anderen Männer Anzug und Krawatte trugen.	*here:* **notice** Max didn't notice until later that the other men were wearing a suit and tie.
feststellen *V* stellt fest, stellte fest, hat festgestellt Sie stellte fest, dass es bereits 18 Uhr war.	**discover** She discovered that it was already 6 p.m.

einfallen *V* fällt ein, fiel ein, ist eingefallen Mir fällt gerade ein, dass wir auch Herrn Maltus informieren müssen.	*here:* **remember** I've just remembered that we have to inform Mr Maltus as well.

13.9 Wünschen, bitten, danken und entschuldigen — Wishing, requesting, thanking and apologising

erwarten *V* erwartet, erwartete, hat erwartet Er erwartet, dass alle Teilnehmer vorbereitet sind.	**expect** He expects all participants to be prepared.
gratulieren *V* gratuliert, gratulierte, hat gratuliert Sie gratulieren ihrem Opa zum siebzigsten Geburtstag.	**congratulate** They congratulate her grandpa on his seventieth birthday.
die **Gratulation** *N* der Gratulation, die Gratulationen Gratulation zur neuen Stelle!	**congratulations** Congratulations on your new position!
wünschen *V* wünscht, wünschte, hat gewünscht Ich wünsche Ihnen ein schönes Wochenende.	**wish** I wish you a nice weekend.
sich wünschen *V* wünscht sich, wünschte sich, hat sich gewünscht Sie wünscht sich einen Teddy zum Geburtstag.	**want** She wants a teddy bear for her birthday.
der **Wunsch** *N* des Wunsch(e)s, die Wünsche Ihr größter Wunsch ist es, Ärztin zu werden.	**wish** Her biggest wish is to become a doctor.
erfüllen *V* erfüllt, erfüllte, hat erfüllt Er erfüllt seiner Frau jeden Wunsch.	**fulfil** *(BE)*, **fulfill** *(AE)* He fulfils his wife's every wish.
hoffen *V* hofft, hoffte, hat gehofft Ich hoffe, dass der Film ein Happy End hat. Ich hoffe auf schönes Wetter.	**hope** I hope that the film has a happy ending. I hope we will have good weather.
die **Hoffnung** *N* der Hoffnung, die Hoffnungen Du darfst die Hoffnung nicht aufgeben.	**hope** You must not give up hope.
hoffentlich *Adv* Hoffentlich sehen wir uns bald wieder.	**hopefully** Hopefully we'll see each other again soon.
alles Gute	**all the best**

Ich wünsche Ihnen alles Gute!	I wish you all the best!
herzlichen Glückwunsch Herzlichen Glückwunsch zum Geburtstag / zur Geburt eines Kindes / zur Hochzeit!	**congratulations** Congratulations on your birthday / on the birth of your child / on your marriage!
der **Glückwunsch** *N* des Glückwunsch(e)s, die Glückwünsche Zur Geburt eurer Tochter die besten Glückwünsche!	**congratulations** Our congratulations on the birth of your daughter!
bitte *Partikel* Sprechen Sie bitte etwas langsamer.	**please** Please speak a bit more slowly.
bitte *Partikel* Möchtest du noch ein Bier? – Ja, bitte!	**please** *(said before receiving something)* Would you like another beer? – Yes, please!
bitte *Partikel* Kann ich die Milch haben? – Bitte!	**here you are** *(answering a question)* Would you pass me the milk? – Here you are.
bitte *Partikel* Bitte schön! Hier ist die bestellte Schorle.	**here you go** *(said when receiving something)* Here you go! Here is the spritzer you ordered.
(wie) bitte *Partikel* Wie bitte? Was haben Sie gesagt?	**pardon** *(said when not understanding what has been said)* Pardon? What did you say?
bitten *V* bittet, bat, hat gebeten Sie bittet Fred, ihr beim Überqueren der Straße zu helfen. jemanden um Hilfe bitten	**ask** She asks Fred to help her across the road. ask somebody for help
die **Bitte** *N* der Bitte, die Bitten Es war seine letzte Bitte. Er wollte seine Tochter sehen.	**request** It was his last request. He wanted to see his daughter.
dürfen *Modalverb* darf, durfte, hat ... dürfen Dürfte ich Sie um eine Zigarette bitten?	**may** *(polite request)* May I ask you for a cigarette, please?
können *Modalverb* kann, konnte, hat ... können Kannst du bitte für mich anrufen? Könnten Sie mich bitte vertreten?	**can** Can you please call him for me? Could you please stand in for me?
danke *Partikel* = danke sehr! = danke schön! Ja, danke!	**thank you** thank you very much! thank you very much! Yes, thank you!

Nein, danke!	No, thank you!
danken *V* dankt, dankte, hat gedankt Ich danke euch ganz herzlich für euer Kommen!	**thank** *(express one's thanks)* I'd really like to thank you all for coming!
sich bedanken *V* bedankt sich, bedankte sich, hat sich bedankt Sie hat sich bei mir für ihr Weihnachtsgeschenk bedankt.	**thank** She thanked me for her Christmas present.
lieb *Adj* Du kannst dich auf meinen Platz setzen. - Danke, das ist lieb von dir.	**nice** You can take my seat. - Thank you, that's nice of you.
der **Dank** *N* des Dank(e)s, *(nur Singular)* Ein großer Dank gilt der Stadt Hamburg für ihre Unterstützung.	**gratitude** We would like to express our deep gratitude to the City of Hamburg for their support.
der **Dank** *N* des Dank(e)s, *(nur Singular)* Hier ist Ihre Tasse Kaffee. - Besten / Vielen / Herzlichen Dank!	**thanks** Here is your cup of coffee. - Thank you very much!
gerne *Adv* Vielen Dank für Ihre Hilfe. - Sehr gerne.	**you are welcome** Thank you very much for your help. - You are very welcome.
gern geschehen	**my pleasure, you are welcome**
ebenfalls *Adv* = ebenso Schönes Wochenende! - Danke, ebenfalls.	**you too** Have a nice weekend! - Thank you, you too.
gleichfalls *Adv* Schöne Feiertage! - Danke, gleichfalls!	**you too** Happy holidays! - Thanks, you too!
noch mal *(ugs. für noch einmal; auch: nochmal)* Kannst du das noch mal wiederholen?	**again** Can you repeat that again?
nochmals *Adv* = noch einmal Nochmals vielen Dank!	**once again** Once again, thanks a lot!
entschuldigen *V* entschuldigt, entschuldigte, hat entschuldigt Entschuldigen Sie bitte! Entschuldigen Sie bitte die Störung / meine Verspätung / ...	**excuse** Excuse me, please! Please excuse the disruption / my lateness /...
sich entschuldigen *V*	**apologize**

entschuldigt sich, entschuldigte sich, hat sich entschuldigt	
Ich möchte mich für mein Verhalten entschuldigen.	I would like to apologize for my behaviour.
die **Entschuldigung** *N*	**excuse; apology**
der Entschuldigung, die Entschuldigungen	
Es tut mir sehr leid. Kannst du meine Entschuldigung annehmen?	I am so sorry. Please accept my apologies?
jemanden um Entschuldigung bitten	ask sb's forgiveness
macht nichts *(ugs.)*	*here:* **Don't worry about it**
Entschuldigung! – Das macht nichts.	Excuse me! – Don't worry about it.
verzeihen *V*	**excuse; forgive**
verzeiht, verzieh, hat verziehen	
Verzeih mir bitte, dass ich spät komme.	Please excuse me for being late.
Diesen Fehler wird er mir nie verzeihen.	He will never forgive me for this mistake.
die **Verzeihung** *N*	**forgiveness**
der Verzeihung, *(nur Singular)*	
= Entschuldigung	excuse
jemanden um Verzeihung bitten	ask sb's forgiveness
die **Störung** *N*	**interruption**
der Störung, die Störungen	
Entschuldigen Sie bitte die Störung. Ich hätte eine Frage.	Please excuse the interruption. I have a question.
dumm *Adj*	**stupid**
dümmer, am dümmsten	
= ungeschickt	clumsy
Tut mir leid, das war dumm von mir.	Sorry that was stupid of me.
Mir ist etwas Dummes passiert.	Something stupid has happened to me.

14 Gespräche II

Aufforderung und Befehle

Ablehnung

Verbote und Bedauern

14.1 Ablehnen, kritisieren und widersprechen | Disapproving, criticizing and protesting

nein *Antwortpartikel* ≠ ja Hast du ein neues Auto? – Nein. Das Haus hat 140 Quadratmeter. – Nein, 160 Quadratmeter!	**no** yes Have you got a new car? – No. The house has 140 square metres of living space. – No, 160 square metres.
nicht *Adv* Meine Eltern wohnen nicht in Hamburg.	**not** My parents do not live in Hamburg.
nichts *Pron* Hast du etwas von ihm gehört? – Nein, nichts.	**nothing** Have you had any word from him? – No, nothing.
keiner, keine, keines *Pron* Keiner kennt ihn. Was für einen Wein möchten Sie? – Keinen, heute nehme ich ein Wasser.	**no one, none** No one knows him. What kind of wine would you like? – None, today I'll have a water.
niemand *Pron* ≠ jemand Niemand hat mich gefragt.	**nobody, no one** somebody Nobody asked me.
nirgends *Adv* Ich kann meine Brille nirgends finden.	**nowhere** I cannot find my glasses anywhere.
nirgendwo *Adv* = nirgends	**nowhere, not anywhere**

Er kann sein Portemonnaie nirgendwo finden.	He cannot find his purse anywhere.
negativ *Adj* negativer, am negativsten ≠ positiv Ich hoffe, ich bekomme nicht schon wieder eine negative Antwort. Die Temperaturen liegen im negativen Bereich.	**negative** positive I hope I won't get a negative answer again this time. The temperature are in the negative range.
falsch *Adj* ≠ richtig Ich fürchte, ich habe eine falsche Entscheidung getroffen. Du hast es falsch übersetzt.	**wrong; wrongly** right, correct I fear I have made a wrong decision. You have translated it wrongly.
schlecht *Adj* schlechter, am schlechtesten ≠ gut Das sind schlechte Voraussetzungen.	**bad** good This is a bad start.
notwendig *Adj* notwendiger, am notwendigsten = nötig Soll ich für dich einkaufen gehen? – Nein, das ist nicht notwendig.	**necessary** Shall I go shopping for you? – No, that won't be necessary.
sich beschweren *V* beschwert sich, beschwerte sich, hat sich beschwert Ich möchte mich beschweren! Klaus beschwert sich über Herrn Brase.	**complain** I want to complain! Klaus complains about Mr Brase.
kritisieren *V* kritisiert, kritisierte, hat kritisiert Er traut sich nicht, seine Kollegin zu kritisieren.	**criticize** He does not dare criticize his colleague.
die **Kritik** *N* der Kritik, die Kritiken Es gab viel Kritik an dem Ministerpräsidenten. an jemandem Kritik üben konstruktive Kritik	**criticism** There was a lot of criticism aimed at the Prime Minister. criticize sb positive criticism
kritisch *Adj* kritischer, am kritischsten In der Besprechung wurden einige kritische Fragen gestellt.	**critical** Some critical questions were asked in the meeting.
der **Vorwurf** *N* des Vorwurf(e)s, die Vorwürfe Die meisten Vorwürfe sind berechtigt.	**reproach** Most of their reproaches are justifiable.
sich etwas nicht gefallen lassen	**not put up with**

So etwas würde ich mir nicht gefallen lassen.	I would not put up with something like that.
keine Rolle spielen Das spielt jetzt doch wirklich keine Rolle!	**sth is not of importance** That is of no importance at the moment!
die **Schwierigkeit** *N* der Schwierigkeit, die Schwierigkeiten Er hatte große Schwierigkeiten, dem anderen zuzuhören.	**difficulty** He had great difficulty listening to the other person.
das **Problem** *N* des Problems, die Probleme Du musst mit dem Problem alleine fertig werden.	**problem** You have to solve the problem on your own.
der **Nachteil** *N* des Nachteil(e)s, die Nachteile ≠ der Vorteil Es ist ein Nachteil, dass ich kein WLAN habe.	**disadvantage** advantage It is a disadvantage that I do not have Wi-Fi.
das **Pech** *N* des Pechs *(selten: Peches)*, *(nur Singular)* ≠ das Glück Wir haben den Zug um ein paar Sekunden verpasst – was für ein Pech! ↳ der Pechvogel	**bad luck, misfortune** luck We missed the train by seconds – it was really bad luck! unlucky person
absagen *V* sagt ab, sagte ab, hat abgesagt ≠ zusagen Meine Tante kommt nicht, sie hat abgesagt.	**say that one is not coming (after all)** accept My aunt called to say she isn't coming after all.
ablehnen *V* lehnt ab, lehnte ab, hat abgelehnt = ausschlagen ≠ annehmen Sie lehnte unser Angebot ab. einen Antrag ablehnen	**turn down, refuse** turn down accept She turned down our offer. reject a proposal
ausschließen *V* schließt aus, schloss aus, hat ausgeschlossen Ich mag kein rot; die roten Kleider können wir also schon einmal ausschließen. Völlig ausgeschlossen!	**rule out** I don't like red, so we can rule out the red desses. No way!
die **Sache** *N* der Sache, die Sachen = die Angelegenheit Kümmer dich um deine eigenen Sachen!	**business, affair** affair Mind your own business!
widersprechen *V* widerspricht, widersprach, hat widersprochen	**contradict**

Ich bin anderer Meinung, ich möchte Ihnen in dieser Sache widersprechen.	I have a different opinion, I would like to contradict you in this case.
sich widersprechen *V* widerspricht sich, widersprach sich, hat sich widersprochen Merkst du das nicht? Du widersprichst dir ständig selbst. ↳ widersprüchlich	**be contradictory; contradict oneself** Don't you notice? You are always contradicting yourself. inconsistent
gegen etwas sein ≠ für etwas sein Laura ist gegen die Todesstrafe.	**be against something** be for something Laura is against the death penalty.
dagegen *Adv* Bist du für oder gegen ein Tempolimit auf Autobahnen? – Ich bin dagegen.	**against it** Are you for or against a speed limit on motorways? – I am against it.
da *Adv* = in dieser Hinsicht Da bin ich ganz anderer Meinung!	*here:* **there** *(usually not translated)* I'm of a completely different opinion there!
das **Gegenteil** *N* des Gegenteil(e)s, die Gegenteile Sind Sie jetzt überzeugt? – Nein, im Gegenteil!	**opposite, contrary** Are you convinced now? – No, on the contrary!
der **Gegensatz** *N* des Gegensatzes, die Gegensätze Im Gegensatz zu dir bringe ich den Müll regelmäßig raus.	**contrast** In contrast to you I regularly take the rubbish out.
doch *Adv* Hast du keinen Hunger mehr? – Doch.	**yes** *(answer to a negated question)* Are you not hungry anymore? – Yes, I am.
protestieren *V* protestiert, protestierte, hat protestiert Viele Menschen protestieren gegen den Bau des neuen Flughafens.	**protest** A lot of people are protesting against the building of the new airport.
der **Protest** *N* des Protest(e)s, die Proteste	**protest**
kontra *Adv* = dagegen ≠ pro Wenn ich pro bin, ist er immer kontra.	**against** for If I am for, he is always against.
kontra-, Kontra- *Präfix* Das finde ich wirklich kontraproduktiv!	**counter-** I think that's really counter-productive!
anti-, Anti- *Präfix* Eine antifaschistische Gruppe hielt am Wochenende eine Demo ab.	**anti-** An anti-fascist group held a demo at the weekend.

Hast du die neue Antifaltencreme schon ausprobiert?	Have you already tried out the new anti-ageing cream?

14.2 Starkes Missfallen ausdrücken | Expressing strong displeasure

schimpfen *V* schimpft, schimpfte, hat geschimpft Es hilft doch nicht weiter, immer zu schimpfen. ↳ das Schimpfwort	**grumble** Constant grumbling won't help us further. swear word
sich weigern *V* weigert sich, weigerte sich, hat sich geweigert Ich weigere mich, das zu glauben.	**refuse** I refuse to believe that.
schrecklich *Adj* schrecklicher, am schrecklichsten = entsetzlich Ich finde, Krebs ist eine schreckliche Krankheit. Die Schauspielerin trug bei der Preisverleihung ein schreckliches Kleid.	**dreadful, terrible** horrible I think cancer is a dreadful illness. The actress wore a terrible dress at the awards.
schrecklich *Adv (ugs.)* Es ist mir schrecklich peinlich, dass ich Ihren Namen vergessen habe.	**awfully** *(used adverbially; intensifying adjectives and verbs)* I am awfully embarrassed that I forgot your name.
schlimm *Adj* schlimmer, am schlimmsten Ich finde es schlimm, dass so viele Menschen auf der Welt hungern.	**bad** I think it is bad that so many people in the world are starving.
nicht schlimm Entschuldigung, mir ist die Flasche umgefallen. – Keine Sorge, das ist nicht schlimm.	**no big deal** I am so sorry, I knocked the bottle over. – Don't worry, that's no big deal.
furchtbar *Adj* furchtbarer, am furchtbarsten = fürchterlich Wie fandest du die Prüfung? – Furchtbar!	**terrible, dreadful** What did you think of the exam? – It was terrible!
echt *Adv (ugs.)* = wirklich Ich finde das echt schlimm.	**really** *(intensifying the following adjective)* I think it is really bad.
sinnlos *Adj* = keinen Sinn haben ≠ sinnvoll Ich fand die Talkshow einfach sinnlos.	**senseless** make no sense sensible I thought the talk show was simply senseless.
dumm *Adj*	**stupid**

dümmer, am dümmsten
= blöd — silly
Er ist ein dummer Mensch. — He is a stupid man.
Mir ist das hier einfach zu dumm! — This is all too much for me!
↳ der Dummkopf — idiot

ärgerlich *Adj* — **annoying**
ärgerlicher, am ärgerlichsten
Ich finde es ärgerlich, dass ich schon wieder für dich bezahlen soll. — It's really annoying that I should have to pay for you again.
↳ der Ärger — annoyance
↳ jemanden verärgern — annoy sb

---

merkwürdig *Adj* — **strange**
merkwürdiger, am merkwürdigsten
Das kommt mir merkwürdig vor. — That seems strange to me.

---

seltsam *Adj* — **strange**
seltsamer, am seltsamsten
= komisch — weird
= merkwürdig — strange
Warum ist er noch nicht da? Das ist doch wirklich seltsam. — Why is he still not here? That's really strange.

---

komisch *Adj* — **strange, weird**
komischer, am komischsten
Ich finde es komisch, dass Peter kein Wort gesagt hat. — I think it is strange that Peter hasn't said a word.

---

verrückt *Adj* — **crazy**
verrückter, am verrücktesten
Das ist eine verrückte Idee; so können wir das nicht machen. — That's a crazy idea; we cannot do it like that.

---

wahnsinnig *Adj (ugs.)* — **insane, mad**
wahnsinniger, am wahnsinnigsten
Du bist doch wahnsinnig! Das wird nie funktionieren. — You are insane! That will never work.

---

auf keinen Fall — **definitely not**
So geht das auf keinen Fall weiter. — I will definitely not allow this to continue.

14.3 Auffordern, befehlen und warnen — Demanding, ordering and warning

auffordern *V* — **request**
fordert auf, forderte auf, hat aufgefordert
Man hat Sie aufgefordert, das Zimmer zu verlassen. — You have been requested to leave the room.

---

die **Aufforderung** *N* — **request**
der Aufforderung, die Aufforderungen

Dies ist die letzte Aufforderung, Ihren Pass abzuholen.	You are requested for the last time to collect your passports.
sollen *Modalverb* soll, sollte, hat ... sollen Du sollst sofort zum Chef kommen.	**should** You should go straight to the boss.
müssen *Modalverb* muss, musste, hat ... müssen Sie müssen das akzeptieren.	**must, have to** You have to accept it.
wollen *Modalverb* will, wollte, hat ... wollen Sie hat dich gestern sprechen wollen.	**want to** She wanted to speak to you yesterday.
dringend *Adj* dringender, am dringendsten Ich hätte noch eine dringende Bitte an Sie. Ich muss Sie dringend sprechen.	**urgent; urgently** I still have an urgent request for you. I have to speak to you urgently.
unbedingt *Adv* Ich muss unbedingt herausfinden, wer seine Rechnung nicht bezahlt hat.	**desperately** I desperately want to find out who did not pay his bill.
bloß *Partikel* Lass mich bloß in Ruhe!	**just** *(providing greater emphasis)* Just leave me in peace, will you!
lassen *V* lässt, ließ, hat gelassen Er möchte endlich in Ruhe gelassen werden!	**leave** He wants to be left in peace at last!
fordern *V* fordert, forderte, hat gefordert Sie fordern mehr Rechte für Frauen.	**demand** They are demanding more rights for women.
die **Forderung** *N* der Forderung, die Forderungen Die Arbeitgeber weisen die Forderung nach mehr Geld zurück.	**demand** The employers reject their demand for more money.
erforderlich *Adj* erforderlicher, am erforderlichsten Ihre Anwesenheit bei diesem Termin ist dringend erforderlich.	**necessary** Your attendance at this appointment is absolutely necessary.
erfordern *V* erfordert, erforderte, hat erfordert Dieser Beruf erfordert eine besonders sorgfältige Arbeitsweise.	**require** This job requires particularly meticulous work.
verpflichtet *Adj* Raffael ist verpflichtet, das Protokoll zu schreiben.	**obliged** Raffael is obliged to take down the minutes.

auf etwas Anspruch erheben Sie erhebt Anspruch auf Schadensersatz.	**claim sth** She is claiming compensation.
brauchen *V* braucht, brauchte, hat gebraucht Wir brauchen Ihre Antwort bis heute Nachmittag.	**need** We need your answer by this afternoon.
verlangen *V* verlangt, verlangte, hat verlangt Ich verlange eine Antwort!	**demand** I demand an answer!
erwarten *V* erwartet, erwartete, hat erwartet Wir erwarten eine Antwort bis morgen Abend.	**expect** We expect an answer by tomorrow evening.
mögen *Modalverb* mag, mochte, hat ... mögen Diesen Film mag ich nicht ansehen. Er ist mir zu kitschig.	**want to do sth** I don't want do watch this movie. It is too kitschy for me.
können *Modalverb* kann, konnte, hat ... können Ich habe dir das Geld noch nicht überweisen können.	**be able to do sth** I wasn't yet able to transfer the money to you.
mal *Partikel* (ugs.) Gib mir mal einen Kuli!	*not translated* (weakening the force of a demand) Give me a biro!
warnen *V* warnt, warnte, hat gewarnt Ich warne dich! Mach das nicht noch mal!	**warn** I'm warning you! Don't do that again!
aufpassen *V* passt auf, passte auf, hat aufgepasst Pass auf deinen Koffer auf. Am Bahnhof wird viel gestohlen.	**keep an eye on** Keep an eye on your suitcase. There's a lot of stealing at the station.
denken *V* denkt, dachte, hat gedacht = nicht vergessen Denk daran, den Herd auszuschalten.	**do not forget, remember** Do not forget to turn the cooker off.
die **Vorsicht** *N* der Vorsicht, *(nur Singular)* Vorsicht! Die Straße ist glatt.	**care, caution** Take care! The road is icy.
vorsichtig *Adj* vorsichtiger, am vorsichtigsten Er ist immer vorsichtig, wenn die Straßen glatt sind. Fahr vorsichtig! Es gibt viele Baustellen.	**careful; carefully** He is always careful when the roads are icy. Drive carefully! There are a lot of roadworks.

die **Achtung** *N* der Achtung, *(nur Singular)* Achtung! Baustelle!	**attention** Attention! Building site!
die **Gefahr** *N* der Gefahr, die Gefahren Skifahrer begeben sich in Gefahr, wenn sie abseits der Piste fahren.	**risk, danger** Skiers put themselves at risk if they ski away from the piste.
gefährlich *Adj* gefährlicher, am gefährlichsten ≠ ungefährlich Die Touristen gerieten in eine gefährliche Situation.	**dangerous** harmless The tourists got into a dangerous situation.
das **Risiko** *N* des Risikos, die Risiken *(A auch: Risken)* Roulette ist ein Spiel mit hohem Risiko.	**risk** Roulette is a high-risk game.

14.4 Verbieten, erlauben und bedauern — Forbidding, allowing and regretting

verbieten *V* verbietet, verbot, hat verboten Er verbietet seinem Sohn, sich die Haare grün zu färben.	**forbid** He forbids his son to dye his hair green.
verboten *Adj* ≠ erlaubt Es ist verboten, die Baustelle zu betreten.	**prohibited** allowed It is prohibited to enter the building site.
das **Verbot** *N* des Verbot(e)s, die Verbote Während des Alkoholverbots in den USA wurde viel Alkohol geschmuggelt.	**prohibition** During prohibition in the USA a lot of alcohol was smuggled.
lassen *V* lässt, ließ, hat gelassen = aufhören Lass das! Du tust mir weh!	*here*: **stop** Stop it! You are hurting me!
die **Vorschrift** *N* der Vorschrift, die Vorschriften Laut Vorschrift dürfen nur acht Personen in den Aufzug. sich an die Vorschriften halten	**regulation** According to the regulations only eight people are allowed to enter the lift. stick to the rules, go by the book
die **Regel** *N* der Regel, die Regeln Im Straßenverkehr muss man die Regeln beachten, sonst kommt es zu Unfällen.	**rule** You have to follow the rules of the road, or there will be accidents.

die **Ausnahme** *N* der Ausnahme, die Ausnahmen Man kann auch mal eine Ausnahme machen.	**exception** You can make an exception from time to time..
erlauben *V* erlaubt, erlaubte, hat erlaubt Er erlaubt seiner Tochter nicht, alleine in die Disko zu gehen.	**allow** He does not allow his daughter to go clubbing alone.
die **Erlaubnis** *N* der Erlaubnis, die Erlaubnisse Du kannst nicht einfach Geld aus meinem Portemonnaie nehmen. Du musst mich vorher um Erlaubnis fragen.	**permission** You cannot simply take money out of my purse. You have to ask for my permission first.
dürfen *Modalverb* darf, durfte, hat ... dürfen Sie dürfen hier nicht rauchen.	**be allowed to, may** You are not allowed to smoke here.
lassen *V (+ Infinitiv)* lässt, ließ, hat lassen = erlauben Die Mutter lässt die Kinder lange schlafen. Lass mich bitte ausreden!	**let** allow The mother lets her children sleep in. Let me finish speaking, please!
unterlassen *V* unterlässt, unterließ, hat unterlassen Das Befahren der Parkanlage ist zu unterlassen.	*here:* **may not be used** The park may not be used as a thoroughfare.
untersagt sein Das Rauchen ist auf dem gesamten Gelände untersagt.	**be forbidden** Smoking is forbidden on the whole premises.
leidtun *V* tut leid, tat leid, hat leidgetan Es tat ihm leid, dass er seiner Schwester nicht helfen konnte. Der alte Mann tut ihr leid.	**be sorry (for)** He was sorry that he could not help his sister. She is sorry for the old man.
leider *Adv* = unglücklicherweise Nein, ich habe leider kein Kleingeld.	**unfortunately** No, unfortunately I have no change.
schade *Adv* Es ist schade, dass ich schon abreisen muss.	**pity** It is a pity that I have to leave already.

15 Fähigkeiten, Verhalten, Handeln

15.1 Fähigkeiten — Abilities

können *V*
kann, konnte, hat gekonnt
Können Sie aufstehen?
Der Drucker kann auch farbig drucken.

can *(to be in a position to)*
Can you stand up?
The printer can also print in colour.

können *V*
kann, konnte, hat gekonnt
Er kann gut Spanisch.
Diese Sätze konnte ich früher alle übersetzen.

can *(to do something well)*
He can speak Spanish well.
In the past I could translate all these sentences.

können *V*
kann, konnte, hat gekonnt
= dürfen
Du kannst deine Schuhe hierhin stellen.

can *(be allowed to)*
You can put your shoes here.

die **Fähigkeit** *N*
der Fähigkeit, die Fähigkeiten

ability; skill

in der Lage sein
Er ist nicht in der Lage, aufzustehen.

be up to doing
He is not up to getting up.

zurechtkommen *V*
kommt zurecht, kam zurecht, ist zurechtgekommen
Ich komme mit ihrer Entscheidung nicht zurecht.

come to terms
I can't come to terms with their decision.

schaffen *V*
schafft, schaffte, hat geschafft

manage (to do sth)

Schaffst du es alleine, oder soll ich dir helfen?	Can you manage on your own, or do you need help?
sich eignen *V* eignet sich, eignete sich, hat sich geeignet Holger eignet sich gut für den Beruf als Lehrer, denn er ist sehr geduldig.	**be suitable** Holger is highly suitable for the teaching profession because he's very patient.
⊕ **begabt** *Adj* begabter, am begabtesten Sie ist eine begabte Musikerin, sie spielt fünf Instrumente.	**talented** She is a talented musician, she can play five musical instruments.
⊕ **geschickt** *Adj* geschickter, am geschicktesten Im handwerklichen Bereich ist er sehr geschickt.	**skilled** He's very skilled at DIY.
gelingen *V* gelingt, gelang, ist gelungen Tom ist wirklich zu beneiden. Ihm gelingt einfach alles.	**succeed** Tom is to be envied. He seems to succeed in everything.
flexibel *Adj* flexibler, am flexibelsten Ich habe flexible Arbeitszeiten.	**flexible** My working hours are flexible.

15.2 Verhalten — Conduct

sich verhalten *V* verhält sich, verhielt sich, hat sich verhalten Herr Steinmeier verhält sich immer sehr korrekt.	**behave** Mr Steinmeier always behaves very correctly.
das **Verhalten** *N* des Verhaltens, die Verhalten Ich kann mir ihr Verhalten nicht erklären.	**behaviour** I cannot explain her behaviour.
die **Art** *N* der Art, die Arten Seine Art finde ich nicht so sympathisch.	**behaviour** I'm not very taken with his behaviour.
Art und Weise Die Art und Weise, wie er mit Kindern umgeht, ist sehr nett.	**way** The way he deals with children is very nice.
so *Adv* Das musst du so machen.	**like this** You've got to do it like this.
anders *Adv* Ich würde das anders machen.	**differently** I would do it differently.
typisch *Adj* typischer, am typischsten	**typical**

Es ist nicht typisch für ihn, dass er resigniert.	It is not typical of him to just give up.
die **Situation** *N* der Situation, die Situationen Das ist eine echt blöde Situation.	**situation** It's a really stupid situation to be in.
die **Lage** *N* der Lage, die Lagen Versetz dich doch mal in seine Lage! Simon erkannte den Ernst der Lage nicht.	**position, situation** Put yourself in his position! Simon did not recognize the seriousness of the situation.
die **Gelegenheit** *N* der Gelegenheit, die Gelegenheiten Bei dieser Gelegenheit möchte ich über die Kosten sprechen.	**opportunity** I would like to take this opportunity to speak about the costs.
kompliziert *Adj* komplizierter, am kompliziertesten Das ist viel zu kompliziert! Lass es uns einfach so machen, wie ich gesagt habe.	**complicated** This is far too complicated! Let's do it the way I said.
einfach *Adj* einfacher, am einfachsten Es ist gar nicht so einfach, immer das Richtige zu tun.	**easy, simple** It is not that easy to always do the right thing.
sich gewöhnen *V* gewöhnt sich, gewöhnte sich, hat sich gewöhnt Er kann sich nicht daran gewöhnen, so früh morgens zu frühstücken.	**get used to** He cannot get used to having breakfast that early in the morning.
umgehen *V* geht um, ging um, ist umgegangen Leon kann gut mit Konflikten umgehen.	**handle** Leon can handle conflicts well.
reagieren *V* reagiert, reagierte, hat reagiert Moritz reagiert sehr empfindlich auf Kritik.	**react; be sensitive** Moritz reacts very sensitively to criticism.
die **Reaktion** *N* der Reaktion, die Reaktionen Die Reaktion war typisch für sie.	**reaction** The reaction was typical of her.
handeln *V* handelt, handelte, hat gehandelt = tätig / aktiv werden Es ist keine Zeit zu verlieren – wir müssen handeln.	**act** take action, branch out There's no time to lose – we have to act.
tun *V* tut, tat, hat getan	**do**

Er hat keine Ahnung, was er tun soll. — He has no idea what he should do.
Tu doch etwas! — Please do something!

die **Tat** *N* — **deed; act, action**
der Tat, die Taten
Albert Schweitzer ist bekannt für seine guten Taten. — Albert Schweitzer is famous for his good deeds.
Er hat seinen Entschluss in die Tat umgesetzt. — He put his decision into action.

machen *V* — **do; make**
macht, machte, hat gemacht
Was machst du morgen? — What are you going to do tomorrow?
Schluss machen — quit, break up
einen Fehler machen — make a mistake

erledigen *V* — **do**
erledigt, erledigte, hat erledigt
Wir müssen noch einkaufen. – Nein, das habe ich schon erledigt. — We still have to go shopping. – No, I have already done that.

jemanden etwas machen lassen — **let sb do sth; have sb do sth**
Die Reifen wechsle ich nicht selbst, das lasse ich immer machen. — I don't change the tyres myself, I always have somebody do that for me.

bieten *V* — **offer**
bietet, bot, hat geboten
Er bot ihnen die Möglichkeit, Schloss Neuschwanstein zu besichtigen. — He offered them the opportunity to visit Neuschwanstein Castle.

anwenden *V* — **use**
wendet an, wendete / wandte an, hat angewendet / angewandt
Der Mechatroniker wendet bei der Reparatur eine schnellere Methode an. — The mechatronics technician uses a faster repair method.

verwenden *V* — **use**
verwendet, verwendete, hat verwendet
Sie dürfen kein Wörterbuch verwenden. — You are not allowed to use a dictionary.

15.3 Planen und Entscheiden — Planning and deciding

vorhaben *V* — **plan**
hat vor, hatte vor, hat vorgehabt
Er hat vor, nach London zu gehen. — He plans to go to London.

wollen *Modalverb* — **want to**
will, wollte, hat ... wollen
= beabsichtigen — intend to
Er will morgen ins Kino gehen. — He wants to go to the cinema tomorrow.
Sie will Schauspielerin werden. — She wants to become an actress.

wollen *V* will, wollte, hat gewollt Wer war das? – Die Nachbarin, sie will, dass wir die Musik leiser machen.	**want to** Who was that? – The neighbour, she wants us to turn the music down.
mögen *Modalverb* mag, mochte, hat ... mögen = wollen Er möchte heute früh ins Bett gehen.	**would like to, want to** He'd like to to go to bed early today.

mögen & möchten

Möchten **is the imperfect subjunctive of** mögen**. In most cases, though, it is used as an indicative.**

die **Absicht** *N* der Absicht, die Absichten Haben Sie die Absicht, für immer in Berlin zu bleiben? Er hat es nicht mit Absicht getan!	**intention** Is it your intention to stay in Berlin forever? He did not do it on purpose!
der **Plan** *N* des Plans, die Pläne Er hat einen genauen Plan, wie wir am besten vorgehen. ↳ planen	**plan** He has an exact plan how we can best proceed. plan
die **Planung** *N* der Planung, die Planungen Die Planung für unsere goldene Hochzeit steht schon lange.	**planning** The planning for our golden wedding was completed a long time ago.
das **Ziel** *N* des Ziel(e)s, die Ziele Er verfolgt das Ziel, in zwei Jahren in Rente zu gehen.	**goal, aim** His goal is to retire in two years.
die **Lösung** *N* der Lösung, die Lösungen Wir müssen für dieses Problem nach einer anderen Lösung suchen.	**solution** We must look for another solution to this problem.
fertig *Adj* = beendet Dieser Text ist noch nicht fertig. Es fehlt eine Schlussfolgerung.	**finished, complete** This text is not finished. The conclusion is missing.
endgültig *Adj* Der endgültige Termin steht noch nicht fest.	**final** The final date is not certain yet.

entscheiden *V* entscheidet, entschied, hat entschieden In diesem Fall muss ein Arzt entscheiden.	**decide** A doctor must decide in this case.
sich entscheiden *V* entscheidet sich, entschied sich, hat sich entschieden Er entschied sich für den ersten Kandidaten.	**decide, make up one's mind** He decided in favour of the first candidate.
die **Entscheidung** *N* der Entscheidung, die Entscheidungen Die Entscheidung des Ministers fiel gestern Nacht.	**decision** The minister made his decision last night.
sich entschließen *V* entschließt sich, entschloss sich, hat sich entschlossen = einen Entschluss fassen Er entschloss sich, spontan ans Meer zu fahren.	**decide** He decided spontaneously to go to the sea.
beschließen *V* beschließt, beschloss, hat beschlossen Ute beschließt, heute früher Schluss zu machen.	**decide** Ute decides to stop working earlier today.
unentschieden *Adj* = unentschlossen Eva ist noch unentschieden, ob sie sich die Haare abschneiden lassen soll. ⚠ unentschieden	**undecided** indecisive Eva is still undecided about having her hair cut. drawn
versuchen *V* versucht, versuchte, hat versucht Ich habe mehrmals versucht, dich anzurufen.	**try** I have tried to call you several times.
sich bemühen *V* bemüht sich, bemühte sich, hat sich bemüht Er bemüht sich, früh nach Hause zu kommen.	**try hard** He tries hard to come home earlier.
sich Mühe geben Er gab sich bei seiner Abschlussprüfung große Mühe.	**make an effort** He made a great effort during his finals.
die **Mühe** *N* der Mühe, die Mühen Es war die Mühe wert.	**effort** It was worth the effort.
beachten *V* beachtet, beachtete, hat beachtet Bitte beachten Sie, dass wir gleich schließen.	**take into account, observe** Please take into account that we will be closing soon.
achten *V* achtet, achtete, hat geachtet	**pay attention**

Achten Sie auf den Verkehr!	Pay attention to the traffic.

15.4 Handeln — Acting

sich anstrengen *V* strengt sich an, strengte sich an, hat sich angestrengt Wenn du dich nicht mehr anstrengst, wirst du die Prüfung nicht schaffen.	**make an effort** If you don't make a greater effort, you will not pass the exam.
kämpfen *V* kämpft, kämpfte, hat gekämpft Sie kämpfen für mehr soziale Gerechtigkeit.	**fight** They are fighting for more social justice.
der **Mut** *N* des Mut(e)s, *(nur Singular)* Ich habe meinen ganzen Mut zusammengenommen und bin vom Zehnmeterturm gesprungen.	**courage** I summoned up all my courage and jumped from the ten-metre tower.
die **Verantwortung** *N* der Verantwortung, die Verantwortungen Eltern tragen Verantwortung für ihre Kinder. Verantwortung übernehmen	**responsibility** Parents bear responsibility for their children. take responsibility
verantwortlich *Adj* verantwortlicher, am verantwortlichsten Die Sekretärin ist dafür verantwortlich, dass ihr Chef keinen Termin vergisst.	**responsible** The secretary is responsible for reminding her boss of all of his appointments.
erreichen *V* erreicht, erreichte, hat erreicht Er hat im Leben alles erreicht, was er wollte.	**achieve** He has achieved everything in life that he wanted.
unternehmen *V* unternimmt, unternahm, hat unternommen Sie unternahm alles, um ihn aufzuheitern.	**do** She did everything she could to cheer him up.
bereit sein Sie ist bereit, ihre Mutter beim Einkaufen zu unterstützen.	**ready** She is ready to help her mother with the shopping.
freiwillig *Adj* freiwilliger, am freiwilligsten Die Teilnahme am Sommerfest der Firma ist freiwillig.	**voluntary** Attendance at the company's summer festivities is voluntary.
regeln *V* regelt, regelte, hat geregelt Nach einem Todesfall müssen viele Dinge geregelt werden.	**sort out; control** Many things have to be sorted out in the event a death.

Der Verkehr wurde von einem Polizisten geregelt. — The traffic was controlled by a policeman.

ordnen *V* — **put sth in order**
ordnet, ordnete, hat geordnet
Nachdem ihr Vater gestorben war, musste sie seine Papiere ordnen. — After her father died she had to put his papers in order.

sorgen *V* — **make sure**
sorgt, sorgte, hat gesorgt
Sie sorgt dafür, dass ihre Kollegin alle Informationen bekommt. — She makes sure that her colleague gets all the information he needs.

organisieren *V* — **organize**
organisiert, organisierte, hat organisiert
Ich organisiere für das Wochenende ein Picknick. — I am organizing a picnic at the weekend.

die **Organisation** *N* — **organization**
der Organisation, die Organisationen
Die beiden kümmern sich um die Organisation der Party. — The two of them are seeing to the organization of the party.

einrichten *V* — **arrange**
richtet ein, richtete ein, hat eingerichtet
= arrangieren
Wir haben es so eingerichtet, dass Sie jederzeit mit ihm sprechen können. — We have arranged for you to be able to speak to him any time.

---

verhindern *V* — **prevent, stop**
verhindert, verhinderte, hat verhindert
Wir konnten das Problem leider nicht verhindern. — Unfortunately, we could not prevent the problem.

aufgeben *V* — **give up**
gibt auf, gab auf, hat aufgegeben
= resignieren
Es hat keinen Sinn mehr – ich gebe auf. — There's no point anymore – I give up.

verzichten *V* — **do without**
verzichtet, verzichtete, hat verzichtet
Auf mein Auto könnte ich nicht verzichten. — I couldn't do without my car.

vermeiden *V* — **avoid**
vermeidet, vermied, hat vermieden
Linda versucht jeden Ärger mit ihren Nachbarn zu vermeiden. — Linda tries to avoid any trouble with her neighbours.

16 Lernen, Schule, Universität

16.1 Vorschule und Schule — Nursery school and school

der **Kindergarten** *N* des Kindergartens, die Kindergärten Geht Ihre Tochter schon in den Kindergarten?	**nursery school, kindergarten** Is your daughter already in nursery school?
die **Kinderkrippe** *N (Kurzform: Krippe)* der Kinderkrippe, die Kinderkrippen Ich bringe meine Tochter jeden Morgen vor der Arbeit in die Krippe.	**day-nursery** I take my daughter to the day-nursery every morning before work.
die **Kindertagesstätte** *N (Kurzform: Kita)* der Kindertagesstätte, die Kindertagesstätten	**nursery school; day-nursery**
die **Erziehung** *N* der Erziehung, die Erziehungen Die Kinder haben eine gute Erziehung genossen.	**education** The children received a good education.
erziehen *V* erzieht, erzog, hat erzogen Sie haben ihre Kinder sehr streng erzogen. ein gut / schlecht erzogenes Kind	**bring up; teach** They brought up their children very strictly. a well / badly brought-up child
der **Erzieher** *N* des Erziehers, die Erzieher	**(pre-school / nursery school) teacher**
die **Erzieherin** *N* der Erzieherin, die Erzieherinnen = die Kindergärtnerin *(veraltet)*	**(pre-school / nursery school) teacher**

Die Erzieherin hilft dem Jungen beim Anziehen der Schuhe.	The teacher helps the boy to put his shoes on.
der **Betreuer** *N* des Betreuers, die Betreuer In der Kita hat gerade ein neuer Betreuer angefangen.	**teacher, carer** A new teacher has just started at the kindergarten.
die **Betreuerin** *N* der Betreuerin, die Betreuerinnen	**teacher, carer**
spielen *V* spielt, spielte, hat gespielt Wenn die Kinder spielen, lernen sie gleichzeitig.	**play** When children play, they learn at the same time.
durcheinander *Adv* Die Kinder reden alle durcheinander.	**at the same time** The children are all speaking at the same time.
die **Förderung** *N* der Förderung, die Förderungen Die Förderung der Kinder ist den Eltern wichtig.	**support** Support for their children is important to the parents.
fördern *V* fördert, förderte, hat gefördert Manche Kinder werden mit extra Deutschunterricht gefördert.	**support** Some children are given extra German lessons to support them.
der **Rat** *N* des Rates, *(in dieser Bedeutung nur Singular)* Ich weiß nicht mehr weiter: Können Sie mir einen Rat geben?	**advice** I am all at sea: Could you give me some advice?
raten *V* rät, riet, hat geraten Was würden Sie mir raten? Soll ich mein Kind schon mit fünf in die Schule schicken?	**advise** What would you advise me to do? Should I send my child to school although he's only five?
raten *V* rät, riet, hat geraten Rate mal, wen ich gestern im Kindergarten getroffen habe.	**(have a) guess** Guess who I met in kindergarten yesterday.
empfehlen *V* empfiehlt, empfahl, hat empfohlen Ich würde Ihnen empfehlen, Ihre Tochter erst mit sechs einzuschulen.	**recommend** I would recommend that you don't send your daughter to school until she's six.
die **Schule** *N* der Schule, die Schulen Die Apotheke liegt gegenüber der Schule.	**school** *(building)* The pharmacy is opposite the school.

die **Schule** *N* der Schule, die Schulen Viele Kinder gehen gerne in die Schule. Morgen haben wir erst in der zweiten Stunde Schule. eine (weiterführende) Schule besuchen ↳ die Gesamtschule ↳ die Realschule	**school** *(institute; lesson)* Many children like going to school. School doesn't start until second lesson tomorrow. go to / be at / attend (secondary) school comprehensive school secondary modern school, secondary / junior high school
in die Schule kommen = eingeschult werden Unsere Tochter kommt nächste Woche in die Schule.	**start school** be sent to school, enrolled at school Our daughter is going to start school next week.
die **Klasse** *N* der Klasse, die Klassen Die Klasse ist in der 6. Stunde immer sehr unkonzentriert. Beeil dich, geh in deine Klasse.	**class; classroom** The class is always very distracted in the sixth lesson. Hurry up, go to your classroom.
die **Klasse** *N* der Klasse, die Klassen Mein Sohn geht in die 6. Klasse. eine Klasse wiederholen sitzen bleiben *(ugs.)*	**year, form** *(BE)*, **grade** *(AE)* My son is in the Year 6. repeat a class / a year stay down a year
das **Klassenzimmer** *N* des Klassenzimmers, die Klassenzimmer Geht bitte ins Klassenzimmer zurück.	**classroom** Please go back to your classroom.
der **Lehrer** *N* des Lehrers, die Lehrer Wir haben einen echt netten Lehrer.	**teacher** We have a really nice teacher.
die **Lehrerin** *N* der Lehrerin, die Lehrerinnen	**teacher**
unterrichten *V* unterrichtet, unterrichtete, hat unterrichtet = Unterricht geben / erteilen Die Lehrerin unterrichtet seit zwei Jahren eine 6. Klasse.	**teach** The teacher has been teaching a Year 6 class for two years.
der **Unterricht** *N* des Unterricht(e)s, die Unterrichte *(selten)* Der Unterricht fällt morgen Nachmittag aus. den Unterricht versäumen / schwänzen blaumachen *(ugs.)* den Unterricht stören	**lesson(s)** Lessons are cancelled tomorrow afternoon. miss / skip classes skive off *(BE)*, go sick *(AE)* disrupt the class

erklären *V*
erklärt, erklärte, hat erklärt
Könnten Sie mir diese Formel noch einmal erklären?

explain
Could you explain the formula to me again?

die **Erklärung** *N*
der Erklärung, die Erklärungen
Die Erklärungen unseres Physiklehrers sind super.

explanation
Our physics teacher gives super explanations.

das **Schulfach** *N*
des Schulfach(e)s, die Schulfächer
Sie hat in fast allen Schulfächern die Note „gut".

(school) subject
She has a "B" in nearly every subject.

das **Fach** *N (Kurzform für Schulfach)*
des Fach(e)s, die Fächer
Katrins Lieblingsfächer sind Kunst, Sport und Musik.

subject
Katrins favourite subjects are art, PE and music.

school subjects

Sprachen language	**Naturwissenschaften** natural sciences	**Gesellschaftswissenschaften** social sciences	**künstlerische Fächer** arts
Deutsch German	Mathe(matik) mathematics (maths *(BE)* math *(AE)*)	Geschichte history	Musik music
Englisch English	Bio(logie) biology	Erdkunde / Geografie geography	Sport PE
Französisch French	Chemie chemistry	Sozialkunde / Gemeinschaftskunde social studies	Kunst art
Latein Latin	Physik physics	Philosophie philosophy	
Spanisch Spanish		Reli(gion) religious education	

die **Tafel** *N*
der Tafel, die Tafeln
Der Lehrer schreibt das neue Wort an die Tafel.

(black)board
The teacher writes the new word on the blackboard.

der **Schwamm** *N*
des Schwamm(e)s, die Schwämme
Er wischt mit dem Schwamm die Tafel ab.

sponge
He wipes off the board with the sponge.

die **Kreide** *N*
der Kreide, die Kreiden

chalk

Bei der Tafel liegt weiße und blaue Kreide.	There is white and blue chalk by the blackboard.
der **Schüler** *N* des Schülers, die Schüler	**pupil, student** *(AE)*
die **Schülerin** *N* der Schülerin, die Schülerinnen Meine Tochter ist eine sehr gute Schülerin.	**pupil, student** *(AE)* My daughter is a very good pupil.
lernen *V* lernt, lernte, hat gelernt Sie lernt leicht. Heute müssen Kinder nur noch selten Gedichte auswendig lernen.	**learn** She learns easily. It's rare for children to have to learn poems by heart today.
lehren *V* lehrt, lehrte, hat gelehrt Die Professorin lehrt forschungsorientiert. ↳ die Lehre	**teach** The professor teaches on a research basis. teaching

lernen & lehren

Persons who teach something (lehren) are teachers, professors, lecturers, etc. They teach the learners something.

Die Dozentin lehrt Englisch.	The lecturer teaches English.
Der Professor lehrt an der Universität Wien.	The professor teaches at the university of Vienna.

Persons who learn something (lernen) are children, pupils, students, course participants, trainees, etc. They memorise and learn the material taught.

Die Schüler lernen Mathe.	The pupils are learning maths.
Die Azubis lernen einen Beruf.	The trainees are learning a profession.

die **Schulnote** *N (Kurzform: Note)* der Schulnote, die Schulnoten Sie hat ihre Prüfung mit „sehr gut" bestanden. Das ist die beste Note. ↳ die Zeugnisnote	**mark, grade** *(AE)* She passed her exam with an "A". That's the highest mark. mark, grade, *(AE)*
der **Punkt** *N* des Punkt(e)s, die Punkte Sie hat 13 Punkte in der Matheklausur.	**point, mark** She got 13 points in the maths exam.

16 Lernen, Schule, Universität

Marks, Grades and Points in Germany, Austria and Switzerland			
D	A	CH	GB / USA
1 [15-13]*- sehr gut	1 - sehr gut	6 - sehr gut	A
2 [12-10]- gut	2 - gut	5 - gut	B
3 [9-7]- befriedigend	3 - befriedigend	4 - genügend	C
4 [6-4]- ausreichend	4 - genügend	3 - ungenügend	D
5 [3-1]- mangelhaft	5 - nicht genügend	2 - schwach	E *(BE)* / F *(AE)*
6 [0]- ungenügend		1 - schlecht	U *(BE)*

* In Germany, the scoring system with points [0-15] is mainly used during High School (form / grade 10 and higher)
Also possible: Gradations of the marks (3+, 4- etc.)

die **Nachhilfe** *N* — **private tuition; extra help**
der Nachhilfe, die Nachhilfen
Marie hatte in der letzten Englischarbeit eine 5. Daher bekommt sie nun Nachhilfe. — Marie got a 5 in the recent English test. She's now getting private tuition.

befriedigend *Adj* — **satisfactory**
„Befriedigend" ist in Deutschland und Österreich eine „3". — "Satisfactory" in Germany and Austria is equivalent to a "C".

sich anstrengen *V* — **try, make an effort**
strengt sich an, strengte sich an, hat sich angestrengt
Wenn du eine bessere Note willst, musst du dich mehr anstrengen. — If you want to get a better mark, you must try harder.

fleißig *Adj* — **industrious, hard-working**
fleißiger, am fleißigsten
Die Mädchen sind vor einer Klassenarbeit besonders fleißig. — The girls are especially industrious before a class test.

das **Zeugnis** *N* — **(school) report**
des Zeugnisses, die Zeugnisse
Sie hat nur eine „Drei" im Zeugnis. — She has only one "C" in her report.

das **Abitur** *N (D; Kurzform: Abi)* — **Abitur** *(equivalent to the British A-Levels, American SAT exam)*
des Abiturs, die Abiture *(selten)*
= die allgemeine Hochschulreife — general higher education entrance qualification
Unsere Tochter macht nächstes Jahr Abitur. — Our daughter will be taking her Abitur next year.

die **Matura** *N (A, CH)* der **Matura,** *(nur Singular)* — **Matura** *(equivalent to the British A-Levels, American SAT exam)*

die mittlere Reife	**O level, ordinary level, GCE** *(ending the Realschule or Klasse 10 of higher education)*
Um Friseurin zu werden, brauchst du einen Hauptschulabschluss oder besser noch die mittlere Reife.	You'll have to pass some basic secondary school exams or get some O levels if you want to become a hairdresser.
der **Respekt** *N* des Respekt(e)s, *(nur Singular)*	**respect**
Ich hab das Abitur mit 1,2 gemacht. – Respekt! Er will nicht, dass sie ihn mögen, aber er erwartet Respekt von ihnen.	I passed my Abitur with 1.2. – I'm impressed! He doesn't want them to like him, but he does expect respect from them.
allerdings *Adv*	**but**
Sie hat in allen Fächern 15 Punkte, allerdings hatte sie auch sehr viel gelernt.	She has 15 points in all subjects but she studied a lot.
die **Grundschule** *N* der Grundschule, die Grundschulen	**primary school**
Bereits in Grundschulen wird Englisch unterrichtet.	English is being taught as early as primary school.
das **Gymnasium** *N (Kurzform: Gymi)* des Gymnasiums, die Gymnasien	**grammar school** *(BE)*, **high school** *(AE)*
Klara geht auf das Von-Müller-Gymnasium in Regensburg.	Klara goes to the Von-Müller Grammar School in Regensburg.
die **Berufsschule** *N* der Berufsschule, die Berufsschulen	**vocational school, technical college**
Am Dienstag geht der Azubi in die Berufsschule, an den anderen Wochentagen ist er in seinem Betrieb.	The trainee goes to vocational school on Tuesdays, he is at work on the other weekdays.
der **Schulabschluss** *N* des Schulabschlusses, die Schulabschlüsse	**school-leaving qualification** *(BE)*, **high school diploma** *(AE)*
Carolin hat einen exzellenten Schulabschluss und möchte Medizin studieren.	Carolin has an excellent school-leaving qualification and wants to study medicine.

16.2 Unterricht und Lernen — Teaching and learning

die **Pause** *N* der Pause, die Pausen	**break**
In der Pause esse ich am liebsten einen Apfel.	I usually prefer to eat an apple in the break.
die **Stunde** *N* der Stunde, die Stunden	**lesson**
Morgen habe ich in der vierten Stunde Deutsch. ↳ die Musikstunde ↳ die Englischstunde	German is my fourth lesson tomorrow. music lesson English lesson
ausfallen *V* fällt aus, fiel aus, ist ausgefallen	**have been cancelled** *(BE)* / **canceled** *(AE)*

Die erste Stunde fällt aus.	This first lesson has been cancelled.
der **Bleistift** *N* des Bleistift(e)s, die Bleistifte Kannst du mir einen Bleistift geben?	**pencil** Can you give me a pencil, please?
spitz *Adj* spitzer, am spitzesten Der Buntstift ist nicht mehr spitz.	**pointed, sharp** The coloured pencil is not sharp anymore.
der **Kugelschreiber** *N (Kurzform: Kuli)* des Kugelschreibers, die Kugelschreiber Der Kuli schreibt nicht mehr richtig.	**ballpoint, Biro®** *(BE)*, **Bic®** *(AE)* The ballpoint doesn't write properly anymore.
das **Blatt** *N* des Blatt(e)s, die Blätter = das Blatt Papier Jeder bekommt ein Blatt für Notizen.	**piece of paper** Everyone gets a piece of paper for notes.
der **Bogen** *N* des Bogens, die Bogen *(A, CH auch: Bögen)* Falten Sie den Bogen in der Mitte. ⚠ der Bogen ⚠ der Bogen	**sheet (of paper)** Please fold the sheet in the middle. arch bow
das **Plakat** *N* des Plakats, die Plakate Die Ergebnisse eurer Gruppenarbeit schreibt ihr bitte auf das Plakat.	**poster** Please write the results of your group work on the poster.
das **Poster** *N* des Posters, die Poster = das Plakat	**poster**
der **Text** *N* des Text(e)s, die Texte Wer von euch hat den Text gelesen?	**text** Which of you has read the text?
die **Seite** *N* der Seite, die Seiten Bitte schlagt das Buch auf Seite 28 auf.	**page** Please open the book on page 28.
die **Überschrift** *N* der Überschrift, die Überschriften Formuliert zu jedem Absatz eine Überschrift.	**heading, title** Write a heading for each paragraph.
der **Satz** *N* des Satzes, die Sätze Unterstreiche die Präpositionen in dem Satz.	**sentence** Please underline the prepositions in the sentence.
bilden *V*	**form**

bildet, bildete, hat gebildet	
Bilden Sie einen Satz mit dem Wort „Katze".	Form a sentence with the word "cat".
sich eine Meinung bilden	form an opinion
lesen *V*	**read**
liest, las, hat gelesen	
Lies bitte die Aufgabe auf Seite 12.	Please read the exercise on page 12.
probieren *V*	**try**
probiert, probierte, hat probiert	
Probieren Sie doch einmal, mit einer anderen Methode zu lernen.	Why don't you try using another method of learning things?
rechnen *V*	**calculate**
rechnet, rechnete, hat gerechnet	
Viola ist ziemlich gut im Rechnen.	Viola is fairly good at calculating.
kopfrechnen	calculate in one's head
↳ Taschenrechner	calculator
berechnen *V*	**calculate**
berechnet, berechnete, hat berechnet	
Toni berechnet den Flächeninhalt eines Dreiecks.	Toni calculates the surface area of a triangle.
die **Zahl** *N*	**number**
der Zahl, die Zahlen	
Meine Tochter kennt schon die Zahlen von eins bis zehn.	My daughter already knows the numbers from one to ten.
das **Heft** *N*	**exercise book**
des Heft(e)s, die Hefte	
Schreibt diesen Satz bitte in euer Heft.	Please write this sentence in your exercise book.
eintragen *V*	**enter**
trägt ein, trug ein, hat eingetragen	
Tragt bitte oben rechts auf dem Blatt euren Namen ein.	Please enter your name on the top right of the sheet.
schreiben *V*	**write**
schreibt, schrieb, hat geschrieben	
Sie schreibt mit dem Füller schöner als mit dem Kugelschreiber.	She writes better with the fountain pen than with the biro.
übersetzen *V*	**translate**
übersetzt, übersetzte, hat übersetzt	
Wer kann dieses Wort ins Englische übersetzen?	Who can translate this word into English?
wörtlich übersetzen	translate word-for-word
die **Übersetzung** *N*	**translation**
der Übersetzung, die Übersetzungen	
In dieser Übersetzung sind viele Fehler.	There are a lot of mistakes in this translation.

der **Übersetzer** *N* des Übersetzers, die Übersetzer	**translator**
die **Übersetzerin** *N* der Übersetzerin, die Übersetzerinnen Unsere Englischlehrerin arbeitet nebenbei als Übersetzerin für Kinderbücher.	**translator** Our English teacher works additionally as a translator of children's books.
aufpassen *V* passt auf, passte auf, hat aufgepasst Ich glaube, du hast im Unterricht nicht gut aufgepasst.	**pay attention** I think you did not pay enough attention in the lesson.
sich konzentrieren *V* konzentriert sich, konzentrierte sich, hat sich konzentriert Die Jugendlichen konzentrieren sich auf den Liedtext.	**concentrate** The young people concentrate on the text of the song.
sich merken *V* merkt sich, merkte sich, hat sich gemerkt Ich kann mir dieses Wort einfach nicht merken.	**remember** I simply cannot remember this word.
abschreiben *V* schreibt ab, schrieb ab, hat abgeschrieben Du sollst nicht bei Christina abschreiben!	**copy** You should not copy from Christina!
zuhören *V* hört zu, hörte zu, hat zugehört Könnt ihr mal endlich zuhören! jemandem gut zuhören	**listen** Can't you just listen for a change! pay close attention to sb
verstehen *V* versteht, verstand, hat verstanden = begreifen Die meisten Schüler haben die Aufgabe nicht verstanden.	**understand** Most pupils did not understand the exercise.
sich verstehen *V* versteht sich, verstand sich, hat sich verstanden Die Mädchen verstehen sich ganz gut mit den Jungs in ihrer Klasse.	**get along** The girls get along pretty well with the boys in their class.
ansehen *V* sieht an, sah an, hat angesehen Sie sehen ihren Lehrer an.	**look at** They look at their teacher.
anschauen *V* schaut an, schaute an, hat angeschaut Sie schaut die Schülerin fragend an.	**look** She looks at the pupil questioningly.

schauen & sehen

Particularly the south of Germany and Austria often use schauen instead of sehen in the sense of "deliberately look at or regard".

Schau mal, ein Erdhörnchen!	Look, a squirrel!
Er schaute sich in dem Supermarkt um.	He took a look around the supermarket.

If "perceive with the eyes" is meant, then only sehen is used.

Ich sehe das Bild nur verschwommen.	I can see the picture, but only blurred.
Siehst du den großen Stern dort oben?	Can you see the big star up there?

---

sprechen *V* — **speak**
spricht, sprach, hat gesprochen
Kannst du bitte etwas lauter sprechen? — Can you speak up a bit, please?

sprechen *V* — **talk**
spricht, sprach, hat gesprochen
Die beiden sprechen nach dem Unterricht miteinander. — The two of them talk to each other after the lesson.
Heute sprechen wir über die Städte im Mittelalter. — Today we'll be talking about towns in the Middle Ages.

fließend *Adv* — **fluently**
Ania lernt seit 10 Jahren Deutsch. Mittlerweile spricht sie es fließend. — Ania has been learning German for 10 years. She speaks it fluently by now.

die **Fremdsprache** *N* — **foreign language**
der Fremdsprache, die Fremdsprachen
Katharina hat bereits fünf Fremdsprachen gelernt. — Katharina has already learnt five foreign languages.

die **Muttersprache** *N* — **mother tongue**
der Muttersprache, die Muttersprachen
Deutsch ist Silas Zweitsprache, ihre Muttersprache ist Türkisch. — German is Silas's second language, her mother tongue is Turkish.

die **Zweitsprache** *N* — **second language**
der Zweitsprache, die Zweitsprachen

---

die **Ruhe** *N* — **quiet, silence**
der Ruhe, *(nur Singular)*
Ruhe, bitte! — Silence please!

die **Ruhe** *N* — **peace**
der Ruhe, *(nur Singular)*
Janosch braucht jetzt seine Ruhe. — Janosch needs some peace now.
Lass ihn doch mal in Ruhe! — Leave him in peace!

still *Adj* — **quiet, silent**

stiller, am stillsten Seid doch mal still!	 Please just be quiet!
still sitzen Es fällt Carola schwer, eine Stunde still zu sitzen.	**sit still** It is hard for Carola to sit still for one hour.
aufmerksam *Adj* aufmerksamer, am aufmerksamsten Du hast heute einige Fehler gemacht. Sei das nächste Mal etwas aufmerksamer.	**attentive** You have made a few mistakes today. Be a little more attentive next time.
neugierig *Adj* neugieriger, am neugierigsten Du bist aber neugierig!	**curious** You are very curious!
langweilig *Adj* langweiliger, am langweiligsten Ich finde Mathe langweilig. Heute war die Schule besonders langweilig.	**boring, dull** I think maths is boring. Today school was especially dull.
sich langweilen *V* langweilt sich, langweilte sich, hat sich gelangweilt Mama, ich langweile mich in der Schule.	**be bored** Mum, I'm bored at school.
die **Langeweile** *N* der Langeweile, *(nur Singular)* Ich bin bei dem Vortrag vor Langeweile fast eingeschlafen. vor Langeweile sterben	**boredom** I nearly fell asleep from boredom during the lecture. die of boredom
sich freuen *V* freut sich, freute sich, hat sich gefreut Die ganze Familie freut sich auf die Ferien an der Nordsee.	**look forward to** The whole family is looking forward to their holidays at the North Sea.
die **Ferien** *N (Pluralwort)* der Ferien ↳ die Schulferien	**holidays** school holidays *(BE)*, summer vacation *(AE)*
die **Übung** *N* der Übung, die Übungen Dazu braucht man viel Übung. Übung macht den Meister.	**practice** It needs a lot of practice. Practice makes perfect.
die **Übung** *N* der Übung, die Übungen Man muss diese Übungen immer wieder machen, um ein guter Golfspieler zu werden.	**exercise** You have to do this exercise again and again to become a good golf player.
üben *V* übt, übte, hat geübt	**practise** *(BE)*, **practice** *(AE)*

Ich möchte noch mehr sprechen üben.	I would like to practise speaking more often.
die **Aufgabe** *N*	**exercise**
der Aufgabe, die Aufgaben	
Wer kann diese Aufgabe lösen?	Who can do this exercise?
die **Lösung** *N*	**answer; solution**
der Lösung, die Lösungen	
Wie lautet die richtige Lösung zu Frage 1c?	What is the right answer to question 1c?
Ob es für dieses Problem eine Lösung gibt, weiß ich wirklich nicht.	I really don't know if there is a solution to this problem.
die **Hausaufgabe** *N*	**homework**
der Hausaufgabe, die Hausaufgaben	
Wir haben keine Hausaufgaben auf.	We don't have to do any homework.
Hausaufgaben machen	do one's homework
wiederholen *V*	**repeat; revise**
wiederholt, wiederholte, hat wiederholt	
Können Sie den Satz bitte noch einmal wiederholen?	Could you please repeat the sentence once again?
Die Vokabeln muss man immer wiederholen.	You always have to revise vocabulary.
kontrollieren *V*	**check**
kontrolliert, kontrollierte, hat kontrolliert	
Der Lehrer kontrolliert die Hausaufgaben seiner Schüler.	The teacher checks his pupils' homework.
der **Fehler** *N*	**mistake**
des Fehlers, die Fehler	
Ricarda hat beim Diktat viele Fehler gemacht.	Ricarda made a lot of spelling mistakes in the dictation.
korrigieren *V*	**mark; correct**
korrigiert, korrigierte, hat korrigiert	
= verbessern	
Die Lehrerin korrigiert die Aufsätze.	The teacher marks the essays.
Die Mutter korrigiert ihre kleine Tochter beim Sprechen.	The mother corrects her little daughter when she's speaking.
die **Klassenarbeit** *N*	**class test**
der Klassenarbeit, die Klassenarbeiten	
Morgen schreiben wir schon die Klassenarbeit in Englisch!	Tomorrow we'll be doing the class test in English.
die **Schularbeit** *N (A)*	**class test**
der Schularbeit, die Schularbeiten	
⚠ die Schularbeit *(in D: schriftliche Hausaufgabe)*	in Germany: written homework
leicht *Adj*	**easy, simple**
leichter, am leichtesten	
= einfach	

Der Test war doch leicht!	The test was easy!
leichtfallen *V* fällt leicht, fiel leicht, ist leichtgefallen ≠ schwerfallen Die Hausaufgaben fallen ihr leicht.	**be easy** be difficult The homework is easy for her.
schwierig *Adj* schwieriger, am schwierigsten Die mündliche Prüfung war richtig schwierig.	**difficult** The oral exam was really difficult.
das **Referat** *N* des Referat(e)s, die Referate Ronja hält heute ein Referat über Europa.	**talk, presentation; project, paper** Ronja will be giving a talk on Europe today.
die **Präsentation** *N* der Präsentation, die Präsentationen Alle Schülerinnen und Schüler der Klasse 9c setzen bei ihrer Präsentation PowerPoint ein.	**presentation** All of the pupils in Class 9c use PowerPoint for their presentation.
präsentieren *V* präsentiert, präsentierte, hat präsentiert	**present**
das **Alphabet** *N* des Alphabet(e)s, die Alphabete „D" ist der vierte Buchstabe im Alphabet.	**alphabet** "D" is the fourth letter of the alphabet.
buchstabieren *V* buchstabiert, buchstabierte, hat buchstabiert Am besten buchstabiere ich meinen Namen.	**spell** I'd best spell my name.
das **Wort** *N* des Wort(e)s, die Wörter „Auf Wiedersehen" sind zwei Wörter.	**word** "Good bye" is two words.

Worte & Wörter

The noun Wort has two plural forms, with two different meanings. In some cases, either plural form may be used.

Wörter
Meaning: separate words, e.g. foreign words.

Wie viele Wörter hat die Überschrift?	How many words are in the heading?
Kannst du die beiden Wörter bitte buchstabieren?	Can you please spell the two words?

Worte
Meaning: spoken words, e.g. expressions, remarks.

Die letzten Worte hörte er nicht mehr, er war schon weg.	He didn't hear the last words, he had already gone.
Man kann das nur schwer in Worten ausdrücken.	It is very difficult to put it into words.
Das waren motivierende Worte.	Those were rousing words.

bedeuten *V*	**mean**
bedeutet, bedeutete, hat bedeutet	
Was bedeutet „umsonst“?	What does "for nothing" mean?
die **Bedeutung** *N*	**meaning**
der Bedeutung, die Bedeutungen	
Ein Wort kann verschiedene Bedeutungen haben.	A word can have various meanings.
die **Bedeutung** *N*	**importance**
der Bedeutung, die Bedeutungen	
Das ist nicht von Bedeutung.	That is not of importance.
aufschreiben *V*	**write down**
schreibt auf, schrieb auf, hat aufgeschrieben	
Hast du dir seine Adresse aufgeschrieben?	Did you write down his address?
die **Schrift** *N*	**(hand)writing**
der Schrift, die Schriften	
Die Frau hat eine schöne, leserliche Schrift.	The woman has got nice legible handwriting.
die **Schrift** *N*	**script**
der Schrift, die Schriften	
Russisch wird in kyrillischer Schrift geschrieben.	Russian is written in Cyrillic script.
schriftlich *Adj*	**written**
Macht diese Hausaufgabe bitte schriftlich.	Please do this homework in writing.

→ See also chapter *16.5 Aufgaben und Anweisungssprache* (pages 271 ff).

16.3 Universität — University

die **Universität** *N (Kurzform: Uni)*	**university**
der Universität, die Universitäten	
= die Hochschule	university, college (of higher education)
An welcher Universität studierst du? – An der Uni Heidelberg.	Which university are you studying at? – At the University of Heidelberg.
der **Professor** *N (Abkürzung: Prof.)*	**professor** *(highest academic title for (postdoctoral) university teachers)*
des Professors, die Professoren	
Der Professor hält die Vorlesung auf Englisch.	The professor gives the lecture in English.
die **Professorin** *N (Abkürzung: Prof.)*	**professor**
der Professorin, die Professorinnen	
der **Doktor** *N (Titel; Abkürzung: Dr.)*	**doctor** *(title; PhD)*
Herr Dr. Hochstetter kommt aus Chile.	Doctor Hochstetter is from Chile.
seinen Doktor machen *(promovieren)*	do one's PhD
der **Titel** *N*	**(academic) title**

des Titels, die Titel Haben Sie einen Titel?	 Do you have an academic title?
die **Wissenschaft** *N* der Wissenschaft, die Wissenschaften Dieses Thema wird in der Wissenschaft kontrovers diskutiert. ↳ wissenschaftlich ↳ die Literaturwissenschaft ↳ die Medienwissenschaft	**science** This topic is a matter of dispute in scientific circles. scientific literary studies media studies
der **Wissenschaftler** *N* des Wissenschaftlers, die Wissenschaftler Französische Wissenschaftler haben herausgefunden, dass Koffein während der Schwangerschaft dem Baby schaden könnte.	**(academic) scientist** French scientists have found that caffeine could harm the baby during pregnancy.
die **Wissenschaftlerin** *N* der Wissenschaftlerin, die Wissenschaftlerinnen	**scientist**
die **Forschung** *N* der Forschung, die Forschungen Die meisten Universitäten legen Wert auf eine gute Qualität von Forschung und Lehre. in die Forschung gehen ↳ forschen ↳ der Forscher, die Forscherin	**(scientific) research** Most universities value a high quality of research and teaching. conduct research *(pursue scientific research)* research researcher
dienen *V* dient, diente, hat gedient = nützen Die medizinischen Fortschritte dienen der ganzen Menschheit.	**serve** be of use Medical advancements serve the whole of humanity.
nützen *V* nützt, nützte, hat genützt Der Wissenschaftlerin nützen ihre weltweiten Kontakte.	**be of use** Her worldwide contacts are of use to the scientist.
nutzen *V* nutzt, nutzte, hat genutzt Er nutzt alle Informationen, die er bekommt.	**use** He uses all the information he can get.
studieren *V* studiert, studierte, hat studiert Kathrin studiert Geschichte in München.	**study** Kathrin is studying history in Munich.
der **Student** *N* des Studenten, die Studenten Viele Studentinnen und Studenten wohnen in einem Studentenwohnheim.	**student** Many students live in a hall of residence.

die **Studentin** *N* der Studentin, die Studentinnen	**student**
der / die **Studierende** *N* des / der Studierenden, die Studierenden	**student** *(gender-neutral form of Student / Studentin)*
das **Studium** *N* des Studiums, die Studien Sie hat ihr Studium in Würzburg aufgenommen. das Studium abschließen das Studium abbrechen ↳ das Medizinstudium ↳ das Germanistikstudium ↳ der Studienplatz	**studies** She has started studying in Würzburg. complete one's studies drop out of college / university medical studies German studies university / college place
der **Abschluss** *N* des Abschlusses, die Abschlüsse Was für einen Abschluss hast du? – Ich habe einen Master. ↳ der Studienabschluss	**qualifications** What are your qualifications? – I have a Master's degree (MA). degree, graduation
tauschen *V* tauscht, tauschte, hat getauscht Wenn du Glück hast, kannst du deinen Studienplatz gegen einen in einer anderen Stadt tauschen.	**exchange** If you are lucky, you can exchange your university place for a place in another town.
abhängen *V* hängt ab, hing ab, hat abgehangen *(selten)* Ob ich Medizin studieren kann, hängt von meinem Notenschnitt im Abitur ab.	**depend** Whether I can study medicine depends on my average mark in the Abitur.
abhängig *Adj* Da Luis während seines Studiums nicht finanziell von seinen Eltern abhängig sein wollte, jobbte er nebenbei.	**dependent** Since Luis did not want to be financially dependent on his parents during his studies he had a part-time job.
auf etwas ankommen = von etwas abhängen Willst du im Ausland studieren? – Das kommt darauf an, ob ich Studiengebühren bezahlen muss.	**depend on ...** Do you want to study abroad? – It depends on whether I have to pay tuition fees.
sich immatrikulieren *V* immatrikuliert sich, immatrikulierte sich, hat sich immatrikuliert Sie können sich im Studierendensekretariat montags bis freitags immatrikulieren.	**matriculate, register** You can register at the student's office from Monday to Friday.
die **Vorlesung** *N* der Vorlesung, die Vorlesungen Herr Professor Mayer hält am Mittwoch eine Vorlesung im Audimax.	**lecture** Professor Mayer will be giving a lecture in the main auditorium on Wednesday.

das **Stipendium** *N* des Stipendiums, die Stipendien Ich habe ein Stipendium beantragt, um mein Studium finanzieren zu können.	**scholarship** I applied for a scholarship to fund my studies.
das **Semester** *N* des Semesters, die Semester Er studiert Theologie im fünften Semester. ↳ das Sommersemester ↳ das Wintersemester	**semester** He is in his fifth term of studies in Theology. summer semester winter semester
das **Seminar** *N* des Seminars, die Seminare Das historische Seminar ist am Wochenende geschlossen.	**department** *(the building of a science institute)* The History department is closed at weekends.
das **Seminar** *N* des Seminars, die Seminare In dem Seminar, das ich gerade besuche, geht es um Verhaltensbiologie.	**seminar** *(teaching event)* The seminar I'm now going to is about behavioural biology.
diskutieren *V* diskutiert, diskutierte, hat diskutiert In dem Oberseminar diskutieren die Studierenden mit ihrem Prof.	**discuss** At the postgraduate seminar, students can discuss subjects with their professor.
die **Diskussion** *N* der Diskussion, die Diskussionen Im Anschluss an die Vorlesung gab es eine lebhafte Diskussion. ↳ die Podiumsdiskussion	**discussion** There was a lively discussion following the lecture. panel discussion
die **Theorie** *N* der Theorie, die Theorien Im Studium lernen Sie Theorie und Praxis kennen. eine Theorie aufstellen	**theory** At university they learn about theory and practice. put forward a theory
theoretisch *Adj* theoretischer, am theoretischsten Ein Studium ist mir viel zu theoretisch, ich mache lieber eine Ausbildung.	**theoretical** Studying is far too theoretical for me, I'd rather do a training course.
die **Praxis** *N* der Praxis *(in dieser Bedeutung nur Singular)* In dem Workshop lernt man, die Theorie in die Praxis umzusetzen.	**practice** You learn to put theory into practice in this workshop.
praktisch *Adj* praktischer, am praktischsten Nicht nur die theoretischen, sondern auch die praktischen Fähigkeiten sind in vielen Berufen sehr wichtig.	**practical** Not only theoretical but also practical skills are very important for many jobs.

die **Mensa** *N*	**refectory** *(canteen for students)*
der Mensa, die Mensas / Mensen	
Das Essen in der Mensa ist gar nicht so schlecht.	The refectory food is not bad at all.
die **Ausgabe** *N*	*here:* **serving distribution**
der Ausgabe, die Ausgaben	
Die Essensausgabe fängt in der Mensa um 11:30 Uhr an.	The serving of meals in the refectory will start at 11.30 a.m.
die **Bibliothek** *N*	**library**
der Bibliothek, die Bibliotheken	
Ich lerne in der Bibliothek viel besser als zu Hause.	I can learn much better in the library than at home.
↳ die Universitätsbibliothek	university library
die **Prüfung** *N*	**exam(ination)**
der Prüfung, die Prüfungen	
Sie hat die Prüfung nicht geschafft.	She did not pass the exam.
schriftliche / mündliche Prüfung	written / oral exam(ination)
prüfen *V*	**examine; check** *(test)*
prüft, prüfte, hat geprüft	
Der Professor prüft nicht sehr streng.	The professor does not examine very strictly.
schriftlich *Adj*	**written**
Meine schriftliche Prüfung lief ganz gut, die mündliche dagegen war wirklich schwer.	My written exam went quite well, but the oral one was really difficult.
mündlich *Adj*	**oral**
Zu der Prüfung gehört auch ein mündlicher Teil.	The exam also includes an oral part.
die **Klausur** *N*	**(written) exam**
der Klausur, die Klausuren	
Er hat Angst vor der Klausur.	He is afraid of the exam.
eine Klausur schreiben	write an exam
der **Test** *N*	**test**
des Test(e)s, die Tests	
Viele Universitäten bieten kostenlose Tests für junge Menschen an, die noch nicht wissen, was sie studieren wollen.	Many universities offer free tests for young people who do not yet know what they want to study.
testen *V*	**test**
testet, testete, hat getestet	
In der Lerngruppe testen die Studierenden gegenseitig ihr Wissen.	The students test their knowledge on each other in the learning group.
sich vorbereiten *V*	**prepare**
bereitet sich vor, bereitete sich vor, hat sich vorbereitet	
Julian hat sich gut auf die Prüfung vorbereitet.	Julian has prepared well for the exam.

die **Vorbereitung** *N* der Vorbereitung, die Vorbereitungen	**preparation**
das **Gefühl** *N* des Gefühls, die Gefühle Wenn ich gut vorbereitet bin, habe ich ein gutes Gefühl vor der Prüfung.	**feeling** If I am well-prepared, I have a good feeling before the exam.
furchtbar *Adj* furchtbarer, am furchtbarsten = fürchterlich Wie fandest du die Prüfung? – Furchtbar!	**dreadful** What did you think of the exam? – Dreadful!

Academic degrees

In 1999, the so-called Bologna Process involving 29 countries passed a resolution above all to introduce a dual-stage system of university degrees equivalent to professional qualifications (Bachelor, Master) and to establish the European Credit Transfer System (ECTS) in all of these countries.

der **Bachelor** [ˈbɛtʃəlɐ] *N* des Bachelors, die Bachelors Die Regelstudienzeit für den Bachelor of Education sind 6 Semester.	**Bachelor's (degree)** The average period to get a BEd (Bachelor of Education) is 6 terms.
der **Master** *N* des Masters, die Master Thomas macht nach dem Bachelorabschluss noch den Master.	**Master's (degree)** After getting his BA Thomas wants to go on to do his MA.
der **Magister** *N* des Magisters, die Magister	**magister degree** *(older academic degree)*
das **Diplom** *N* des Diploms, die Diplome	**diploma** *(older academic degree)*
das **Staatsexamen** *N* des Staatsexamens, die Staatsexamen / Staatsexamina	**State exam(ination)** *(in Germany; final government-licensing examination for professions in the civil service)*
bestehen *V* besteht, bestand, hat bestanden Herzlichen Glückwunsch! Sie haben auch das zweite Staatsexamen bestanden. eine Prüfung bestehen	**pass** Congratulations! You have passed the second State exam too. pass an exam
durchfallen *V* fällt durch, fiel durch, ist durchgefallen ≠ bestehen	**fail** pass

Maria ist bei der mündlichen Bachelorprüfung durchgefallen.	Maria failed the oral part of her BA exam.
die **Urkunde** *N* der Urkunde, die Urkunden Wenn Sie die Prüfung bestanden haben, bekommen Sie eine Urkunde.	**certificate; document** If you pass the exam, you receive a certificate.
das **Institut** *N* des Institut(e)s, die Institute Es gibt viele Institute der Max-Planck-Gesellschaft in Deutschland und im Ausland.	**institute** There are many institutes of the Max Planck Society in Germany and abroad.
die **Studie** [ˈʃtuːdi̯ə] *N* der Studie, die Studien Unsere Dozentin hat von einer interessanten Studie über Demenz berichtet.	**study** Our teacher reported on an interesting study on dementia.
der **Versuch** *N* des Versuch(e)s, die Versuche = das Experiment Thomas Edison machte viele Versuche, bis er die Glühbirne erfand.	**experiment** Thomas Edison did a lot of experiments before he invented the light bulb.
die **Daten** *N (Pluralwort)* der Daten Die Forschungsgruppe wertet die Daten ihrer Experimente aus.	**data** The research group analyzes the data from their experiments.
die **Tabelle** *N* der Tabelle, die Tabellen Sie trägt alle Zahlen in eine Tabelle ein.	**table; chart** She enters all the numbers in a table.
die **Abbildung** *N* der Abbildung, die Abbildungen Abbildungen können komplexe Vorgänge veranschaulichen.	**illustration; diagram** Illustrations can illustrate complex processes.
die **Grafik** *N* der Grafik, die Grafiken In meine Hausarbeit habe ich viele Grafiken eingebaut.	**graphic, diagram** I included a lot of graphics in my paper.
die **Methode** *N* der Methode, die Methoden Jeder hat seine eigene Methode, wie er am besten lernt.	**method** Everybody has his own method of how to learn best.
die **Umfrage** *N* der Umfrage, die Umfragen Häufig werden am Semesterende Umfragen zur Qualität der Lehrveranstaltungen gemacht.	**survey** There are often surveys on the quality of courses at the end of term.

16.4 Volkshochschule und Weiterbildung

Adult education and further education

die **Bildungseinrichtung** *N*
der Bildungseinrichtung, die Bildungseinrichtungen
Dies ist eine Bildungseinrichtung für Gesundheitsberufe.

educational establishment / institution
This is an educational establishment for health-care professions.

die **Weiterbildung** *N*
der Weiterbildung, die Weiterbildungen
Neben dem Beruf macht er abends eine Weiterbildung.

further education, training
After work, he attends a further education course in the evening.

die **Volkshochschule** *N (Abkürzung: VHS)*
der Volkshochschule, die Volkshochschulen
Die Volkshochschulen bieten Integrationskurse an.

adult education centre *(BE)*, **center** *(AE)*
The adult education centres offer integration courses.

sich anmelden *V*
meldet sich an, meldete sich an, hat sich angemeldet
Die Schwestern wollen sich zusammen für einen Deutschkurs anmelden.

enrol *(BE)*, **enroll** *(AE)*
The sisters want to enrol for a German course together.

die **Anmeldung** *N*
der Anmeldung, die Anmeldungen
Die Anmeldung ist noch in der nächsten Woche möglich.

enrolment *(BE)*, **enrollment** *(AE)*
Enrolment is still possible next week.

der **Kurs** *N*
des Kurses, die Kurse

course

der **Intensivkurs** *N*
des Intensivkurses, die Intensivkurse
Der Intensivkurs findet viermal in der Woche statt, der normale Kurs nur einmal.

intensive course
The intensive course takes place four times a week, the normal course only once.

der **Unterschied** *N*
des Unterschied(e)s, die Unterschiede
Was ist der Unterschied zwischen einem B1- und einem B2-Kurs?

difference
What is the difference between a B1 and a B2 course?

der **Kursleiter** *N*
des Kursleiters, die Kursleiter
Der Kursleiter begrüßt die Teilnehmerinnen und Teilnehmer seines Kurses.

course director
The course director welcomes the participants in his course.

die **Kursleiterin** *N*
der Kursleiterin, die Kursleiterinnen

course director

der **Teilnehmer** *N*

participant

des Teilnehmers, die Teilnehmer	
die **Teilnehmerin** *N* der Teilnehmerin, die Teilnehmerinnen	**participant**
der **Lerner** *N* des Lerners, die Lerner Erwachsene Schüler und Schülerinnen werden oft Lerner und Lernerinnen genannt.	**learner** Adult students are often called learners.
die **Lernerin** *N* der Lernerin, die Lernerinnen	**learner**
der **Fortschritt** *N* des Fortschritt(e)s, die Fortschritte Samantha macht beim Deutschlernen große Fortschritte.	**improvement, progress** Samantha is making great progress in learning German.
das **Ergebnis** *N* des Ergebnisses, die Ergebnisse Das Ergebnis des Tests bekommen Sie nächste Woche.	**result** You will get the results of the test next week.
verbessern *V* verbessert, verbesserte, hat verbessert Sie möchte ihr Deutsch verbessern.	**improve** She would like to improve her German.
sich verbessern *V* verbessert sich, verbesserte sich, hat sich verbessert ≠ sich verschlechtern Ich habe mich schon verbessert. Ich bin inzwischen in einem C1-Kurs.	**improve** worsen I have already improved. I am now in a C1 course.

16.5 Aufgaben und Anweisungssprache — Exercises and language of instruction

die **Aufgabe** *N* der Aufgabe, die Aufgaben Für jede Aufgabe gibt es nur eine richtige Lösung.	**assignment** There is only one solution to each assignment.
auswählen *V* wählt aus, wählte aus, hat ausgewählt Bei dieser Aufgabe können Sie eines von drei Themen auswählen.	**choose, select** You can choose one of three topics for your assignment.
einsetzen *V* setzt ein, setzte ein, hat eingesetzt Setzen Sie die richtige Form ein.	**fill in** Fill in the right form.
ergänzen *V* ergänzt, ergänzte, hat ergänzt	**fill in, complete**

Ergänze die richtigen Endungen.	Fill in the right endings.
einfügen *V* fügt ein, fügte ein, hat eingefügt Bitte fügen Sie die fehlenden Wörter ein.	**add; put in** Please add the missing words.
ausfüllen *V* füllt aus, füllte aus, hat ausgefüllt Füllen Sie bitte auch den Fragebogen mit Ihren persönlichen Angaben aus.	**fill in** Please fill in the questionnaire with your personal details as well.
unterstreichen *V* unterstreicht, unterstrich, hat unterstrichen Unterstreichen Sie alle Adjektive.	**underline** Underline all adjectives.
verbinden *V* verbindet, verband, hat verbunden Verbinde die Nomen mit den passenden Artikeln.	**combine** Combine the nouns with the right articles.
ankreuzen *V* kreuzt an, kreuzte an, hat angekreuzt Kreuzen Sie die richtigen Antworten an.	**put a cross / tick** Put a cross next to the right answers.
der **Antwortbogen** *N* des Antwortbogens, die Antwortbögen Es zählen nur die Antworten auf dem Antwortbogen.	**answer sheet** Only the answers on the answer sheet count.
zuordnen *V* ordnet zu, ordnete zu, hat zugeordnet Ordne jeder Person eine passende Aussage zu.	**assign** Assign a suitable statement to each person.
die **Durchsage** *N* der Durchsage, die Durchsagen Sie hören eine Durchsage im Radio.	**announcement** You are listening to a radio announcement.
das **Modul** *N* des Moduls, die Module Das Modul „Hören“ besteht aus vier Teilen.	**module** The "Listening" module consists of four parts.
die **Notiz** *N* der Notiz, die Notizen Sie können sich dabei Notizen machen.	**note** You can take down notes.
übertragen *V* überträgt, übertrug, hat übertragen Übertragen Sie die Sätze in Ihr Heft.	**transfer** Transfer the sentences to your exercise book.
die **Folie** *N* der Folie, die Folien Dazu finden Sie fünf Folien online.	**slide** Online you will find five slides about it.

einführen *V* führt ein, führte ein, hat eingeführt Heute will Frau Hase ein neues Thema einführen.	**introduce** Today Mrs Hase wants to introduce a new topic.
die **Aussage** *N* der Aussage, die Aussagen Welche Aussage trifft zu?	**statement** Which statement is correct?
korrekt *Adj* korrekter, am korrektesten = richtig Der Satz ist nicht korrekt.	**correct** right The sentence is not correct.
richtig *Adj* Setze das richtige Wort ein.	**right, correct** Fill in the right word.
falsch *Adj* ≠ richtig	**wrong** right
die **Seite** *N (Abkürzung: S.)* der Seite, die Seiten Auf der nächsten Seite geht es weiter. ↳ die Seitenzahl	**page** Now turn to the next page. number of pages
folgend *Adj (Abkürzung: f.; ff. bei mehreren Seiten)* Auf den folgenden Seiten finden Sie Übungen dazu. Für weitere Informationen dazu siehe S. 8 ff.	**following** You will find exercises on this on the following pages. For further details see pp. 8 ff.
die **Einleitung** *N* der Einleitung, die Einleitungen Nach der Einleitung kommt der Hauptteil und dann der Schlussteil.	**introduction** The introduction is followed by the main part and then the final part.
der **Abschnitt** *N* des Abschnitt(e)s, die Abschnitte Wer spricht in diesem Abschnitt?	**part** Who is talking in this part?
die **Zeile** *N* der Zeile, die Zeilen Mit der 5. Zeile beginnt ein neuer Abschnitt.	**line** A new part begins on the fifth line.
der **Textaufbau** *N* des Textaufbau(e)s, *(nur Singular)* Beschreiben Sie den Textaufbau.	**structure of the text** Describe the structure of the text.
die **Struktur** *N* der Struktur, die Strukturen Achten Sie bei Ihrer Antwort auf die Struktur.	**structure** Structure your answer accordingly.
der **Buchstabe** *N* des Buchstabens, die Buchstaben	**letter**

Schreibe in dieses Feld ein Wort, das mit A anfängt und sieben Buchstaben hat.	Write a word in this space which starts with A and has seven letters.

→ See also chapter *16.2 Unterricht und Lernen* (pages 255 ff).

die **Anzeige** *N* der Anzeige, die Anzeigen Lesen Sie zuerst die Anzeigen.	**advertisement; announcement** Read the advertisements first.
der **Kommentar** *N* des Kommentars, die Kommentare Hören Sie drei verschiedene Kommentare zu dem Text.	**statement; opinion** Listen to three different statements about the text.
der **Moderator** *N* des Moderators, die Moderatoren Hören Sie, wie der Moderator mit zwei Gästen diskutiert.	**presenter** Listen to how the presenter is discussing with two guests.
die **Moderatorin** *N* der Moderatorin, die Moderatorinnen	**presenter**
die **Rückmeldung** *N* der Rückmeldung, die Rückmeldungen Reagieren Sie auf die Rückmeldung.	**feedback, reaction, response** Respond to the feedback.
bestätigen *V* bestätigt, bestätigte, hat bestätigt Bitte bestätigen Sie den Erhalt der E-Mail mit einer kurzen Nachricht.	**confirm** Please send a brief message confirming receipt of this e-mail.
die **Bestätigung** *N* der Bestätigung, die Bestätigungen	**confirmation, verification**
der **Dialekt** *N* des Dialekt(e)s, die Dialekte Manche Dialekte sind schwer zu verstehen.	**dialect** Some dialects are difficult to understand.
die **Aussprache** *N* der Aussprache, die Aussprachen Achten Sie auf Ihre Aussprache.	**pronunciation** Pay attention to your pronunciation.
aussprechen *V* spricht aus, sprach aus, hat ausgesprochen Wie spricht man das Wort richtig aus?	**pronounce** How do you pronounce the word properly?
der **Punkt** *N* des Punkt(e)s, die Punkte Schreiben Sie bitte etwas zu allen Punkten.	**point** Please write something on all of the points.
das **Hilfsmittel** *N* des Hilfsmittels, die Hilfsmittel Sie dürfen keine Hilfsmittel verwenden.	**aid** You are not allowed to use any aids.

der **Spickzettel** *N (ugs.)* des Spickzettels, die Spickzettel Sie wurde in der Prüfung mit einem Spickzettel erwischt.	**crib sheet** *(BE)*, **cheat sheet** *(AE)* She was caught with a crib sheet in the exam.
das **Lexikon** *N* des Lexikons, die Lexika / Lexiken Dieses Wörterbuch enthält meist nur Übersetzungen, doch dieses Lexikon erklärt die Wörter genauer. Darf ich mir dein Lexikon ausleihen?	**lexicon; encyclop(a)edia** This dictionary contains mostly translations, but this lexicon explains the words in greater detail. Can I borrow your encyclopedia?
das **Wörterbuch** *N* des Wörterbuch(e)s, die Wörterbücher Die Verwendung eines Wörterbuchs ist erlaubt.	**dictionary** The use of a dictionary is allowed.
verwenden *V* verwendet, verwendete / verwandte, hat verwendet / verwandt Sie dürfen auch kein Smartphone verwenden.	**use** You are also not allowed to use smartphones.
nachschlagen *V* schlägt nach, schlug nach, hat nachgeschlagen Schlag das Wort im Wörterbuch nach!	**look up** Look the word up in the dictionary!
wie *Adv* Wie schreibt man das Wort?	**how** How do you spell the word?
auf *Präp* Wie heißt das auf Deutsch?	**in** What is it called in German?

17 Berufs- und Arbeitsleben

17.1 Beruf und Berufsbezeichnungen — Profession and job title

der **Beruf** *N*	**profession, job**
des Beruf(e)s, die Berufe	
Ich bin von Beruf Architektin.	I am an architect by profession.
einen Beruf ergreifen	take up a career
einen Beruf ausüben	work
beruflich *Adj*	**professional; professionally**
Sie ist auf der Suche nach neuen beruflichen Herausforderungen.	She is looking for new professional challenges.
Meine Tochter ist beruflich sehr beschäftigt.	My daughter is very busy professionally.
berufstätig *Adj*	**employed**
Herr Schneider ist nicht mehr berufstätig, er ist schon in Rente.	Mr Schneider is no longer employed, he has already retired.
die **Arbeit** *N*	**work**
der Arbeit, die Arbeiten	
Er hat eine interessante und abwechslungsreiche Arbeit.	The work he does is interesting and varied.
einer Arbeit nachgehen	be employed, be working
an die Arbeit gehen / sich an die Arbeit machen	get down to work
arbeiten als	**work as**
= beschäftigt sein als	be employed as
Ich arbeite als Sekretärin.	I work as a secretary.
sein (+ Berufsbezeichnung) *V*	**be**
ist, war, ist gewesen	
Ich bin Arzt.	I am a doctor.

Berufsbezeichnungen	Job titles
der **Architekt** *N* des Architekten, die Architekten	**architect**
die **Architektin** *N* der Architektin, die Architektinnen	**architect**
der **Arzt** *N* des Arztes, die Ärzte	**doctor**
die **Ärztin** *N* der Ärztin, die Ärztinnen	**doctor**
der **Fotograf** *N* des Fotografen, die Fotografen	**photographer**
die **Fotografin** *N* der Fotografin, die Fotografinnen	**photographer**
der **Friseur** [fri'zøːɐ̯] *N (D, A)* des Friseurs, die Friseure = der Coiffeur [ko̯a'føːɐ̯] *(CH)*	**hairdresser**
die **Friseurin** [fri'zøːrɪn] *N* der Friseurin, die Friseurinnen = die Coiffeuse [ko̯a'føzə] *(CH)*	**hairdresser**
der **Gärtner** *N* des Gärtners, die Gärtner	**gardener**
die **Gärtnerin** *N* der Gärtnerin, die Gärtnerinnen	**gardener**
der **Handwerker** *N* des Handwerkers, die Handwerker	**craftsman**
die **Handwerkerin** *N* der Handwerkerin, die Handwerkerinnen	**craftswoman**
die **Hausfrau** *N* der Hausfrau, die Hausfrauen	**housewife**
der **Hausmann** *N* des Hausmann(e)s, die Hausmänner	**house husband**
der **Hausmeister** *N* des Hausmeisters, die Hausmeister = der Abwart *(CH)*	**caretaker** *(BE)*, **janitor** *(AE)*
die **Hausmeisterin** *N* der Hausmeisterin, die Hausmeisterinnen	**caretaker** *(BE)*, **janitor** *(AE)*

= die Abwartin *(CH)*

der **Ingenieur** [ɪnʒeˈni̯øːɐ̯] *N* — **engineer**
des Ingenieurs, die Ingenieure

die **Ingenieurin** [ɪnʒeˈni̯øːrɪn] *N* — **engineer**
der Ingenieurin, die Ingenieurinnen

der **Journalist** *N* — **journalist**
des Journalisten, die Journalisten

die **Journalistin** *N* — **journalist**
der Journalistin, die Journalistinnen

der **Krankenpfleger** *N* — **(male) nurse**
des Krankenpflegers, die Krankenpfleger

die **Krankenschwester** *N* — **nurse**
der Krankenschwester, die Krankenschwestern

der **Künstler** *N* — **artist**
des Künstlers, die Künstler

die **Künstlerin** *N* — **artist**
der Künstlerin, die Künstlerinnen

der **Lehrer** *N* — **teacher**
des Lehrers, die Lehrer

die **Lehrerin** *N* — **teacher**
der Lehrerin, die Lehrerinnen

der **Manager** *N* — **manager**
des Managers, die Manager

die **Managerin** *N* — **manager**
der Managerin, die Managerinnen

der **Mechaniker** *N* — **mechanic**
des Mechanikers, die Mechaniker

die **Mechanikerin** *N* — **mechanic**
der Mechanikerin, die Mechanikerinnen

der **Reporter** *N* — **reporter**
des Reporters, die Reporter

die **Reporterin** *N* — **reporter**
der Reporterin, die Reporterinnen

der **Sekretär** *N* — **secretary**
des Sekretärs, die Sekretäre

die **Sekretärin** *N* der Sekretärin, die Sekretärinnen	**secretary**
der **Sozialarbeiter** *N* des Sozialarbeiters, die Sozialarbeiter	**social worker**
die **Sozialarbeiterin** *N* der Sozialarbeiterin, die Sozialarbeiterinnen	**social worker**
der **Steward** [ˈstjuːɐt] *N* des Stewards, die Stewards	**steward, flight attendant**
die **Stewardess** [ˈstjuːɐdɛs] *N* der Stewardess, die Stewardessen	**stewardess, flight attendant**
der **Verkäufer** *N* des Verkäufers, die Verkäufer	**sales man, shop assistant**
die **Verkäuferin** *N* der Verkäuferin, die Verkäuferinnen	**sales woman, shop assistant**
der **Vertreter** *N* des Vertreters, die Vertreter	**agent, rep**
die **Vertreterin** *N* der Vertreterin, die Vertreterinnen	**agent, rep**
der **Wissenschaftler** *N* des Wissenschaftlers, die Wissenschaftler	**scientist**
die **Wissenschaftlerin** *N* der Wissenschaftlerin, die Wissenschaftlerinnen	**scientist**

jobben [ˈdʃɔbn̩] *V* jobbt, jobbte, hat gejobbt Die Studentin jobbt in den Semesterferien als Kellnerin.	**do casual work** The student works as a waitress during the semester breaks.
der **Job** [dʒɔp] *N (Kurzform für Nebenjob)* des Jobs, die Jobs Manche Jugendliche verdienen sich mit einem kleinen Job etwas Taschengeld.	**job** Some adolescents earn some pocket money by doing small jobs.
der **Job** [dʒɔp] *N* des Jobs, die Jobs = der Arbeitsplatz Er hat noch immer keinen neuen Job gefunden.	**job** vacancy He still has not found a new job.

17.2 Berufsausbildung | Professional training

(Berufsbezeichnung +) werden wollen	**want to be**
Ich will Physiker werden.	I want to be a physicist.
die **Ausbildung** *N*	**training**
der Ausbildung, die Ausbildungen	
Die duale Ausbildung findet an der Berufsfachschule und im Betrieb statt.	The dual education system combines vocational education and a company apprenticeship.
Eva hat eine gute Ausbildung genossen.	Eva has has been trained well.
die betriebliche Ausbildung	operational training
ausgebildet *Adj*	**trained**
Sie ist ausgebildete Krankenschwester.	She is a trained nurse.
die **Voraussetzung** *N*	**prerequisite, requirement**
der Voraussetzung, die Voraussetzungen	
Die schulische Voraussetzung vieler Ausbildungen ist das Abitur oder die mittlere Reife.	The Abitur or intermediate school certificate is a prerequisite for many training programmes.
die **Lehre** *N (A, in D veraltet)*	**apprenticeship** *(training above all for skilled trades)*
der Lehre, die Lehren	
= die Ausbildung	
Um Kaufmann im Einzelhandel zu werden, muss man eine dreijährige Lehre machen.	You have to do an apprenticeship for three years to become a trained retail salesman.
in die Lehre gehen	become apprenticed
die **Lehrstelle** *N*	**apprenticeship** *(an apprentice's field of training)*
der Lehrstelle, die Lehrstellen	
Im Internet kann man freie Lehrstellen finden.	You can find vacant apprenticeships on the internet.
der **Lehrling** *N (veraltet)*	**apprentice** *(person apprenticed mostly to a skilled worker)*
des Lehrlings, die Lehrlinge	
= der / die Auszubildende	apprentice, trainee
Heute kommt der neue Lehrling in die Werkstatt.	The new apprentice is coming to the workshop today.
der / die **Auszubildende** *N (Kurzform: Azubi)*	**apprentice, trainee**
des / der Auszubildenden, die Auszubildenden	
Die Firma bietet ihren Auszubildenden sogar interessante Möglichkeiten in ihrer Freizeit.	The company even offers its apprentices interesting opportunities in their spare time.
das **Praktikum** *N*	**work placement, internship**
des Praktikums, die Praktika	
Während des dreimonatigen Praktikums hat Frau Singer verschiedene Fachbereiche des Unternehmens kennengelernt.	Mrs Singer got to know different departments in the company during her three-month work placement.
ein Praktikum absolvieren	do an internship
der **Praktikant** *N*	**trainee**
des Praktikanten, die Praktikanten	

Wir beschäftigen auch Schüler als Praktikanten.	We also take on pupils as trainees.
die **Praktikantin** *N* der Praktikantin, die Praktikantinnen Sie arbeitet als Praktikantin in der Drogerie.	**trainee** She is working in the pharmacy as a trainee.

17.3 Arbeitsort, Arbeitsplatz — Place of work, workplace

der **Betrieb** *N* des Betrieb(e)s, die Betriebe Er arbeitet schon seit 20 Jahren in demselben Betrieb.	**company, firm; business** He has already been working in the same company for 20 years.
die **Fabrik** *N* der Fabrik, die Fabriken In der Fabrik wird Geschirr aus Keramik hergestellt.	**factory** The factory makes crockery.
die **Firma** *N* der Firma, die Firmen Sie arbeitet für eine kleine Firma.	**firm, company** She works for a small company.
das **Büro** *N* des Büros, die Büros Die Chefin kommt erst um 9 Uhr ins Büro. ins Büro gehen	**office** The boss only comes into the office at 9 a.m. go to the office / to work
das **Geschäft** *N* des Geschäfts, die Geschäfte Sie ist Junior-Chefin eines angesehenen Geschäfts.	**business** She is junior director in a respected business.
die **Organisation** *N* der Organisation, die Organisationen Er möchte später für eine große Organisation wie die EU oder UNO arbeiten.	**organization** Later he wants to work for a major organization like the EU or UNO.
die **Arbeitsstelle** *N* der Arbeitsstelle, die Arbeitsstellen Nach langer Suche hat sie endlich eine Arbeitsstelle gefunden.	**job** She has finally found a job after a long search.
die **Stelle** *N (Kurzform für Arbeitsstelle)* der Stelle, die Stellen eine Stelle suchen eine neue Stelle antreten ↳ die Stellenausschreibung	**job** seek a job start a new job job advertisement
anstellen *V* stellt an, stellte an, hat angestellt In der Abteilung sollen fünf neue Mitarbeiter angestellt werden.	**employ** Five new staff members are to be employed in the department.

beschäftigen *V*	**employ**
beschäftigt, beschäftigte, hat beschäftigt	
= anstellen	
Sie beschäftigen viele Aushilfen.	They employ a lot of temporary helpers.
↳ beschäftigt	employed
der **Arbeitsplatz** *N*	**job**
des Arbeitsplatz(e)s, die Arbeitsplätze	
Sie hat einen sicheren Arbeitsplatz bei der Firma Braun.	She has a secure job at Braun's.
der **Job** *N*	**job**
des Jobs, die Jobs	
= die Arbeit	work
Er macht seinen Job sehr gerne.	He enjoys doing his job very much.
dienen *V*	**serve**
dient, diente, hat gedient	
Er hat viele Jahre bei der Bundeswehr gedient.	He served in the army for many years.
die **Beschäftigung** *N*	**employment**
der Beschäftigung, die Beschäftigungen	
= die Anstellung	
Er hat eine Beschäftigung gefunden.	He has found employment.
↳ die Vollbeschäftigung	full employment
die **Anstellung** *N*	**employment**
der Anstellung, die Anstellungen	
Beide Söhne haben eine Anstellung im Hotel gefunden.	Both sons have found employment at the hotel.
der / die **Angestellte** *N*	**employee**
des / der Angestellten, die Angestellten	
Sie ist keine Angestellte, sondern eine freie Mitarbeiterin.	She is not an employee but a freelancer.
der / die leitende Angestellte	chief executive
↳ angestellt sein	be employed
der **Arbeiter** *N*	**(blue-collar) worker**
des Arbeiters, die Arbeiter	
Auf der Baustelle beginnen viele Arbeiter sehr früh am Tag.	Many workers on building sites start very early in the day.
die **Arbeiterin** *N*	**worker**
der Arbeiterin, die Arbeiterinnen	
der **Beamte** *N*	**(public) official**
des Beamten, die Beamten	
Beamte arbeiten im Dienst des Staates.	Officials work in Civil Service.
Er arbeitet als Beamter bei der Polizei.	He is a police officer.

die **Beamtin** *N* der Beamtin, die Beamtinnen	**public official**
der **Freiberufler** *N* des Freiberuflers, die Freiberufler Er ist Autor und arbeitet also als Freiberufler.	**freelance(r)** He is an author and so works as a freelancer.
die **Freiberuflerin** *N* der Freiberuflerin, die Freiberuflerinnen	**freelance(r)**
selbstständig *Adj (auch: selbständig)* Er ist selbstständiger Übersetzer für Spanisch und Französisch. sich selbstständig machen ↳ die Selbstständigkeit	**freelance; self-employed** He is a self-employed translator for Spanish and French. go into freelance business, become self-employed self-employment, freelance work

17.4 Betriebliche Organisation — Company organization

der **Manager** [ˈmɛnɪdʒɐ] *N* des Managers, die Manager Über die Gehälter von Managern in Großunternehmen wird viel diskutiert. ein hoch bezahlter Manager	**manager** There is a lot of discussion about managers' salaries in large enterprises. a highly paid manager
die **Managerin** [ˈmɛnɪdʒərɪn] *N* der Managerin, die Managerinnen	**manager**
der **Leiter** *N* des Leiters, die Leiter Er ist der Leiter dieser Abteilung.	**head** He is the head of this department.
die **Leiterin** *N* der Leiterin, die Leiterinnen	**head**
die **Abteilung** *N* der Abteilung, die Abteilungen ↳ die Marketingabteilung	**department** marketing department
der **Direktor** *N* des Direktors, die Direktoren Er ist Direktor des Ostasieninstituts.	**director** He is the director of the Eastern Asia Institution.
die **Direktorin** *N* der Direktorin, die Direktorinnen	**director**
der **Chef** [ʃɛf] *N* des Chefs, die Chefs Sie hat einen verständnisvollen Chef.	**boss** She has got an understanding boss.

die **Chefin** [ʃɛfɪn] *N* der Chefin, die Chefinnen	**boss**
beliebt *Adj* beliebter, am beliebtesten Sie ist eine beliebte Chefin.	**popular** She is a popular boss.
ernsthaft *Adj* ernsthafter, am ernsthaftesten Der Mitarbeiter hatte eine ernsthafte Auseinandersetzung mit seinem Vorgesetzten.	**serious** The employee had a serious dispute with his superior.
leiten *V* leitet, leitete, hat geleitet = führen Er leitet das Unternehmen erst seit einem halben Jahr.	**run** lead He has been running the company for only half a year.
die **Leitung** *N* der Leitung, die Leitungen = die Führung Sein Bruder übernahm übergangsweise die Leitung des Unternehmens. ↳ die Geschäftsleitung	**management** leadership His brother temporarily assumed the management of the company. management, executive board
übernehmen *V* übernimmt, übernahm, hat übernommen ≠ abgeben Er hat die Leitung von seinem Vater übernommen.	**take over** hand over He took over the management from his father.
führen *V* führt, führte, hat geführt Er führt sein Geschäft ziemlich patriarchalisch.	**run; lead** He runs his business quite a patriarch.
die **Führung** *N* der Führung, die Führungen Innerhalb der Führung des Konzerns gibt es Meinungsverschiedenheiten. ↳ die Geschäftsführung	**leadership, management** Opinions are divided within the management of the company. management, executive board
gehören *V* gehört, gehörte, hat gehört Die Firma gehört ihm und seiner Schwester.	**belong to** The firm belongs to him and his sister.
haben *V* hat, hatte, hat gehabt Die Firma hat eine lange Tradition.	**have (got)** The company has a long tradition.
besitzen *V* besitzt, besaß, hat besessen Er besitzt mehrere Apotheken.	**own, possess** He owns several pharmacies.

der **Besitzer** *N* des Besitzers, die Besitzer = der Eigentümer = der Inhaber Das Hotel hat den Besitzer gewechselt.	**owner** The hotel has changed owners.
die **Besitzerin** *N* der Besitzerin, die Besitzerinnen	**owner**
die **Funktion** *N* der Funktion, die Funktionen = die Position Von ihm wird in seiner jetzigen Funktion viel erwartet.	**position** Much is expected of him in his present position.
der **Arbeitgeber** *N* des Arbeitgebers, die Arbeitgeber Die meisten Arbeitgeber sind gewinnorientiert.	**employer** Most employers are profit-orientated.
die **Arbeitgeberin** *N* der Arbeitgeberin, die Arbeitgeberinnen	**employer**
der **Arbeitnehmer** *N* des Arbeitnehmers, die Arbeitnehmer Zufriedene Arbeitnehmer sind seltener krank.	**employee** Satisfied employees are more rarely ill.
die **Arbeitnehmerin** *N* der Arbeitnehmerin, die Arbeitnehmerinnen	**employee**
der **Mitarbeiter** *N* des Mitarbeiters, die Mitarbeiter Wir suchen einen motivierten Mitarbeiter.	**employee, worker** We are looking for a motivated employee.
die **Mitarbeiterin** *N* der Mitarbeiterin, die Mitarbeiterinnen	**member of staff**
einstellen *V* stellt ein, stellte ein, hat eingestellt Sie möchte nur einen sehr engagierten Mitarbeiter einstellen.	**employ** She only wants to take on a very dedicated employee.
der **Fachmann** *N* des Fachmanns, die Fachmänner	**professional**
die **Fachfrau** *N* der Fachfrau, die Fachfrauen Das sollte man nur von einer Fachfrau machen lassen.	**professional** That should only be done by a professional.
die **Fachleute** *N (Pluralwort)* der Fachleute = die Fachkräfte	**professionals** specialists

Unser Unternehmen sucht Fachleute für die Softwareentwicklung.	Our company is seeking professional software developers.
der **Experte** *N* des Experten, die Experten	**expert**
die **Expertin** *N* der Expertin, die Expertinnen Frau Meyer ist eine Expertin auf diesem Gebiet.	**expert** Mrs Meyer is an expert in this field.
der **Spezialist** *N* des Spezialisten, die Spezialisten Martin ist IT-Spezialist.	**specialist** Martin is an IT specialist.
die **Spezialistin** *N* der Spezialistin, die Spezialistinnen	**specialist**
vertreten *V* vertritt, vertrat, hat vertreten = Vertretung machen Solange seine Kollegin krank ist, vertritt er sie.	**stand in for, cover for** represent He will stand in for his colleague as long as she is ill.
die **Vertretung** *N* der Vertretung, die Vertretungen Haben wir schon eine Vertretung für Frau Endres gefunden?	**replacement** Have we already found a replacement for Mrs Endres?
ersetzen *V* ersetzt, ersetzte, hat ersetzt Frau Schmid hat gekündigt. Wir versuchen, sie schnellstmöglich zu ersetzen.	**replace** Mrs Schmid has quit. We'll try to replace her as quickly as possible.
zuständig *Adj* Für diesen Bereich bin ich nicht zuständig.	**responsible** I am not responsible for this area.

17.5 Arbeitsumfeld und berufliche Tätigkeiten

Working environment and professional activities

die **Tätigkeit** *N* der Tätigkeit, die Tätigkeiten = die Arbeit Das Unternehmen bietet eine interessante Tätigkeit und nette Kollegen.	**occupation; field of work** work The company offers an interesting field of work and nice colleagues.
die **Aufgabe** *N* der Aufgabe, die Aufgaben Zu ihren Aufgaben gehören die Betreuung und Beratung von Kunden.	**task** Her tasks include customer support and advice.

verantwortlich *Adj* verantwortlicher, am verantwortlichsten Er ist dafür verantwortlich, dass der Newsletter pünktlich erscheint.	**responsible** He is responsible for the punctual publication of the newsletter.
die **Verantwortung** *N* der Verantwortung, die Verantwortungen Er trägt die Verantwortung für die gesamte Produktion. Verantwortung übernehmen	**responsibility** He bears the responsibility for the whole production. take responsibility
die **Herausforderung** *N* der Herausforderung, die Herausforderungen Die neue Stelle ist eine echte Herausforderung für mich.	**challenge** I find the new job a genuine challenge.
der **Bereich** *N* des Bereich(e)s, die Bereiche Um diesen Bereich kümmert sich mein Kollege.	**field; area** My colleague deals with this field.
sprechen *V* spricht, sprach, hat gesprochen Kann ich Frau Schneider sprechen?	**talk to** Can I talk to Mrs Schneider?
sich handeln *V* handelt sich, handelte sich, hat sich gehandelt Worum handelt es sich denn? – Es handelt sich um ein Problem mit meinem Rechner.	**be about; concern; be** What is it about? – It concerns a problem with my computer.

handeln

handeln	act	Als sie den Unfall sahen, handelten sie sofort und riefen einen Krankenwagen.	When they saw the accident, they acted immediately and called the ambulance.
handeln mit	deal, trade	Er handelt mit Autos aus dem Ausland.	He deals in cars from abroad.
handeln von	be about	Das Märchen handelt von einem Mädchen namens Schneewittchen.	The fairy tale is about a girl called Snow White.
sich handeln um	be, be about, concern	Bei den gestohlenen Kunstwerken handelt es sich um zwei Gemälde von Albrecht Dürer.	The stolen artworks are two paintings by Albrecht Dürer.

persönlich *Adj* persönlicher, am persönlichsten Die persönlichen Angelegenheiten von Herrn Schilling interessieren mich nicht.	**personal; personally** Mr Schilling's personal affairs do not interest me.

Ich möchte den Geschäftsführer persönlich sprechen!	I would like to speak to the manager personally.
arbeiten *V* arbeitet, arbeitete, hat gearbeitet Er arbeitet Tag und Nacht am Computer. auf dem Bau arbeiten beim Fernsehen arbeiten	**work** He works day and night at the computer. work on a building site work in television
leisten *V* leistet, leistete, hat geleistet Sie leistet gute Arbeit.	**do** She does good work.
die **Leistung** *N* der Leistung, die Leistungen Wir danken Ihnen für die hervorragenden Leistungen für unser Unternehmen. eine schwache Leistung	**performance** We thank you for your excellent performance for our company. a weak performance
der **Erfolg** *N* des Erfolg(e)s, die Erfolge ≠ der Misserfolg Der große Erfolg ist für sie ein Grund zur Freude.	**success** failure This big success is a reason for her to be very pleased.
erfolgreich *Adj* erfolgreicher, am erfolgreichsten Das Projekt kam zu einem erfolgreichen Abschluss.	**successful** The project came to a succuessful conclusion.
erfüllen *V* erfüllt, erfüllte, hat erfüllt Sie erfüllte die Erwartungen zu unser aller Zufriedenheit. einen Wunsch erfüllen	**fulfil** *(BE)*, **fulfill** *(AE)* She fulfilled our expectations satisfactorally. fulfil a wish
körperlich *Adj* körperlicher, am körperlichsten Bauarbeiter arbeiten nicht im Büro, sondern machen schwere körperliche Arbeit.	**physical** Builders do not work in an office but they do heavy physical labour.
das **Projekt** *N* des Projekt(e)s, die Projekte Sein nächstes Projekt ist die Entwicklung eines neuen Designs.	**project** His next project is the development of a new design.
das **Team** *N* des Teams, die Teams Das Team besteht aus Mitarbeitern unterschiedlicher Fachbereiche.	**team** The team consists of employees from different departments.
der **Kollege** *N* des Kollegen, die Kollegen	**colleague, workmate**

Sie hatte viele nette Kolleginnen und Kollegen.	She had a lot of nice colleagues.
die **Kollegin** *N* der Kollegin, die Kolleginnen	**colleague**
arbeiten mit *V* arbeitet mit, arbeitete mit, hat mit gearbeitet Karla arbeitet am liebsten mit ihrer älteren Kollegin.	**work with, cooperate with** Karla prefers working with her older colleague.
eng *Adj* enger, am engsten Die enge Zusammenarbeit zwischen den Abteilungen funktioniert gut.	**close** The close collaboration between the departments works well.
die **Zusammenarbeit** *N* der Zusammenarbeit, die Zusammenarbeiten Die Zusammenarbeit klappt bestens.	**cooperation** The cooperation is working out very well.
zusammen *Adv* Wollen wir zusammen in der Kantine essen gehen?	**together** Shall we eat together in the canteen?
das **Netzwerk** *N* des Netzwerk(e)s, die Netzwerke Wir haben mittlerweile ein breites Netzwerk von Kunden aufgebaut.	**network** We have now built up a large network of customers.
der **Termin** *N* des Termins, die Termine Wollen wir einen neuen Termin vereinbaren? ↳ der Abgabetermin	**appointment** Shall we arrange a new appointment? deadline
fest *Adj* fester, am festesten Für die nächste Besprechung gibt es noch keinen festen Termin.	**firm** There is still no fixed date for the next meeting.
aufschreiben *V* schreibt auf, schrieb auf, hat aufgeschrieben Ich schreibe mir den Termin gleich auf.	**write down** I'll just write the appointment down.
feststehen *V* steht fest, stand fest, hat festgestanden Der Termin für die Jubiläumsfeier steht schon fest.	**be fixed / certain** The date for the anniversary has already been fixed.
festsetzen *V* setzt fest, setzte fest, hat festgesetzt Die Sekretärin hat 9 Uhr als Termin für die Sitzung festgesetzt.	**fixed, fix** The secretary has fixed 9 a.m. for the meeting.

vereinbaren *V* vereinbart, vereinbarte, hat vereinbart Am besten wir vereinbaren gleich einen Termin.	**arrange** It would be the best if we just arrange a date now.
ausmachen *V* macht aus, machte aus, hat ausgemacht = vereinbaren Wollen wir einen neuen Termin ausmachen? – Ja, gerne.	**arrange** arrange, agree Should we arrange a new appointment? – Yes, with pleasure.
der **Terminkalender** *N* des Terminkalenders, die Terminkalender Ich trage den Termin gleich in meinen Terminkalender ein.	**diary** I'll just write down the appointment in my diary.
der **Fall** *N* des Fall(e)s, die Fälle Was machen wir, wenn Herr Moltke nicht kommt? – In diesem Fall übernehmen Sie die Begrüßung.	**case** What do we do, if Mr Moltke doesn't turn up? – In that case you can do the welcoming.
auf jeden Fall = auf alle Fälle Rufen Sie auf jeden Fall noch einmal an.	**in any case** at all events Please call again in any case.
die **Sitzung** *N* der Sitzung, die Sitzungen = die Besprechung Nun zum Tagesordnungspunkt 1 unserer Sitzung.	**meeting** meeting, conference Now to the first item on the agenda of our meeting.
die **Besprechung** *N* der Besprechung, die Besprechungen Frau Kramer ist in einer wichtigen Besprechung.	**meeting, conference** Mrs Kramer is in an important meeting.

→ Further words can be found in chapter *13.1 Reden, diskutieren, besprechen* (p. 204 ff).

organisieren *V* organisiert, organisierte, hat organisiert Seine Sekretärin organisiert die Konferenz in Bonn.	**organize** His secretary organizes the conference in Bonn.
die **Konferenz** *N* der Konferenz, die Konferenzen	**conference**
verschieben *V* verschiebt, verschob, hat verschoben Diesen Termin müssen wir leider auf nächste Woche verschieben.	**postpone; put off** Unfortunately we'll have to postpone our meeting until next week.
abwesend *Adj* Herr Radke ist krank, er ist noch bis zum 15. Mai abwesend.	**absent** Mr Radke is ill and will be absent until 15 May.

anwesend *Adj* Beim letzten Meeting waren alle anwesend.	**present** Everybody was present at the last meeting.
eilig *Adj* Herr Bach, kümmern Sie sich bitte noch heute um den eiligen Auftrag! es eilig haben	**hurried, urgent** Mr Bach, please deal with this urgent order today! be in a hurry
die **Eile** *N* der Eile, *(nur Singular)* Ich bin leider in Eile. keine Eile haben	**hurry** I am unfortunately in a hurry. be in no hurry
eilen *V* eilt, eilte, ist geeilt Jan eilt von einem Termin zum anderen.	**hurry** Jan hurries from one appointment to the next.
beschäftigt *Adj* Die Sekretärin ist sehr beschäftigt.	**busy** The secretary is very busy.
der **Stress** *N* des Stresses, die Stresse *(selten)* Ich bin im Stress. unter Stress stehen ↳ stressig	**stress** I am under stress. be stressed stressful
kaputt *Adj* kaputter, am kaputtesten = erschöpft = fertig *(ugs.)* Ich bin von dieser Woche ganz kaputt.	**shattered; exhausted** This week has left me completely shattered.
die **Kommunikation** *N* der Kommunikation, die Kommunikationen In der Abteilung ist die Kommunikation meistens gut.	**communication** Communication within the department is usually good.
der **Konflikt** *N* des Konflikt(e)s, die Konflikte Wir brauchen Konfliktmanagement in der Abteilung.	**conflict** We need some conflict management in this department.
→ See also chapter *12.6 Konflikte* (p. 201 ff)	
sich beschäftigen *V* beschäftigt sich, beschäftigte sich, hat sich beschäftigt Alle beschäftigten sich intensiv mit dem Projekt.	**work on; be occupied with** Everybody worked intensively on the project.
ordnen *V* ordnet, ordnete, hat geordnet Ordnen Sie bitte die Flyer und Prospekte.	**arrange** Please arrange the flyers and pamphlets.

die **Ordnung** *N* der Ordnung, die Ordnungen Es ist wichtig, auf dem Schreibtisch Ordnung zu halten.	**order** It is important to keep your desk in order.
die **Notiz** *N* der Notiz, die Notizen Dazu habe ich mir ein paar Notizen gemacht.	**note** I took some notes on it.
(sich) notieren *V* notiert (sich), notierte (sich), hat (sich) notiert = aufschreiben Paul notierte (sich) die Adresse des Kunden.	**note down** write down Paul noted down the customer's address.
das **Protokoll** *N* des Protokoll(e)s, die Protokolle Wer führt heute Protokoll?	**minutes** Who is taking the minutes today?
faxen *V* faxt, faxte, hat gefaxt Können Sie mir das bitte faxen?	**fax** Could you please fax it to me?
das **Fax** *N* des Fax, die Faxe Ich schicke Ihnen das Dokument per Fax. ↳ die Faxnummer	**fax** I will fax the document to you. fax number
telefonieren *V* telefoniert, telefonierte, hat telefoniert Der Chef telefoniert gerade mit einem Kunden.	**telephone** The boss is telephoning a customer.
verlangen *V* verlangt, verlangte, hat verlangt Frau Tacke, Sie werden am Telefon verlangt.	**be wanted, be asked for** You are wanted on the telephone, Mrs Tacke.
erreichen *V* erreicht, erreichte, hat erreicht Sie können mich tagsüber unter der Büronummer erreichen. ↳ telefonisch erreichbar sein	**contact** You can contact me on my office number during the day. can be contacted by telephone
die **Empfehlung** *N* der Empfehlung, die Empfehlungen Ich rufe auf Empfehlung von Herrn Kaase an.	**recommendation** I am phoning on the recommendation of Mr Kaase.
verhandeln *V* verhandelt, verhandelte, hat verhandelt Die Geschäftspartner verhandeln über die einzelnen Vertragskonditionen.	**negotiate** The business partners are negotiating each of the terms in the contract.
die **Homepage** ['houmpeɪdʃ] *N*	**home page**

der Homepage, die Homepages
Nähere Informationen finden Sie auf unserer Homepage. — Details can be found on our home page.

der, das **Link** *N* — **link** *(shortcut to another file or webpage)*
des Links, die Links
Auf unserer Homepage finden Sie auch einen Link zur Geschichte des Unternehmens. — You will also find a link telling you about our company's history on our home page.

die **Suchmaschine** *N* — **search engine**
der Suchmaschine, die Suchmaschinen
Der neue Kunde hat uns über eine Suchmaschine gefunden. — The new customer used a search engine to find us.

→ Further words for office supplies can be found in chapter *17.9 Computer, Büromaterial* (p. 301 ff).

17.6 Arbeitsbedingungen, Entlohnung — Working conditions, payment

der **Vertrag** *N* — **contract**
des Vertrag(e)s, die Verträge
Wir können Ihren Vertrag leider nicht verlängern. — We regret that we cannot extend your contract.
einen Vertrag (ab)schließen — close a contract
↳ der Arbeitsvertrag — contract of employment

enden *V* — **end**
endet, endete, hat geendet
Martins Arbeitsverhältnis ist befristet, es endet in zwölf Monaten. — Martin has a limited employment contract that ends after twelve months.

die **Bedingung** *N* — **condition**
der Bedingung, die Bedingungen
= die Kondition
Der Vertrag enthält die Bedingung, dass er seinen Wohnsitz nach Stuttgart verlegt. — The contract contains the condition that he moves to Stuttgart.

erledigen *V* — **do**
erledigt, erledigte, hat erledigt
Könntest du das bitte sofort erledigen? — Could you do this immediately, please?

sorgfältig *Adj* — **careful; diligent**
sorgfältiger, am sorgfältigsten
= genau — exact
Unser Erfolg beruht auf einer sorgfältigen Planung. — Our success is based on careful planning.

die **Arbeitszeit** *N* — **working hours**
der Arbeitszeit, die Arbeitszeiten
Die Arbeitszeit ist von 9 bis 17 Uhr. — The working hours are from 9 a.m. to 5 p.m.

der **Dienst** *N* — **duty**
des Dienst(e)s, die Dienste
Mein Mann hat heute Nacht Dienst. — My husband is on duty tonight.

der **Frühdienst** *N* des Frühdienst(e)s, die Frühdienste Die Krankenschwester hat diese Woche Frühdienst.	**early duty** The nurse is on early duty this week.
die **Teilzeit** *N (Kurzform für Teilzeitbeschäftigung)* der Teilzeit, die Teilzeiten Viele junge Mütter arbeiten (in) Teilzeit.	**part-time** Many young mothers work part-time.
die **Vollzeit** *N (Kurzform für Vollzeitbeschäftigung)* der Vollzeit, *(nur Singular)* Markus ist Vater geworden, deswegen möchte er nicht mehr Vollzeit arbeiten.	**full-time (job)** Now that he's a father, Markus no longer wants to work full-time.
halbtags *Adv* Frau Graf geht um 13 Uhr, sie arbeitet nur halbtags.	**half-day** Frau Graf leaves at 1 p.m. She only works half-days.
vereinbaren *V* vereinbart, vereinbarte, hat vereinbart Der Personalchef vereinbart mit der Mitarbeiterin, dass sie jeden Mittwoch früher gehen kann.	**arrange** The personnel manager arranges with his colleague that she can go earlier every Wednesday.
die **Überstunde** *N* der Überstunde, die Überstunden Überstunden werden nicht ausbezahlt, sondern müssen in Freizeit genommen werden.	**overtime** Overtime is not paid out but must be taken as time off work.
hart *Adj* härter, am härtesten Wegen der harten Arbeitsbedingungen kündigte sie ihren Job. Wir mussten hart arbeiten, sogar am Wochenende.	**harsh; hard** Because of the harsh working conditions, she quit her job. We had to work hard even at the weekend.
werktags *Adv* Werktags arbeitet sie, dann hat sie wenig Zeit für ihre Hobbys.	**on workdays** On workdays she is always working, so she has little time for her hobbies.
der **Feierabend** *N* des Feierabends, die Feierabende Morgen haben wir um 16 Uhr Feierabend. Einen schönen Feierabend!	**knocking-off time** Knocking off time tomorrow is 4 p.m. Have a nice evening!
freihaben *(ugs.)* Morgen muss Nico nicht arbeiten, er hat frei.	**have time off; be off work** Nico will not have to work tomorrow, he has time off.
privat *Adj* privater, am privatesten Diese Reise ist nicht geschäftlich, sondern rein privat.	**private** This trip is not for business. It's strictly private.

der **Urlaub** *N* des Urlaub(e)s, die Urlaube Wir fliegen / gehen / fahren morgen in Urlaub. in / im Urlaub sein Urlaub beantragen	**holiday** *(BE)*, **vacation** *(AE)* Tomorrow we are going on holiday. be on holiday apply for leave
Urlaub nehmen = sich (einen Tag / eine Woche) frei nehmen Er kann dieses Jahr keinen Urlaub nehmen.	**take holiday leave** take (a day / a week) off He can't take holiday leave this year.
verreisen *V* verreist, verreiste, ist verreist Die Kollegin ist nicht da, sie ist dienstlich verreist.	**be / go away; go abroad** Our colleague is not here, she is away on official business.
die **Frauenquote** *N* der Frauenquote, die Frauenquoten Manche wünschen sich eine Frauenquote, andere sind dagegen.	**fixed proportion of women** Some people want to have a fixed proportion of women, some are against it.
die **Gleichberechtigung** *N* der Gleichberechtigung, die Gleichberechtigungen Gleichberechtigung am Arbeitsplatz bedeutet gleicher Lohn für gleiche Arbeit.	**equal rights; equality** Equal rights in a job means equal pay for equal work.
verdienen *V* verdient, verdiente, hat verdient Nach der Ausbildung will ich endlich Geld verdienen. gut verdienen ↳ der Verdienst	**earn** After my apprenticeship, I want to earn money at last. earn a lot of money earnings, income
das **Gehalt** *N* des Gehalt(e)s, die Gehälter Als Orthopäde verdient er ein hohes Gehalt. Durch die Tariferhöhung werden die Gehälter um 2,5 Prozent erhöht. ein Gehalt beziehen ein sicheres / festes Gehalt	**salary; wage** He earns a big salary as an orthopaedist. The collective wage agreement will raise salaries by 2.5%. draw / get a salary a fixed salary, fixed wages
niedrig *Adj* niedriger, am niedrigsten ≠ hoch Die Gehälter in der Firma sind alle ziemlich niedrig.	**low** high Salaries in the company are all very low.
der **Lohn** *N* des Lohn(e)s, die Löhne Wenn man die Inflation berücksichtigt, sind die Löhne in den letzten zehn Jahren nicht gestiegen.	**wage** If you take inflation into account, wages have not risen in the last ten years.
das **Einkommen** *N* des Einkommens, die Einkommen	**income; salary; earnings**

Alle Festangestellten haben ein regelmäßiges Einkommen.	All permanent employees have a regular income.
↳ das Jahreseinkommen	annual earnings, annual revenue, yearly income, year's salary
ersetzen *V* ersetzt, ersetzte, hat ersetzt = erstatten	**reimburse**
Der Arbeitgeber ersetzt die Kosten für das monatliche Busticket.	The employer reimburses the cost of the monthly bus ticket.
eine Familie ernähren	**support a family**
Er darf nicht arbeitslos werden, er ernährt die Familie.	He must not become unemployed; he supports his family.
die **Einnahme** *N* der Einnahme, die Einnahmen	**earnings**
Ihre Einnahmen liegen bei 4000 Euro.	Her earnings are close to 4000 euros.
reich *Adj* reicher, am reichsten	**rich; wealthy**
Er besitzt viele Häuser in der Stadt, er ist sehr reich.	He owns a lot of houses in town; he is very rich.
arm *Adj* ärmer, am ärmsten	**poor**
≠ reich	rich, wealthy
Mit meinem Job bin ich nicht arm, aber auch nicht reich.	My job does not make me poor, or rich either.
der **Luxus** *N* des Luxus, *(nur Singular)*	**luxury**
Bei seinem Gehalt kann er sich den Luxus erlauben, jeden Tag mit dem Taxi zur Arbeit zu kommen.	On his salary, he can allow himself the luxury of taking a taxi to work every day.
sich den Luxus gönnen	indulge (oneself) in the luxury
der **Reichtum** *N* des Reichtums, *(in dieser Bedeutung nur Singular)*	**wealth**
Durch ehrliche Arbeit ist er nicht zu seinem Reichtum gekommen.	He has not amassed his wealth by honest work.
der **Wohlstand** *N* des Wohlstand(e)s, *(nur Singular)*	**prosperity**
die **Armut** *N* der Armut, *(nur Singular)*	**poverty**
die **Kündigung** *N* der Kündigung, die Kündigungen	**dismissal, notice**
Er hat seinem Chef gestern die Kündigung übergeben.	He handed in his notice to his boss yesterday.

kündigen *V* kündigt, kündigte, hat gekündigt Laut Arbeitsvertrag kann sie zum 31. August kündigen. zum Monatsende / Ende des Quartals kündigen	**hand in one's notice, quit** According to her employment contract, she can hand in her notice up until 31st August. quit by the end of the month / by the end of the quarter
gekündigt werden *V* wird gekündigt, wurde gekündigt, ist gekündigt worden Ihr wurde gestern gekündigt.	**be given notice** She was given notice yesterday.
die **Entlassung** *N* der Entlassung, die Entlassungen Das Unternehmen hat die Entlassung von weltweit 3000 Mitarbeitern angekündigt.	**dismissal** The company has announced the dismissal of 3,000 employees worldwide.
entlassen *V* entlässt, entließ, hat entlassen Er wurde fristlos entlassen, weil er in der Firma gestohlen hatte.	**dismiss** He was immediately dismissed without notice for stealing worth a lot.
wert *Adj* Ein krisensicherer Arbeitsplatz ist viel wert. viel / wenig / nichts wert sein nicht der Rede wert sein	**worth** A crisis-proof job is worth a lot. be worth much / little / nothing not worth mentioning
der **Betriebsrat** *N* des Betriebsrat(e)s, die Betriebsräte Der nächste Betriebsrat wird im Mai gewählt.	**works council** The next works council will be elected in May.
der **Betriebsrat** *N* des Betriebsrat(e)s, die Betriebsräte Zu diesem Betriebsrat habe ich Vertrauen. ↳ die Betriebsrätin	**member of the works council** I have faith in this member of the works council. (female) member of the works council
sich beschweren *V* beschwert sich, beschwerte sich, hat sich beschwert Wir sollten uns beim Betriebsrat über die neue Chefin beschweren. ↳ die Beschwerde	**complain** We should complain to the works council about the new boss. complaint
die **Gewerkschaft** *N* der Gewerkschaft, die Gewerkschaften Sie ist vor einem Monat in die Gewerkschaft eingetreten. ↳ der Gewerkschafter, die Gewerkschafterin	**(trade) union** She joined the trade union a month ago. (trade) unionist
der **Streik** *N* des Streiks, die Streiks Die Bahn hat einen Streik angekündigt.	**strike** The train company has announced a strike.

streiken *V* — **strike**
streikt, streikte, hat gestreikt
= die Arbeit niederlegen — stop work, down tools *(BE)*
Die Gewerkschaftsmitglieder streiken für höhere Löhne. — The trade union members are striking for higher wages.

ausreichend *Adj* — **sufficient**
Die Arbeitnehmer streiken, weil die Gehälter nicht ausreichend sind. — The employees are striking their pay is not sufficient.

17.7 Berufliche Laufbahn, Bewerbung — Professional career, application

die **Qualifikation** *N* — **qualifications**
der Qualifikation, die Qualifikationen
Haben Sie für diese Stelle die richtige Qualifikation? — Do you have the right qualifications for the job?
↳ (sich) qualifizieren — qualify
↳ qualifiziert — qualified

die **Weiterbildung** *N* — **further training, education**
der Weiterbildung, die Weiterbildungen
Sie nutzt alle Angebote zur beruflichen Weiterbildung, um voranzukommen. — She uses all offers for further professional training to advance herself.
↳ sich weiterbilden — advance one's training / education

die **Fortbildung** *N* — **training, further education**
der Fortbildung, die Fortbildungen
Die berufsbegleitende Fortbildung findet immer abends und am Wochenende statt. — In-service training always takes place in the evenings and at weekends.

sich bewerben *V* — **apply**
bewirbt sich, bewarb sich, hat sich beworben
Er hat sich innerhalb des Unternehmens auf eine neue Stelle beworben. — He has applied for a new job within the company.

die **Bewerbung** *N* — **application**
der Bewerbung, die Bewerbungen
Seine Bewerbung war erfolgreich. — His application was successful.
↳ die Bewerbungsunterlagen — application papers

der **Lebenslauf** *N* — **curriculum vitae (CV)** *(BE)*, **résumé** *(AE)*
des Lebenslauf(e)s, die Lebensläufe
= der berufliche Werdegang
Ich muss für meine Bewerbung noch einen Lebenslauf schreiben. — I still have to write a CV for my application.

das **Zeugnis** *N* — **training, further education, report**
des Zeugnisses, die Zeugnisse
Reichen Sie nur aktuelle Zeugnisse und Zertifikate mit Ihrer Bewerbung ein. — Please attach only current testimonials and certificates to your application.
↳ das Arbeitszeugnis — reference

das **Zertifikat** *N* des Zertifikats, die Zertifikate Zeugnisse und Zertifikate können Sie per E-Mail nachreichen.	**certificate** You can e-mail your testimonials and certificates later.
sich vorstellen *V* stellt sich vor, stellte sich vor, hat sich vorgestellt Der Bewerber hat sich heute bei uns vorgestellt.	**introduce** The candidate has introduced himself to us today.
das **Vorstellungsgespräch** *N* des Vorstellungsgespräches, die Vorstellungsgespräche Julian ist zum zweiten Vorstellungsgespräch eingeladen worden.	**(job) interview** Julian has been invited to a second job interview.
die **Visitenkarte** *N* der Visitenkarte, die Visitenkarten Meine E-Mail-Adresse finden Sie auf meiner Visitenkarte.	**card** You'll find my e-mail address on my card.
der **Eindruck** *N* des Eindrucks, die Eindrücke Die Bewerberin hat einen guten Eindruck gemacht.	**impression** The candidate gave a good impression.
die **Chance** [ˈʃãːs(ə), ˈʃaŋsə] *N* der Chance, die Chancen Die Chancen, dass sie den Job bekommt, stehen gut.	**chance** There is a good chance that she will get the job.
die **Erfahrung** *N* der Erfahrung, die Erfahrungen Im Bereich der Kundenakquise habe ich langjährige Erfahrung. Erfahrungen sammeln	**experience** I have long-standing experience in the field of customer acquisition. make / gain experience
die **Fähigkeit** *N* der Fähigkeit, die Fähigkeiten Wir erwarten herausragende persönliche und fachliche Fähigkeiten.	**skill** We expect outstanding personal and specialist skills.
die **Kenntnisse** *N (in dieser Bedeutung nur im Plural)* der Kenntnisse Sie hat fundierte Kenntnisse im Rechnungswesen.	**knowledge** She has sound accounting knowledge.
das **Talent** *N* des Talent(e)s, die Talente = die Begabung Sie hat nicht nur Fachwissen, sondern auch Talent. ↳ das Organisationstalent	**talent; gift; ability** She has not only specialist knowledge but also talent. talent for organization, talented organizer

träumen *V*	**dream**
träumt, träumte, hat geträumt	
Er träumt von einem Job, bei dem er gut verdient.	He dreams of a job in which he earns a lot of money.
Traum- *Präfix*	**dream**
Sein Traumberuf wäre Pilot.	His dream job would be as a pilot.
↳ die Traumkarriere	dream career
wechseln *V*	**change**
wechselt, wechselte, hat gewechselt	
Sie hat schon wieder die Stelle gewechselt.	She has changed her job yet again.
den Arbeitsplatz wechseln	change one's place of work
das **Gebiet** *N*	**area, field**
des Gebiet(e)s, die Gebiete	
↳ das Sachgebiet	(specialized) field
↳ das Fachgebiet	speciality, discipline
Sie hat sich schnell auf dem neuen Gebiet eingearbeitet.	She has quickly got used to her new area of work.
die **Karriere** *N*	**career**
der Karriere, die Karrieren	
Sein Bruder hat eine steile Karriere gemacht.	His brother climbed the career ladder very swiftly.
eine große Karriere vor sich haben	have good prospects
die **Position** *N*	**position**
der Position, die Positionen	
Als Abteilungsleiterin hat sie eine führende Position in dem Unternehmen.	As a head of department, she has a leading position in the company.
sich auf eine Position bewerben	apply for a position

17.8 Erwerbslosigkeit und Ruhestand — Unemployment and Retirement

der **Arbeitsplatz** *N*	**job; workplace**
des Arbeitsplatzes, die Arbeitsplätze	
Er hat letzten Monat seinen Arbeitsplatz verloren.	He lost his job last month.
die **Arbeitslosigkeit** *N*	**unemployment**
der Arbeitslosigkeit, *(nur Singular)*	
Seine Arbeitslosigkeit belastet ihn sehr.	His unemployment weighs on him heavily.
In Deutschland gab es in den 1920er-Jahren eine hohe Arbeitslosigkeit.	There was a high rate of unemployment in Germany in the 1920s.
arbeitslos *Adj*	**unemployed**
= erwerbslos	
Karla ist noch immer arbeitslos.	Karla is still unemployed.
↳ der / die Arbeitslose	an unemployed person
die **Agentur für Arbeit** *(früher: das Arbeitsamt)*	**Department of Employment**

Die Agentur für Arbeit versucht, Arbeitlose in neue Jobs zu vermitteln.	The Department of Employment tries to find new jobs for the unemployed.
der **Anspruch** *N*	**entitlement**
des Anspruch(e)s, die Ansprüche	
= das Anrecht	right
Sie hat Anspruch auf Arbeitslosengeld.	She has an entitlement to unemployment benefit.
auf etwas Anspruch erheben	claim sth
etwas in Anspruch nehmen	make use of sth
die **Rente** *N*	**pension**
der Rente, die Renten	
Sie bezieht eine kleine Rente von 850,- €.	She draws a small pension of 850 euros.
in Rente gehen	retire on a pension, retire
Rente beantragen	apply for a pension
der **Rentner** *N*	**pensioner, retiree** *(AE)*
des Rentners, die Rentner	
= der Pensionist *(A)*	
= der Pensionär *(D, CH)*	
Ich bin seit zwei Jahren Rentner.	I have been a pensioner for two years.
⚠ der / die Pensionär(in) *(A: Bewohner(in) eines Altersheims)*	nursing home resident
die **Rentnerin** *N*	**pensioner, retiree** *(AE)*
der Rentnerin, die Rentnerinnen	
= die Pensionistin *(A)*	
= die Pensionärin *(D, CH)*	
die **Pension** [pãˈzi̯oːn, pɛnzi̯oːn] *N*	**pension**
der Pension, die Pensionen	
Als Beamter bekommt man in Deutschland im Alter keine Rente, sondern eine Pension. In Österreich erhält hingegen jeder ehemalige Arbeitnehmer eine Pension.	In Germany, civil servants draw a "Pension", not a "Rente". In Austria, all former employees receive a "Pension".
in Pension gehen	retire on a pension, retire
pensioniert sein *(D, CH)*	**be retired**
Die Schneiders sind bereits beide pensioniert.	Both of the Schneiders are now retired.
pensioniert werden	go into retirement

17.9 Computer, Büromaterial — Computers, office supplies

elektronisch *Adj*	**electronic**
Er braucht einen elektronischen Taschenrechner.	He needs an electronic pocket calculator.
↳ elektronische Datenverarbeitung *(Abkürzung: EDV)*	electronic data processing (EDP)

→ See also chapter *21.1 Neue Medien* (p. 349 ff).

der **Computer** *N* des Computers, die Computer = der Rechner Jeder Mitarbeiter soll einen neuen Computer bekommen. ↳ das Tablet	**computer** Every member of staff is to get a new computer. tablet
der **PC** [peːˈtseː] *N (Abkürzung für Personal Computer)* des PC(s), die PC(s) = der Computer	**PC** computer
der **Rechner** *N* des Rechners, die Rechner Ich muss den Rechner runterfahren.	**computer** I have to shut down the computer.
der **Monitor** *N* des Monitors, die Monitore = der Bildschirm Du solltest nicht so nah am Monitor sitzen.	**monitor** (display) screen You should not sit so close to the monitor.
der **Bildschirm** *N* des Bildschirm(e)s, die Bildschirme Sie hätten gerne Rechner mit größeren Bildschirmen.	**screen** They would like to have computers with bigger screens.
der **Touchscreen** *N* des Touchscreens, die Touchscreens Die meisten finden einen Touchscreen sehr praktisch.	**touchscreen** Most find a touchscreen very practical.
der, das **Laptop** [ˈlɛptɔp] *N* des Laptops, die Laptops Wenn ich geschäftlich unterwegs bin, habe ich meinen Laptop immer dabei.	**laptop** I always take my laptop with me when I am away on business.
das **Programm** *N (Kurzform für EDV-Programm)* des Programm(e)s, die Programme Dafür muss erst ein neues Programm geschrieben werden.	**(computer) program** A new program has to be written for that.
installieren *V* installiert, installierte, hat installiert Ständig muss man neue Programme installieren!	**install** You constantly have to install new programs.
die **Software** [ˈsɔftvɛːɐ̯] *N* der Software, die Softwares ≠ die Hardware Die Software wurde an die Bedürfnisse der Firma angepasst.	**software** hardware The software was adapted to the needs of the company.
entwickeln *V*	**develop**

entwickelt, entwickelte, hat entwickelt Die IT-Abteilung muss eine neue Software entwickeln.	The IT-department has to develop new software.
das **Laufwerk** *N* des Laufwerk(e)s, die Laufwerke	**drive**
die **Festplatte** *N* der Festplatte, die Festplatten Ich glaube, bald ist die Festplatte des Computers voll.	**hard disk** I think, the computer's hard disk will soon be full.
der **USB-Stick** [uːǀɛsˈbeːstɪk] *N (Kurzform: Stick)* des USB-Sticks, die USB-Sticks Ich habe die Präsentation auf meinem Stick.	**memory stick** I have the presentation on my memory stick.
die **E-Mail** [ˈiːmeɪl] *N (Kurzform: Mail)* der E-Mail, die E-Mails Ich muss noch etwa 50 E-Mails beantworten.	**e-mail** I still have to answer around 50 e-mails.
das **E-Mail** [ˈiːmeɪl] *N (besonders süddeutsch, A, CH)* des E-Mail, die E-Mails	**e-mail**
mailen [ˈmeɪlən] *V* mailt, mailte, hat gemailt Ich maile Ihnen später die Adressen des Kunden.	**email** I'll email you the costumer's addresses.
checken [ˈtʃɛkn̩] *V* checkt, checkte, hat gecheckt Ich checke noch schnell meine E-Mails, dann können wir los.	**check** I'll just check my e-mails, then we can get started.
die **Maus** *N* der Maus, die Mäuse Setz die Maus an diese Stelle. ↳ der Mausklick	**mouse** Place the mouse here. (mouse) click
markieren *V* markiert, markierte, hat markiert Sie können einzelne Textteile mit der Maus oder mit der Tastatur markieren.	**mark** You can highlight single passages using the mouse or the keyboard.
klicken *V* klickt, klickte, hat geklickt Wenn du drauf klickst, geht der Ordner auf.	**click** If you click on it, the folder will open.
anklicken *V* klickt an, klickte an, hat angeklickt Die Seite öffnet sich, wenn du den Link anklickst.	**click** The page will open if you click on the link.
der **Klick** *N* des Klicks, die Klicks	**click**

Wie hast du die Datei geöffnet? – Durch einen Klick mit der linken Maustaste.	How did you open the file? – Just with a click with the left mouse button.
die **Tastatur** *N* der Tastatur, die Tastaturen Mit der Tastenkombination „Alt + Shift" können Sie Ihre Tastatur wieder auf Deutsch umstellen.	**keyboard** You can change your keyboard again to German with the key sequence "Alt + Shift".
tippen *V* tippt, tippte, hat getippt Die Sekretärin hat einen Brief getippt.	**type** The secretary typed a letter.
die **Taste** *N* der Taste, die Tasten Er hat aus Versehen die Taste „esc" gedrückt.	**key** He pushed the "esc" key by mistake.
anschließen *V* schließt an, schloss an, hat angeschlossen Ich musste die Tastatur erst anschließen.	**connect** I had to connect the keyboard first.
der **User** ['ju:zɐ] *N* des Users, die User = der Nutzer Du musst hier deinen Usernamen und dein Passwort eintragen.	**user** You have to enter your username and your password here.
die **Userin** ['ju:zərɪn] *N* der Userin, die Userinnen = die Nutzerin	**user**
sich einloggen *V* loggt sich ein, loggte sich ein, hat sich eingeloggt ≠ sich ausloggen Du musst dich zuerst einloggen.	**sign in; log on / in** log out / off You have to sign in first.
das **Passwort** *N* des Passwort(e)s, die Passwörter Geben Sie bitte Ihr Passwort ein.	**password** Please tap in your password.
die **Nutzung** *N* der Nutzung, die Nutzungen Die private Nutzung des Internets ist verboten.	**use** The private use of the internet is not allowed.
die **Datei** *N* der Datei, die Dateien Schick mir doch bitte gleich die Datei. eine Datei anlegen / öffnen / schließen	**file** Please send me the file immediately. create / open / close a file
speichern *V* speichert, speicherte, hat gespeichert Damit die Dateien nicht verloren gehen, musst du sie speichern.	**save** You have to save the files so that they are not lost.

sichern *V* sichert, sicherte, hat gesichert Wichtige Daten sollte man immer doppelt sichern.	**save** Important data should always be saved twice.
drucken *V* druckt, druckte, hat gedruckt Als nächstes gehst du auf „Datei drucken".	**print** You go to "Print file" next.
der **Virus** *N (Kurzform für Computervirus)* des Virus, die Viren Lade keine unbekannte Datei herunter, sie könnte Viren enthalten.	**virus** Do not download unknown files, they can contain a virus.
der **Anhang** *N* des Anhangs, die Anhänge = die Anlage Die genaue Projektbeschreibung finden Sie im Anhang.	**attachment** You'll find a detailed description of the project in the attachment.
der **Ordner** *N* des Ordners, die Ordner Diesen Ordner habe ich bereits gestern gelöscht. einen Ordner anlegen	**folder** I deleted this folder yesterday. create a folder
hochfahren *V* fährt hoch, fuhr hoch, hat hochgefahren ≠ herunterfahren Ich muss meinen Computer jeden Morgen hochfahren.	**boot** shut down I have to boot my computer every morning.
herunterfahren *V* fährt herunter, fuhr herunter, hat heruntergefahren	**shut down**
der **Kopierer** *N* des Kopierers, die Kopierer Der Kopierer ist schon wieder kaputt.	**(photo)copier** The photocopier is broken again.
die **Kopie** *N (Kurzform für Fotokopie)* der Kopie, die Kopien Ich mache mir mal eine Kopie davon.	**photocopy** I'll make a photocopy of it.
kopieren *V* kopiert, kopierte, hat kopiert Könnten Sie das bitte zweimal kopieren?	**(photo)copy** Could you please make two copies?
der **Drucker** *N* des Druckers, die Drucker Auf dem Display des Druckers wird „Papierstau" angezeigt.	**printer** "Paper jam" is showing on the printer's display.
ausdrucken *V* druckt aus, druckte aus, hat ausgedruckt	**print (out)**

Er hat sich die E-Mail ausgedruckt.	He printed out the e-mail.
der **Ordner** *N*	**folder**
des Ordners, die Ordner	
Alle wichtigen Dokumente habe ich in einem Ordner abgelegt.	I filed all of the important documents in a folder.
↳ der Aktenordner	folder, file
das **Papier** *N*	**paper**
des Papiers, die Papiere	
Im Drucker ist kein Papier mehr.	There is no paper left in the printer.
der **Zettel** *N*	**piece of paper**
des Zettels, die Zettel	
= das Blatt Papier	
Ich mache mir auf dem Zettel ein paar Notizen.	I'll write some notes on a piece of paper.
der **Stift** *N*	**pen**
des Stift(e)s, die Stifte	
Kann ich mal deinen Stift haben?	Can I borrow your pen, please?
kleben *V*	**stick**
klebt, klebte, hat geklebt	
Die Briefmarke klebt nicht richtig.	This stamp doesn't stick properly.
der **Klebstoff** *N*	**glue, adhesive**
des Klebstoff(e)s, die Klebstoffe	
An dem Briefumschlag ist zu wenig Klebstoff.	There is too little glue on the envelope.
der **Stempel** *N*	**stamp; postmark**
des Stempels, die Stempel	
Das Schreiben hat zwar einen Stempel, aber keine Unterschrift.	The letter has a but no signature.
der **Radiergummi** *N (ugs. auch das)*	**rubber** *(BE)*, **eraser** *(AE)*
des Radiergummis, die Radiergummis	
Sie hat den letzten Satz mit dem Radiergummi wegradiert.	She has erased the last sentence with her rubber.
das **Lineal** *N*	**ruler**
des Lineals, die Lineale	
Gerade Striche kann ich nur mit dem Lineal ziehen.	I only can draw straight lines with a ruler.
der **Schreibtisch** *N*	**desk**
des Schreibtisches, die Schreibtische	
Der Schreibtisch seines Vorgesetzten ist immer super aufgeräumt.	His superior's desk is always spick and span.

18 Freizeit

18.1 Zu Hause	At home
die **Freizeit** *N* der Freizeit, die Freizeiten In meiner Freizeit gehe ich gerne schwimmen.	**free time; leisure (time)** I like to go swimming in my free time.
das **Hobby** *N* des Hobbys, die Hobbys Was für Hobbys hast du?	**hobby** What hobbies do you have?
das **Interesse** *N* des Interesses, die Interessen Er hat viele Interessen: Lesen, Musikhören und Sport.	**interest** He has a lot of interests: reading, listening to music, and sports.
sich interessieren *V* interessiert sich, interessierte sich, hat sich interessiert Jennifer interessiert sich vor allem für Fotografie.	**be interested in** Jennifer is mainly interested in photography.
interessiert *Adj* interessierter, am interessiertesten Adrian ist an Sport interessiert.	**interested** Adrian is interested in sports.
Lust haben Wir haben keine Lust, wandern zu gehen. Ich hätte Lust, ins Kino zu gehen.	**feel like** We do not feel like hiking. I feel like going to the cinema.
das **Spiel** *N* des Spiel(e)s, die Spiele = das Gesellschaftsspiel	**game** parlou game

Wir verbringen den Abend mit lustigen Spielen.	We spend the evening playing funny games.
die **Regel** *N* der Regel, die Regeln Ich kann nicht Skat spielen, ich kenne die Regeln nämlich nicht.	**rule** I can't play Skat because I don't know the rules.
sich erholen *V* erholt sich, erholte sich, hat sich erholt Ich erhole mich noch von der Grippe.	**recover** I am still recovering from flu.
gut gelaunt Wenn Mara machen kann, was sie interessiert, ist sie immer gut gelaunt.	**in a good mood** If Mara can do what she is interested in, she is always in a good mood.
lustig *Adj* lustiger, am lustigsten Der Film war wirklich lustig, wir mussten viel lachen.	**funny** The film was really funny, we had to laugh a lot.
der **Spaß** *N* des Spaßes, die Späße Viel Spaß beim Konzert! Spaß machen	**fun** Enjoy the concert! / Have fun at the concert! be fun
sich vergnügen *V* vergnügt sich, vergnügte sich, hat sich vergnügt Sie vergnügen sich auf einer Gartenparty.	**enjoy oneself** They are enjoying themselves at a garden party.
vergnügt *Adj* vergnügter, am vergnügtesten Die Kinder spielten vergnügt im Garten.	**happy, cheerful; happily** The children played happily in the garden.
das **Vergnügen** *N* des Vergnügens, die Vergnügen Im Urlaub zu sein, ist das reinste Vergnügen! Viel Vergnügen!	**pleasure** It is a real pleasure to be on holiday! Have fun!
unterhalten *V* unterhält, unterhielt, hat unterhalten Er hat seine Gäste mit lustigen Geschichten aus seiner Jugend unterhalten.	**entertain sb** He entertained his guests with funny stories from his youth.
die **Unterhaltung** *N* der Unterhaltung, die Unterhaltungen Ich wünsche Ihnen gute Unterhaltung!	**entertainment** I hope you enjoy the entertainment!
die **Bücherei** *N* der Bücherei, die Büchereien = die Bibliothek In den Ferien leiht Ina sich immer viele Bücher aus der Bücherei.	**library** Ina always borrows a lot of books from the library in the holidays.

lesen *V* liest, las, hat gelesen Anna liest gerne in ihrer Freizeit.	**read** Anna likes to read in her free time.
vorlesen *V* liest vor, las vor, hat vorgelesen Am Wochenende liest er seinen Kindern gerne Märchen vor.	**read to sb, read out sth** He likes to read fairytales to his children at the weekends.
das **Buch** *N* des Buch(e)s, die Bücher Sie liest im Urlaub viele Bücher.	**book** She reads lots of books in the holidays.
über *Präp (+ Akkusativ)* Sie lesen ein Buch über die Sahara.	**about** They are reading a book about the Sahara Desert.
handeln *V* handelt, handelte, hat gehandelt Worum geht es in dem Buch? – Es handelt von einem somalischen Model in London.	**be about** What's the book about? – It's about a Somali model in London.
die **Geschichte** *N* der Geschichte, die Geschichten Abends liest er mit seinen Kindern eine Geschichte.	**story** He reads a story to his children in the evenings.
Musik hören Am Wochenende liegt Heike gerne auf ihrem Bett und hört Musik.	**listen to music** Heike likes to lie on her bed and listen to music at the weekends.
entspannend *Adj* Unser Urlaub war sehr entspannend.	**relaxing** We had a very relaxing holiday.
fernsehen *V* sieht fern, sah fern, hat ferngesehen Unsere Kinder sollen nicht so viel fernsehen.	**watch TV** Our children should not watch so much TV.
sammeln *V* sammelt, sammelte, hat gesammelt Sie sammelt Briefmarken.	**collect** She collects stamps.
ankommen *V* kommt an, kam an, ist angekommen Bei dem Spiel kommt es darauf an, als Erster ins Ziel zu kommen.	**matter; depend** What matters in this game is who finishes first.
die **Karte** *N (Kurzform für Spielkarte)* der Karte, die Karten Die Männer spielen im Wirtshaus Karten.	**card** The men play cards in the pub.
mischen *V* mischt, mischte, hat gemischt	**shuffle**

Die Karten sollten wir mischen, bevor wir mit dem Spiel anfangen.	We should shuffle the cards before we start playing.
der **Spieler** *N* des Spielers, die Spieler Um Skat zu spielen, braucht man drei Spieler.	**player** You need three players to play Skat.
die **Spielerin** *N* der Spielerin, die Spielerinnen	**player**
der **Witz** *N* des Witzes, die Witze Wir haben Bier getrunken, Witze erzählt und viel gelacht.	**joke** We drank beer, told jokes, and laughed a lot.
das **Puzzle** [ˈpʊzl̩ / ˈpazl̩] *N (Kurzform für Puzzlespiel)* des Puzzles, die Puzzles Für ein Puzzle mit 1000 Teilen braucht man viel Geduld.	**jigsaw puzzle** You need a lot of patience for a 1000-piece jigsaw puzzle.
das **Rätsel** *N* des Rätsels, die Rätsel Meine Großmutter löst gerne Rätsel. des Rätsels Lösung sein	**puzzle; mystery** My grandma loves solving puzzles. be the key to the mystery
das **Schach** *N* des Schachs, *(nur Singular)* Kannst du Schach spielen?	**chess** Can you play chess?
die **Figur** *N (Kurzform für Spielfigur)* der Figur, die Figuren Bei dem Spiel hat jeder Spieler acht Figuren.	**man, piece** Every player has got eight men in this game.
der **Würfel** *N* des Würfels, die Würfel Ich bin dran. Gib mir bitte die Würfel.	**dice** It's my turn. Can I have the dice, please.
das **Internet** *N* des Internets, *(nur Singular)* Im Internet kann man viele Spiele kostenlos spielen.	**internet** You can play lots of games for free on the internet.
bloggen *V* bloggt, bloggte, hat gebloggt Ich habe keine Zeit zum Bloggen.	**blog** I don't have time to blog.
der, das **Blog** *N (Kurzform für Weblog)* des Blogs, die Blogs Viele Menschen lesen ihren täglichen Blog.	**blog** Many people read her daily blog.
der **Chat** *N (Kurzform für Chatroom)* des Chats, die Chats	**(online) chat**

Wir treffen uns abends im Chat.	We meet in the online chat in the evenings.
chatten *V* chattet, chattete, hat gechattet Sie hat den ganzen Abend gechattet.	**chat (online)** She has been chatting online all evening.
surfen *V* surft, surfte, ist / hat gesurft Am Wochenende habe ich im Internet gesurft.	**surf** I surfed the internet at the weekend.
das soziale Netzwerk In welchem sozialen Netzwerk bist du?	**social network** Which social network are you on?
skypen *V* skypt, skypte, hat geskypt Ich skype einmal in der Woche mit meiner Tochter in Schottland.	**skype** I skype with my daughter in Scotland once a week.
twittern *V* twittert, twitterte, hat getwittert Manche Politiker twittern täglich.	**tweet, twitter** *(send a short message via the Twitter® Platform)* Some politicians tweet daily.
herunterladen *V* lädt herunter, lud herunter, hat heruntergeladen = runterladen *(ugs.)* = downloaden Du kannst dir Musik, Spiele oder Software aus dem Internet runterladen.	**download** You can download music, games or software from the internet.

18.2 Freizeit mit Kindern — Recreation with children

der **Spielplatz** *N* des Spielplatzes, die Spielplätze Die Kinder spielen auf dem Spielplatz.	**playground** The children are playing at the playground.
klettern *V* klettert, kletterte, hat geklettert Die Kinder klettern an einer Kletterstange hoch.	**climb** The children are climbing up a climbing pole.
die **Bank** *N* der Bank, die Bänke Die Mütter sitzen auf einer Bank und unterhalten sich. ⚠ die Bank	**bench** The mothers are sitting talking on a bench. bank
spielen *V* spielt, spielte, hat gespielt Die Kinder spielen mit dem Ball.	**play** The children are playing with the ball.
sich verstecken *V* versteckt sich, versteckte sich, hat sich versteckt	**hide**

Linus hat sich hinter einem Baum versteckt.	Linus hid behind a tree.
verstecken *V* versteckt, versteckte, hat versteckt Die Oma versteckt die Bonbons in ihrer Handtasche.	**hide** The grandma hides the sweets in her handbag.
der **Babysitter** *N* des Babysitters, die Babysitter	**babysitter**
die **Babysitterin** *N* der Babysitterin, die Babysitterinnen Unsere Babysitterin spielt draußen mit den Kindern.	**babysitter** Our babysitter plays with the children outside.
aufpassen *V* passt auf, passte auf, hat aufgepasst = beaufsichtigen Sie passt am Nachmittag auf die Kinder auf.	**mind, look after** She minds the children in the afternoon.
die **Betreuung** *N* der Betreuung, die Betreuungen Die Familie sucht für morgen Abend eine Betreuung für ihren Sohn.	**carer** The family is looking for a carer to look after their son tomorrow evening.
das **Spielzeug** *N* des Spielzeug(e)s, die Spielzeuge Darf er mit deinem Spielzeug spielen?	**toy(s)** May he play with your toys?
die **Puppe** *N* der Puppe, die Puppen Marie ist schon zu alt, sie spielt nicht mehr mit Puppen.	**doll** Marie is already too old to play with dolls.
der **Teddy** *N* des Teddys, die Teddys Der Junge braucht seinen Teddy zum Einschlafen.	**teddy (bear)** The boy needs his teddy bear to fall asleep.
basteln *V* bastelt, bastelte, hat gebastelt Die Kinder basteln Sterne aus Stroh.	**make** The children make stars out of straw.
kaputtmachen *V (ugs.)* macht kaputt, machte kaputt, hat kaputtgemacht = beschädigen Mama! Nils hat schon wieder meine Sandburg kaputtgemacht!	**destroy, break** damage Mummy! Nils has destroyed my sand castle again!
der **Zirkus** ['tsɪrkʊs] *N* des Zirkus(ses), die Zirkusse Die ganze Familie geht am Sonntagnachmittag in den Zirkus.	**circus** The whole family is going to the circus on Sunday afternoon.

der **Ausflug** *N* des Ausflug(e)s, die Ausflüge	**trip**
der **Zoo** *N* des Zoos, die Zoos Die Kinder freuen sich darauf, Affen und Elefanten im Zoo zu sehen.	**zoo** The children are looking forward to seeing the monkeys and elephants at the zoo.
füttern *V* füttert, fütterte, hat gefüttert Man darf die Tiere nicht füttern.	**feed** You are not allowed to feed the animals.
die **Ermäßigung** *N* der Ermäßigung, die Ermäßigungen Für Kinder und Senioren gibt es eine Ermäßigung.	**reduction** There is a reduction for children and senior citizens.
kostenlos *Adj* Am Nachmittag ist der Eintritt für Kinder unter 6 Jahren kostenlos.	**free** In the afternoon, children under six will be admitted for free.
gratis *Adj* = kostenlos Sie bekommen bei jeder Vorstellung eine Portion Popcorn gratis.	**free (of charge), gratis** You get one portion of popcorn free of charge at each performance.
bis zu Kinder bis zu 6 Jahren zahlen keinen Eintritt.	**up to** Children up to six pay no admission.
über *Präp* Kinder über 12 zahlen den vollen Preis.	**over** Children over 12 pay the full price.

18.3 Outdoor-Aktivitäten und Hobbys | Outdoor activities and hobbies

spazieren gehen *V* geht spazieren, ging spazieren, ist spazieren gegangen Bei dem schönen Wetter könnten wir spazieren gehen.	**go for a walk** We could go for a walk in this nice weather.
der **Spaziergang** *N* des Spaziergang(e)s, die Spaziergänge Sie haben einen langen Spaziergang gemacht.	**walk** They went for a long walk.
joggen *V* joggt, joggte, ist / hat gejoggt David joggt morgens vor dem Frühstück.	**jog** David jogs before breakfast every morning.
die **Fitness** *N* der Fitness, *(nur Singular)*	**fitness**

Julia möchte mehr für ihre Fitness tun, deswegen geht sie ins Fitnessstudio.	Julia wants to do more for her fitness, so she goes to the gym.
regelmäßig *Adj* regelmäßiger, am regelmäßigsten Sie hält sich fit durch regelmäßiges Joggen im Wald.	**regular** She stays fit with regular runs in the woods.
aktiv *Adj* aktiver, am aktivsten Wir waren am Wochenende wieder sehr aktiv: Wir waren joggen und in der Sauna und abends auf einer Party.	**active** We were very active again over the weekend: We jogged, went for a sauna and went to a party in the evening.
die **Aktivität** *N* der Aktivität, die Aktivitäten Mit welchen Aktivitäten hältst du dich fit?	**activity** What activities do you do to keep fit?
→ See also chapter *19 Sport* (p. 325 ff).	
wandern *V* wandert, wanderte, ist gewandert Am Wochenende gehen wir oft wandern.	**hike, go for a walk** We often hike at the weekend.
die **Wanderung** *N* der Wanderung, die Wanderungen Letztes Jahr haben wir eine Wanderung durch den Schwarzwald gemacht.	**hike, ramble** We went on a hike through the Black Forest last year.
die **Hütte** *N* der Hütte, die Hütten Wenn wir in den Alpen wandern, übernachten wir in einfachen Hütten.	**mountain hut, cabin** When we go hiking in the Alps, we spend the night in simple cabins.
das **Picknick** *N* des Picknicks, die Picknicks / Picknicke Wir machen hier auf dieser Wiese Picknick.	**picnic** We'll stop for a picnic on this meadow.
grillen *V* grillt, grillte, hat gegrillt = grillieren *(CH)* Im Sommer laden wir gerne unsere Freunde ein und grillen auf dem Balkon.	**have a barbecue** We like to ask our friends round and have a barbecue on the balcony in the summer.
Rad fahren Was meinst du? Bei schönem Wetter können wir doch morgen Rad fahren.	**cycle, go cycling** What do you think? We can go cycling tomorrow if the weather is nice.
das **Mountainbike** *N* des Mountainbikes, die Mountainbikes Sonntagvormittags fährt Ben mit seinen Freunden Mountainbike. ↳ mountainbiken	**mountain bike** Ben rides his mountain bike with his friends on Sunday mornings. cycle, go cycling

die **Tour** [tuːɐ̯] *N* der Tour, die Touren Wollen wir am Wochenende eine Radtour machen?	**trip, tour** Shall we do a cycling tour at the weekend?
shoppen *V* shoppt, shoppte, hat geshoppt Samstags gehe ich gerne shoppen.	**shop** I like to shop on Saturdays.
der **Klub** *N (auch: Club)* des Klubs, die Klubs Vor ein paar Jahren haben wir einen Kegelklub gegründet.	**club** We founded a bowling club a few years ago.
der **Verein** *N* des Verein(e)s, die Vereine Mir macht es mehr Spaß, mit anderen zusammen Ski zu fahren. Deswegen bin ich in einen Verein gegangen.	**club, association, society** It is more fun I think to go skiing with others. That's why I joined a club.
das **Mitglied** *N* des Mitglieds, die Mitglieder Unser Wanderverein hat 25 Mitglieder.	**member** Our hiking club has 25 members.
eintreten *V* tritt ein, trat ein, ist eingetreten = Mitglied werden Ich würde gerne in einen Sportverein eintreten.	**join** I would like to join a sports club.
aufnehmen *V* nimmt auf, nahm auf, hat aufgenommen Sie haben Sven in den Verein aufgenommen.	**accept as a member** They accepted Sven as a member of the club.
schwimmen *V* schwimmt, schwamm, ist geschwommen Die Senioren wollen jeden Tag schwimmen.	**swim** The senior citizens would like to swim every day.
baden *V* badet, badete, hat gebadet Die Kinder gehen im Sommer oft nach der Schule baden.	**swim, go for a swim** In summer, the children often go for a swim after school.
der **Bikini** *N* des Bikinis, die Bikinis Hast du deinen Bikini dabei?	**bikini** Have you got your bikini with you?
die **Badehose** *N* der Badehose, die Badehosen Paul hat seine Badehose angezogen.	**swimming trunks** *(BE)*, **swim trunks** *(AE)* Paul put on his swimming trunks.
das **Hallenbad** *N* des Hallenbad(e)s, die Hallenbäder	**indoor swimming pool**

≠ das Freibad Das Wasser im Hallenbad ist angenehm warm.	outdoor swimming pool The water is nice and warm in the indoor swimming pool.
das **Schwimmbad** *N* des Schwimmbad(e)s, die Schwimmbäder Sie geht heute Nachmittag mit ihrer Freundin ins Schwimmbad.	**swimming pool** She is going to the swimming pool this afternoon with her friend.
die **Sauna** *N* der Sauna, die Saunas / Saunen In der Sauna schwitze ich mehr als beim Sport.	**sauna** I sweat more in the sauna than when I'm doing sports.
kegeln *V* kegelt, kegelte, hat gekegelt Er hat viel Spaß, wenn er mit seinen Freunden kegelt.	**play skittles, go bowling** He has a lot of fun when playing skittles with his friends.
angeln *V* angelt, angelte, hat geangelt Die beiden Väter gehen sonntags angeln.	**fish** The two fathers go fishing on Sundays.
die **Jagd** *N* der Jagd, die Jagden Bei der Jagd hat er seine Hunde dabei.	**hunt** He takes his dogs with him during the hunt.
fotografieren *V* fotografiert, fotografierte, hat fotografiert Beim 80. Geburtstag meiner Oma habe ich viel fotografiert.	**take photograph, take photos** I took lots of photos on my grandma's 80th birthday.
der **Fotoapparat** *N (Kurzform: der Foto)* des Fotoapparat(e)s, die Fotoapparate Kannst du mir deinen Fotoapparat leihen?	**camera** Can you lend me your camera?
der **Blitz** *N* des Blitzes, die Blitze Wenn es nicht hell genug ist, geht der Blitz beim Fotografieren automatisch an.	**flash** If it is not light enough, the flash switches itself on automatically when you take a photograph.
das **Video** *N* des Videos, die Videos Er hat die Hochzeit seiner Schwester auf Video aufgenommen.	**video** He recorded his sister's wedding on video.
filmen *V* filmt, filmte, hat gefilmt Als unsere Kinder noch klein waren, haben wir sie oft gefilmt.	**film** When our children were small we often filmed them.
der **Film** *N*	**film**

des Film(e)s, die Filme Hast du schon den neuesten Film von Woody Allen gesehen?	 Have you seen the new Woody Allen film yet?
die **Kamera** *N* der Kamera, die Kameras Sie hat sich für den Urlaub eine bessere Kamera gekauft. ↳ die Videokamera ↳ die Spiegelreflexkamera	**camera** She bought a better camera for her holiday. video camera reflex camera
das **Bild** *N* des Bild(e)s, die Bilder Ich finde, mit der Kamera kann man richtig gute Bilder machen.	**picture** I think that you can take really good pictures with this camera.
das **Foto** *N* des Fotos, die Fotos Können Sie bitte ein Foto von uns machen? (ein Foto) knipsen *(ugs.)*	**photo(graph)** Could you please take a photo of us? snap a picture

18.4 Kino, Theater und andere Veranstaltungen | Cinema, theatre and other events

das **Kino** *N* des Kinos, die Kinos Lass uns vor dem Kino treffen.	**cinema** *(BE)*, **movie theater** *(AE)* Let's meet in front of the cinema.
das **Kino** *N* des Kinos, die Kinos Das Kino fängt um 20 Uhr an. ins Kino gehen	**film** The film starts at 8 p.m. see a film
kommen *V* kommt, kam, ist gekommen Was kommt denn im Kino?	**be on** What is on at the cinema?
das **Programm** *N* des Programm(e)s, die Programme Hast du das Programm von diesem Monat? ↳ das Kinoprogramm	**programme** *(BE)*, **program** *(AE)* Do you have the programme for this month? cinema / film guide
der **Film** *N* des Film(e)s, die Filme	**film, movie** *(AE)*
die **Serie** [ˈzeːri̯ə] *N* der Serie, die Serien Diese Serie ist so spannend, dass ich mir noch eine Folge ansehen muss.	**series** This series is so exciting that I have to watch another episode.
spannend *Adj*	**exciting, thrilling**

spannender, am spannendsten Der Thriller ist echt spannend.	 The thriller is very exciting.
gespannt *Adj* gespannter, am gespanntesten Ich bin schon sehr gespannt auf den neuen Film von Tarantino.	**curious, expectant** I am already very curious about the new film by Tarantino.
komisch *Adj* komischer, am komischsten = lustig Den Kommissar fand ich sehr komisch!	**funny** I thought the inspector was very funny!
der **Held** *N* des Helden, die Helden Für den Helden des Films gibt es kein Happy End.	**hero** There is no happy ending for the hero of this film.
die **Heldin** *N* der Heldin, die Heldinnen	**heroine**
die **Werbung** *N* der Werbung, die Werbungen Der Film hat noch nicht angefangen, es läuft noch Werbung.	**advertisement** The film hasn't started yet, the advertisements are still running.
ansehen *V* sieht an, sah an, hat angesehen Ich fand den Film so schön, ich würde ihn am liebsten ein zweites Mal ansehen.	**watch** I liked the film so much that I'd really like to watch it a second time.
anschauen *V* schaut an, schaute an, hat angeschaut = ansehen	**look at**
beginnen *V* beginnt, begann, hat begonnen ≠ zu Ende sein	**begin, start** finish
anfangen *V* fängt an, fing an, hat angefangen = beginnen Wann fängt die Vorstellung an?	**begin, start** When does the film start?
los *Adv* Los! Beeilt euch, sonst verpassen wir noch den Film.	**come on** Come on! Hurry up, otherwise we'll miss the film.
weiter- *Präfix* Ich musste in der Pause gehen. Wie ging das Theaterstück weiter?	*here:* **continue** I had to go during the break. How did the play continue?

aus sein = zu Ende sein Wann ist der Film aus?	**be over; be finished** When will the film be over?
das **Publikum** *N* des Publikums, die Publika *(selten)* Manche im Publikum waren unzufrieden und pfiffen.	**audience** Some of the audience were dissatisfied and they whistled.
klatschen *V* klatscht, klatschte, hat geklatscht Das Publikum klatschte so lange, bis die Sänger noch einmal auf die Bühne kamen.	**clap, applaud** The audience didn't stop clapping until the singers had come back on the stage.
das **Lob** *N* des Lob(e)s, die Lobe *(selten)* In allen Zeitungen gab es Lob für die Aufführung.	**praise** There was praise for the performance in all the newspapers.
loben *V* lobt, lobte, hat gelobt Der Film wurde auf der Berlinale sehr gelobt.	**praise** The film was praised highly at the Berlinale.
die **Leute** *N (Pluralwort)* der Leute Manche Leute ziehen sich für den Theaterbesuch besonders schick an.	**people** Some people put on very chic clothes for their visits to the theatre.
der **Zuschauer** *N* des Zuschauers, die Zuschauer Den Zuschauern gefällt die moderne Inszenierung nicht.	**member of the audience** The audience do not like the modern production.
die **Zuschauerin** *N* der Zuschauerin, die Zuschauerinnen	**member of the audience**
das **Theater** *N* des Theaters, die Theater Wollen wir vor dem Theater etwas essen gehen?	**theatre** *(BE)*, **theater** *(AE)* Shall we go and eat somewhere before going to the theatre?
die **Oper** *N* der Oper, die Opern Gehst du auch gerne in die Oper? Das Publikum ist begeistert von Händels Oper.	**opera** Do you like going to the opera, too? The audience is delighted by Handel's opera.
die **Operette** *N* der Operette, die Operetten Ich finde Operetten sehr unterhaltsam.	**operetta** I think operettas are very entertaining.
das **Kabarett** *N (besonders A: Cabaret)* des Kabaretts, die Kabaretts	**cabaret**

Bei dem Kabarett gestern Abend haben wir viel gelacht.	We laughed a lot in the cabaret yesterday evening.
das **Ballett** *N* des Ballett(e)s, die Ballette In Stuttgart gibt es ein gutes Ballett.	**ballet** There is good ballet in Stuttgart.
die **Vorstellung** *N* der Vorstellung, die Vorstellungen Psst, die Vorstellung fängt gleich an.	**performance (of a play / film / etc.)** Shh, the performance is just about to start.
sich amüsieren *V* amüsiert sich, amüsierte sich, hat sich amüsiert Die Leute haben sich an dem Abend gut amüsiert.	**enjoy / amuse oneself** Everyone really enjoyed themselves that evening.
hören *V* hört, hörte, hat gehört Wir haben gestern ein wunderbares Konzert gehört.	**listen to** We listened to a wonderful concert yesterday.
hören *V* hört, hörte, hat gehört Haben Sie gehört, dass in der nächsten Woche der russische Stargeiger bei uns spielt?	**hear** Did you hear that that Russian star violinist will be giving a performance here next week?
der **Zuhörer** *N* des Zuhörers, die Zuhörer Die Zuhörer lauschten aufmerksam dem Konzert.	**member of the audience** The audience listened attentively to the concert.
die **Zuhörerin** *N* der Zuhörerin, die Zuhörerinnen	**member of the audience**
der **Schauspieler** *N* des Schauspielers, die Schauspieler	**actor**
die **Schauspielerin** *N* der Schauspielerin, die Schauspielerinnen Die Zuschauer waren von der Schauspielerin begeistert.	**actor, actress** The audience were enthusiastic about the actor.
die **Rolle** *N* der Rolle, die Rollen Der Schauspieler wurde für die Rolle in seinem letzten Film mit mehreren Preisen ausgezeichnet.	**role** The actor received several awards for his role in his last film.
die **Bühne** *N* der Bühne, die Bühnen Die Schauspieler kamen am Ende der Vorstellung noch mehrere Male auf die Bühne.	**stage** The actors came on the stage several times at the end of the performance.
aufführen *V* führt auf, führte auf, hat aufgeführt	**perform**

Das Stück wurde zum ersten Mal aufgeführt, es war eine Premiere. ↳ die Aufführung	The play was performed for the first time, it was a première. performance
die **Schlange** *N, (Kurzform für Warteschlange)* der Schlange, die Schlangen Vor dem Theater gab es eine lange Schlange.	**queue** *(BE)*, **line of people** *(AE)* There was a long queue in front of the theatre.
die **Karte** *N (Kurzform für Eintrittskarte)* der Karte, die Karten Haben Sie noch Karten für heute Abend?	**ticket** Have you still got tickets for this evening?
der **Platz** *N (Kurzform für Sitzplatz)* des Platzes, die Plätze Die ersten Plätze sind für VIPs reserviert.	**seat, place** The first seats are reserved for VIPs.
tauschen *V* tauscht, tauschte, hat getauscht Sollen wir unsere Plätze tauschen? Von meinem Platz kann man den Pianisten gut sehen.	**swap; change** Should we swap seats? You can see the pianist very well from my seat.
die **Reihe** *N (Kurzform für Sitzreihe)* der Reihe, die Reihen Es gibt noch zwei freie Plätze in Reihe 12. Möchten Sie die?	**row** There are still two free seats in row 12. Would you like them?
so *Adv* Wo möchten Sie denn sitzen? – So in der 5. bis 10. Reihe.	*here:* **somewhere** *(also: maybe; more or less)* Where would you like to sit? – Somewhere in the 5th to 10th row.
aufstehen *V* steht auf, stand auf, ist aufgestanden Sie brauchen nicht aufzustehen. Ich komme auch so vorbei.	**get up, stand up** You needn't get up. I can easily get past.
das **Glück** *N* des Glück(e)s, die Glücke Sie haben Glück! Es gibt noch freie Plätze für diesen Film.	**luck** You are in luck! There are still free seats for this film.
zum Glück Zum Glück gab es an der Abendkasse noch Karten.	**fortunately, happily, thankfully** Fortunately there were still some tickets at the box office.
sogar *Adv* Die Musiker haben sogar eine Zugabe gegeben.	**even** The musicians even played an encore.
schließlich *Adv* Sie mussten lange warten, aber schließlich bekamen sie noch zwei Tickets.	**finally** They had to wait for a long time but finally they got two tickets.
⊕ **ausverkauft** *Adj*	**sold out**

Die Abendvorstellung ist schon ausverkauft.	The evening performance is already sold out.

→ See also chapter *20 Literatur, Kunst, Musik* (p. 336 ff).

das **Museum** *N* des Museums, die Museen Wenn es regnet, gehen wir ins Museum.	**museum** If it rains, we will visit the museum.
führen *V* führt, führte, hat geführt Ein Kunsthistoriker führt die Besucher durch das Museum.	**lead** An art historian leads the visitors through the museum.
die **Führung** *N* der Führung, die Führungen Um 11 Uhr gibt es die nächste Führung.	**guided tour** The next guided tour is at 11 a.m.
die **Ausstellung** *N* der Ausstellung, die Ausstellungen Sie besuchen eine Ausstellung über Dinosaurier.	**exhibition** They are visiting an exhibition on dinosaurs.
der **Flohmarkt** *N* des Flohmarkt(e)s, die Flohmärkte Wir haben auf dem Flohmarkt eine schöne Vase gekauft.	**flea market** We bought a beautiful vase at the flea market.
kulturell *Adj* kultureller, am kulturellsten Sie unterhält sich gerne über kulturelle Themen.	**cultural** She likes to talk about cultural topics.
mehr *Adv* Er interessiert sich mehr für Theater als für Sport.	**more** He is more interested in theatre than in sports.
eher *Adv* Sie geht gerne in die Oper, ihr Mann mag eher Rockkonzerte.	**more; more likely** She likes to go to the opera, her husband likes rock concerts more.
dafür *Pronominaladverb* Interessierst du dich auch für Musicals? – Nein, dafür interessiere ich mich nicht.	*here:* **for sth** Are you also interested in musicals? – No, I don't really care for them.

18.5 Diskothek, Feiern — Disco, parties

tanzen *V* tanzt, tanzte, hat getanzt Er mag jede Musik, zu der man tanzen kann.	**dance** He likes all music you can dance to.
der **Tanz** *N* des Tanzes, die Tänze Diese klassischen Tänze mag sie nicht.	**dance** She doesn't like these classical dances.

auffordern *V* fordert auf, forderte auf, hat aufgefordert Der Mann forderte Carolin zum Tanz auf.	**ask to dance** The man asked Carolin to dance.
die **Party** *N* der Party, die Partys Kommst du zu meiner Party?	**party** Will you come to my party?
die **Stimmung** *N* der Stimmung, die Stimmungen Die Stimmung auf seiner Grillparty war super.	**mood, atmosphere** The atmosphere was super at the barbecue party.
klasse *Adj (ugs.)* = toll *(ugs.)* = super *(ugs.)* Der Abend bei euch war klasse!	**great** great, fantastic super The evening at your home was great!
cool *Adj (ugs.)* cooler, am coolsten Am Abend lief echt coole Musik.	**cool** There was really cool music in the evening.
feiern *V* feiert, feierte, hat gefeiert Sie feiern ihren 18. Geburtstag.	**celebrate** They are celebrating her 18th birthday.
die **Feier** *N* der Feier, die Feiern Wenn sie das Abi bestanden haben, machen sie eine große Feier.	**party** If they pass their A-levels they will have a big party.
das **Fest** *N* des Fest(e)s, die Feste Zu dem Fest kamen ungefähr 80 Gäste.	**party** There were approximately 80 guests at the party.
der **Gast** *N* des Gast(e)s, die Gäste	**guest**
stattfinden *V* findet statt, fand statt, hat stattgefunden Das Unifest findet im Juni statt.	**take place** The university party takes place in June.
vorbereiten *V* bereitet vor, bereitete vor, hat vorbereitet Ich gebe am Samstag eine Geburtstagsparty. Dafür muss ich noch viel vorbereiten.	**prepare** I'm throwing a birthday party on Sunday, and I'll need to prepare a lot of things for it.
das **Festival** [ˈfɛstivl̩, ˈfɛstival] *N* des Festivals, die Festivals	**festival**

ausgehen *V* geht aus, ging aus, ist ausgegangen Gehen wir heute Abend aus?	**go out** *(go to a dance / disco / etc.)* Are we going out this evening?
die **Diskothek** *N (Kurzform: Disko)* der Diskothek, die Diskotheken Sie gehen in die Disko.	**disco, discotheque** They are going to the disco.
der **Lautsprecher** *N* des Lautsprechers, die Lautsprecher Der DJ drehte die Lautsprecher auf.	**loudspeaker** The DJ turned up the loudspeakers.
heimgehen *V* geht heim, ging heim, ist heimgegangen Ich bin müde, ich will jetzt heimgehen.	**go home** I am tired, I want to go home now.
geöffnet *Adj* = auf / offen sein *(ugs.)* Der Nachtclub ist bis 3 Uhr geöffnet.	**open** be open The nightclub is open until 3 a.m.
geschlossen *Adj* = zu sein / haben *(ugs.)* ≠ geöffnet	**closed** be shut, be closed open
zu sein / haben *(ugs.)* Das Café ist schon zu. Es ist nur nachmittags geöffnet.	**be closed** The cafe is already closed. It's only open in the afternoon.
der **Eintritt** *N* des Eintritt(e)s, die Eintritte Für Frauen ist der Eintritt frei.	**admission** Admission is free for women.
umsonst *Adv* = gratis = kostenlos	**for nothing, for free** gratis free (of charge)
so *Adv (ugs.)* = ohne weiteres Ich bin so reingekommen.	*here:* **just like that** easily I came in just like that.
frei *Adj* freier, am frei(e)sten = umsonst	**free** *(without payment)* for free

→ See also chapter 12.4 *Einladungen und Verabredungen* (p. 196 ff)

19 Sport

19.1 Rund um den Sport — Sports in general

der **Sport** *N* — **sport**
des Sport(e)s, die Sporte *(selten)*
Sie macht nicht gerne Sport. — She does not like doing sports.
↳ die Sportkleidung — sportswear
↳ der Sportschuh — trainer *(BE)*, sneaker *(AE)*

Sport treiben — **do sport**
Gregor treibt dreimal pro Woche Sport. — Gregor does sport three times a week.

die **Sportart** *N (auch: Sport)* — **discipline, kind of sport**
der Sportart, die Sportarten
Ich mag alle Sportarten, die man im Winter machen kann. — I like all disciplines I can do in the winter.

der **Sportler** *N* — **sportsman**
des Sportlers, die Sportler
Er ist ein erfolgreicher Sportler. — He is a successful sportsman.

die **Sportlerin** *N* — **sportswoman**
der Sportlerin, die Sportlerinnen

---

der **Verein** *N* — **sports club**
des Verein(e)s, die Vereine
Sie spielen im Verein. — They play in a sports club.

der **Club** *N* — **club**
des Clubs, die Clubs
Julian geht immer dienstags in den Tennisclub. — Julian goes to the tennis club every Tuesday.

FC ist die Abkürzung für Fußballclub.	FC is the abbreviation for football club.
der **Profisportler** *N* des Profisportlers, die Profisportler ≠ der Amateursportler Im Fußball sind heute meistens Profisportler aktiv.	**professional sportsman** amateur sportsman Most football players today are professional sportsmen.
die **Profisportlerin** *N* der Profisportlerin, die Profisportlerinnen ≠ die Amateursportlerin	**professional sportswoman** amateur sportswoman
der **Profi** *N* des Profis, die Profis Er ist eigentlich ein Amateurfußballer, aber er spielt wie ein Profi.	**pro** He is actually an amateur football player but he plays like a pro.
sportlich *Adj* sportlich, am sportlichsten ≠ unsportlich Meine Freundin ist echt sportlich – sie trainiert dreimal pro Woche.	**sporty, athletic** unathletic My girlfriend is really sporty – she exercises three times a week.
der **Sportplatz** *N* des Sportplatzes, die Sportplätze Auf dem Sportplatz wird Fußball gespielt.	**sports field** Football is played on the sports field.
die **Runde** *N* der Runde, die Runden Um fit zu bleiben, läuft Achim jeden Tag 15 Runden auf dem Sportplatz.	**lap** Achim runs 15 laps on the sports field every day to keep himself fit.
die **Halle** *N* der Halle, die Hallen Es regnet, wir müssen in der Halle spielen. ↳ die Sporthalle ↳ die Turnhalle	**sports hall** It is raining, we'll have to play in the sports hall. sports hall gymnasium
das **Stadion** *N* des Stadions, die Stadien Die Fans singen im Stadion, um ihre Mannschaft anzufeuern.	**stadium** The fans are singing in the stadium to cheer for their team.
das **Studio** *N (Kurzform für: Fitnessstudio)* des Studios, die Studios Ich trainiere lieber im Verein, ins Fitnessstudio gehe ich nicht so gerne.	**gym, fitness studio** I prefer to practice in the club, I do not like going to the fitness studio that much.
trainieren [trɛˈniːrən] *V* trainiert, trainierte, hat trainiert Er trainiert zweimal die Woche sehr hart.	**train, exercise** *(BE)*, **practice** *(AE)* He trains very hard twice a week.

der **Trainer** [ˈtrɛːnɐ, ˈtreːnɐ] *N* des Trainers, die Trainer Die Mannschaft bekommt in der nächsten Spielsaison einen neuen Trainer.	**coach** The team will get a new coach next season.
die **Trainerin** [ˈtrɛːnərɪn] *N* der Trainerin, die Trainerinnen	**coach**
betreuen *V* betreut, betreute, hat betreut Die Trainerin betreut jede einzelne Spielerin.	**be responsible for** The coach is responsible for every single player.
das **Training** [ˈtrɛːnɪŋ, ˈtreːnɪŋ] *N* des Trainings, die Trainings Tim hat sich beim Training verletzt.	**training** Tim hurt himself while training.
die **Übung** *N* der Übung, die Übungen Man muss diese Übungen immer wieder machen, um ein guter Golfspieler zu werden.	**exercise** You have to do these exercises again and again to become a good golf player.
unbedingt *Adv* Der Coach will unbedingt, dass auch alle Reservespieler trainieren.	**absolutely** The coach is absolutely adamant that all reserves practice.
allein *Partikel* = schon Du brauchst viel Zeit: Allein das Training findet viermal in der Woche statt, dann kommen noch die Wettkämpfe am Wochenende dazu.	**just** already You need a lot of time: Just the training takes place four times a week, and then there are the competitions at the weekends.
ähnlich *Adj* ähnlicher, am ähnlichsten Max' Turnschuhe sind so ähnlich wie Jakobs.	**similar** Max's sneakers are similar to Jakob's.
fit *Adj* fitter, am fittesten Im Finale dürfen nur die fittesten Spieler mitspielen.	**fit** Only the fittest players are allowed to play in the final.
die **Fitness** *N* der Fitness, *(nur Singular)* = die Kondition Für ihre Fitness tut sie alles!	**fitness** (physical) fitness She does everything for her fitness!
sich anstrengen *V* strengt sich an, strengte sich an, hat sich angestrengt Im Profisport muss man bereit sein, sich stark anzustrengen.	**try hard, make an effort** You have to be prepared to make a great effort in professional sport.
anstrengend *Adj* anstrengender, am anstrengendsten	**tiring, exhausting**

Das anstrengende Konditionstraining dauerte anderthalb Stunden.	The exhausting fitness training lasted one hour and a half.
erschöpft *Adj* erschöpfter, am erschöpftesten = kaputt *(ugs.)* Nach dem Training waren alle erschöpft.	**exhausted** shattered Everyone was exhausted after the training.
die **Energie** *N* der Energie, *(in dieser Bedeutung nur Singular)* Ich habe nach der Arbeit oft keine Energie mehr, um Sport zu machen.	**energy** After work I often don't have the energy to do sport.
die **Leistung** *N* der Leistung, die Leistungen Im Training war seine Leistung sehr gut.	**performance** His performance was very good during the training.

19.2 Wettkampf — Contest

der **Start** *N* des Start(e)s, die Starts *(selten: Starte)* Die Schwimmerin machte beim Start einen Fehler: Sie sprang zu früh.	**start** The swimmer made a mistake at the start: she jumped too early.
los *Adv* Auf die Plätze – fertig – los!	**go** On your marks – get set – go!
das **Ziel** *N* des Ziel(e)s, die Ziele ≠ der Start Nicht alle Marathonläufer kamen im Ziel an.	**finish (line)** start Not all the marathon runners reached the finish line.
die **Mannschaft** *N* der Mannschaft, die Mannschaften Die kanadische Mannschaft war besser als die österreichische. ↳ die Nationalmannschaft ↳ die Fußballmannschaft	**team** The Canadian team was better than the Austrian team. national team football team
das **Team** [tiːm] *N* des Teams, die Teams = die Mannschaft Uwe Johnson wechselt in das schwedische Team. ↳ das Olympiateam	**team** Uwe Johnson is transferring to the Swedish team. Olympic team
der **Spieler** *N* des Spielers, die Spieler Alle Spieler sind hochmotiviert.	**player** All the players are highly motivated.

die **Spielerin** *N* der Spielerin, die Spielerinnen	**player**
ersetzen *V* ersetzt, ersetzte, hat ersetzt Der Torwart ist krank, er muss durch einen anderen Spieler ersetzt werden.	**replace** The goalkeeper is ill, so he must be replaced by another player.
spielen (+ Ballsportart) *V* spielt, spielte, hat gespielt Sie spielen Hockey / Fußball / Volleyball / Tennis.	**play** They play hockey / football / volleyball / tennis.
spielen *V* spielt, spielte, hat gespielt Er spielt in der 1. Bundesliga. gegen jemanden spielen	**play** He plays in the first national league. play against somebody
rennen *V* rennt, rannte, ist gerannt Der äthiopische Läufer rennt schneller als der amerikanische und der britische Konkurrent.	**run** The Ethiopian runner runs faster than the American and the British competitors.
das **Spiel** *N* des Spiel(e)s, die Spiele Es war bis zum Schluss ein spannendes Spiel. ↳ das Fußballspiel ↳ das Handballspiel ↳ das Qualifikationsspiel	**game, match** *(BE) (sport competition)* It was an exciting game until the end. football match game of handball qualifying game / match
der **Gegner** *N* des Gegners, die Gegner Die deutsche Mannschaft tritt gegen einen schwierigen Gegner an.	**opponent** The German team will be competing against a difficult opponent.
die **Gegnerin** *N* der Gegnerin, die Gegnerinnen	**opponent**
der **Rekord** *N* des Rekord(e)s, die Rekorde Der Kenianer stellte beim 1000-Meter-Lauf einen neuen Rekord auf.	**record** The Kenyan set up a new record for in the 1000-metre race.
der **Meister** *N* des Meisters, die Meister Auch in diesem Jahr wurde der FC Bayern München Deutscher Meister.	**champion** FC Bayern Munich became the German champion this year as well.
der **Weltmeister** *N* des Weltmeisters, die Weltmeister Deutschland wurde 2014 Fußballweltmeister.	**world champion** Germany became football world champions in 2014.

19 Sport

der **Wettkampf** *N* des Wettkampf(e)s, die Wettkämpfe In dem Wettkampf treten nur gute Mannschaften an.	**competition** Only good teams will be competing in the competition.
die **Olympiade** *N* der Olympiade, die Olympiaden = die Olympischen Spiele Sie gewann bei der letzten Olympiade eine Goldmedaille.	**Olympic Games, Olympics** She won a gold medal at the last Olympics.
die Tour de France [turdəˈfrãːs] Die Tour de France findet jedes Jahr im Juli statt und hat ca. 21 Etappen.	**the Tour de France** The Tour de France takes place annually in July and has about 21 stages.
führen *V* führt, führte, hat geführt Werder Bremen führt mit 3:2. (gesprochen: drei zu zwei)	**lead, be in the lead** Werder Bremen is leading 3-2.
der **Sieger** *N* des Siegers, die Sieger	**winner**
die **Siegerin** *N* der Siegerin, die Siegerinnen Sie war die strahlende Siegerin des Turniers.	**winner** She was the radiant winner of the tournament.
siegen *V* siegt, siegte, hat gesiegt Das französische Frauenteam siegte mit 3:1.	**win** The French women's team won 3-1.
der **Sieg** *N* des Sieg(e)s, die Siege Der Trainer und die Mannschaft freuten sich über ihren Sieg.	**victory; win** The trainer and the team were delighted with their victory.
gewinnen *V* gewinnt, gewann, hat gewonnen Sie gewann das Turnier haushoch.	**win** She won the tournament hands down.
schlagen *V* schlägt, schlug, hat geschlagen = besiegen Sie haben den Weltmeister geschlagen.	**defeat** They have defeated the world champion.
verlieren *V* verliert, verlor, hat verloren ≠ gewinnen	**lose** win
der **Verlierer** *N* des Verlierers, die Verlierer	**loser**

Er zeigte sich als fairer Verlierer: Er gratulierte seinem Gegner zum Sieg.	He presented himself as a fair loser: he congratulated his opponent on his victory.
die **Verliererin** *N* der Verliererin, die Verliererinnen	**loser**
letzter, letzte, letztes *Adj* ≠ erster, erste, erstes Sie qualifizierten sich als Letzte fürs Halbfinale.	**last** first They were last to qualify for the semifinal.
nur *Adv* Manuel war sehr enttäuscht: Er wurde nur Dritter.	**only** Manuel was very disappointed: he was only third.
der **Zufall** *N* des Zufall(e)s, die Zufälle Es war nicht die Leistung, sondern Zufall, dass die holländische Mannschaft das Spiel gewann.	**coincidence** It was not the performance, but coincidence that the Dutch team won the game.
reiner Zufall Dass beide Torwarte den gleichen Namen haben, ist reiner Zufall.	**pure coincidence** It is pure coincidence that the two goalkeepers have the same name.
zufällig *Adj* Mein Nachbar spielt zufällig auch Tennis. Es war ein zufälliges Treffen, keiner von beiden hatte es erwartet.	**coincidentally; by chance** My neighbour coincidentally also plays tennis. It was only by chance that they met. Neither of them expected it.
unentschieden *Adj* Das Spiel steht unentschieden.	**a draw** The game is still a draw.
das **Ergebnis** *N* des Ergebnisses, die Ergebnisse	**result**
ausgehen *V* geht aus, ging aus, ist ausgegangen Wie ist das Spiel ausgegangen?	**end** How did the game end?
wetten *V* wettet, wettete, hat gewettet Ich wette, heute gewinnt unsere Mannschaft! Bei Pferderennen wird gewettet, welches Pferd das schnellste ist.	**bet** I bet our team will win today! In horse racing, bets are placed on the fastest horses.
teilnehmen *V* nimmt teil, nahm teil, hat teilgenommen Richard wurde krank, deswegen konnte er am entscheidenden Match nicht teilnehmen.	**take part** Richard became ill so he could not take part in the decisive match.
der **Teilnehmer** *N* des Teilnehmers, die Teilnehmer	**participant**

Die Teilnehmer der Olympischen Spiele kommen aus der ganzen Welt.	The participants in the Olympics come from all over the world.
die **Teilnehmerin** *N* der Teilnehmerin, die Teilnehmerinnen	**participant**
die **Teilnahme** *N* der Teilnahme, *(nur Singular)* Die Teilnahme der Turnerinnen am Wettkampf muss bis morgen gemeldet werden.	**participation** The gymnasts must register their participation in the competition by tomorrow.
der **Zuschauer** *N* des Zuschauers, die Zuschauer Zum Endspiel kamen viele Zuschauer ins Stadion.	**spectator** Many spectators came to the stadium for the final.
die **Zuschauerin** *N* der Zuschauerin, die Zuschauerinnen	**spectator**
zuschauen *V* schaut zu, schaute zu, hat zugeschaut Viele Menschen schauten beim Skislalom der Damen zu.	**watch** A lot of people watched the women's slalom skiing.

19.3 Sportarten — Types of sport

der **Ball** *N* des Ball(e)s, die Bälle Sie spielen Ball.	**ball** They are playing ball.
werfen *V* wirft, warf, hat geworfen Carlotta wirft den Ball so weit, dass Lisa ihn nicht fangen kann. ≠ fangen	**throw** Carlotta throws the ball so far that Lisa can't catch it. catch
fangen *V* fängt, fing, hat gefangen	**catch**

Articles with types of sport

Most types of sport are used without an article.

(der) **Basketball** ['ba(:)skətbal] *N* des Basketball(e)s, *(in dieser Bedeutung nur Singular)* Sie spielt lieber Basketball als Volleyball.	**basketball** *(discipline)* She would rather play basketball than volley-ball.
der **Basketball** ['ba(:)skətbal] *N*	**basketball**

des Basketball(e)s, die Basketbälle Er warf den Basketball aus 10 m Entfernung in den Korb.	He threw the basketball into the basket from a distance of ten metres.
(der) **Volleyball** [ˈvɔlibal] *N* des Volleyball(e)s, *(in dieser Bedeutung nur Singular)*	**volleyball** *(discipline)*
der **Volleyball** [ˈvɔlibal] *N* des Volleyball(e)s, die Volleybälle Ein Volleyball ist größer als ein Handball.	**volleyball** A volleyball is bigger than a handball.
(der) **Handball** *N* des Handball(e)s, *(in dieser Bedeutung nur Singular)* Er spielt jedes Wochenende Handball.	**handball** *(discipline)* He plays handball every weekend.
der **Handball** *N* des Handball(e)s, die Handbälle	**handball**
(das) **Tennis** *N* des Tennis, *(nur Singular)* Er spielt mit seinem Freund Tennis. ↳ der Tennisball	**tennis** *(discipline)* He plays tennis with his friend. tennis ball
das **Golf** *N* des Golfs, *(nur Singular)* In Schottland spielen sehr viele Menschen Golf.	**golf** A lot of people play golf in Scotland.
der **Rasen** *N* des Rasens, die Rasen Golfspiele finden auf sehr gepflegtem Rasen statt.	**green** Golf is played on manicured greens.
(der) **Fußball** *N* des Fußball(e)s, *(in dieser Bedeutung nur Singular)* Die ganze Familie sitzt vor dem Fernseher und schaut Fußball.	**football** *(BE)*, **soccer** *(discipline)* The whole family is sitting in front of the TV watching football.
der **Fußball** *N* des Fußball(e)s, die Fußbälle Er schoss den Fußball mit dem linken Fuß.	**football** *(BE)*, **soccer ball** He kicked the football with his left foot.
das **Fußballspiel** *N* des Fußballspiel(e)s, die Fußballspiele Das Fußballspiel ist toll. Es steht 3:1 für Dortmund.	**football match** The football match is great. It's 3-1 for Dortmund.
das **Tor** *N* des Tor(e)s, die Tore Er hat drei Tore geschossen.	**goal** He scored three goals.
der **Torwart** *N*	**goalkeeper**

des Torwarts, die Torwarte Der Torwart konnte den Ball nicht halten.	The goalkeeper could not stop the ball.
eindeutig *Adj* Es war nicht eindeutig, ob Florian den anderen Spieler gefoult hatte.	**clear; unambiguous** It was not clear if Florian had fouled the other player.
unglaublich *Adj* unglaublicher, am unglaublichsten Es ist unglaublich, dass der Torwart diesen Ball gehalten hat.	**unbelievable, incredible** It is incredible that the goalkeeper stopped the ball.
populär *Adj* populärer, am populärsten = beliebt Fußball ist fast überall auf der Welt populär.	**popular** Football is popular nearly everywhere in that world.
schwimmen *V* schwimmt, schwamm, ist geschwommen Michael ist heute 1000 Meter geschwommen.	**swim** Michael swam 1,000 metres today.
tauchen *V* taucht, tauchte, hat getaucht Man sollte immer zu zweit tauchen gehen.	**dive** You should always go diving in pairs.
springen *V* springt, sprang, ist gesprungen Mario ist vom Zehnmeterturm gesprungen.	**jump** Mario jumped from the ten-metre tower.
segeln *V* segelt, segelte, ist / hat gesegelt Sie segeln mit einem neuen Boot.	**sail** They are sailing a new boat.
surfen [ˈsəːfn̩] *V* surft, surfte, ist / hat gesurft Bei diesen Wellen kann man wunderbar surfen. ↳ das Surfbrett	**surf** There's some great surfing on these waves. surfboard
die **Gymnastik** [gʏmˈnastɪk] *N* der Gymnastik, die Gymnastiken Sie macht jeden Morgen Gymnastik.	**gymnastics** She does gymnastics every morning.
turnen *V* turnt, turnte, hat geturnt Sie turnt seit sie drei Jahre alt ist.	**do gymnastics** She has been doing gymnastics since she was three years old.
boxen *V* boxt, boxte, hat geboxt Er boxte gegen einen starken Gegner.	**box** He was boxing against a strong opponent.
reiten *V*	**ride; go horse riding**

reitet, ritt, ist geritten *(selten: hat geritten)* Beim Springreiten ritt Ida ihr Lieblingspferd.	 Ida rode her favourite horse in the showjumping competition.
springen *V* springt, sprang, ist gesprungen Als Mike Powell 8,95 Meter weit sprang, stellte er den Weltrekord auf.	**jump** When Mike Powell jumped 8.95 m he set up a world record.
der **Ski** [ʃiː] *N* des Skis, die Ski / Skier Letzten Winter habe ich mir neue Ski gekauft.	**ski** Last winter I bought new skis.
Ski fahren [ʃiː] Wenn es so weiter schneit, können wir am Wochenende Ski fahren. ↳ das Skifahren	**ski; go skiing** If it continues snowing like this, we can go skiing at the weekend. skiing
das **Snowboard** *N* des Snowboards, die Snowboards Laura fährt lieber Snowboard als Ski.	**snowboard** Laura prefers snowboarding to skiing.
(das) **Snowboarden** *N* des Snowboardens, *(nur Singular)* Snowboarden ist meine Lieblingssportart im Winter.	**snowboarding** *(discipline)* Snowboarding is my favourite sport in winter.
(das) **Eishockey** [ˈaishɔke] *N* des Eishockeys, *(nur Singular)* Beim Eishockey besteht eine Mannschaft aus sechs Spielern.	**ice hockey** *(discipline)* An ice hockey team consists of six players.
(das) **Eislaufen** *N* des Eislaufens, *(nur Singular)* Eislaufen ist ein Sport, den Elsa nur im Winter betreibt.	**ice skating** *(discipline)* Ice skating is a sport that Elsa does only in winter.

20 Literatur, Kunst, Musik

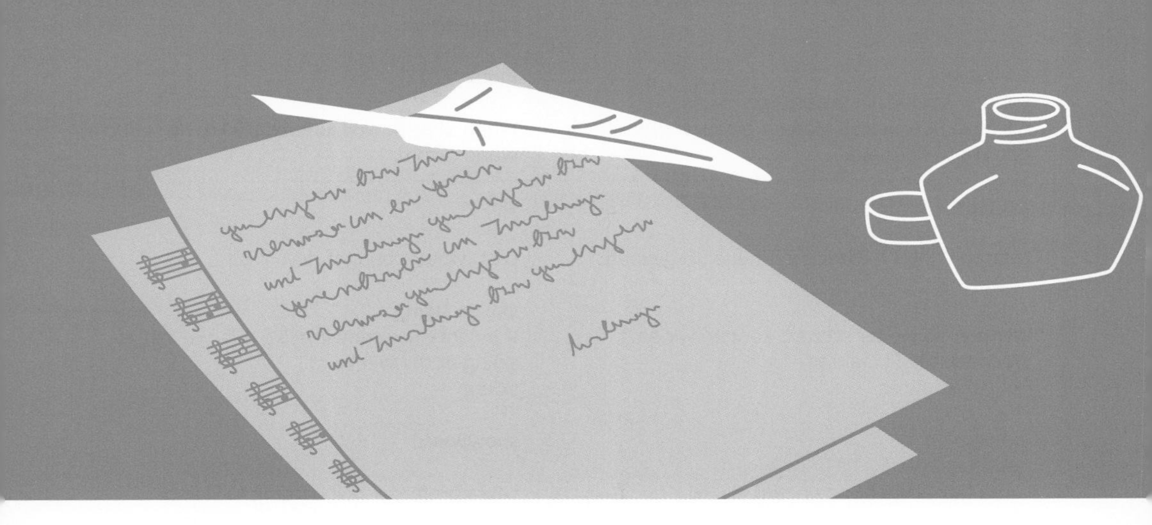

20.1 Literatur, Theater — Literature, theatre

die **Literatur** *N*	**literature**
der Literatur, die Literaturen	
Er kannte sich sehr gut in der englischen Literatur aus.	He knew a lot about English literature.
der **Roman** *N*	**novel**
des Romans, die Romane	
Manche lesen lieber kurze Erzählungen als einen dicken Roman.	Some people prefer to read short stories instead of long novels.
die **Erzählung** *N*	**story**
der Erzählung, die Erzählungen	
das **Gedicht** *N*	**poem**
des Gedicht(e)s, die Gedichte	
Ich kann leider keine Gedichte auswendig.	Sorry, but I don't know any poems by heart.
ein Gedicht auswendig lernen	to learn a poem by heart
↳ dichten	write poetry
das **Märchen** *N*	**fairytale**
des Märchens, die Märchen	
Sie liest ihren Kindern abends ein Märchen der Brüder Grimm vor.	In the evenings she reads a Grimm's fairytale to her children.
Erzähl mir keine Märchen!	Stop telling fairy stories! *(Just tell the truth!)*
die **Geschichte** *N*	**story**
der Geschichte, die Geschichten	
Die Geschichte hat kein Happy End.	The story has no happy ending.

eine Geschichte erzählen eine Geschichte vorlesen	tell a story read out a story
der **Krimi** *N (Kurzform für Kriminalroman)* des Krimis, die Krimis Sie hat den Krimi in zwei Tagen ausgelesen.	**detective novel, mystery novel** She finished reading the detective novel in two days.
spannend *Adj* spannender, am spannendsten = packend = mitreißend Das Hörbuch ist echt spannend.	**exciting** absorbing thrilling The audiobook is really exciting.
der **Comic** [ˈkɔmɪk] *N* des Comic(s), die Comics Er liest gerne Comics.	**comic (strip), cartoon strip** He likes reading comics.
die **Fantasie** *N (auch: Phantasie)* der Fantasie, die Fantasien Das Lesen von Büchern regt die Fantasie an. ⚠ Fantasy [ˈfæntəzi]	**imagination; fantasy** Reading books stimulates the imagination. fantasy *(literary genre)*
das **Buch** *N* des Buch(e)s, die Bücher Sein neuestes Buch ist ein Bestseller. ↳ das Taschenbuch	**book** His latest book is a bestseller. paperback
schreiben *V* schreibt, schrieb, hat geschrieben Sie schreibt für ein Frauenmagazin. Er schrieb sieben Jahre an dem Roman.	**write** *(work as an author)* She writes for a women's magazine. He worked on the novel for seven years.
veröffentlichen *V* veröffentlicht, veröffentlichte, hat veröffentlicht Die Schriftstellerin hat einen neuen Roman veröffentlicht.	**publish** The writer has published a new novel.
lesen *V* liest, las, hat gelesen Ralf liest das Drehbuch zu dem Film.	**read** Ralf reads the screenplay for the film.
die **Buchhandlung** *N* der Buchhandlung, die Buchhandlungen Ihr neues Buch ist jetzt in jeder Buchhandlung zu finden.	**bookshop** *(BE)*, **bookstore** *(AE)* Her new book is now available in every bookshop.
das **E-Book** [ˈiːbʊk] *N* des E-Book(s), die E-Books Ich finde E-Books praktischer als traditionelle Bücher. ↳ der E-Reader	**e-book** I think e-books are more practical than traditional books. e-reader

der **Text** *N* des Text(e)s, die Texte Der deutsche Text wurde ins Englische und Spanische übersetzt.	**text** The German text was translated into English and Spanish.
der **Titel** *N* des Titels, die Titel Der Titel der Autobiografie macht neugierig.	**title** The title of the autobiography makes you curious.
der **Abschnitt** *N* des Abschnitt(e)s, die Abschnitte In diesem Abschnitt beschreibt er sein Haus.	**section, part** He describes his house in that part.
das **Kapitel** *N* des Kapitels, die Kapitel Wie viele Kapitel hat das Buch?	**chapter** How many chapters does the book have?
der **Schriftsteller** *N* des Schriftstellers, die Schriftsteller Die Frauen gehen in die Lesung eines bekannten Schriftstellers.	**writer, author** The women are going to a reading by a famous writer.
die **Schriftstellerin** *N* der Schriftstellerin, die Schriftstellerinnen	**writer, author**
der **Autor** *N* des Autors, die Autoren = der Schriftsteller Er ist ein viel gelesener Autor.	**author** writer He is a well-read author.
die **Autorin** *N* der Autorin, die Autorinnen	**author**
der **Dichter** *N* des Dichters, die Dichter Goethe ist einer der bekanntesten deutschen Dichter.	**poet** Goethe is one of the most famous German poets.
die **Dichterin** *N* der Dichterin, die Dichterinnen	**poet**
bekannt *Adj* bekannter, am bekanntesten ≠ unbekannt Der Schriftsteller ist unter einem Pseudonym bekannt.	**known; well-known** unknown, unfamiliar The writer is known under a pseudonym.
beliebt *Adj* beliebter, am beliebtesten ≠ unbeliebt Die Schauspielerin ist beim Publikum sehr beliebt.	**popular** unpopular The actor is very popular with the audience.

berühmt *Adj* berühmter, am berühmtesten Tolstoi war bereits zu Lebzeiten durch Romane wie „Krieg und Frieden" und „Anna Karenina" berühmt. ↳ weltberühmt	**famous** Tolstoi was famous even in his own lifetime through novels like "War and Peace" and "Anna Karenina". world-famous
die **Öffentlichkeit** *N* der Öffentlichkeit, die Öffentlichkeiten Der Krimiautor ist einer breiten Öffentlichkeit bekannt.	**public** This crime writer is known to a wide public.
allgemein *Adj* In der Broschüre finden Sie allgemeine Informationen über das Theaterstück.	**general** In the pamphlet you will find general information about the play.
im Allgemeinen Im Allgemeinen lese ich lieber Krimis als Liebesromane.	**generally** Generally I prefer detective novels to romantic novels.
die **Kritik** *N* der Kritik, die Kritiken Der Autor bekam gute Kritiken für seinen neuen Roman. ↳ der Kritiker, die Kritikerin	**review; criticism** The author got good reviews for his new novel. critic
das **Theater** *N* des Theaters, die Theater Die Stadt will ein neues Theater bauen.	**theatre** *(BE)*, **theater** *(AE) (building)* The town wants to build a new theatre.
das **Theater** *N* des Theaters, die Theater Im Theater läuft eine neue Inszenierung von Max Frischs „Andorra". ↳ das Theaterstück	**theatre** *(BE)*, **theater** *(AE) (performance)* The theatre is running a new production of Max Frisch's "Andorra". play
die **Szene** *N* der Szene, die Szenen Die letzte Szene spielt in einem Schloss.	**scene** The last scene is set in a castle.
die **Bühne** *N* der Bühne, die Bühnen Während des ganzen Theaterstücks sind nur zwei Personen auf der Bühne.	**stage** Only two people are on the stage during the whole play.
der **Regisseur** [reʒɪˈsøːɐ̯] *N* des Regisseurs, die Regisseure	**director; producer**
die **Regisseurin** [reʒɪˈsøːrɪn] *N* der Regisseurin, die Regisseurinnen Die Regisseurin ist durch eine spektakuläre Inszenierung bekannt geworden.	**director; producer** The producer became famous through a spectacular production that she did.

der **Schauspieler** *N* des Schauspielers, die Schauspieler Der Schauspieler ist in seiner Rolle sehr überzeugend.	**actor** The actor is very convincing in his role.
die **Schauspielerin** *N* der Schauspielerin, die Schauspielerinnen	**actress**
der **Auftritt** *N* des Auftritt(e)s, die Auftritte Vor jedem Auftritt ist sie nervös.	**performance; appearance, entrance** She is nervous before each performance.
auftreten *V* tritt auf, trat auf, ist aufgetreten Die Band tritt während ihrer Europatournee nur einmal in Deutschland auf.	**perform, appear** The Band will be performing only once in Germany on its European tour.
die **Vorstellung** *N* der Vorstellung, die Vorstellungen Nach der Vorstellung gehen sie etwas essen.	**performance, showing** They will eat out after the performance.
die **Handlung** *N* der Handlung, die Handlungen Ich kann den Krimi nur empfehlen: Die Handlung ist sehr spannend.	**action; plot** I really can recommend this detective novel: The plot is very exciting.
handeln von Die Kurzgeschichte handelt von einem Förster in Südafrika.	**be about** The short story is about a forest ranger in South Africa.

20.2 Bildende Kunst, Fotografie — Visual arts, photography

die **Kunst** *N* der Kunst, die Künste Sie lebt für die Kunst. die abstrakte Kunst die moderne Kunst ↳ der Kunststil	**art** *(creativity)* She lives for art. abstract art modern art artistic style
die **Kunst** *N* der Kunst, die Künste Viele Menschen bewundern die Kunst Picassos.	**art** *(entirety of an artist's works)* Many people admire Picasso's art.
modern *Adj* moderner, am modernsten Computerkunst ist zurzeit sehr modern.	**modern** Computer art is very modern at present.
der **Künstler** *N* des Künstlers, die Künstler	**artist**

Zum Expressionismus gehören bedeutende Künstler wie August Macke, Franz Marc und Wassily Kandinsky.	The expressionists include important artists like August Macke, Franz Marc, and Wassily Kandinsky.
die **Künstlerin** *N* der Künstlerin, die Künstlerinnen	**artist**
kreativ *Adj* kreativer, am kreativsten Diese Skulptur finde ich besonders kreativ.	**creative** I find this sculpture especially creative.
das **Talent** *N* des Talent(e)s, die Talente = die Begabung Vielleicht hat sie das künstlerische Talent von ihrer Mutter.	**talent** talent, gift Maybe she gets her artistic talent from her mother.
das **Gemälde** *N* des Gemäldes, die Gemälde Das Gemälde muss restauriert werden.	**painting** The painting has to be restored.
die **Kultur** *N* der Kultur, *(in dieser Bedeutung nur Singular)* Hamburg ist eine Stadt mit einem großen Kulturangebot.	**culture** Hamburg is a city with many cultural activities.
die **Ausstellung** *N* der Austellung, die Austellungen Sie fährt nach Kassel, um die „documenta", die wichtigste Ausstellung der zeitgenössischen Kunst, zu besuchen. in eine Ausstellung gehen	**exhibition** She goes to Kassel to visit the "documenta", the most important exhibition of contemporary art. go to an exhibition
ausstellen *V* stellt aus, stellte aus, hat ausgestellt Er stellt seine frühen Werke in seinem Atelier aus.	**exhibit** He exhibits his early works in his studio.
sehen *V* sieht, sah, hat gesehen = sich ansehen Haben Sie schon die Austellung gesehen?	**see; watch** take a look at Have you already seen the exhibition?
das **Museum** *N* des Museums, die Museen An manchen Tagen ist der Besuch der Berliner Museen kostenlos.	**museum** On some days Berlin's museums can be visited free of charge.
die **Galerie** *N* der Galerie, die Galerien Er hat dieses Bild am Sonntag in der Galerie gekauft.	**art gallery; art dealer's** He bought this picture in the gallery on Sunday.

der **Stil** *N*	**style**
des Stil(e)s, die Stile	
Innerhalb der Pop-Art gibt es zwei Stile.	There are two styles in pop art.
stilistisch *Adj*	**stylistic**
Meiner Meinung nach hat der Roman einige stilistische Fehler.	In my opinion the novel has some stylistic mistakes.
das **Bild** *N*	**picture; drawing**
des Bild(e)s, der Bilder	
Der Künstler hat alle seine Bilder signiert.	The artist signed all of his drawings.
der **Maler** *N*	**painter**
des Malers, die Maler	
Wer hat das Bild gemalt? – Ein unbekannter Maler.	Who did this picture? – An unknown painter.
die **Malerin** *N*	**painter**
der Malerin, die Malerinnen	
malen *V*	**paint**
malt, malte, hat gemalt	
Viele impressionistische Maler malten gerne im Freien.	Many impressionists liked to paint out of doors.
↳ die Malerei	painting
zeichnen *V*	**draw**
zeichnet, zeichnete, hat gezeichnet	
Alle zeichnen ein Porträt.	Everybody draws a portrait.
die **Zeichnung** *N*	**drawing**
der Zeichnung, die Zeichnungen	
Die Zeichnungen entstanden in den frühen Jahren des Künstlers.	These drawings are from the artist's early years.
wert sein	**be worth**
Das Bild ist heute vielleicht eine Million Euro wert.	The drawing is perhaps worth a million euros today.
die **Farbe** *N*	**colour** *(BE)*, **color** *(AE)*
der Farbe, die Farben	
Die meisten Fotos sind in Farbe, nicht in Schwarz-Weiß.	Most of the photos are in colour, not in black and white.
leuchtende Farben	brilliant colours
farbig *Adj*	**colo(u)rful, colo(u)red**
= polychrom	polychrome
Der untere Teil des Bildes ist farbig.	The lower part of the picture is coloured.
↳ einfarbig *(monochrom)*	monochrome, all one colo(u)r
bunt *Adj*	**colourful** *(BE)*, **colorful** *(AE)*
bunter, am buntesten	

Die bunten Zeichnungen sind typisch für diesen Künstler.	The colourful drawings are typical of this artist.
die **Plastik** *N*	**sculpture**
der Plastik, die Plastiken	
Im Central Park steht eine berühmte Plastik von Miró.	There's a famous sculpture by Miró in Central Park.
das **Denkmal** *N*	**monument**
des Denkmal(e)s, die Denkmäler	
Ein Denkmal in Weimar zeigt Schiller und Goethe.	A monument in Weimar shows Schiller and Goethe.
das **Original** *N*	**original**
des Original(e)s, die Originale	
Das Gemälde ist ein Original aus dem 19. Jahrhundert.	The painting is an original from the 19th century.
gefallen *V*	**like**
gefällt, gefiel, hat gefallen	
Mir gefallen Andy Warhol und die Pop-Art überhaupt nicht.	I do not like Andy Warhol and pop art at all.
schön *Adj*	**beautiful**
schöner, am schönsten	
Sie zeichnet sehr schöne Porträts.	She draws very beautiful portraits.
interessant *Adj*	**interesting**
interessanter, am interessantesten	
≠ uninteressant	uninteresting
In der Ausstellung sahen sie interessante Videoinstallationen.	They saw some interesting video installations at the exhibition.

→ Further words for expressing pleasure can be found in chapter *13.6 Gefallen und Begeisterung ausdrücken* (p. 221 ff).

der **Fotograf** *N*	**photographer**
des Fotografen, die Fotografen	
Der Fotograf ist auf Naturfotografie spezialisiert.	The photographer specializes in nature photography.
die **Fotografin** *N*	**photographer**
der Fotografin, die Fotografinnen	
die **Fotografie** *N* *(Kurzform: das Foto)*	**photograph**
der Fotografie, die Fotografien	
Die Fotografien sind unscharf.	The photographs are blurred.
das **Foto** *N*	**photo**
des Fotos, die Fotos	
Dein Foto auf dem Lebenslauf ist genial!	The photo on your CV is brilliant!
die **Fotografie** *N*	**photography**
der Fotografie, *(in dieser Bedeutung nur Singular)*	

Er interessiert sich für experimentelle Fotografie.	He is interested in experimental photography.
vergrößern *V* vergrößert, vergrößerte, hat vergrößert Er hat das Foto stark vergrößert.	**enlarge** He has greatly enlarged the photo.
der **Fotoapparat** *N* des Fotoapparat(e)s, die Fotoapparate Mein neuer Fotoapparat macht super Bilder!	**camera** My new camera takes great pictures.
der **Foto** *N (Kurzform für Fotoapparat)* des Fotos, die Fotos Oh nein, ich habe meinen Foto vergessen.	**camera** Oh no, I have forgotten my camera.
fotografieren *V* fotografiert, fotografierte, hat fotografiert Er fotografiert gerne Gesichter in Schwarz-Weiß.	**take a photograph** He likes to take photographs of faces in black and white.
die **Kamera** *N* der Kamera, die Kameras Als professioneller Fotograf braucht man eine gute Kamera mit verschiedenen Objektiven.	**camera** A professional photographer needs a good camera with various lenses.
das **Detail** *N* des Details, die Details Das Foto ist gestochen scharf, man kann jedes Detail erkennen.	**detail** The photo is pin-sharp, you can pick out every detail.
die **DVD** *N (Abkürzung für Digital Video Disc)* der DVD, die DVDs Sie guckt sich den Film auf DVD an.	**DVD** She watches the film on DVD.
der **Film** *N* des Film(e)s, die Filme Er will einen neuen Film über die Schönheit der Natur drehen. ↳ der Dokumentarfilm *(Kurzform: die Doku)*	**film, movie** *(AE)* He wants to shoot a new film about the beauty of nature. documentary (film)
filmen *V* filmt, filmte, hat gefilmt Für seine neue Doku über Tansania filmt er Löwen, Elefanten und Giraffen.	**film** For his new documentary about Tanzania he films lions, elephants and giraffes.

20.3 Musik — Music

die **Musik** *N* der Musik, die Musiken *(selten)* Er hört gerne laute Musik. Musik machen *(musizieren)*	**music** He likes to listen to loud music. play music

der **Musiker** *N* des Musikers, die Musiker Sie ist mit einem Musiker verheiratet.	**musician** She is married to a musician.
die **Musikerin** *N* der Musikerin, die Musikerinnen	**musician**
musikalisch *Adj* musikalischer, am musikalischsten Die ganze Familie ist musikalisch. Er kümmert sich um den musikalischen Rahmen des Festes.	**musical** The whole family is musical. He is responsible for the musical setting at the party.
die **Band** [bɛnt, bænd] *N* der Band, die Bands „Die Toten Hosen" sind eine bekannte deutsche Rockband.	**band, group** "Die Toten Hosen" are a famous German rock band.
die **Note** *N* der Note, die Noten Er spielt sehr gut Gitarre, kann aber keine Noten lesen.	**(musical) note** *(symbol of musical notation)* He plays the guitar very well but he cannot read music.
die **Noten** *N (Plural)* der Noten Die beiden Musiker schauen gemeinsam in die Noten.	**music, notes** *(a sheet or book of notes)* Both musicians look at the notes together.
klingen *V* klingt, klang, hat geklungen Jedes Instrument klingt anders.	**sound** Every instrument sounds different.
der **Ton** *N* des Ton(e)s, die Töne Einer Sopranistin fallen die hohen Töne nicht schwer.	**tone; sound** The high tones are not very hard for a soprano.
die klassische Musik = die Klassik Sie mögen keine klassische Musik, sie hören lieber Popmusik.	**classical music** They do not like classical music, they would rather listen to pop music.
der **Komponist** *N* des Komponisten, die Komponisten Für Tabea ist Johann Sebastian Bach der größte Komponist aller Zeiten.	**composer** In Tabea's view Johann Sebastian Bach is the greatest composer of all time.
die **Komponistin** *N* der Komponistin, die Komponistinnen	**composer**
berühmt *Adj* berühmter, am berühmtesten	**famous**

Brahms, Wagner und Beethoven sind berühmte deutsche Komponisten.	Brahms, Wagner and Beethoven are famous German composers.
die **Oper** *N* der Oper, die Opern = das Opernhaus Die Oper kann ab 11 Uhr besichtigt werden.	**opera (house)** *(building)* The opera house can be visited from 11 a.m.
die **Oper** *N* der Oper, die Opern Das Publikum ist begeistert von Händels Oper. Nach der Oper gingen sie noch etwas trinken.	**opera** The audience is thrilled with Handel's opera. After the opera they went for a drink.
das **Ballett** *N* des Ballett(e)s, die Ballette Meine Freundin mag am liebsten klassisches Ballett, mir gefällt modernes Tanztheater besser.	**ballet** My girlfriend likes classical ballet best, but I like modern dance theatre better.
der **Tanz** *N* des Tanzes, die Tänze Die Balletttänzerin zeigt einen sehr anmutigen Tanz.	**dance** The ballet dancer performs a very graceful dance.
das **Instrument** *N (Kurzform für Musikinstrument)* des Instrument(e)s, die Instrumente Ihre Kinder wollen ein Instrument lernen. ↳ das Streichinstrument ↳ das Blasinstrument	**instrument** Her children want to learn to play an instrument. string(ed) instrument *(e.g. violin, cello)* wind instrument *(e.g. flute, saxophone)*
spielen *V* spielt, spielte, hat gespielt Welches Instrument spielst du?	**play** Which instrument do you play?
die **Flöte** *N* der Flöte, die Flöten Als Kind habe ich Flöte gespielt.	**flute; recorder** As a child I played flute.
die **Gitarre** *N* der Gitarre, die Gitarren	**guitar**
das **Klavier** *N* des Klaviers, die Klaviere	**piano**
die **Orgel** *N* der Orgel, die Orgeln	**organ**
das **Konzert** *N* des Konzert(e)s, die Konzerte Der berühmte Pianist gibt nur ein Konzert in Österreich. ↳ das Rockkonzert	**concert** The famous pianist will be giving only the one concert in Austria. rock concert

↳ das Livekonzert	live concert
das **Orchester** *N*	**orchestra**
des Orchesters, die Orchester	
Er übt jeden Tag, damit er im Orchester mitspielen kann.	He practises every day so he can play in the orchestra.
ein Orchester dirigieren	conduct an orchestra
vorbei *Adv*	**over**
= zu Ende	finished
Das Konzert war schon um 22 Uhr vorbei.	The concert was already over at 10 p.m.
der **Sänger** *N*	**singer**
des Sängers, die Sänger	
die **Sängerin** *N*	**singer**
der Sängerin, die Sängerinnen	
Die Sängerin erhielt viel Applaus.	The singer received a lot of applause.
die **Stimme** *N*	**voice**
der Stimme, die Stimmen	
An ihrer wunderbaren Stimme konnte man sie gleich erkennen.	You could recognize her immediately by her wonderful voice.
die **Stimme** *N*	**voice** *(a particular pitch)*
der Stimme, die Stimmen	
Beim Kanon singen alle Stimmen die gleiche Melodie.	All voices sing the same tune in a canon.
↳ die Sopranstimme	soprano voice
↳ die Tenorstimme	tenor
das **Lied** *N*	**song**
des Lied(e)s, die Lieder	
Das Lied besteht aus drei Strophen.	The song consists of three verses.
singen *V*	**sing**
singt, sang, hat gesungen	
Da der Tenor erkältet war, konnte er nicht singen.	Since the tenor had a cold, he couldn't sing.
nervös [nɛrˈvøːs] *Adj*	**nervous**
nervöser, am nervösesten	
Die Opernsängerin ist vor ihrem Auftritt ein bisschen nervös.	The opera singer is a little bit nervous before her performance.
der **Chor** [koːɐ̯] *N*	**choir**
des Chor(e)s, die Chöre	
Der Chor probt ein neues Stück.	The choir are rehearsing a new piece of music.
der **Star** *N*	**star**
des Stars, die Stars	
Bisher ist sie Amateurin, aber sie hofft, mal ein Star zu werden.	Up to now she has been an amateur, but she hopes to become a star.

der **Hit** *N* des Hits, die Hits „Yesterday" ist einer der großen Hits der Beatles.	**hit** "Yesterday" is one of the Beatles' great hits.
der **Fan** [fɛn] *N* des Fans, die Fans Die Fans sangen begeistert jedes Lied mit.	**fan** The fans sang along enthusiastically in every song.
der **Song** [sɔŋ] *N* des Songs, die Songs Manuela kennt jeden Song der Beatles.	**song** Manuela knows every song by the Beatles.
der **Jazz** [dʃæz] *N* des Jazz, *(nur Singular)* Sie sagt, sie kann mit Jazz nichts anfangen. ↳ der Jazzmusiker, die Jazzmusikerin	**jazz** She says she can't get into jazz. jazz musician
die **Rockmusik** *N (Kurzform: der Rock)* der Rockmusik, *(nur Singular)* Er ist mit Rockmusik großgeworden.	**rock (music)** He has grown up with rock music.
der **Schlager** *N* des Schlagers, die Schlager Meine Nachbarn hören den ganzen Tag alte Schlager.	**pop song** My neighbours listen to old pop songs the whole day.
das **Festival** *N* des Festivals, die Festivals Hast du Lust, nächsten Monat auf das Festival zu gehen? ↳ das Musikfestival ↳ das Filmfestival	**festival** Do you feel like going to the festival next month? music festival film festival
das **Radio** *N* des Radios, *(in dieser Bedeutung nur Singular)* Im Radio läuft gute Musik.	**radio** *(radio programme)* There's some good music on the radio.
das **Radio** *N (A, CH, süddeutsch auch: der)* des Radios, die Radios Mach mal das Radio leiser! das Radio anstellen / einschalten das Radio ausstellen / ausschalten	**radio** Please turn the radio down! turn on the radio switch off the radio
die **CD** [tseːˈdeː] *N (Abkürzung für Compact Disc)* der CD, die CDs Dieses Konzert gibt es auf CD.	**CD** This concert is available on CD.
der **MP3-Player** *N* des MP3-Players, die MP3-Player Sie können die Musik kostenlos auf Ihren MP3-Player herunterladen.	**MP3 player** You can download the music on to your MP3 player for free.

21 Medien und Kommunikationsmittel

21.1 Neue Medien — New media

die **Medien** *N (Pluralwort)*	**media**
der Medien	
In allen Medien wurde ausführlich über den Skandal berichtet.	Every detail of the scandal was reported in all the media.
das **Internet** *N*	**internet**
des Internets, *(nur Singular)*	
Viele Menschen sind jeden Tag mehrere Stunden im Internet.	Many people are on the internet several hours a day.
das **Netz** *N*	**Net**
des Netzes, *(in dieser Bedeutung nur Singular)*	
= das Internet	internet
= das Web *(Kurzform für World Wide Web)*	web
Vielleicht findest du etwas im Netz.	Perhaps you'll find something on the Net.
online *Adv*	**online**
≠ offline	offline
Er ist jetzt online.	He is now online.
digital *Adj*	**digital**
≠ analog	analogue *(BE)*, analog *(AE)*
CD-ROMs und DVDs sind digitale Medien.	CD-ROMs and DVDs are digital media.
virtuell [vɪrˈtu̯ɛl] *Adj*	**virtual**
Bei Computerspielen bewegt man sich in einer virtuellen Welt.	You move around in a virtual world in computer games.

Medien und Kommunikationsmittel

traditionell *Adj*
traditioneller, am traditionellsten
Die traditionellen Medien wie Presse, Radio und Fernsehen kämpfen mit finanziellen Schwierigkeiten.

traditional
The traditional media like press, radio and television are battling against financial difficulties.

surfen ['sə:fn̩] *V*
surft, surfte, hat gesurft
Er verbringt viel Zeit damit, im Internet zu surfen.

surf
He spends a lot of time surfing on the internet.

googeln ['gu:gl̩n] *V*
googelt, googelte, hat gegoogelt
Weißt du die Adresse? – Nein, aber ich goog(e)le sie mal schnell.

google *(research using the Google® search engine)*
Do you know the address? – No, but I'll just google it.

→ More computer terms can be found in Section *17.9 Computer, Büromaterial* (p. 301 ff).

neue Medien
Die neuen Medien entwickeln sich ständig weiter.

new media
The new media are continuing to develop further.

das **Massenmedium** *N*
des Massenmediums, die Massenmedien
Das Radio war in den 1920er-Jahren das erste elektronische Massenmedium.

mass media
Radio was the first electronic mass media in the 1920s.

der **Chip** *N*
des Chips, die Chips
Die Daten speichern wir auf einem kleinen Chip in dem Gerät.

chip, microchip
We store the data on a small chip in the device.

die **Blu-Ray-Disc** ['blu:reɪdɪsk] *N*
der Blu-Ray-Disc, die Blu-Ray-Discs
Auf dem DVD-Player kann man keine Blu-Ray-Discs abspielen.

Blu-ray Disc® *(digital optical storage medium)*
You can't play Blu-ray Discs on the DVD player.

die **Kassette** *N*
der Kassette, die Kassetten
Er hat kein Gerät, um seine Musikkassetten abzuspielen.

cassette *(former medium)*
He doesn't have a device to play his music cassettes on.

der **CD-Player** [tse:'de:pleɪɐ] *N*
des CD-Players, die CD-Player

CD player

das **Video** *N (Kurzform für Videofilm)*
des Videos, die Videos
Sie gucken sich gerne Videos an.

video
They like watching videos.

aufnehmen *V*
nimmt auf, nahm auf, hat aufgenommen
Die Band hat ihre erste CD aufgenommen.
Ein Freund hat die Hochzeit auf Video aufgenommen.

record; film; photograph
The band has recorded its first CD.
A friend recorded the wedding on video.

21.2 Zeitung und Zeitschrift — Newspaper and magazine

die **Presse** *N* der Presse, *(in dieser Bedeutung nur Singular)* Die Bundeskanzlerin lässt sich auch über die ausländische Presse informieren.	**press** The Federal Chancellor is also informed about the foreign press.
die **Zeitung** *N* der Zeitung, die Zeitungen Er liest beim Frühstück immer die Zeitung. ↳ die regionale / überregionale Zeitung	**newspaper** He always reads the newspaper during breakfast. regional / national newspaper
die **Zeitschrift** *N* der Zeitschrift, die Zeitschriften Er kauft diese Zeitschrift jede Woche.	**magazine; periodical** He buys this magazine every week.
das **Magazin** *N* des Magazins, die Magazine Vor meiner Hochzeit habe ich einige Brautmagazine gelesen.	**magazine, journal** Before my wedding I read some bridal magazines.
das **Ereignis** *N* des Ereignisses, die Ereignisse Der Fall der Berliner Mauer war ein wichtiges Ereignis.	**event** The fall of the Berlin Wall was an important event.
bringen *V (ugs. für: Bericht erstatten)* bringt, brachte, hat gebracht Die Zeitung hat über den Streik gar nichts gebracht.	**report** The newspaper didn't report report on the strike at all.
der **Reporter** *N* des Reporters, die Reporter Der Reporter berichtet über ein brisantes Thema.	**reporter** The reporter is covering an explosive topic.
die **Reporterin** *N* der Reporterin, die Reporterinnen	**reporter**
die **Reportage** *N* der Reportage, die Reportagen Hast du die Reportage über Indien gelesen?	**report** Have you read the report on India?
aktuell *Adj* aktueller, am aktuellsten Die aktuelle Lage ist alarmierend.	**current; topical** The current situation is alarming.
der **Journalist** [ʒʊrnaˈlɪst] *N* des Journalisten, die Journalisten Als freier Journalist schreibt er für mehrere Zeitungen.	**journalist** As a freelance journalist he writes for several newspapers.

die **Journalistin** [ʒʊrnaˈlɪstɪn] *N* der Journalistin, die Journalistinnen Die Journalistin führte ein Interview mit der neuen Politikerin.	**journalist** The journalist interviewed the new politician.
der **Artikel** *N* des Artikels, die Artikel Wie findest du den Artikel über die Studierenden von heute?	**article, report** How do you like the article about the students of today?
die **Recherche** [reˈʃɛrʃə] *N* der Recherche, die Recherchen Für einen guten Artikel ist eine gründliche Recherche nötig.	**research; investigation, enquiry** A good article needs thorough research.
die **Statistik** *N* der Statistik, die Statistiken Viele Journalisten berufen sich auf Statistiken, wenn sie Zahlen in ihren Artikeln nennen.	**statistics** Many journalists refer to statistics when they quote numbers in their articles.
statistisch *Adj* Haben Sie auch statistische Informationen dazu?	**statistical** Do you also have supporting statistical data?
das **Foto** *N* des Fotos, die Fotos Das Foto passt gut zum Text.	**photo** The photo goes well with the text.
die **Meldung** *N* der Meldung, die Meldungen Diese Meldung könnte dich interessieren. ↳ die Eilmeldung	**piece of news** This piece of news could interest you. breaking news
die **Schlagzeile** *N* der Schlagzeile, die Schlagzeilen Der Artikel war nicht seriös; schon die Schlagzeile war sehr reißerisch. Schlagzeilen machen	**headline** The article could not be taken seriously; even the headline was overly sensational. make the headlines *(cause a sensation in the press)*
der **Leser** *N* des Lesers, die Leser Die Zahl der Leser von gedruckten Zeitungen und Zeitschriften geht immer mehr zurück.	**reader** The numbers of printed newspaper and magazine readers are continuing to fall.
die **Leserin** *N* der Leserin, die Leserinnen	**reader**
der **Leserbrief** *N* des Leserbrief(e)s, die Leserbriefe Zu diesem Thema gab es einige kontroverse Leserbriefe.	**reader's letter** There were a few controversial reader's letters about this subject.

der **Kiosk** *N* des Kiosk(e)s, die Kioske Wenn er seine Zeitung am Kiosk kauft, unterhält er sich dort immer mit anderen Leuten.	**kiosk** He always talks to other people at the kiosk when he buys his newspaper there.
die **Buchhandlung** *N* der Buchhandlung, die Buchhandlungen In der Buchhandlung am Bahnhof gibt es alles: Bücher, Zeitungen und Zeitschriften.	**bookshop** *(BE)*, **bookstore** *(AE)* The bookshop at the station has everything: books, newspapers, and magazines.
der **Verlag** *N* des Verlag(e)s, die Verlage Die drei Lokalzeitungen kommen aus dem gleichen Verlag.	**publishing house** The three local newspapers come from the same publishing house.
drucken *V* druckt, druckte, hat gedruckt Diese Wochenzeitung wird mit mehr als 500.000 Exemplaren gedruckt.	**print** This weekly newspaper has a print run of over 500,000 copies.
das **Abonnement** [abɔnˈmãː, abɔnəˈmãː] *N* des Abonnements, die Abonnements *(CH: Abonnemente)* Er hat das Abonnement gekündigt.	**subscription** He has cancelled his subscription.
das **Abo** *N (Kurzform für Abonnement)* des Abos, die Abos	**subscription**
abonnieren *V* abonniert, abonnierte, hat abonniert Möchten Sie die Zeitung abonnieren?	**subscribe to** Would you like to subscribe to the newspaper?
jeweils *Adv* Die beiden Wochenzeitungen erscheinen jeweils am Donnerstag.	**each, every** Both weekly newspapers appear every Thursday.
wöchentlich *Adj* Der wöchentliche Newsletter informiert über neue Angebote des Unternehmens.	**weekly** The weekly newsletter informs its readers about new offers by the company.
täglich *Adj* Die Themen der Talkshow betreffen das tägliche Leben.	**daily** The chat show takes its topics from daily life.
monatlich *Adj* Das monatliche Redaktionstreffen findet immer am ersten Montag statt.	**monthly** The monthly editorial staff meeting always takes place on the first Monday.
die **Reklame** *N* der Reklame, die Reklamen Ein großer Teil der Zeitschrift besteht aus Reklame.	**advertisement** Advertisements make up a large part of the magazine.

die **Werbung** *N* der Werbung, *(in dieser Bedeutung nur Singular)* = die Reklame Die Werbung für die Zeitung ist richtig originell.	**advertising** advertisement The advertising in the newspaper is really original.
die **Broschüre** *N* der Broschüre, die Broschüren Haben Sie unsere Broschüre bekommen?	**brochure** Did you receive our brochure?

21.3 Fernsehen und Radio — TV and radio

der **Fernseher** *N (Kurzform für Fernsehgerät)* des Fernsehers, die Fernseher Der Fernseher läuft Tag und Nacht.	**television (set)** The television is on day and night.
das **Fernsehen** *N* des Fernsehens, *(nur Singular)* In den 1920er Jahren gab es noch kein Fernsehen. Gibt es heute Abend einen Krimi im Fernsehen?	**television** There was no television in the 1920s. Is there a thriller on television tonight?
fernsehen *V* sieht fern, sah fern, hat ferngesehen Wir haben im Urlaub nicht ferngesehen.	**watch television / TV** We did not watch TV on our holiday.
die **Fernbedienung** *N* der Fernbedienung, die Fernbedienungen Wo ist denn die Fernbedienung schon wieder?	**remote (control)** Where is the remote control this time?
einschalten *V* schaltet ein, schaltete ein, hat eingeschaltet = anmachen ≠ ausschalten Schalte doch mal den Fernseher ein!	**switch / turn on** switch / turn off Switch on the television!
das **TV** [teːˈfau̯, tiːˈviː] *N (Abkürzung für Television)* des TV(s), die TVs Schau doch mal im TV-Programm, was heute Abend kommt.	**TV** See what's on this evening in the TV guide.
der **Rundfunk** *N* des Rundfunks, *(nur Singular)* Zum Rundfunk gehören Radio und Fernsehen.	**broadcasting** Broadcasting includes radio and television.
zappen [ˈzɛpn̩] *V (ugs.)* zappt, zappte, hat gezappt Gestern kam nichts Interessantes im Fernsehen. Ich habe den ganzen Abend hin und her gezappt.	**zap; channel hop** *(BE)*, **channel-surf** *(AE)* There was nothing interesting on TV yesterday. I was zapping the whole evening.

die **Sendung** *N* — **broadcast; programme** *(BE)*, **program** *(AE)*
der Sendung, die Sendungen
Die Sendung ist nur für Zuschauer ab 16 Jahren. — This broadcast is suitable only for viewers of 16 years and older.

---

der **Spot** [spɔt] *N* — **commercial, ad**
des Spots, die Spots
Der Film wurde nach 40 Minuten von verschiedenen Spots unterbrochen. — The film was interrupted by various commercials after 40 minutes.

übertragen *V* — **broadcast**
überträgt, übertrug, hat übertragen
Die Show wird live aus Berlin übertragen. — The show will be broadcast live from Berlin.

---

live [laif] *Adj (indeklinabel)* — **live**
Wurde das Konzert aufgezeichnet oder ist es live? — Was the concert recorded or is it live?

---

die **Show** [ʃoʊ] *N* — **show**
der Show, die Shows
Zum 30-jährigen Jubiläum des Senders gab es eine große Show mit vielen Gästen. — There was a big show lots of guests to mark the station's 30th anniversary.

---

die **Castingshow** [ˈkɑ:stɪŋʃoʊ] *N* — **casting show**
der Castingshow, die Castingshows
Im Fernsehen läuft eine Castingshow. — There is a casting show on television.

---

das **Quiz** [kvɪs] *N* — **quiz**
des Quiz, die Quiz *(ugs. auch: Quizze)*
Mein Nachbar hat 10.000 € bei einem Quiz im Fernsehen gewonnen. — My neighbour won €10,000 in a TV quiz.

---

empfangen *V* — **receive, get**
empfängt, empfing, hat empfangen
Wie viele Programme können Sie mit Ihrem Fernseher empfangen? — How many channels can you get on your television?

---

der **Empfang** *N* — **reception**
des Empfang(e)s, *(in dieser Bedeutung nur Singular)*
Bei schlechtem Wetter haben wir oft keinen guten Empfang. — We often have poor reception in bad weather.

---

senden *V* — **broadcast**
sendet, sendete, hat gesendet
= ausstrahlen — broadcast, transmit

---

der **Sender** *N* — **station** *(television or radio transmitter)*
des Senders, die Sender
Die privaten Sender finanzieren sich über Werbung. — The private stations are funded by advertising revenue.

die **Wiederholung** *N* der Wiederholung, die Wiederholungen Eine Wiederholung der Sendung kommt am nächsten Donnerstag.	**repeat** A repeat of the programme will be broadcast next Thursday.
geben *V* gibt, gab, hat gegeben = laufen Was gibt es im Fernsehen?	*here:* **what is on?** run on What is on (TV)?
das **Interview** [ˈɪntɐvjuː] *N* des Interviews, die Interviews Im Fernsehen kam ein interessantes Interview mit dem belgischen König.	**interview** There was an interesting interview with the Belgian king on television.
der **Kommentar** *N* des Kommentar(e)s, die Kommentare Zu diesem kontroversen Thema gab es einen Kommentar.	**opinion, statement** There was a statement made on this controversial subject.
die **Nachrichten** *N (in dieser Bedeutung nur Plural)* der Nachrichten Der Flugzeugabsturz war die erste Meldung in den Nachrichten.	**news** The plane crash was the first item to be reported in the news.
die **Talkshow** [ˈtɔːkʃoʊ] *N* der Talkshow, die Talkshows Zu der Talkshow sind einige prominente Politiker eingeladen.	**chat show** *(BE)*, **talk show** *(AE)* A number of prominent politicians have been invited to the talk show.
der **Krimi** *N* des Krimis, die Krimis Viele Menschen sehen gerne Krimis.	**thriller** Many people like to watch thrillers.
unheimlich *Adj* unheimlicher, am unheimlichsten Die Szene wurde an einem unheimlichen Ort gedreht.	**eerie** The scene was filmed in an eerie place.
der **Killer** *N (ugs.)* des Killers, die Killer = der Mörder Am Ende des Films wurde der Killer verhaftet.	**hit man** killer, murderer At the end of the film the hit man was arrested.
die **Killerin** *N (ugs.)* der Killerin, die Killerinnen	**(female) killer**
der **Livestream** [ˈlaifstriːm] *N* des Livestreams, *(nur Singular)* Er sieht das Fußballspiel im Livestream.	**live stream** *(real-time transmission)* He is watching the football game as a live stream.

downloaden ['daunloudn̩] *V* downloadet, downloadete, hat downgeloadet = (he)runterladen ≠ uploaden Die Podcasts kann man 30 Tage kostenlos downloaden.	**download** upload The podcasts can be downloaded free of charge for 30 days.
hochladen *V* lädt hoch, lud hoch, hat hochgeladen Bitte lade die Fotos nicht im Internet hoch. Ich will nicht, dass sie jeder sieht.	**upload** Please do not upload the photos to the internet. I do not want everybody to see them.
das **Radio** *N (süddeutsch, A, CH auch: der; Kurzform für Radiogerät)* des Radios, die Radios Das Radio läuft den ganzen Tag.	**radio** The radio is on the whole day.
das **Radio** *N* des Radios, *(nur Singular)* Im Radio gibt es zur Mittagszeit internationale Pressestimmen.	**radio** *(radio programme)* There are international press commentaries on the radio during lunchtime.
hören *V* hört, hörte, hat gehört Mona hört jeden Tag Nachrichten.	**listen to** Mona listens to the news every day.
verpassen *V* verpasst, verpasste, hat verpasst Ich habe leider den Verkehrsfunk verpasst.	**miss** I unfortunately missed the traffic service.
leise *Adj* leiser, am leisesten ≠ laut Die Musik ist zu leise, ich kann sie kaum hören.	**quiet** loud The music is too quiet, I can hardly hear it.
unheimlich *Adv (ugs.)* Das Radio ist unheimlich laut.	**incredibly** *(intensifying the following adjective or adverb)* The radio is incredibly loud.

21.4 Internet — Internet

die **Kommunikation** *N* der Kommunikation, die Kommunikationen Durch das Internet hat sich die Kommunikation stark verändert.	**communication** Communication has been greatly changed by the internet.
global *Adj* globaler, am globalsten Das Internet hat die globale Kommunikation deutlich erleichtert.	**global** The internet has greatly simplified the global communication.

die **E-Mail** [ˈiːmeɪl] *N (A, CH auch: das; Kurzform: Mail)* der E-Mail, die E-Mails Er wendet sich per E-Mail an seine Kunden. ↳ eine E-Mail senden / empfangen	**e-mail** He contacts his costumers via e-mail. send / receive an e-mail
mailen [ˈmeɪlən] *V* mailt, mailte, hat gemailt Sie hat ihm keinen Brief geschrieben, sondern ihm gemailt.	**(e-)mail** She did not write a letter to him, but emailed him.
senden *V* sendet, sendete, hat gesendet Ich habe dir gestern eine E-Mail gesendet.	**send** I sent you an e-mail yesterday.
chatten *V* chattet, chattete, hat gechattet Sie chattet abends.	**chat (online)** She chats online in the evening.
bloggen *V* bloggt, bloggte, hat gebloggt Sie bloggen jeden Tag aus ihrem Urlaub.	**blog** They blog on holiday every day.
das **Forum** *N (auch: Internetforum, Diskussionsforum)* des Forums, die Foren In Diskussionsforen im Internet tauschen sich Menschen über verschiedene Themen aus.	**(discussion) forum** Internet forums let people exchange their ideas and experiences on a range of subjects.
twittern *V* twittert, twitterte, hat getwittert Hast du schon mal getwittert?	**twitter, tweet** *(send a short message via the Twitter® Platform)* Have you ever twittered?
posten *V* postet, postete, hat gepostet Sie postet ihre Meinung in dem Blog.	**post** *(write to internet forums and weblogs)* She posts her opinion in the blog.

→ See also chapter *18.1 Zu Hause*, (p. 307 ff) and *17.9 Computer, Büromaterial* (p. 301 ff).

21.5 Telefon, Fax und Mobiltelefon — Phone, fax and mobile phone

das **Telefon** *N* des Telefons, die Telefone Ich kann ihn nicht erreichen, er geht nicht ans Telefon.	**telephone** I can't reach him. He isn't answering the telephone.
klingeln *V* klingelt, klingelte, hat geklingelt = läuten Das Telefon klingelt. Es klingelt.	**ring** The telephone is ringing. The phone's ringing. / There's somebody at the door.

telefonieren *V* telefoniert, telefonierte, hat telefoniert Können wir heute Abend telefonieren?	**telephone, phone** Can we telephone tonight?
anrufen *V* ruft an, rief an, hat angerufen Im Moment bin ich beschäftigt. Kann ich Sie später anrufen?	**call** I am busy at the moment. Can I call you later?
wählen *V* wählt, wählte, hat gewählt Wenn Sie ein Taxi rufen wollen, wählen Sie dreimal 46.	**dial** If you want to call a taxi, dial 46 three times.
besetzt *Adj* = belegt ≠ frei Er telefoniert anscheinend gerade, denn seine Nummer ist immer besetzt.	**be engaged** *(BE)* / **busy** *(AE)* occupied free He seems to be on the phone at the moment because his number is always engaged.
der **Anruf** *N* des Anruf(e)s, die Anrufe Ich habe gerade keine Zeit, ich erwarte einen Anruf.	**call** I don't have time at the moment, I'm expecting a call.
gerade *Adv* Ich ruf ihn später noch einmal an, es ist gerade belegt.	**at the moment, now** I'll call him again later, his number is engaged at the moment.
erreichen *V* erreicht, erreichte, hat erreicht Sie können mich tagsüber unter der Nummer 0123 45678 erreichen. ↳ telefonisch erreichbar sein	**reach** You can reach me during the day on 0123 45678. be on the phone
hier ist Hier ist Ricardo Rolte. Ich möchte gerne mit Frau Schreier sprechen.	*here:* **this is** This is Ricardo Rolte. I would like to speak to Ms Schreier.
sprechen *V* spricht, sprach, hat gesprochen Hier spricht Max Schubert.	**speak** (This is) Max Schubert speaking.
der **Name** *N* des Namens, die Namen Mein Name ist Lisa Bergmann.	**name** My name is Lisa Bergmann.
verbinden *V* verbindet, verband, hat verbunden Können Sie mich mit Herrn Kast verbinden?	**put through** Could you put me through to Mr Kast?

die **Verbindung** *N* der Verbindung, die Verbindungen Die Verbindung ist sehr schlecht – ich kann Sie kaum verstehen.	**connection** The connection is very bad – I can hardly understand you.
warten *V* wartet, wartete, hat gewartet Bitte warten Sie, ich verbinde Sie mit Herrn Schuster.	*here:* **hold the line** Please hold the line, I'm putting you through to Mr Schuster.
sich melden *V* meldet sich, meldete sich, hat sich gemeldet Seine Mutter hat ihn auch schon mehrmals angerufen, aber er meldet sich nicht.	**answer** His mother has already called several times but he doesn't answer.
die **Rufnummer** *N* der Rufnummer, die Rufnummern = die Telefonnummer Meine Rufnummer ist 01234 56789.	**(tele)phone number** My phone number is 01234 56789.
die **Telefonnummer** *N* der Telefonnummer, die Telefonnummern Geben Sie mir doch bitte Ihre Telefonnummer.	**(tele)phone number** Please give me your telephone number.
die **Vorwahl** *N* der Vorwahl, die Vorwahlen Kennst du die Vorwahl von Düsseldorf? Mir fällt sie gerade nicht ein.	**dialling code** *(BE)*, **area code** *(AE)* Do you know the area code for Düsseldorf? I can't recall it at the moment.
der **Hörer** *N* des Hörers, die Hörer	**receiver**
abnehmen *V* nimmt ab, nahm ab, hat abgenommen Nachdem das Telefon lange geklingelt hatte, nahm er endlich den Hörer ab.	**pick up** After the phone had been ringing for a long time, he finally picked up the receiver.
auflegen *V* legt auf, legte auf, hat aufgelegt Am Ende verlor er die Geduld und legte einfach auf.	**hang up, replace the receiver** He lost his patience in the end and simply hung up.
der **Anrufbeantworter** *N (Abkürzung: AB)* des Anrufbeantworters, die Anrufbeantworter Er war nicht da. Ich habe ihm deswegen auf den Anrufbeantworter gesprochen.	**answering machine, answerphone** *(BE)* He was not there so I left a message on his answering machine.
eine Nachricht hinterlassen Bitte hinterlassen Sie eine Nachricht nach dem Signalton.	**leave a message** Please leave a message after the tone.

der **Anschluss** *N (Kurzform für Telefonanschluss)* des Anschlusses, die Anschlüsse ↳ der Festnetzanschluss	**(telephone) connection** landline
das **Fax** *N (Kurzform für Faxgerät)* des Fax, die Faxe Wir haben ein ziemlich altes Fax.	**fax machine** We have a fairly old fax machine.
das **Fax** *N* des Fax, die Faxe Haben Sie mein Fax bekommen?	**fax** *(document sent by fax)* Did you receive my fax?
faxen *V* faxt, faxte, hat gefaxt Ich habe Ihnen unsere Rechnung gefaxt.	**fax** I faxed our bill to you.
das **PDF** [peːdeːˈ|ɛf] *N* des PDFs, die PDFs Ich schicke Ihnen lieber ein PDF als ein Fax.	**PDF** I'd rather send you a PDF than a fax.
das **Mobiltelefon** *N* des Mobiltelefons, die Mobiltelefone Wenn ich nicht im Büro bin, können Sie mich auch auf meinem Mobiltelefon erreichen.	**mobile (tele)phone** *(BE)*, **cellular (tele)phone** *(AE)*, **cell** *(AE)* If I'm not in the office, you can reach me on my mobile phone.
das **Handy** [ˈhɛndi] *N* des Handys, die Handys = das Mobiltelefon Er hat beides, einen Festnetzanschluss und ein Handy.	**mobile** *(BE)*, **cell (phone)** *(AE)* He has both, a landline and a mobile phone.
das **Smartphone** [ˈsmaːɐ̯tfoʊn] *N* des Smartphones, die Smartphones Er hat die E-Mail mit dem Smartphone beantwortet.	**smartphone** He answered the e-mail on his smartphone.
die **Handynummer** *N* der Handynummer, die Handynummern Ich gebe dir sicherheitshalber auch meine Handynummer.	**mobile (telephone)number** *(BE)*, **cell (telephone)number** *(AE)* To be on the safe side I'll give you my mobile number as well.
die **Mailbox** [ˈmeɪlbɔks] *N (auch: Mobilbox)* der Mailbox, die Mailboxen Sie hat eine Nachricht auf ihrer Mailbox. die Mailbox abhören	**voicemail** She has a voicemail message. check the voicemail
der **Zugang** *N* des Zugang(e)s, die Zugänge Mit dem Smartphone haben Sie Zugang zum Internet.	**access** You can access the internet with this smartphone.

die **SMS** [ɛs|ɛm'|ɛs] *N (A, CH: das)* der SMS, die SMS *(ugs.: SMSen)* Die Schüler schicken sich im Unterricht SMS. ↳ simsen *(ugs.; eine SMS schicken)*	**text message** The pupils send each other text messages during lessons. text *(send a text message)*
mitnehmen *V* nimmt mit, nahm mit, hat mitgenommen Ich nehme mein Handy mit.	**take with one** I'm taking my mobile phone with me.
aufladen *V* lädt auf, lud auf, hat augeladen Er muss sein Handy aufladen.	**charge** He has to charge his mobile phone.
der **Akku** *N (Kurzform für Akkumulator)* des Akkus, die Akkus Der Akku ist leer.	**battery** The battery is flat.
leer *Adj* ≠ aufgeladen	**flat, dead** *(AE)* charged

21.6 Post und Briefe — The post and letters

die **Post** *N* der Post, die Posten *(selten)* Ich muss heute zur Post. Wir schicken unsere Ware nicht mit der Post, sondern per Kurier.	**post office; postal service** *(institute transporting letters; parcels; etc.)* Today I must go to the post office. We do not send our goods by post, but by courier.
die **Post** *N* der Post, die Posten *(selten)* Zum Geburtstag hat sie viel Post bekommen.	**post** *(BE)*, **mail** *(AE) (postal consignment)* She received a lot of post on her birthday.
der **Briefkasten** *N* des Briefkastens, die Briefkasten / -kästen Es war keine Post in seinem Briefkasten. Wo ist denn bitte der nächste Briefkasten?	**letter box** *(BE)*, **mailbox** *(AE)*; **postbox** There was no post in his letter box. Where is the nearest postbox please?
leeren *V* leert, leerte, hat geleert Der Briefkasten wird nur einmal am Tag geleert.	**empty** The postbox is emptied only once a day.
die **Briefmarke** *N* der Briefmarke, die Briefmarken Kann ich die Briefmarken auch im Internet kaufen?	**(postage) stamp** Can I also buy the stamps on the internet?
das **Porto** *N* des Portos, die Portos / Porti Was kostet das Porto für den Brief?	**postage** How much is the postage for the letter?

frankieren *V* frankiert, frankierte, hat frankiert Wie muss ich das Paket frankieren?	**put stamps on sth; frank** Where do I put the stamps on the packet?
der **Briefträger** *N* des Briefträgers, die Briefträger = der Pöstler *(CH)* Der Briefträger kommt jeden Vormittag gegen 10 Uhr.	**postman** The postman comes every morning at around 10 a.m.
die **Briefträgerin** *N* die Briefträgerin, die Briefträgerinnen = die Pöstlerin *(CH)*	**postwoman**
der **Brief** *N* des Brief(e)s, die Briefe Sie schrieb ihm einen langen Brief.	**letter** She wrote him a long letter.
der **Briefumschlag** *N* des Briefumschlag(e)s, die Briefumschläge = das Kuvert / Couvert Sie steckte den Brief in einen Briefumschlag und klebte ihn dann zu.	**envelope** She put the letter in an envelope and sealed it.
das **Kuvert** [kuˈveːɐ̯] *N* des Kuverts, die Kuverts	**envelope**
das **Couvert** [kuˈveːɐ̯, kuˈvɛːɐ̯] *N (CH)* des Couverts, die Couverts	**envelope**
die **Adresse** *N* der Adresse, die Adressen Achtung! Seine Adresse hat sich geändert.	**address** Don't forget! His address has changed.
die **Postleitzahl** *N* der Postleitzahl, die Postleitzahlen Die Postleitzahl der Adresse meiner Mutter kann ich mir nicht merken.	**post code** *(BE)*, **zip code** *(AE)* I cannot remember the postal code for my mother's address.
senden *V* sendet, sandte, hat gesandt Haben Sie uns die Post an den Urlaubsort gesandt? Mit diesem Schreiben sende ich Ihnen die geforderten Unterlagen.	**send** Did you send on the post to our holiday address? I am writing to you to send the requested documents.

Past tense forms of *senden*

In technical areas (e-mail, text messages), the past tense forms of **senden** are **sendete, hat gesendet.**

The postal services (letters, parcels) use the past tense forms **sandte, hat gesandt.**

schicken *V* schickt, schickte, hat geschickt = senden Wir schicken Ihnen die Ware übermorgen.	**send** We'll send you the goods the day after tomorrow.
das **Paket** *N* des Paket(e)s, die Pakete Sie hat bei der Post ein Paket aufgegeben.	**parcel, package** *(AE)* She sent a parcel from the post office.
das **Päckchen** *N* des Päckchens, die Päckchen Sie hat zu ihrem Geburtstag ein Päckchen bekommen.	**small parcel** She received a small parcel for her birthday.
das **Packerl** *N (A)* des Packerls, die Packerl(n)	**parcel, package** *(AE)*
aufgeben *V* gibt auf, gab auf, hat aufgegeben eine Sendung aufgeben ⚠ aufgeben	**post** *(BE)*, **mail** *(AE)* post a parcel give up
wiegen *V* wiegt, wog, hat gewogen Der Brief wiegt mehr als 20 Gramm, er ist deswegen teurer.	**weigh** The letter weighs more than 20 grams so it is more expensive.
das **Einschreiben** *N* des Einschreibens, die Einschreiben Er hat die Kündigung per Einschreiben bekommen.	**registered post / letter** *(particularly reliable form of delivery)* He has received notice of dismissal by registered post.
der **Absender** *N* des Absenders, die Absender Der Absender ist nur schwer lesbar. Absender nicht vergessen!	**return address; sender** The return address is scarcely legible. Do not forget the return address!
die **Absenderin** *N* der Absenderin, die Absenderinnen	**return address; sender (female)**
der **Empfänger** *N* des Empfängers, die Empfänger Notieren Sie noch die Adresse des Empfängers.	**recipient, addressee** Please also note down the recipient's address.

die **Empfängerin** *N* der Empfängerin, die Empfängerinnen	**recipient, addressee** *(female)*
die **Anrede** *N* der Anrede, die Anreden	**form of address**
Sehr geehrte(r) ... Sehr geehrte Damen und Herren, ... Sehr geehrte Frau Junker, ...	**Dear ...** *(formal oral or written address)* Dear Sir or Madam, ... Dear Mrs Junker, ...
Lieber / Liebe ... Lieber Sebastian, ich bin gestern in Berlin angekommen.	**Dear ...** *(private oral or written address)* Dear Sebastian, I arrived in Berlin yesterday.
der **Gruß** *N* des Grußes, die Grüße Sagen Sie ihm bitte einen lieben Gruß von mir. Mit besten Grüßen	**regards; greetings** Please give my love to him. Kind regards

Signing off a letter

Depending on the writer's relationship with the addressee, there are a number of ways to sign off a letter. The signing off is not followed by a comma or other punctuation.

Mit freundlichen Grüßen	Neutral, formal signing off, usual in professional fields
Herzliche Grüße / Mit herzlichen Grüßen	Personal signing off
Viele Grüße	Personal, colloquial signing off
Liebe Grüße	Mostly used in private correspondence

die **Unterschrift** *N* der Unterschrift, die Unterschriften	**signature**
persönlich *Adj* persönlicher, am persönlichsten ≠ maschinell Vergessen Sie nicht die persönliche Unterschrift!	**personal** automatic Don't forget your personal signature!

22 Urlaub

22.1 Vor dem Urlaub — Before the holidays

der **Urlaub** *N*
des Urlaubs, die Urlaube
Unsere Nachbarn fahren morgen in den Urlaub.

holiday *(BE)*, **vacation** *(AE)*

Our neighbours are going on holiday tomorrow.

holiday / vacation	
Urlaub (arbeitsfreie Zeit) – holiday / vacation (time off)	
Urlaub beantragen	apply for leave
Urlaub nehmen	take a holiday / time off
Urlaub haben	be on holiday / vacation
Arten von Urlaub – kinds of holiday / vacation	
Sommerurlaub	summer holiday / vacation
Winterurlaub	winter holiday / vacation
Skiurlaub	skiing holiday / vacation
Kurzurlaub	short holiday / vacation
Urlaub machen (verreisen) – go on holiday / vacation (go away)	
Urlaub auf den Kanaren buchen	Book a holiday on the Canaries.
Urlaub in New York machen	Holiday in New York.

Urlaub in der Karibik verbringen	spend the holidays in the Caribbean
in den Urlaub fahren / fliegen	go on holiday / leave on vacation
urlaubsreif sein	be ready for a holiday

die **Ferien** *N (Pluralwort)* der Ferien Die Kinder freuen sich auf die Ferien. ↳ die Osterferien / Sommerferien / Herbstferien / Weihnachtsferien ↳ das Ferienlager ↳ die Betriebsferien	**(school) holidays** *(BE)*, **(school) vacation** *(AE)* The children are looking forward to the holidays. Easter holidays / summer holidays / (autumn) mid-term holidays / Christmas holidays summer / holiday camp company holidays
planen *V* plant, plante, hat geplant Habt ihr schon etwas für die Ferien geplant?	**plan** Have you already planned something for the holidays?
der **Plan** *N* des Plan(e)s, die Pläne Habt ihr schon Urlaubspläne für das nächste Jahr?	**plan** Do you have plans for your holidays next year?
die **Reise** *N* der Reise, die Reisen Wir möchten eine Reise in die USA machen.	**trip, journey** We want to go on a trip to the USA.
reisen *V* reist, reiste, ist gereist Wir fahren mit der Bahn, denn wir wollen bequem reisen.	**travel** We go by train because we want to travel comfortably.
verreisen *V* verreist, verreiste, ist verreist Ich habe Lust, mal wieder zu verreisen. Letztes Jahr sind wir mit dem Auto / dem Flugzeug / dem Fahrrad verreist.	**go away** I feel like going away again. Last year we travelled by car / plane / bike.
die **Gruppenreise** *N* der Gruppenreise, die Gruppenreisen Wir bieten diese Städtereise als Gruppenreise für Singles an. ⚠ die Reisegruppe	**group tour, organized tour** We organize this city tour as a group tour for singles as well. tourist party
sich freuen *V* freut sich, freute sich, hat sich gefreut Wir freuen uns auf Sonne, Strand und Meer.	**look forward** We are looking forward to the sun, beach, and sea.

das **Reisebüro** *N* des Reisebüros, die Reisebüros Wir gehen morgen ins Reisebüro.	**travel agency** We will go to the travel agency tomorrow.

Sie lässt sich im Reisebüro über Reisen nach Afrika beraten.	She goes to the travel agency for advice on trips to Africa.
beraten *V* berät, beriet, hat beraten Können Sie mich beraten? Wir möchten nach Kuba fliegen.	**advise** Can you advise me, please? We want to go to Cuba.
die **Beratung** *N* der Beratung, die Beratungen In diesem Reisebüro bekommt man eine exzellente Beratung!	**advice** You get excellent advice at this travel agency!
die **Möglichkeit** *N* der Möglichkeit, die Möglichkeiten Sie möchten einen nicht so teuren Urlaub? Da gibt es mehrere Möglichkeiten.	**possibility** You don't want such an expensive holiday? There are several possibilities.
möglich *Adj* ≠ unmöglich Möglich wäre auch ein Hotel im Inneren des Landes, wir müssen nicht unbedingt an die Küste.	**possible** impossible, not possible A hotel further inland would also be possible, we do not really have to go to the coast.
der **Kunde** *N* des Kunden, die Kunden Sehr geehrte Kundinnen und Kunden, wir stehen Ihnen bis 20 Uhr zur Verfügung.	**customer** Dear customers, we are at your disposal until 8 p.m.
die **Kundin** *N* der Kundin, die Kundinnen	**customer**
der **Katalog** *N* des Katalog(e)s, die Kataloge Alle unsere Kataloge sind kostenlos. ↳ der Reisekatalog	**catalogue** *(BE)*, **catalog** *(AE)* All of our catalogues are free of charge. travel catalogue
buchen *V* bucht, buchte, hat gebucht Wir buchen unseren Flug nach Barcelona nicht im Reisebüro, sondern online.	**book** We're not booking our flight to Barcelona at a travel agency we're doing it online.
pauschal *Adj* War eure Mallorca-Reise pauschal oder individuell zusammengestellt? ↳ der Pauschalurlaub ↳ die Pauschalreise	**all-inclusive** Was your Majorca trip all-inclusive or put together individually? package holiday package tour
der **Flug** *N* des Flug(e)s, die Flüge Der Flug nach Spanien geht um 6:40 Uhr von Frankfurt aus. ↳ der Linienflug	**flight** The flight to Spain departs from Frankfurt at 6.40 a.m. scheduled flight

↳ der Charterflug [ˈtʃartɐfluːk]	charter flight
die **Safari** *N* der Safari, die Safaris Können wir eine Safari bei Nacht machen?	**safari** Can we go on a safari at night?
der **Mietwagen** *N* des Mietwagens, die Mietwagen Leon und Tim waren auf Korsika mit einem Mietwagen unterwegs.	**rented car** Leon and Tim travelled by rented car on Corsica.
der **Koffer** *N* des Koffers, die Koffer Du musst noch den Koffer packen. den Koffer auspacken	**suitcase** You still have to pack your suitcase. unpack one's suitcase
packen *V* packt, packte, hat gepackt Warum hast du noch nicht gepackt?	**pack** Why haven't you packed yet?
die **Sachen** *N (in dieser Bedeutung nur Plural)* der Sachen Hast du schon deine Sachen gepackt? seine Siebensachen packen	**things** Have you already packed your things? pack one's belongings
das **Ding** *N (ugs.)* des Ding(e)s, die Dinge(r) Beschriftest du diese Dinger für den Koffer? – Du meinst die Kofferanhänger?	**thing** Do you want to fill in these things for the suitcase? – Do you mean the luggage tags?
der **Rucksack** *N* des Rucksack(e)s, die Rucksäcke Ela und Jule finden einen Rucksack praktischer als einen Koffer.	**rucksack, backpack** *(AE)* Ela and Jule think a backpack is more practical than a suitcase.

Going on holiday

Gute Reise!	Bon voyage!
Gute Fahrt!	Have a good trip!
Einen angenehmen Flug!	Have a good flight!
Schönen Urlaub!	Have a good / nice holiday!
Schöne Ferien!	Have fun on your holiday / vacation!

22.2 An- und Abreise | Arriving and departing

losfahren *V* fährt los, fuhr los, ist losgefahren = abfahren Wir sind schon um 6:30 Uhr losgefahren.	**set off, leave** depart, drive off We set off as early as 6.30 a.m.
⊕ die **Fahrt** *N* der Fahrt, die Fahrten Die Fahrt dauerte wegen des Staus sieben Stunden. ↳ die Hinfahrt ↳ die Rückfahrt	**journey** The journey took seven hours because of the traffic jam. journey there journey back
unterwegs *Adv* Unterwegs zur Fähre hat er festgestellt, dass er seinen Ausweis vergessen hatte.	**on the way** On the way to the ferry he realized that he had forgotten his ID card.
⊕ **weg-** *Präfix (+ Verb)* ↳ wegfahren ↳ weggehen	**away** leave go away
⊕ die **Anreise** *N* der Anreise, die Anreisen Hatten Sie eine angenehme Anreise?	**journey (here / there)** Did you have a pleasant journey?
die **Strecke** *N* der Strecke, die Strecken Da die Strecke sehr lang ist, machen wir unterwegs mehrere Pausen.	**distance** Since the distance is very long we have several breaks on the way.
die **Pause** *N* der Pause, die Pausen	**break**
⊕ die **Raststätte** *N* der Raststätte, die Raststätten Bei der nächsten Raststätte halten wir an, dann machen wir ein Picknick.	**motorway service area** *(BE)*, **freeway service area** *(AE)* We'll stop at the next motorway service area, then we'll have a picnic.
ankommen *V* kommt an, kam an, ist angekommen Wenn wir angekommen sind, rufe ich dich an.	**arrive** I'll call you when we've arrived.
⊕ die **Abreise** *N* der Abreise, die Abreisen ≠ die Anreise	**departure** journey, arrival
⊕ **abreisen** *V* reist ab, reiste ab, ist abgereist Wann genau müsst ihr wieder abreisen?	**leave** When exactly do you have to leave again?
zurückkommen *V* kommt zurück, kam zurück, ist zurückgekommen	**come back**

Wann kommt ihr aus dem Urlaub zurück?	When do you come back from your holiday?
die **Rückkehr** *N* der Rückkehr, *(nur Singular)* Nach ihrer Rückkehr aus dem Urlaub hatte sie 200 Mails im Postfach. ↳ zurückkehren	**return** After her return from her vacation she had 200 mails in her inbox. return, come back *(elevated language for: zurückkommen)*
die **Rückfahrt** *N* der Rückfahrt, die Rückfahrten Auf der Rückfahrt waren wir nur fünf Stunden unterwegs.	**return journey** The return journey took us only five hours.
die **Grenze** *N* der Grenze, die Grenzen Vor der Grenze zu Österreich haben wir noch einmal getankt.	**border** We refuelled at the Austrian border.
überqueren *V* überquert, überquerte, hat überquert Wer im Dreiländereck von Deutschland, Frankreich und der Schweiz wohnt, überquert oft mehrmals am Tag Grenzen.	**cross (over)** Those living at the triangle between Germany, France, and Switzerland often cross borders several times a day.
der **Zoll** *N* des Zoll(e)s, die Zölle Für die Zigaretten mussten wir Zoll bezahlen.	**customs duty** We had to pay customs duty on the cigarettes.
der **Zoll** *N* des Zoll(e)s, *(in dieser Bedeutung nur Singular)* Er arbeitet beim Zoll.	**customs** He works for the customs.
verzollen *V* verzollt, verzollte, hat verzollt Haben Sie etwas zu verzollen?	**pay duty; declare goods** Have you anything to declare?
ausführen *V* führt aus, führte aus, hat ausgeführt ≠ einführen Sie dürfen einen Liter Alkohol und eine Stange Zigaretten zollfrei ausführen.	**take out of the country** take into the country You are allowed to take one litre of alcohol and 200 cigarettes duty-free out of the country.
kontrollieren *V* kontrolliert, kontrollierte, hat kontrolliert Am Flughafen werden alle Passagiere kontrolliert.	**check** All passengers are checked at the airport.
die **Kontrolle** *N* der Kontrolle, die Kontrollen Es gibt wieder Kontrollen an der Grenze.	**check** There are checks again at the border.
der **Reisepass** *N* des Reisepasses, die Reisepässe	**passport**

Hast du noch einen gültigen Reisepass?	Have you still got a valid passport?

22.3 Im Urlaub — On holiday

verbringen *V* verbringt, verbrachte, hat verbracht Sie haben das Wochenende in den Bergen verbracht.	**spend (time)** They spent the weekend in the mountains.
der **Aufenthalt** *N* des Aufenthalt(e)s, die Aufenthalte Unser Auftenthalt in London war viel zu kurz.	**stay** Our stay in London was much too short.
die **Erholung** *N* der Erholung, *(nur Singular)* Die meisten Menschen suchen im Urlaub Erholung.	**relaxation** Most people hope to find relaxation during their holiday.
sich erholen *V* erholt sich, erholte sich, hat sich erholt Meine Familie hat sich im Urlaub sehr gut erholt. erholt aussehen	**relax** My family could relax very well during their holiday. look relaxed, look one's old self again
faulenzen *V* faulenzt, faulenzte, hat gefaulenzt Wir haben auf Kreta nicht nur gefaulenzt, sondern waren auch viel unterwegs.	**laze about, loaf about** We didn't only laze about on Crete, we went on a lot of trips.
der **Strand** *N* des Strand(e)s, die Strände Ich liege nicht gerne am Strand, aber ich gehe dort gerne spazieren.	**beach** I don't like lying on the beach, but I like walking there.
baden *V* badet, badete, hat gebadet Sie badet gerne im Meer.	**bathe** She likes bathing in the sea.
das **Baden** *N* des Badens, *(nur Singular)* Baden verboten!	**swimming** No swimming!
schwimmen *V* schwimmt, schwamm, ist geschwommen Clara schwimmt am liebsten im Meer.	**swim** Clara much prefers swimming in the sea.
sich sonnen *V* sonnt sich, sonnte sich, hat sich gesonnt Sie sonnt sich gerne auf dem Balkon.	**sunbathe, sun oneself** She likes sunbathing on the balcony.
der **Sonnenbrand** *N* des Sonnebrand(e)s, die Sonnenbrände	**sunburn**

Ich war zu lange in der Sonne, deswegen habe ich jetzt einen Sonnenbrand.	I was too long in the sun so I've got sunburn now.
schützen *V* schützt, schützte, hat geschützt Die Sonnencreme schützt vor einem Sonnenbrand.	**protect** The suncream protects against sunburn.
der **Bikini** *N* des Bikinis, die Bikinis Hast du deinen Bikini dabei?	**bikini** Have you got your bikini with you?
der **Badeanzug** *N* des Badeanzug(e)s, die Badeanzüge Zum Schwimmen finde ich einen Badeanzug praktischer als einen Bikini.	**swimming costume** I find a swimming costume more practical than a bikini for swimming.
die **Badehose** *N* der Badehose, die Badehosen Paul hat seine Badehose angezogen.	**swimming trunks, bathing trunks** Paul has put on his swimming trunks.
besuchen *V* besucht, besuchte, hat besucht Die Kinder möchten Disneyland besuchen.	**visit** The children would like to visit Disneyland.
das **Abenteuer** *N* des Abenteuers, die Abenteuer Die Männer suchen beim Rafting Action und Abenteuer.	**adventure** The men are hoping to find for action and adventure when they go rafting.
das **Souvenir** [zuvəˈniːɐ̯, suvəˈniːɐ̯] *N* des Souvenirs, die Souvenirs = das Andenken Wir haben am Flughafen noch Souvenirs gekauft.	**souvenir** We even bought souvenirs at the airport.
der **Tourismus** [tuˈrɪsmʊs] *N* des Tourismus, *(nur Singular)* Viele Menschen leben vom Tourismus.	**tourism** Many people live from tourism.
der **Tourist** [tuˈrɪst] *N* des Touristen, die Touristen Viele Touristen besuchen den Schiefen Turm von Pisa.	**tourist** Many tourists visit the Leaning Tower of Pisa.
die **Touristin** [tuˈrɪstɪn] *N* der Touristin, die Touristinnen	**tourist**
typisch *Adj* typischer, am typischsten Reggae ist typisch jamaikanische Musik, oder?	**typical** Reggae is typical Jamaican music, isn't it?

→ More words for holiday activities can be found in Section *18 Freizeit* (p. 307 ff)

besichtigen *V* besichtigt, besichtigte, hat besichtigt	**visit**

Wir haben zuerst die Kirche besichtigt und sind dann den Turm hinaufgestiegen.	We first visited the church and then we climbed up the tower.
die **Aussicht** *N* der Aussicht, die Aussichten Die Aussicht von dort oben war traumhaft!	**view** The view from above was fantastic!
der **Stadtplan** *N* des Stadtplan(e)s, die Stadtpläne Ich finde die Straße nicht auf dem Stadtplan. einen Stadtplan lesen	**street map** I cannot find the street on the street map. read a street map
die **Rundfahrt** *N (Kurzform für Stadtrundfahrt)* der Rundfahrt, die Rundfahrten Möchten Sie eine Stadtrundfahrt machen?	**(sightseeing) tour** Would you like to go on a sightseeing tour of the city?
der **Prospekt** *N* des Prospekt(e)s, die Prospekte Möchten Sie einen Prospekt mitnehmen?	**brochure** Would you like to take a brochure with you?
die **Sehenswürdigkeit** *N* der Sehenswürdigkeit, die Sehenswürdigkeiten Der Eiffelturm und das Schloss von Versailles sind berühmte Sehenswürdigkeiten in und um Paris.	**place of interest, landmark, sight** The Eiffel Tower and the Palace of Versailles are famous places of interest in and around Paris.
sehenswert *Adj* sehenswerter, am sehenswertesten Die Alhambra in Granada ist wirklich sehenswert.	**worth seeing** The Alhambra in Granada is really worth seeing.
die **Führung** *N* der Führung, die Führungen Ist die Führung auf Deutsch?	**guided tour** Is the guided tour in German?
der **Reiseführer** *N* des Reiseführers, die Reiseführer = der Reiseleiter Der Reiseführer geht am Anfang der Gruppe mit einem geöffneten Regenschirm.	**travel guide** courier *(BE)*, tour guide *(AE)* The travel guide walks at the head of the group with an open umbrella.
die **Reiseführerin** *N* der Reiseführerin, die Reiseführerinnen	**travel guide**
der **Reiseführer** *N* des Reiseführers, die Reiseführer Hast du den Reiseführer eingesteckt?	**guidebook** Did you put the guidebook in your pocket?
wandern *V* wandert, wanderte, ist gewandert Leon geht gerne wandern.	**hike** Leon likes hiking.
das **Zelt** *N* des Zelt(e)s, die Zelte	**tent**

Komm, lass uns das Zelt aufbauen. das Zelt abbauen	Come on, let us put up the tent. take down the tent
zelten *V* zeltet, zeltete, hat gezeltet Wollt ihr auch bei Regen zelten?	**go camping** Do you want to go camping even in the rain?
campen [ˈkɛmpn̩] *V* campt, campte, hat gecampt = zelten	**go camping**
das **Camp** [kɛmp] *N* des Camps, die Camps Meine Schwester war Betreuerin in einem Camp für Kinder. ↳ das Feriencamp	**camp** My sister was a supervisor at a camp for children. holiday camp
der **Campingplatz** [ˈkɛmpɪŋplats] *N* des Campingplatzes, die Campingplätze Auf dem Campingplatz haben sie eine nette Familie kennengelernt.	**camp site** They got to know a nice family at the camp site.
der **Wohnwagen** *N* des Wohnwagens, die Wohnwagen Sie fahren immer mit dem Wohnwagen in den Urlaub.	**caravan** *(BE)*, **trailer** *(AE)* They always go on holiday with the caravan.
das **Wohnmobil** *N* des Wohnmobils, die Wohnmobile	**camper**

22.4 Die Unterkunft — Accommodation

das **Hotel** *N* des Hotels, die Hotels Wir hätten gern ein 4-Sterne-Hotel in Hamburg.	**hotel** We would like to stay in a 4-star hotel in Hamburg.
die **Rezeption** *N (CH: Réception)* der Rezeption, die Rezeptionen Die Rezeption ist bis 24 Uhr besetzt.	**reception** The reception is open till midnight.
die **Pension** [pãˈzi̯oːn, pɛnzi̯oːn] *N* der Pension, die Pensionen Sie suchen eine günstige Pension für drei Nächte.	**guest house** They are looking for a cheap guest house for three nights.
die **Unterkunft** *N* der Unterkunft, die Unterkünfte Sucht ihr noch eine Unterkunft?	**accommodation** Are you still looking for accommodation?
die **Jugendherberge** *N* der Jugendherberge, die Jugendherbergen	**youth hostel**

Die Jugendherberge liegt sehr zentral.	The youth hostel is in a very central location.
die **Hütte** *N* der Hütte, die Hütten Wenn wir in den Alpen wandern, übernachten wir in einfachen Hütten.	**hut, cabin** When we go hiking in the Alps, we spend the nights in simple huts.
die **Ferienwohnung** *N* der Ferienwohnung, die Ferienwohnungen Wir haben eine Ferienwohnung für sechs Personen.	**holiday flat** *(BE)*, **vacation apartment** *(AE)* We have a holiday flat for six people.
das **Zimmer** *N* des Zimmers, die Zimmer Haben Sie ein Zimmer für zwei Personen?	**room** Have you got a room for two?
reservieren *V* reserviert, reservierte, hat reserviert Ich möchte ein ruhiges Nichtraucherzimmer reservieren.	**reserve** I would like to reserve a quiet non-smoking room.
die **Übernachtung** *N* der Übernachtung, die Übernachtungen Die Übernachtung kostet mit Frühstück 120 €.	**overnight stay** An overnight stay costs 120 euros including breakfast.
übernachten *V* übernachtet, übernachtete, hat übernachtet Wir übernachten bei Freunden.	**stay overnight** We are staying overnight with friends.
bleiben *V* bleibt, blieb, ist geblieben Die Staatsgäste blieben im Hotel Adlon.	**stay** The guests of the state stayed at the Hotel Adlon.
der **Unterschied** *N* des Unterschied(e)s, die Unterschiede Was ist der Unterschied zwischen diesem und dem anderen Zimmer?	**difference** What is the difference between this and the other room?
einheitlich *Adj* einheitlicher, am einheitlichsten In diesem Hotel wird auf eine einheitliche Zimmerausstattung geachtet.	**consistent** This hotel is consistent in how it furnishes its rooms.
frei *Adj* Haben Sie freie Zimmer?	**free, vacant** Do you have any free rooms?
belegt *Adj* ≠ frei Alle Zimmer mit Balkon sind bereits belegt.	**taken** free, vacant All rooms with a balcony have already been taken.

das **Einzelzimmer** *N* — **single room**
des Einzelzimmers, die Einzelzimmer

das **Doppelzimmer** *N* — **double room**
des Doppelzimmers, die Doppelzimmer

das **Zweibettzimmer** *N* — **twin room**
des Zweibettzimmers, die Zweibettzimmer
Wir möchten kein Doppelzimmer, sondern ein Zweibettzimmer. — We don't want a double room but a twin room.

der **Swimmingpool** [swɪmɪŋpuːl] *N* — **swimming pool**
des Swimmingpools, die Swimmingpools
Gehört zum Hotel auch ein Swimmingpool? — Does the hotel have a swimming pool as well?

die **Saison** [zɛˈzõː, zɛˈzɔŋ] *N* — **season**
der Saison, die Saisons
In den Skigebieten beginnt die Saison im November. — The season starts in November in the ski resorts.
↳ die Sommer-/Wintersaison — summer / winter season
↳ die Haupt-/Nebensaison — peak / off-season

---

das **Frühstück** *N* — **breakfast**
des Frühstück(e)s, die Frühstücke
Frühstück gibt es zwischen 8 Uhr und 10:30 Uhr. — Breakfast is from 8 a.m. to 10.30 a.m.
↳ das Frühstücksbüfett — breakfast buffet

die **Halbpension** *N* — **half-board**
der Halbpension, *(nur Singular)*
Wir möchten nur Halbpension, keine Vollpension. — We only want half-board not ski resorts.

die **Vollpension** *N* — **full board**
der Vollpension, *(nur Singular)*

die **Verpflegung** *N* — **catering**
der Verpflegung, die Verpflegungen
Wir kümmern uns selbst um die Verpflegung. — We do the catering ourselves.

der **Service** [ˈsəːvɪs] *N* — **service**
des Service(s), die Services
Der Service in der Pension war ausgezeichnet. — The service at the guest house was excellent.

ausschließlich *Adv* — **exclusively**
= nur — only
Wir haben ausschließlich Nichtraucherzimmer. — We have exclusively non-smoking rooms.

d. h. *(Abkürzung für: das heißt)* — **i. e.**
In unserer Nebensaison, d. h. in der Zeit von April bis Juni und von Oktober bis November, haben wir günstige Pauschalangebote. — We have cheap all-inclusive offers in the off-season, i. e. in the period from April to June and from October to November.

23 Tiere und Pflanzen

23.1 Haus- und Nutztiere — Pets and livestock

das **Tier** *N* des Tier(e)s, die Tiere Sie hat ein Herz für Tiere. ↳ das Nutztier	**animal** She's very fond of for animals. livestock
das **Haustier** *N* des Haustier(e)s, die Haustiere Hast du ein Haustier?	**pet** Do you have a pet?
füttern *V* füttert, fütterte, hat gefüttert Man muss die Fische regelmäßig füttern.	**feed** You have to feed the fish regularly.
fressen *V* frisst, fraß, hat gefressen Der Hund frisst das Futter, das ihm sein Herrchen gibt.	**eat** *(animal)* The dog eats the food its master gives it.
der **Hund** *N* des Hund(e)s, die Hunde Vorsicht vor dem Hund! ein bissiger Hund	**dog** Beware of the dog! mean / vicious dog
bellen *V* bellt, bellte, hat gebellt Der Hund bellt, wenn der Postbote kommt.	**bark** The dog barks if the postman comes.
beißen *V* beißt, biss, hat gebissen	**bite**

Keine Angst, der Hund beißt nicht!	Don't worry, the dog does not bite!
die **Katze** *N* der Katze, die Katzen Die Katze schnurrt zufrieden.	**cat** The cat purrs contentedly.
das **Büsi** *N (CH)* des Büsi(s), die Büsi(s) = die Katze	**cat**
der **Kater** *N* des Katers, die Kater Der Kater ist kastriert.	**tomcat** The tomcat is castrated.
die **Maus** *N* der Maus, die Mäuse Die Maus baut ein Nest.	**mouse** The mouse builds a nest.
der **Hase** *N* des Hasen, die Hasen Der Hase knabbert an einer Karotte. ↳ der Osterhase	**hare** The hare nibbles at a carrot. Easter Bunny *(folkloric animal that delivers coloured and chocolate eggs at Easter)*
das **Kaninchen** *N* des Kaninchens, die Kaninchen Kaninchen sind deutlich kleiner als Hasen.	**rabbit** Rabbits are much smaller than hares.
die **Schildkröte** *N* der Schildkröte, die Schildkröten Unsere Schildkröte ist im Garten.	**tortoise** Our tortoise is in the garden.
das **Pferd** *N* des Pferd(e)s, die Pferde Möchtest du das Pferd streicheln?	**horse** Would you like to stroke the horse?
der **Esel** *N* des Esels, die Esel Der Esel ist störrisch.	**donkey** The donkey is obstinate.
reiten *V* reitet, ritt, ist geritten *(selten: hat geritten)* Er ist auf einem Pony geritten.	**ride** He has ridden on a pony.
die **Kuh** *N* der Kuh, die Kühe In Indien sind Kühe heilige Tiere.	**cow** Cows are holy animals in India.
das **Schwein** *N* des Schwein(e)s, die Schweine ↳ das Ferkel	**pig** piglet

das **Rind** *N* des Rind(e)s, die Rinder	**cow; bull**
das **Schaf** *N* des Schaf(e)s, die Schafe	**sheep**
die **Ziege** *N* der Ziege, die Ziegen Die Ziege springt über den Zaun.	**goat** The goat jumps over the fence.
das **Huhn** *N* des Huhn(e)s, die Hühner Das Huhn hat ein Ei gelegt.	**chicken** The chicken laid an egg.
das **Fell** *N* des Fell(e)s, die Felle Das Fell der Katze ist ganz weich.	**fur** The cat's fur is very soft.
der **Schwanz** *N* des Schwanzes, die Schwänze Du sollst die Katze nicht am Schwanz ziehen!	**tail** You should not pull the cat's tail!
die **Pfote** *N* der Pfote, die Pfoten Der Hund hat sich an der linken Pfote verletzt.	**paw** The dog hurt his left paw.
die **Schnauze** *N* der Schnauze, die Schnauzen Der Hund kann mit seiner Schnauze viel besser riechen als der Mensch mit der Nase.	**snout** The dog can smell far better with its snout than a human with his nose.

23.2 Wilde Tiere — Wild animals

der **Zoo** *N* des Zoos, die Zoos Gehen wir heute in den Zoo?	**zoo** Are we going to the zoo today?
der **Tierpark** *N* des Tierpark(e)s, die Tierparks = der Zoo Im Tierpark gibt es einige Esel, ein paar Schweine und zahlreiche Gänse.	**zoo** There are some donkeys, a few pigs, and numerous geese in the zoo.
der **Käfig** *N* des Käfigs, die Käfige Der Löwe läuft in seinem großen Käfig auf und ab.	**cage** The lion paces up and down its big cage.
das **Aquarium** *N* des Aquariums, die Aquarien Im Aquarium schwimmen tropische Fische.	**aquarium** There are tropical fish swiming in the aquarium.

wild *Adj* wilder, am wildesten Auf der Safari sehen Sie viele wilde Tiere.	**wild** You'll see a lot of wild animals on the safari.
gefährlich *Adj* gefährlicher, am gefährlichsten ≠ ungefährlich Wilde Tiere können gefährlich sein.	**dangerous** harmless Wild animals can be dangerous.
aggressiv *Adj* aggressiver, am aggressivsten Leoparden sind eigentlich nicht aggressiv, sondern neugierig.	**aggressive** Leopards are actually not aggressive but curious.
die **Art** *N* der Art, die Arten „Lonesome George" war die letzte Riesenschildkröte seiner Art. ↳ die Tierart ↳ der Artenschutz	**species** "Lonesome George" was the last giant tortoise of his species. animal species protection of species
vom Aussterben bedroht Der Sibirische Tiger ist vom Aussterben bedroht.	**threatened with extinction** The Siberian tiger is threatened with extinction.
der **Zirkus** *N (auch: Circus)* des Zirkus(ses), die Zirkusse Der Dompteur tritt im Zirkus mit dressierten Löwen und Tigern auf.	**circus** The animal trainer performs with trained lions and tigers in the circus.
der **Tierschutz** *N* des Tierschutzes, *(nur Singular)* Immer mehr Menschen setzten sich für den Tierschutz ein. ↳ der Tierschützer, die Tierschützerin	**protection of animals** More and more people did what they could for the protection of animals. wildlife conservationist
das **Reh** *N* des Reh(e)s, die Rehe Rehe sind sehr scheu.	**(roe) deer** Roe deer are very shy.
der **Hirsch** *N* des Hirsch(e)s, die Hirsche Der Hirsch hat ein mächtiges Geweih.	**stag** The stag has a mighty set of antlers.
der **Fuchs** *N* des Fuchses, die Füchse Achtung: Füchse mit Tollwut! ein schlauer Fuchs	**fox** Warning: foxes with rabies! wily old bird / fox *(also figurative for sly person)*
der **Wolf** *N* des Wolf(e)s, die Wölfe Wölfe leben und jagen im Rudel.	**wolf** Wolves live and hunt in packs.

der **Bär** *N*	**bear**
des Bären, die Bären	
Der Bär ist das Wappentier der Stadt Bern.	The bear is the heraldic animal of the city of Bern.
die **Spur** *N*	**trail**
der Spur, die Spuren	
Das sind frische Spuren eines Wildschweins.	This is a fresh trail of a wild boar.
das **Insekt** *N*	**insect**
des Insekt(e)s, die Insekten	
Im Sommer schwirren überall Insekten herum.	Insects buzz around everywhere in the summer.
die **Mücke** *N*	**mosquito; gnat**
der Mücke, die Mücken	
Mücken sind besonders in der Dämmerung aktiv.	Mosquitos are especially active in the twilight.
↳ die Stechmücke	mosquito
↳ der Mückenstich	mosquito bite
die **Biene** *N*	**bee**
der Biene, die Bienen	
Die Bienen fliegen von Blüte zu Blüte und liefern später Honig.	The bees fly from flower to flower and they later make honey.
die **Fliege** *N*	**fly**
der Fliege, die Fliegen	
Überall diese lästigen Fliegen!	These annoying flies are everywhere!
der **Schmetterling** *N*	**butterfly**
des Schmetterling(e)s, die Schmetterlinge	
Große, kleine und bunte Schmetterlinge flattern durch die Luft.	Large, small and colourful butterflies flutter through the air.
der **Käfer** *N*	**beetle**
des Käfers, die Käfer	
Ein dunkler Käfer krabbelt den Baum hinauf.	A dark beetle crawls up the tree.
die **Schnecke** *N*	**snail; slug**
der Schnecke, die Schnecken	
Nach dem Regen kommen die Schnecken heraus.	The snails come out after the rain.
↳ das Schneckenhaus	snail shell
↳ die Nacktschnecke	slug
die **Giraffe** *N*	**giraffe**
der Giraffe, die Giraffen	
Am Wasserloch stehen mehrere Giraffen.	Several giraffes are standing at the waterhole.
der **Affe** *N*	**monkey; ape**
des Affen, die Affen	
↳ der Schimpanse	chimpanzee
↳ der Gorilla	gorilla
↳ der Orang-Utan	orang-utan(g)

der **Elefant** *N* des Elefanten, die Elefanten Elefanten werden wegen ihrer Stoßzähne aus Elfenbein von Wilderern gejagt.	**elephant** Elephants are hunted by poachers for their ivory tusks.
der **Löwe** *N* des Löwen, die Löwen Die jungen Löwen spielen miteinander. ↳ die Löwin	**lion** The young lions play together. lioness
der **Tiger** *N* des Tigers, die Tiger Es gibt nicht mehr viele Tiger auf der Welt, sie sind akut vom Aussterben bedroht.	**tiger** There are not many tigers left in the world, they are on the brink of extinction.
das **Krokodil** *N* des Krokodil(e)s, die Krokodile Die meisten Menschen haben Angst vor Krokodilen.	**crocodile** Most people are afraid of crocodiles.
die **Schlange** *N* der Schlange, die Schlangen In dem Terrarium leben Schlangen und andere Reptilien.	**snake** Snakes and other reptiles live in the terrarium.
giftig *Adj* giftiger, am giftigsten In Australien gibt es viele giftige Schlangen. ↳ das Gift	**poisonous** In Australia there are a lot of poisonous snakes. poison
zahm *Adj* zahmer, am zahmsten = zutraulich Das ist ein ganz zahmes Reh.	**tame** friendly That's a very tame deer.
der **Fisch** *N* des Fisch(e)s, die Fische In dem Teich leben Karpfen und andere Fische.	**fish** Carp and other fish live in the pond.
der **Wal** *N* des Wal(e)s, die Wale Der Wal gehört zu den Säugetieren.	**whale** The whale is a mammal.
der **Hai** *N* des Hai(e)s, die Haie Sie haben beim Tauchen einen Hai gesehen.	**shark** They saw a shark while diving.
die **Forelle** *N* der Forelle, die Forellen Ausgewachsene Forellen wandern im Sommer flussaufwärts.	**trout** Fully grown trout move upriver in the summer.
der **Lachs** *N*	**salmon**

des Lachses, die Lachse Die Bären sitzen im Fluss und fangen Lachse.	The bears sit in the river and catch salmon.
die **Flosse** *N* der Flosse, die Flossen Fische bewegen sich mit ihren Flossen im Wasser.	**fin** Fish use their fins to move through the water.
die **Muschel** *N* der Muschel, die Muscheln Sie finden am Strand lauter schöne Muscheln.	**(sea)shell** You'll find a lot of nice seashells on the beach.
der **Vogel** *N* des Vogels, die Vögel Der Vogel hat ein schönes Gefieder.	**bird** The bird has nice plumage.
die **Ente** *N* der Ente, die Enten Die Enten schnattern ganz aufgeregt.	**duck** The ducks are quacking very excitedly.
der **Pinguin** *N* des Pinguin(e)s, die Pinguine Die kleinen Pinguine rutschen auf dem Bauch ins Wasser.	**penguin** The small penguins slide into the water on their bellies.
fliegen *V* fliegt, flog, ist geflogen Zugvögel fliegen jedes Jahr von ihrem Brutgebiet in ein wärmeres Winterquartier.	**fly** Migratory birds fly from their breeding ground to warmer winter quarters every year.
der **Schnabel** *N* des Schnabels, die Schnäbel Die Hühner picken mit ihrem Schnabel die Körner vom Boden.	**beak** The chickens peck the grains up from the ground with their beaks.
der **Flügel** *N* des Flügels, die Flügel Die Amsel schlägt mit ihren Flügeln.	**wing** The blackbird flaps its wings.
die **Feder** *N* der Feder, die Federn Der männliche Pfau kann mit seinen Federn ein Rad aufstellen.	**feather** The male peacock can spread its feathers like a fan.
das **Nest** *N* des Nest(e)s, die Nester	**nest**

23.3 Pflanzenwelt — Vegetable kingdom

die **Blume** *N* der Blume, die Blumen Die Kinder pflücken Blumen für ihre Mutter.	**flower** The children gather flowers for their mother.

↳ die Schnittblume ↳ der Blumentopf	cut flower *(flower for a vase)* flowerpot
der **Blumenladen** *N* des Blumenladens, die Blumenläden Er geht in einen Blumenladen und kauft für seine Frau einen Strauß mit roten Tulpen.	**florist's, flower shop** He goes into a flower shop and buys his wife a bunch of red tulips.
der **Blumenstrauß** *N (Kurzform: Strauß)* des Blumenstraußes, die Blumensträuße	**bunch of flowers**
die **Vase** *N* der Vase, die Vasen Sie schneidet die Blumen an und stellt sie dann in die Vase.	**vase** She trims the flowers and then puts them into the vase.
gießen *V* gießt, goss, hat gegossen Du darfst die Kakteen nur selten gießen.	**water** You should rarely water the cacti.
die **Rose** *N* der Rose, die Rosen Er schenkt ihr rote Rosen als Ausdruck seiner Liebe.	**rose** He gives her red roses as an expression of his love.
die **Tulpe** *N* der Tulpe, die Tulpen	**tulip**
blühen *V* blüht, blühte, hat geblüht Im Frühling blühen die ersten Blumen.	**bloom, flower** The first flowers bloom in spring.
die **Blüte** *N* der Blüte, die Blüten Die rosafarbenen Blüten der Kamelien sind wunderschön.	**bloom** The pink blooms on the camelias are wonderful.
die **Knospe** *N* der Knospe, die Knospen Die Apfelbäume haben schon erste Knospen.	**bud** The apple trees have already produced their first buds.
der **Stiel** *N* des Stiel(e)s, die Stiele Bitte schneide die Stiele der Sonnenblumen etwas ab, sie sind zu lang.	**stem** Please trim the stems of the sunflowers a bit, they are too long.
die **Pflanze** *N* der Pflanze, die Pflanzen Manche Pflanzen blühen, andere nicht. ↳ pflanzlich	**plant** Some plants produce flowers, others do not. plant-based, vegetable

pflanzen *V* pflanzt, pflanzte, hat gepflanzt Sie hat in dem linken Beet Tomaten und in dem rechten Beet Salat gepflanzt. ↳ anpflanzen	**plant** She planted tomatoes in the left vegetable patch and salad in the right vegetable patch. plant, cultivate
wachsen *V* wächst, wuchs, ist gewachsen Auf diesem Boden wächst kein Wein.	**grow** Wine does not grow in this soil.
das **Blatt** *N* des Blatt(e)s, die Blätter Die großen Blätter der Bäume spendeten etwas Schatten.	**leaf** The big leaves of the trees afforded some shade.
der **Garten** *N* des Gartens, die Gärten Sie jätet das Unkraut in ihrem Garten.	**garden** She's pulling up weeds in her garden.
im Freien Unsere Kinder spielen nicht nur bei Sonnenschein im Freien, auch bei schlechtem Wetter sind sie oft im Garten.	**outside** Our children not only play outside when the sun's shining, they're in the garden in bad weather as well.
exotisch *Adj* exotischer, am exotischsten Die Ananaspflanze ist eine exotische Pflanze.	**exotic** The pineapple plant is an exotic plant.
der **Balkon** [balˈkɔŋ, balˈkõː, balˈkoːn] *N* des Balkons, die Balkons / Balkone Sie freut sich über die Geranien auf dem Balkon.	**balcony** She is delighted with the geraniums on the balcony.
der **Baum** *N* des Baum(e)s, die Bäume einen Baum fällen	**tree** cut / chop down a tree
der **Ast** *N* des Ast(e)s, die Äste Bei dem Gewitter knickten Äste und ganze Bäume um.	**branch** Branches and whole trees broke during the thunderstorm.
der **Stamm** *N* des Stamm(e)s, die Stämme Der Stamm hat einen Durchmesser von 80 cm.	**(tree)trunk** The trunk has a diameter of 80 cm.
die **Wurzel** *N* der Wurzel, die Wurzeln Der Baum hat lange und kräftige Wurzeln.	**root** The tree has got long and strong roots.
die **Tanne** *N* der Tanne, die Tannen	**fir (tree)**

Vor Weihnachten werden Tannen als Weihnachtsbäume verkauft.	Fir trees are sold as Christmas trees before Christmas.
die **Eiche** *N* der Eiche, die Eichen Im Herbst färben sich die Blätter einer Eiche gelb bis dunkelrot.	**oak (tree)** The leaves of an oak tree turn from yellow to dark red in autumn.
die **Frucht** *N* der Frucht, die Früchte Die Früchte des Mangobaums sind noch nicht reif.	**fruit** The fruit on the mango tree is still not ripe.
der **Strauch** *N* des Strauch(e)s, die Sträucher Manche Sträucher sehen nicht nur schön aus, sondern duften auch gut.	**bush, shrub** Some shrubs not only look nice but also smell good.
der **Busch** *N* des Busch(e)s, die Büsche Die Gartenhecke besteht aus dichten Büschen.	**bush** The garden hedge consists of dense bushes.
der **Wald** *N* des Wald(e)s, die Wälder In diesem Wald gibt es viele Wildschweine.	**forest** There are a lot of wild boar in this forest.
still *Adj* stiller, am stillsten Im Wald ist es ganz still.	**quiet, silent** It is absolutely quiet in the forest.
der **Pilz** *N* des Pilzes, die Pilze Champignons und Pfifferlinge sind essbare Pilze. Pilze suchen / sammeln ↳ der Steinpilz	**fungus; mushroom** Mushrooms and chanterelles are not poisonous fungi. pick mushrooms cep *(BE)*, porcino *(AE)*
der, das **Schwammerl** *N (A, bayrisch)* des Schwammerls, die Schwammerl(n)	**mushroom**
sammeln *V* sammelt, sammelte, hat gesammelt Die ganze Familie geht in den Wald, um Pilze zu sammeln.	**collect** The whole family goes into the woods to collect mushrooms.
die **Wiese** *N* der Wiese, die Wiesen Die Mädchen laufen barfuß über die Wiese.	**meadow** The girls walk barefoot across the meadow.
das **Gras** *N* des Grases, die Gräser Es ist zu trocken, hier wächst kein Gras mehr.	**grass** It is too dry, no grass grows here anymore.

der **Rasen** *N* des Rasens, die Rasen Der Rasen muss bald gemäht werden.	**lawn** The lawn has to be mowed soon.
die **Sorte** *N* der Sorte, die Sorten Der Landwirt baut verschiedene Sorten Getreide an.	**sort** The farmer grows different sorts of cereal.
das **Getreide** *N* des Getreides, die Getreide	**cereal**
das **Korn** *N* des Korn(e)s, die Korne *(selten; Getreidearten)* = das Getreide In dieser Gegend wird viel Korn angebaut.	**grain, corn** cereal A lot of grain is grown in this area.
das **Korn** *N* des Korn(e)s, die Körner Aus den Körnern des Mais wird Popcorn hergestellt.	**grain** Popcorn is made from grains of maize.

24 Klima

24.1 Wetter — Weather

das **Wetter** *N*	**weather**
des Wetters, die Wetter	
Morgen soll das Wetter schön werden.	There will be nice weather tomorrow.
über das Wetter reden	talk about the weather
das Wetter vorhersagen	forecast the weather

wie *Adv*	**how**
Wie wird das Wetter?	What will the weather be like?
Wie kalt ist es heute? – Es ist um null Grad herum.	How cold is it today? – It is around zero degrees.

Describing the weather

The weather is described quite often with the impersonal construction **Es ist ...**
This is followed by an adjective or the combination adjective + **Wetter.**

Es ist ...	kühl / kalt / warm / heiß.	It's chilly / cold / warm / hot.
	windig / stürmisch / neblig.	It's windy / stormy / foggy.
	sonnig / regnerisch.	It's sunny / rainy.
	gutes / herrliches / schlechtes Wetter.	It's good / beautiful / bad weather.
	warmes / (nass)kaltes Wetter.	It's warm / cold and wet weather.

	frühlingshaftes / herbstliches Wetter.	It's spring / autumn weather.
	sommerliches / winterliches Wetter.	It's summer / winter weather.
Often, only the impersonal es + verb or es + verb + object is used.		
Es ...	regnet.	It's raining.
	blitzt und donnert.	There's thunder and lightning.
	stürmt.	It's stormy.
	scheint die Sonne.	The sun is shining.

bleiben *V* bleibt, blieb, ist geblieben Laut dem Wetterbericht bleibt es warm.	**remain** It will remain warm according to the weather forecast.
sich ändern *V* ändert sich, änderte sich, hat sich geändert Das Wetter soll sich morgen ändern.	**change** The weather is expected to change tomorrow.
kalt *Adj* kälter, am kältesten ≠ warm Es ist kalt heute.	**cold** warm It is cold today.
kühl *Adj* kühler, am kühlsten Auch im Sommer gibt es kühle Abende.	**cool** There are cool evenings also in the summer.
sonnig *Adj* sonniger, am sonnigsten Das Wetter ist sonnig.	**sunny** The weather is sunny.
⊕ **schwül** *Adj* schwüler, am schwülsten Vorgestern war es bei uns schwül wie im Treibhaus.	**sultry, close** It was sultry like in a green house the day before yesterday.
der **Wetterbericht** *N* des Wetterbericht(e)s, die Wetterberichte Der Wetterbericht meldet für morgen leider Regen.	**weather report, weather forecast** The weather forecast is unfortunately reporting rain for tomorrow.
die **Wettervorhersage** *N* der Wettervorhersage, die Wettervorhersagen Die Wettervorhersage stimmt überhaupt nicht!	**weather forecast, weather report** The weather forecast is totally wrong!
laut *Präp (+ Dativ)* = gemäß *(+ Dativ)*	**according to** in accordance with

Laut Wetterbericht scheint übermorgen die Sonne.	According to the weather report the sun will be shining the day after tomorrow.
voraussichtlich *Adv* Am späten Nachmittag fängt es voraussichtlich zu regnen an.	**probably** It will probably start to rain in the late afternoon.
wahrscheinlich *Adv* Nächste Woche schneit es wahrscheinlich.	**probably** It will probably snow next week.
die **Temperatur** *N* der Temperatur, die Temperaturen Im Sommer steigen die Temperaturen in Ägypten auf über 40 Grad.	**temperature** In the summer the temperatures climb above 40 degrees in Egypt.
sinken *V* sinkt, sank, ist gesunken Es ist kälter geworden, die Temperaturen sind unter null Grad gesunken.	**go down** It's got colder and the temperatures have dropped below zero degrees.
steigen *V* steigt, stieg, ist gestiegen ≠ sinken Die Temperatur ist auf über 30 Grad gestiegen.	**rise, climb** sink, fall Temperatures climbed above 30 degrees.
fallen *V* fällt, fiel, ist gefallen = sinken ≠ steigen	**fall, decrease** go down rise, climb
hoch *Adj* höher, am höchsten Für die Jahreszeit sind die Temperaturen zu hoch.	**high** The temperatures are too high for this time of the year.
niedrig *Adj* niedriger, am niedrigsten ≠ hoch Uns sind niedrige Temperaturen wie in Schweden sehr angenehm.	**low** high We like low temperatures like you get in Sweden.
der **Grad (Celsius)** *N (Abkürzung: °C, °)* des Grad(e)s, die Grade *(aber: 25 Grad)*	**degree (Celsius)** *(unit of temperature; often without "Celsius")*
minus *Adv* Das Thermometer zeigt sieben Grad minus.	**minus** The thermometer is showing minus seven degrees.
die **Kälte** *N* der Kälte *(in dieser Bedeutung nur Singular)* In Sibirien herrscht im Winter eine eisige Kälte.	**cold** There is severe cold in Siberia in the winter.

24 Klima

die **Hitze** *N*	**heat**
der Hitze, die Hitzen	
In der glühenden Hitze der Sahara leben nur wenige Lebewesen.	Very few creatures can live in the intense heat of the Sahara.
heiß *Adj*	**hot**
heißer, am heißesten	
≠ kalt	cold
Mir ist es in der Karibik viel zu heiß.	It is much too hot for me in the Caribbean.
frieren *V*	**be cold, feel cold**
friert, fror, hat gefroren	
Im Winter sollte man sich warm anziehen, sonst friert man.	You should wear something warm in the winter, otherwise you'll be cold.
schwitzen *V*	**sweat, perspire**
schwitzt, schwitzte, hat geschwitzt	
≠ frieren	be cold, feel cold
Bei großer Hitze schwitzen die meisten Menschen.	Most people sweat when it's really hot.
der **Schnee** *N*	**snow**
des Schnees, *(nur Singular)*	
Im Schwarzwald liegt viel Schnee.	There's a lot of snow in the Black Forest.
fallen *V*	**fall**
fällt, fiel, ist gefallen	
Der Schnee fällt bis ins Flachland.	The snow is falling even on the lowland.
schneien *V*	**snow**
schneit, schneite, hat geschneit	
Es schneite den ganzen Tag.	It was snowing all day.
der **Schauer** *N*	**shower** *(brief downpour)*
des Schauers, die Schauer	
Morgen wird es wechselhaft mit einzelnen Schauern.	There will be changeable weather with scattered showers tomorrow.
stark *Adj*	*here:* **heavily** *(to a great extent)*
Es hat gestern Nacht stark geschneit.	It snowed heavily last night.
In den kommenden Tagen ist mit starken Windböen zu rechnen.	Gusts of wind are expected in the next few days.
das **Eis** *N*	**ice**
des Eises, *(nur Singular)*	
Auf den Straßen kommt es heute zu Blitzeis.	There'll be blackice on the roads today.
das **Glatteis** *N*	**black ice**
des Glatteises, *(nur Singular)*	
Kein Winterdienst – Glatteisgefahr!	No winter road clearance – danger of black ice!
der **Frost** *N*	**frost**
des Frost(e)s, die Fröste	

Es hat bereits im November den ersten Frost gegeben.	The first frost came as early as November.
frieren *V* friert, fror, hat gefroren Gestern Nacht hat es gefroren.	**freeze** *(fall below 0° Celsius)* It was freezing last night.
gefrieren *V* gefriert, gefror, ist gefroren Der See ist gefroren.	**freeze over** *(turn to ice)* The lake has frozen over.
der **Himmel** *N* des Himmels, die Himmel An diesem Tag war der Himmel blau und wolkenlos. ein bedeckter Himmel	**sky** The sky was blue and cloudless that day. cloudy / overcast sky
bewölkt *Adj* bewölkter, am bewölktesten ≠ wolkenlos Es ist leicht bewölkt.	**cloudy** cloudless It is slightly cloudy.
die **Wolke** *N* der Wolke, die Wolken Es zogen graue Wolken auf.	**cloud** Grey clouds came up.
regnen *V* regnet, regnete, hat geregnet = schütten *(ugs. für stark regnen)* Morgen soll es immer noch regnen!	**rain** pour down It's going to be raining tomorrow as well!
der **Regen** *N* des Regens, die Regen Ich bin im Regen nass geworden. ↳ der Nieselregen	**rain** I got wet in the rain. drizzle
der **Niederschlag** *N* des Niederschlag(e)s, die Niederschläge In diesem Jahr gab es überdurchschnittlich viele Niederschläge.	**rainfall** This year's rainfall was far above average.
der **Tropfen** *N* des Tropfens, die Tropfen An den Fensterscheiben laufen die Regentropfen herunter.	**drop** The raindrops are running down the window panes.
der **Schutz** *N* des Schutzes, *(in dieser Bedeutung nur Singular)* Weil es so stark regnete, suchten sie Schutz unter den Bäumen.	**shelter** They sought shelter under the trees because it was raining so hard.
der **Schirm** *N (Kurzform für Regenschirm)* des Schirms, die Schirme	**umbrella**

Zum Glück hatte ich meinen Schirm dabei. Es hat ganz schön geschüttet.	Fortunately I had my umbrella with me. It was pouring.
der **Wind** *N* des Wind(e)s, die Winde	**wind**
Es geht ein kräftiger Wind.	There is a strong wind.
windig *Adj* windiger, am windigsten	**windy**
An der Küste **ist es** sehr **windig**.	It is very windy on the coast.
blasen *V* bläst, blies, hat geblasen	**blow**
Es bläst ein kräftiger Wind aus Nordwest.	There is a strong wind blowing from north-west.
frisch *Adj* frischer, am frischsten	**fresh, chilly**
Wir gehen noch ein bisschen an die frische Luft. Es weht eine frische Brise.	We're going to get some fresh air for a bit. There is a fresh breeze.
der **Nebel** *N* des Nebels, die Nebel	**fog**
Bei dem dichten Nebel konnte man kaum etwas sehen.	You could hardly see anything in the thick fog.
neblig *Adj* nebliger, am nebligsten	**foggy**
Draußen ist es neblig.	It is foggy outside.
das **Gewitter** *N* des Gewitters, die Gewitter	**thunderstorm**
In der Nacht gab es ein heftiges Gewitter.	There was a violent thunderstorm in the night.
der **Blitz** *N* des Blitzes, die Blitze	**(flash of) lightning**
Der Blitz schlug in ein Haus ein.	Lightning struck a house.
blitzen *V* blitzt, blitzte, hat geblitzt	**be flashes of lightning**
Man hörte keinen Donner mehr, aber es blitzte noch.	You couldn't hear the thunder anymore but there were still flashes of lightning.
der **Donner** *N* des Donners, die Donner	**thunder**
donnern *V* donnert, donnerte, hat gedonnert	**thunder**
Es donnert direkt über unserem Haus.	It's thundering directly above our house.
der **Sturm** *N* des Sturm(e)s, die Stürme	**storm**

Sie gerieten mit ihrem Segelboot in einen heftigen Sturm.	They sailed their boat into a violent storm.
hageln *V* hagelt, hagelte, hat gehagelt Es hagelte. Die Hagelkörner waren so groß wie Tischtennisbälle.	**hail** It was hailing. The hailstones were as big as table-tennis balls.
aussehen *V* sieht aus, sah aus, hat ausgesehen Es sieht so aus, als ob es gleich ein Gewitter gäbe.	**look** It looks like there will be a thunderstorm in a minute.
das **Feuer** *N* des Feuers, die Feuer Auf dem Bauernhof ist ein Feuer ausgebrochen.	**fire** A fire broke out on the farm.
der **Brand** *N* des Brand(e)s, die Brände = das Feuer Es dauerte tagelang, bis der Brand gelöscht werden konnte.	**fire** It took days to extinguish the fire.
brennen *V* brennt, brannte, hat gebrannt Es brennt! Dort vorne brennt etwas! eine Kerze brennt	**burn** Fire! Something is burning over there. a candle is burning
löschen *V* löscht, löschte, hat gelöscht Die Feuerwehr konnte das brennende Dach schnell löschen.	**extinguish** The fire brigade could quickly extinguish the burning roof.
das **Klima** *N* des Klimas, die Klimata / Klimas In den Ländern um das Mittelmeer herrscht mediterranes Klima. ↳ die Klimaveränderung	**climate** There is a Mediterranean climate in the countries around the Mediterranean Sea. climate change
mild *Adj* milder, am mildesten ≠ rau Auf Teneriffa herrscht ein mildes Klima.	**mild** rough, harsh There is a mild climate on Tenerife.
trocken *Adj* trockener, am trockensten Er mag lieber ein trockenes Klima, seine Frau dagegen bevorzugt tropische Temperaturen.	**dry** He prefers a dry climate, but his wife likes tropical temperatures.
feucht *Adj* feuchter, am feuchtesten	**humid**

extrem *Adj* extremer, am extremsten Letzten Sommer gab es extreme Hitzeperioden.	**extreme** The last summer there were periods of extreme heat.

24.2 Universum und Himmelsrichtungen

The universe and points of the compass

die **Sonne** *N* der Sonne, die Sonnen	**sun**
scheinen *V* scheint, schien, hat geschienen Die Sonne scheint.	**shine** The sun is shining.
der **Schatten** *N* des Schattens, die Schatten Bei einer Sonnenuhr zeigt der wandernde Schatten eines Stabes die Uhrzeit an. 30 Grad im Schatten	**shadow; shade** The moving shadow of a bar shows the time on a sundial. 30 degrees in the shade
der **Mond** *N* des Mondes, die Monde Bei einer Mondfinsternis schiebt sich die Erde zwischen Mond und Sonne.	**moon** The earth moves between the moon and the sun during a lunar eclipse.
der **Stern** *N* des Stern(e)s, die Sterne Am Himmel leuchten heute Nacht viele Sterne.	**star** There are a lot of stars shining in the sky tonight.

die **Erde** *N* der Erde, *(in dieser Bedeutung nur Singular)* Die Erde dreht sich um die Sonne.	**earth** The earth rotates around the sun.
sich drehen *V* dreht sich, drehte sich, hat sich gedreht Alle Planeten drehen sich um ihre eigene Achse.	**turn** All planets turn on their own axis.
der **Planet** *N* des Planeten, die Planeten = der Himmelskörper Die Erde wird auch der Blaue Planet und der Mars der Rote Planet genannt.	**planet** heavenly body, celestial body The earth is also called the Blue Planet and Mars the Red Planet.
das **Universum** *N* des Universums, die Universen Forscher suchen nach anderen Zivilisationen im Universum.	**universe** Researchers are looking for other civilizations in the universe.
das **Weltall** *N* des Weltalls, *(nur Singular)*	**universe**

= das Universum = der Kosmos Zum Weltall gehören auch Sterne und Planeten.	Stars and planets also belong to the universe.
der **Tag** *N* des Tag(e)s, die Tage Wenn die Sonne aufgeht, beginnt der Tag.	**day** The day starts when the sun rises.
die **Nacht** *N* der Nacht, die Nächte Mitten in der Nacht sieht man den Mond am besten.	**night** You can see the moon best in the middle of the night.
hell *Adj* heller, am hellsten Für Nordschweden sind die langen, hellen Sommernächte charakteristisch.	**light** The long bright summer nights are typical for the north of Sweden.
dunkel *Adj* dunkler, am dunkelsten = finster Im Winter wird es schon früh dunkel.	**dark** It gets dark early in the winter.
die **Himmelsrichtung** *N* der Himmelsrichtung, die Himmelsrichtungen Die Menschen kamen aus allen Himmels-richtungen.	**direction; points of the compass** The people came from all directions.
der **Norden** *N* des Nordens, *(nur Singular)* Das Gewitter zieht nach Norden.	**north** The thunderstorm is moving north.
nördlich *Adj* nördlicher, am nördlichsten Im nördlichen Teil Deutschlands ist es flacher als in Süddeutschland.	**northern** It is flatter in the northern part of Germany than in southern Germany.
nördlich *Präp (+ Genitiv)* Nördlich der Donau liegen Gräber aus der Steinzeit.	**north of** Graves from the Stone Age lie north of the Danube.
nördlich *Adv (+ von)* Wiesbaden liegt nördlich von Mainz.	**north** Wiesbaden lies north of Mainz.
liegen *V* liegt, lag, hat gelegen	**be situated, located**
der **Süden** *N* des Südens, *(nur Singular)*	**south**
südlich *Adj* südlicher, am südlichsten	**southern**

südlich *Präp (+ Genitiv)*	**south of**
südlich *Adv (+ von)*	**south**
der **Westen** *N* des Westens, *(nur Singular)* ↳ der Nordwesten ↳ der Südwesten	**west** north-west south-west
westlich *Adj* westlicher, am westlichsten	**western**
westlich *Präp (+ Genitiv)*	**west of**
westlich *Adv (+ von)*	**west**
der **Osten** *N* des Ostens, *(nur Singular)* ↳ der Nordosten ↳ der Südosten ↳ der Nahe Osten	**east** north-east south-east the Middle East
östlich *Adj* östlicher, am östlichsten	**eastern**
östlich *Präp (+ Genitiv)*	**east of**
östlich *Adv (+ von)*	**east**

25 Verkehr

25.1 Öffentlicher Nahverkehr — Public transport

das **Verkehrsmittel** *N* des Verkehrsmittels, die Verkehrsmittel Auf die Bahn kann ich mich nicht verlassen. Ich muss auf ein anderes Verkehrsmittel umsteigen.	**means of transport** I cannot rely on the train. I need to switch to another means of transport.
die öffentlichen Verkehrsmittel Er fährt lieber mit den öffentlichen Verkehrsmitteln als mit dem eigenen Auto zur Arbeit.	**public transport** He prefers to travel to work by public transport rather than take his own car.
die **Mobilität** *N* der Mobilität, *(nur Singular)* Mobilität ist heutzutage sehr wichtig.	**mobility** Mobility is very important nowadays.
mobil *Adj* mobiler, am mobilsten Ich habe ein Auto, ich bin jederzeit mobil.	**mobile** I have a car, I am mobile at all times.
unterwegs *Adv* Können wir später telefonieren? Ich bin gerade unterwegs.	**away; on one's way** Can we phone later? I am away at the moment.
gehen *V (in dieser Bedeutung meist im Präsens)* Der nächste Bus geht in fünf Minuten.	**leave** The next bus leaves in five minutes.
der **Bus** *N* des Busses, die Busse Der letzte Bus fährt um 23.20 Uhr.	**bus; coach** The last bus leaves at 11:20 p.m.
die **Straßenbahn** *N (D, A)*	**tram** *(BE)*, **streetcar** *(AE)*

der Straßenbahn, die Straßenbahnen
Wir nehmen die Straßenbahn, um ins Stadtzentrum zu kommen. — We take the tram to the city centre.

---

die **Tram** *N (CH: das Tram)* — **tram** *(BE)*, **streetcar** *(AE)*
der Tram, die Trams

---

die **S-Bahn®** *N* — **suburban train**
der S-Bahn, die S-Bahnen
Tim und Rita fahren zwei Stationen mit der S-Bahn. — Tim and Rita go two stops by suburban train.

---

die **U-Bahn** *N* — **underground** *(BE)*, **subway** *(AE)*
der U-Bahn, die U-Bahnen
Viele Menschen sehen morgens in der U-Bahn müde aus. — Many people in the underground look tired in the mornings.

---

die **Linie** *N* — **route, line**
der Linie, die Linien
Die Linie 3 fährt direkt zum Museum. — Route 3 goes directly to the museum.
↳ die Buslinie — bus route
↳ die Straßenbahnlinie — tram route *(BE)*, streetcar line *(AE)*
↳ die U-Bahn-Linie — underground line

---

das **Taxi** *N* — **taxi; cab**
des Taxis, die Taxis
Können Sie mir bitte ein Taxi rufen? — Can you call me a taxi, please?
↳ der Taxistand — taxi cab, taxi rank

---

einsteigen *V* — **get on / in(to)**
steigt ein, stieg ein, ist eingestiegen
Paolo hilft der alten Frau beim Einsteigen in den Bus. — Paolo helps the old woman to get on the bus.

---

aussteigen *V* — **get out / off**
steigt aus, stieg aus, ist ausgestiegen
≠ einsteigen — get on, in(to)

---

aufstehen *V* — **get / stand up**
steht auf, stand auf, ist aufgestanden
Bleiben Sie doch sitzen, Sie brauchen nicht aufzustehen. — Please remain seated, you needn't get up.

---

ein Taxi / den Bus / die Straßenbahn nehmen — **take a taxi / the bus / the tram**
Ich habe den letzten Zug verpasst! Jetzt muss ich ein Taxi nehmen. — I have missed the last train! Now I must take a taxi.

---

die **Haltestelle** *N* — **stop**
der Haltestelle, die Haltestellen
Bei der übernächsten Haltestelle müssen wir aussteigen. — We have to get off at the next stop but one.

---

die **Station** *N* — **stop** *(tram or suburban train stop)*

der Station, die Stationen ↳ die Endstation	 terminus *(last stop)*
halten *V* hält, hielt, hat gehalten Hier darf man weder parken noch halten.	**stop** You are not allowed to park or stop here.
anhalten *V* hält an, hielt an, hat angehalten Kannst du bitte mal anhalten? Mir ist schlecht.	**stop** Can you stop, please? I feel sick.
stoppen *V* stoppt, stoppte, hat gestoppt Stoppen Sie bitte, ich möchte hier aussteigen!	**stop** Please stop I would like to get off here!
verpassen *V* verpasst, verpasste, hat verpasst Ich weiß, ich komme zu spät; ich habe leider den Zug verpasst.	**miss** I know I am too late; I unfortunately missed my train.
der **Fahrplan** *N* des Fahrplan(e)s, die Fahrpläne Sieh mal auf dem Fahrplan nach, wann die nächste U-Bahn kommt.	**timetable, schedule** *(AE)* Check the timetable for the next underground.
sich beeilen *V* beeilt sich, beeilte sich, hat sich beeilt Beeil dich, die U-Bahn kommt gleich.	**hurry (up)** Hurry up, the underground is coming soon.
der **Fahrschein** *N* des Fahrschein(e)s, die Fahrscheine = die Fahrkarte Bekomme ich den Fahrschein beim Busfahrer? ↳ der Fahrscheinautomat	**ticket** Do I get the ticket from the bus driver? ticket machine
die **Fahrkarte** *N (D, A)* der Fahrkarte, die Fahrkarten = das Ticket Hast du schon eine Fahrkarte?	**ticket** Have you already got a ticket?
das **Billett** [bɪlˈjɛt, biˈjeː] *N (CH)* des Billets, die Billets	**ticket**
der **Zuschlag** *N* des Zuschlag(e)s, die Zuschläge Für den Leihwagen kommt noch ein Zuschlag von 35 Euro hinzu.	**supplementary charge** You'll have to pay a supplementary charge of 35 euros for the hire car.
lösen *V* löst, löste, hat gelöst einen Fahrschein lösen	**buy** buy a ticket
entwerten *V*	**validate**

entwertet, entwertete, hat entwertet
Der Fahrschein muss bei Fahrtantritt entwertet werden. — The ticket has to be validated at the beginning of the trip.

schwarz-, Schwarz- *Präfix* — **without buying a ticket, illicitly**
Wenn Sie beim Schwarzfahren erwischt werden, müssen Sie 60 € Strafe zahlen. — If you get caught travelling without a ticket, you have to pay a fine of €60.

schwarz- / Schwarz-

schwarz-, when prefixed to verbs or nouns, denotes something illegal.

der Schwarzfahrer — fare-dodger
die Schwarzarbeit — illicit work

25.2 Kraftfahrzeuge — Motor vehicles

das **Fahrzeug** *N* — **vehicle**
des Fahrzeug(e)s, die Fahrzeuge
↳ das Kraftfahrzeug *(Abkürzung: Kfz)* — motor vehicle

das **Auto** *N* — **car**
des Autos, die Autos
Unsere Kinder langweilen sich im Auto. — Our children get bored in the car.

der **Pkw** [ˈpeːkaːveː] *N (Abkürzung für Personenkraftwagen)* — **(passenger) car**
des Pkw(s), die Pkw(s)
Der Fahrer des Pkw war schuld an dem Unfall. — The driver of the car was responsible for the accident.

der **Wagen** *N* — **car**
des Wagens, die Wagen
= das Auto
Harry, fahr den Wagen vor. — Harry, move the car forward.
↳ der Mietwagen — hire car

das **Motorrad** *N (D, A)* — **motorcycle**
des Motorrad(e)s, die Motorräder
Christian fährt mit seinem Motorrad nicht sehr schnell. — Christian does not ride his motorcycle very fast.

der **Töff** *N (CH)* — **motorcycle**
des Töffs, die Töff(s)
= das Motorrad

gebraucht *Adj* — **second-hand**
≠ neu — new
Florian hat sich ein gebrauchtes Auto gekauft. — Florian has bought a second-hand car.

neu *Adj* — **new**

neuer, am neu(e)sten

der **Fahrer** *N*	**driver**
des Fahrers, die Fahrer	
↳ der Autofahrer	(car) driver
↳ der Taxifahrer	taxi driver
↳ der Falschfahrer	*(person driving on the wrong side of the road)*
die **Fahrerin** *N*	**driver**
der Fahrerin, die Fahrerinnen	
Meine Frau ist eine sehr gute Fahrerin.	My wife is a very good driver.
fahren *V*	**go; drive**
fährt, fuhr, ist gefahren	
Normalerweise fahre ich mit dem Fahrrad zur Arbeit, aber gestern bin ich mit dem Bus gefahren.	I usually go by bicycle to work, but yesterday I went by bus.
Er fährt sehr vorsichtig mit seinem neuen Auto.	He drives his new car very carefully.
der **Sitz** *N*	**seat**
des Sitzes, die Sitze	
Sie stellt ihre Tasche auf den Beifahrersitz.	She puts her bag on the front passenger seat.
↳ der Kindersitz	child safety seat
der **Lkw** ['ɛlkaːveː] *N (Abkürzung für Lastkraftwagen)*	**truck, lorry** *(BE)*
des Lkw(s), die Lkw(s)	
Lkws dürfen nicht durch die Stadt fahren, sie sollen eine Umgehungsstraße nutzen.	Trucks are not allowed to drive through the town, they should use a bypass.
der **Laster** *N (D, A)*	**truck, lorry** *(BE)*
des Lasters, die Laster	
= der Lastkraftwagen	
der **Camion** [kami̯õː] *N (CH)*	**truck, lorry** *(BE)*
des Camions, die Camions	
der **Fernbus** *N*	**coach**
des Fernbusses, die Fernbusse	
Mit dem Fernbus kommst du billig in alle Großstädte.	You can get to all cities cheaply by coach.
das **Carsharing** ['kaːɐ̯ʃɛːɐ̯rɪŋ] *N (auch: Car-Sharing)*	**car sharing**
des Carsharings, *(nur Singular)*	
Ich brauche kein eigenes Auto, ich nutze Carsharing.	I do not need my own car, I use car sharing.
leasen ['liːzn̩] *V*	**lease**
least, leaste, hat geleast	
Viele Unternehmen leasen Autos.	Many companies lease cars.
der **Motor** *N*	**engine**
des Motors, die Motoren	

Der Mechaniker lässt den Motor laufen.	The mechanic leaves the engine running.
der **Reifen** *N*	**tyre** *(BE)*, **tire** *(AE)*
des Reifens, die Reifen	
Im Winter müssen wir die Reifen wechseln.	We have to change the tires in winter.
↳ die Winterreifen	winter tyre *(BE)*, winter tire *(AE)*
↳ die Sommerreifen	normal / summer tyre *(BE)*, normal / summer tire *(AE)*
der **Druck** *N*	**pressure**
des Druck(e)s, die Drücke *(selten: Drucke)*	
Können Sie mal den Druck der Reifen messen?	Can you measure the pressure in the tires?
die **Bremse** *N*	**brake**
der Bremse, die Bremsen	
In der Werkstatt wurden die Bremsen überprüft.	The brakes were checked at the garage.
das **Steuer** *N*	**(steering) wheel**
des Steuers, die Steuer	
Am Steuer saß ein junger Mann.	A young man was behind the steering wheel.
die **Tankstelle** *N*	**petrol station** *(BE)*, **gas station** *(AE)*
der Tankstelle, die Tankstellen	
Wo ist bitte die nächste Tankstelle?	Where is the next petrol station?
tanken *V*	**fill up with / get some petrol**
tankt, tankte, hat getankt	
Wir müssen dringend tanken.	We must urgently get some petrol.
das **Benzin** *N*	**petrol** *(BE)*, **gas(oline)** *(AE)*
des Benzins, die Benzine	
Das Benzin wird immer teurer.	Petrol is getting more and more expensive.
das bleifreie Benzin	lead-free petrol *(BE)* / gas(oline) *(AE)*
der **Diesel** *N*	**diesel (oil)**
des Diesel(s), die Diesel	
Diesel ist meistens etwas günstiger als Benzin.	Diesel is usually a little cheaper then petrol.
beschädigen *V*	**damage**
beschädigt, beschädigte, hat beschädigt	
Beide Autos wurden bei dem Unfall schwer beschädigt.	Both cars suffered heavy damage in the accident.
kaputtgehen *V (ugs.)*	**get damaged**
geht kaputt, ging kaputt, ist kaputtgegangen	
Bei dem Unfall ist nur die Stoßstange kaputtgegangen.	Only the bumper got damaged in the accident.
der **Schaden** *N*	**damage**
des Schadens, die Schäden	
Sie müssen den Schaden Ihrer Versicherung melden.	You have to report the damage to your insurance.

die **Panne** *N*	**breakdown**
der Panne, die Pannen	
= technischer Schaden	technical problem
Er hatte mit seinem Motorrad eine Panne.	His motorcycle had a breakdown.
abschleppen *V*	**tow away**
schleppt ab, schleppte ab, hat abgeschleppt	
Das Auto stand im Halteverbot und wurde abgeschleppt.	The car was parked in a no stopping area and was towed.
reparieren *V*	**repair**
repariert, reparierte, hat repariert	
Das Auto ist so stark demoliert, dass es nicht mehr repariert werden kann.	The car was wrecked so badly that it cannot be repaired.
die **Reparatur** *N*	**repair**
der Reparatur, die Reparaturen	
Wie teuer wird die Reparatur?	How much will the repair cost?
↳ die Autoreparatur	car repair
die **Werkstatt** *N*	**garage**
der Werkstatt, die Werkstätten	
Bringen Sie bitte Ihren Wagen am Mittwoch zu uns in die Werkstatt.	Please bring your car to the garage on Wednesday.
der **Ersatz** *N*	**replacement, substitute**
des Ersatzes, *(nur Singular)*	
Während Ihr Auto in der Werkstatt ist, bekommen Sie einen Ersatz.	While your car is in the garage you get a replacement.
↳ das Ersatzfahrzeug	replacement vehicle
↳ das Ersatzteil	spare / replacement part
lenken *V*	**steer**
lenkt, lenkte, hat gelenkt	
Er lenkt das Moped nach rechts.	He steers the moped to the right.
das **Kfz** [kaː|ɛfˈtsɛt] *N (Abkürzung für Kraftfahrzeug)*	**motor vehicle**
des Kfz(s), die Kfz(s)	
Die Polizei sucht nach dem Fahrer des Wagens mit dem Kfz-Kennzeichen HH-XX-103.	The police are searching for the driver of the car with the registration number HH-XX-103.
der **Führerschein** *N (D, A)*	**driving licence** *(BE)*, **driver's license** *(AE)*
des Führerschein(e)s, die Führerscheine	
= der Führerausweis *(CH)*	
Verkehrskontrolle! Ihr Führerschein, bitte.	Traffic control! Your driving licence, please.
der **Fahrzeugschein** *N*	**(vehicle) registration document**
des Fahrzeugschein(e)s, die Fahrzeugscheine	
Bei einer Verkehrskontrolle muss man meistens den Fahrzeugschein und den Führerschein vorzeigen.	Most spot checks need you to show your driving licence and your vehicle registration document.
das **Nummernschild** *N*	**number plate** *(BE)*, **license plate** *(AE)*

des Nummernschild(e)s, die Nummernschilder Fahrzeuge mit roten Nummernschildern sind noch nicht zugelassen.	Vehicles with red number plates are not registered yet.
das **Kennzeichen** *N* des Kennzeichens, die Kennzeichen = das Autokennzeichen Können Sie mir Ihr Kfz-Kennzeichen aufschreiben?	**registration number, license number** *(AE)* Can you write down your registration number?
der **TÜV®** [tʏf] *N (Abkürzung für Technischer Überwachungsverein)* des TÜV, die TÜV(s) In Deutschland musst du alle zwei Jahre mit deinem Auto zum TÜV.	**TÜV** *(German technical safety inspectorate)* In Germany you have to get your car inspected by TÜV every two years.

25.3 Zu Fuß und mit dem Fahrrad — On foot and by bicycle

der **Fußgänger** *N* des Fußgängers, die Fußgänger Die Fußgänger warten an der roten Ampel.	**pedestrian** The pedestrians wait at the red traffic light.
die **Fußgängerin** *N* der Fußgängerin, die Fußgängerinnen	**pedestrian**
zu Fuß Sie geht lieber zu Fuß als mit dem Fahrrad zu fahren.	**on foot** She prefers to go on foot rather than by bike.
überfahren *V* überfährt, überfuhr, hat überfahren Der Mann überfuhr fast eine Fußgängerin.	**run over, knock down** The man almost ran over a pedestrian.
der **Bürgersteig** *N* des Bürgersteig(e)s, die Bürgersteige Die Kinder lernen, dass Fußgänger auf dem Bürgersteig laufen sollen.	**pavement** *(BE)*, **sidewalk** *(AE)* The children learn that pedestrians should walk on the pavement.
der **Gehsteig** *N (A, süddeutsch)* des Gehsteig(e)s, die Gehsteige	**pavement** *(BE)*, **sidewalk** *(AE)*
das **Trottoir** [trɔˈto̯aːɐ̯] *N (CH)* des Trottoirs, die Trottoirs / Trottoire	**pavement** *(BE)*, **sidewalk** *(AE)*
über *Präp (+ Akkusativ)* Du darfst nur bei Grün über die Straße gehen.	**across** You are only allowed to go across the street when the light is green.
das **Fahrrad** *N* des Fahrrad(e)s, die Fahrräder Auf dem Campus kommt man mit dem Fahrrad am schnellsten von A nach B.	**bicycle** You get from A to B the fastest by bicycle on the campus.

das **Rad** *N (D, A; Kurzform für Fahrrad)* des Rad(e)s, die Räder Er fährt im Sommer gerne Rad.	**bike** He likes to ride his bike in the summer.
das **Velo** *N (CH)* des Velos, die Velos = das Fahrrad	**bicycle**
das **E-Bike** [ˈiːbaik] *N (Kurzform für electric bike)* des E-Bikes, die E-Bikes = das Elektrofahrrad Mit einem E-Bike fahren auch viele jüngere Menschen.	**e-bike** Also many younger people ride an e-bike.
der **Radfahrer** *N* des Radfahrers, die Radfahrer In vielen Städten gibt es eigene Wege für Radfahrer.	**cyclist** In many towns there are separate paths for cyclists.
die **Radfahrerin** *N* der Radfahrerin, die Radfahrerinnen	**cyclist**
kaputt *Adj (ugs.)* kaputter, am kaputtesten Mein Fahrrad ist kaputt.	**broken** My bike is broken.
schieben *V* schiebt, schob, hat geschoben Pauls Reifen ist platt, deswegen muss er sein Rad schieben.	**push** Paul has a flat tire, so he has to push his bike.
der **Weg** *N* des Weg(e)s, die Wege ↳ der Radweg	**path; road; track** cycle path, track
der **Helm** *N* des Helm(e)s, die Helme Beim Fahrradfahren sollte man immer einen Helm tragen. ↳ der Motorradhelm ↳ der Fahrradhelm	**helmet** You should always wear a helmet when cycling. (motorcyle) crash helmet (bi)cycle helmet

25.4 Straßenverkehr — Road traffic

der **Verkehr** *N* des Verkehrs, *(nur Singular)* Gegen 18 Uhr ist auf allen Straßen viel Verkehr.	**traffic** There is a lot of traffic on the roads at about 6 p.m.
das **Abgas** *N* des Abgases, die Abgase	**exhaust**

Im Stadtverkehr gibt es an stark befahrenen Straßen viele Abgase.	On city roads with a lot of traffic there are high exhaust levels.
der **Stau** *N*	**traffic jam**
des Stau(e)s, die Staus	
Ich komme etwas später, ich stecke noch im Stau.	I'll be coming a little bit later, I am held up in a traffic jam.
im Stau stehen	stuck in traffic / a traffic jam
die **Umleitung** *N*	**diversion, detour**
der Umleitung, die Umleitungen	
Die Strecke ist wegen eines Unfalls gesperrt, folgen Sie bitte dem Schild „Umleitung".	This section of the road is closed off because of an accident, please follow the sign "Detour".
die **Kreuzung** *N*	**intersection, junction; crossroads**
der Kreuzung, die Kreuzungen	
An der Kreuzung regelt ein Polizist den Verkehr.	A policeman controls the traffic at the intersection.
die **Ampel** *N*	**(traffic) lights**
der Ampel, die Ampeln	
Die Ampel ist rot / grün / gelb.	The traffic lights are red / green / amber.
an der Ampel halten	stop at the (traffic) lights
↳ die Fußgängerampel	pedestrian crossing
der **Platz** *N*	**square; public place**
des Platzes, die Plätze	
Auf dem Platz vor dem Rathaus dürfen nur Busse fahren.	Only buses are allowed on the square in front of the town hall.
die **Straße** *N*	**street, road**
der Straße, die Straßen	
Auf dieser Straße gibt es mehrere Zebrastreifen.	There are several pedestrian crossings on this street.
die **Einbahnstraße** *N*	**one-way street**
der Einbahnstraße, die Einbahnstraßen	
das **Verkehrszeichen** *N*	**sign**
des Verkehrszeichens, die Verkehrszeichen	
= das Verkehrsschild	
Das Verkehrszeichen zeigt an, dass hier nicht geparkt werden darf.	The sign shows that you are not allowed to park here.
das **Schild** *N*	**sign**
des Schild(e)s, die Schilder	
Das Schild zeigt die erlaubte Geschwindigkeit.	The sign shows the speed limit.
die **Zone** *N*	**zone**
der Zone, die Zonen	
War hier nicht früher mal eine Tempo-30-Zone?	Didn't this used to be a 30 km/h zone?

der **Strafzettel** *N* des Strafzettels, die Strafzettel	**parking ticket; speeding ticket**
halt *Interjektion* = stopp Halt! Ich muss hier sofort aussteigen!	**stop** Stop! I must get out here immediately.
die **Vorfahrt** *N* der Vorfahrt, die Vorfahrten Er hat die Vorfahrt nicht beachtet. jemandem die Vorfahrt nehmen	**right of way** He did not heed the right of way. fail to give way to sb
die **Einfahrt** *N* der Einfahrt, die Einfahrten Die Einfahrt muss freigehalten werden.	**entrance** The entrance has to be kept clear.
die **Ausfahrt** *N* der Ausfahrt, die Ausfahrten ≠ die Einfahrt	**exit (road)** entrance
schmal *Adj* schmaler / schmäler, am schmalsten / schmälsten ≠ breit Der Weg zum Haus ist zu schmal für ein Auto.	**narrow** wide The driveway to the house is too narrow for a car.
die **Fahrbahn** *N* der Fahrbahn, die Fahrbahnen Passen Sie bitte auf: Es sind Kinder auf der Fahrbahn.	**road** Please pay attention: There are children on the road.
glatt *Adj* glatter, am glattesten Fahren Sie vorsichtig. Es ist glatt auf den Straßen.	**slippery; smooth** Please drive carefully. It is slippery on the roads.
plötzlich *Adv* = auf einmal Plötzlich lief ein Kind auf die Straße.	**suddenly** Suddenly a child ran onto the road.
der **Unfall** *N* des Unfall(e)s, die Unfälle Bei dem Unfall wurde zum Glück niemand verletzt.	**accident** Luckily, nobody was hurt in the accident.
passieren *V* passiert, passierte, ist passiert = sich ereignen = geschehen Der tödliche Unfall passierte nachts.	**happen** The fatal accident happened at night.
der **Gegenstand** *N* des Gegenstand(e)s, die Gegenstände	**object**

Es kam zu dem Unfall, weil Gegenstände auf der Fahrbahn lagen.	The accident was caused by objects lying on the road.
das **Wunder** *N* des Wunders, die Wunder Es ist ein Wunder, dass bei dem Unfall niemand verletzt wurde.	**miracle** It is a miracle that nobody was hurt in the accident.
der **Sicherheitsgurt** *N* des Sicherheitsgurt(e)s, die Sicherheitsgurte Das Anlegen des Sicherheitsgurts kann Leben retten.	**safety belt, seat belt** Fastening seat belts can save lives.
vorwärts *Adv* Er parkt lieber vorwärts als rückwärts ein.	**forward** He prefers to park forwards than in reverse.
rückwärts *Adv* ≠ vorwärts Ich fahre normalerweise rückwärts in die Garage. ↳ der Rückwärtsgang	**in reverse** forward I usually reverse into the garage. reverse gear
sich drehen *V* dreht sich, drehte sich, hat sich gedreht Das Rad ist defekt, es dreht sich nicht mehr richtig.	**turn** The wheel is broken, it's not turning properly.
umdrehen *V* dreht um, drehte um, hat umgedreht *(auch: ist umgedreht)* Wir müssen umdrehen! Ich habe das Geschenk vergessen.	**turn round; go back** We have to go back! I forgot the present.
wenden *V* wendet, wendete, hat gewendet Hier dürfen Sie nicht wenden – das ist eine Einbahnstraße.	**turn** You are not allowed to turn here – that's a one-way street.
parken *V (D, A)* parkt, parkte, hat geparkt Hier darf man nicht parken. ↳ das Parkverbot	**park** You are not allowed to park here. parking ban
parkieren *V (CH)* parkiert, parkierte, hat parkiert	**park**
einparken *V* parkt ein, parkte ein, hat eingeparkt Die Lücke ist zu klein. Hier kann ich nicht einparken. rückwärts einparken vorwärts einparken	**park** The space is too small. I can't park here. back / reserve into a parking space pull into a parking space

der **Parkplatz** *N* — **parking space**
des Parkplatzes, die Parkplätze
Ist das nervig: Ich kann keinen Parkplatz finden! — It is irritating: I cannot find a parking space!
↳ der Behindertenparkplatz — parking space for the disabled

der **Parkplatz** *N* — **car park**
des Parkplatzes, die Parkplätze
Du kannst mit dem Auto kommen. Es gibt einen großen Parkplatz neben der Konzerthalle. — You can come by car. There is a big car park beside the concert hall.
↳ der Pendlerparkplatz — commuter car park

das **Parkhaus** *N* — **multi-storey car park**
des Parkhauses, die Parkhäuser
Das Parkhaus ist 24 Stunden geöffnet. — The multi-storey car park is open 24 hours a day.

die **Parkuhr** *N* — **parking meter**
der Parkuhr, die Parkuhren
Die Parkuhr ist abgelaufen. — The parking meter has expired.

der **Parkscheinautomat** *N* — **car park ticket machine**
des Parkscheinautomaten, die Parkscheinautomaten
Der Parkscheinautomat ist defekt. — The car park ticket machine is broken.

---

bremsen *V* — **brake**
bremst, bremste, hat gebremst
Als das Kind auf die Straße lief, konnte ich gerade noch rechtzeitig bremsen. — When the child ran out onto the road I was able to brake just in time.

rechtzeitig *Adj* — **punctual; just in time**
Wenn ich um 15:00 Uhr losfahre, müsste ich rechtzeitig bei dir sein. — If set off at 3 o'clock, I should arrive at your place just in time.

die **Kurve** *N* — **bend**
der Kurve, die Kurven
Pass bitte auf, die Straße hat viele scharfe Kurven! — Please be careful! The street has many sharp bends!
↳ kurvig — full of bends

die **Geschwindigkeit** *N* — **speed**
der Geschwindigkeit, die Geschwindigkeiten
In manchen Städten ist nur eine Geschwindigkeit von 30 km/h erlaubt. — Only a speed of 30 km/h is allowed in some towns.

das **Tempo** *N* — **speed**
des Tempos, die Tempos
= die Geschwindigkeit
Auf Autobahnen gilt meistens Tempo 120. — Usually a speed of 120 km/h is allowed on motorways.
↳ das Tempolimit — speed limit

gelten *V* — **be**
gilt, galt, hat gegolten

In einer Spielstraße gilt Schrittgeschwindigkeit.	The speed limit on play streets is walking speed.
schnell *Adj* schneller, am schnellsten Der Mororradfahrer fuhr viel zu schnell. Oft ist man mit dem Zug schneller als mit dem Auto.	**fast** The motorcyclist drove much too fast. Often one is faster by train than by car.
langsam *Adj* langsamer, am langsamsten ≠ schnell	**slow** fast
hupen *V* hupt, hupte, hat gehupt Man sollte nur hupen, wenn eine konkrete Gefahr besteht.	**sound the horn** One should only sound the horn if there is an actual danger.
schalten *V* schaltet, schaltete, hat geschaltet Dieser Berg ist recht steil. Schalt lieber mal in den zweiten Gang runter.	**change gear** This mountain is really steep. You had better change into second gear.
die **Autobahn** *N (Abkürzung: A)* der Autobahn, die Autobahnen Er fährt mit 180 km/h auf der dreispurigen Autobahn. Von Leipzig nach München fährt man immer die A9.	**motorway** *(BE)*, **freeway** *(AE)* He drives at 180 km/h on the three-lane motorway. One always takes the A9 from Leipzig to Munich.
überholen *V* überholt, überholte, hat überholt	**overtake, pass**
die **Geschwindigkeitsbeschränkung** *N* der Geschwindigkeitsbeschränkung, die Geschwindigkeitsbeschränkungen = die Geschwindigkeitsbegrenzung	**speed limit**
behindern *V* behindert, behinderte, hat behindert Bauarbeiten behindern aktuell den Verkehr auf der A61.	**obstruct** Construction work is currently obstructing traffic on the A61.
die **Abfahrt** *N* der Abfahrt, die Abfahrten = die Autobahnausfahrt Wir müssen die nächste Abfahrt nehmen.	**exit** We have to take the next exit.
die **Spur** *N* der Spur, die Spuren Nach dem Überholen fährt er wieder auf der rechten Spur.	**lane** He returns to the right lane after overtaking.

hell *Adj*	**light**
heller, am hellsten	
Ben fährt lieber Auto, wenn es noch hell ist.	Ben prefers driving his car when it is still light.

dunkel *Adj*	**dark**
dunkler, am dunkelsten	
≠ hell	light
Es war schon dunkel, als sie in der Stadt ankamen.	It was already dark when they arrived in the town.

die **Maut** *N*	**toll (charge)**
der Maut, die Mauten	
Wenn wir in Österreich Autobahnen oder Schnellstraßen benutzen wollen, müssen wir Maut bezahlen.	If we want to use motorways or expressways in Austria, we have to pay the toll charge.
↳ die Lkw-Maut	motorway, freeway toll for trucks

die **Vignette** [vɪnˈjɛtə] *N*	**vignette**
der Vignette, die Vignetten	
Bevor wir in die Schweiz fahren, müssen wir noch eine Vignette an die Windschutzscheibe kleben.	Before going to Switzerland we will have to stick a vignette on the windscreen.

das **Pickerl** *N (A) (ugs.)*	**vignette**
des Pickerls, die Pickerl(n)	

25.5 Bahn — Rail

der **Bahnhof** *N*	**(train) station**
des Bahnhof(e)s, die Bahnhöfe	
Mein Mann bringt mich zum Bahnhof.	My husband takes me to the train station.
jemanden vom Bahnhof abholen	fetch sb from the station

der **Hauptbahnhof** *N*	**main station, central station**
des Hauptbahnhof(e)s, die Hauptbahnhöfe	
Das Hotel ist nur fünf Gehminuten vom Hauptbahnhof entfernt.	The hotel is just five minutes' walk from the main station.

Haupt- *Präfix*	**main**
≠ Neben-	side
↳ die Hauptstraße	main street
↳ der Haupteingang	main entrance

der **Bahnsteig** *N (D, A)*	**(station) platform**
des Bahnsteig(e)s, die Bahnsteige	
Der Zug kommt auf Bahnsteig 5 an.	The train arrives at platform 5.

der, das **Perron** [pɛˈrõː, pɛˈroːn] *N (CH)*	**(station) platform**
des Perrons, die Perrons	

das **Gleis** *N (D)*	**track, line; platform**
des Gleises, die Gleise	

= der Bahnsteig Achtung auf Gleis 1! Der Zug fährt ein.	 Attention on platform 1! The train is pulling in.
das **Geleise** *N (A, CH)* des Geleises, die Geleise	**track, line; platform**
der **Zug** *N* des Zug(e)s, die Züge = die Eisenbahn Der Zug hat Verspätung.	**train** The train has been delayed.
die **Bahn** *N (Kurzform für Eisenbahn)* der Bahn, die Bahnen Die Großeltern reisen mit der Bahn.	**train** The grandparents travel by train.
der **ICE**® [iːtseː'/eː] *N (Abkürzung für Intercityexpress)* des ICE(s), die ICE(s) Der ICE ist der schnellste Zug der Deutschen Bahn.	**ICE** *(German high-speed train)* The ICE is the German Railway's fastest train.
der **Intercity**® [ɪntɐ'sɪti] *N (Abkürzung: IC)* des Intercity(s), die Intercitys	**Intercity** *(national and international long-distance train)*
erreichen *V* erreicht, erreichte, hat erreicht = bekommen Ich hoffe, ich erreiche den Zug um 17:12 Uhr noch.	**catch** I hope I can still catch the train at 5.12 p.m.
der **Wagen** *N* des Wagens, die Wagen Die Wagen der zweiten Klasse befinden sich in den Abschnitten A bis C.	**carriage** The second-class carriages are in sections A to C.
der **Großraumwagen** *N* des Großraumwagens, die Großraumwagen Julian sitzt lieber im Großraumwagen als im Abteil.	**open-plan carriage** Julian prefers sitting in an open-plan carriage than in a compartment.
das **Abteil** *N* des Abteil(e)s, die Abteile	**compartment**
der **Speisewagen** *N* des Speisewagens, die Speisewagen Wollen wir in den Speisewagen gehen?	**restaurant car, diner** *(AE)* Shall we go to the restaurant car?
abfahren *V* fährt ab, fuhr ab, ist abgefahren Der Zug ist vor wenigen Minuten abgefahren.	**leave** The train left a few minutes ago.
ankommen *V* kommt an, kam an, ist angekommen = eintreffen Wann kommst du in Wien an?	**arrive** When do you arrive in Vienna?

die **Abfahrt** *N* der Abfahrt, die Abfahrten Die Abfahrt des Zuges verzögert sich um wenige Minuten.	**departure** The departure of the train will be delayed for a few minutes.
die **Ankunft** *N* der Ankunft, die Ankünfte ≠ die Abfahrt	**arrival** departure
der **Fahrplan** *N* des Fahrplan(e)s, die Fahrpläne Laut Fahrplan müsste der Zug in fünf Minuten kommen.	**timetable, schedule** *(AE)* According to the timetable the train should be arriving in five minutes.
die **Verspätung** *N* der Verspätung, die Verspätungen Zum Glück hat der Zug heute keine Verspätung.	**delay** Luckily, the train has not been delayed today.
pünktlich *Adj* pünktlicher, am pünktlichsten ≠ verspätet	**punctual** delayed
die **Strecke** *N* der Strecke, die Strecken Auf der Strecke zwischen Frankfurt und Kassel muss der Zug langsamer fahren.	**route** The train has to go more slowly on the route between Frankfurt and Kassel.
umsteigen *V* steigt um, stieg um, ist umgestiegen Es gibt keinen Zug, der durchfährt. Sie müssen leider einmal umsteigen.	**change** There is no through train. Unfortunately you have to change once.
die **Verbindung** *N* der Verbindung, die Verbindungen Können Sie mir die schnellste Verbindung nach Berlin heraussuchen?	**connection** Can you look up the fastest connection to Berlin?
direkt *Adj* Es gibt leider keine direkte Zugverbindung nach Heidelberg.	**direct** Unfortunately there is no direct connection to Heidelberg.
über *Präp* Fährt der Zug über Heidelberg oder Mannheim?	**via** Does the train go via Heidelberg or Mannheim?
ziemlich *Adv (ugs.)* Ich finde die Verbindung ziemlich schlecht.	**quite, fairly** I think the connection is quite bad.
der **Anschluss** *N* des Anschlusses, die Anschlüsse Wenn ich um 15:10 Uhr in Basel ankomme, wann habe ich Anschluss nach Luzern?	**connection** If I arrive in Basle at 3.10 p.m., when is the connection to Lucerne?

die **Auskunft** *N* der Auskunft, die Auskünfte = die Information Frag doch bei der Auskunft!	**information desk** Ask at the information desk!
die **Klasse** *N* der Klasse, die Klassen Ich habe eine Fahrkarte für die zweite Klasse. die erste Klasse	**class** *(comfort category)* I have a second-class ticket. first class
einfach *Adj* Eine Fahrkarte von München nach Augsburg, bitte. – Hin und zurück? – Nein, nur einfach.	**single** *(BE)*, **one-way** *(AE)* A ticket from Munich to Augsburg, please. – A return ticket? – No, only one-way.
hin und zurück *(CH: hin und retour)* Einmal Düsseldorf hin und zurück, bitte!	**return (ticket)** A return ticket to Düsseldorf, please!
reservieren *V* reserviert, reservierte, hat reserviert Der Zug am Freitagnachmittag wird bestimmt voll. Besser wir reservieren Sitzplätze.	**reserve** The train on Friday afternoon will certainly be crowded. We had better reserve seats.
der **Platz** *N (Kurzform für Sitzplatz)* des Platzes, die Plätze Ist dieser Platz noch frei?	**seat** Is this seat taken?
die **Platzkarte** *N* der Platzkarte, die Platzkarten Die Sekretärin soll auch eine Platzkarte reservieren.	**seat reservation (ticket)** The secretary should also reserve a seat.
sitzen *V* sitzt, saß, hat gesessen Wo möchten Sie sitzen, am Fenster oder am Gang?	**sit** Where would you like to sit, at the window or by the aisle?
halten *V* hält, hielt, hat gehalten Hält der Zug in Salzburg?	**stop** Does the train stop in Salzburg?
die **Durchsage** *N* der Durchsage, die Durchsagen Man hörte die Durchsage: „Achtung an Gleis 8! Der Zug fährt ein."	**announcement** An announcement was made: "Attention platform 8! The train is pulling in."
die **Ansage** *N* der Ansage, die Ansagen Achten Sie auf die Ansagen am Bahnsteig.	**announcement** Please pay attention to the announcements on the station platform.
das **Fundbüro** *N* des Fundbüros, die Fundbüros	**lost property office** *(BE)*, **lost-and-found office** *(AE)*

Sie haben Ihren Schlüssel verloren? Fragen Sie mal im Fundbüro, ob einer abgegeben wurde. | Have you lost your key? Ask at the lost-and-found office whether one has been handed in.

25.6 Flugzeug und Schiff | Aircraft and ship

das **Flugzeug** *N*
des Flugzeug(e)s, die Flugzeuge
Sie fliegt mit dem Flugzeug nach Düsseldorf.

(aero)plane *(BE)*, **(air)plane** *(AE)*
She is taking the plane to Düsseldorf.

die **Maschine** *N*
der Maschine, die Maschinen
= der Flieger *(ugs.)*
Unsere Maschine geht erst um 22:10 Uhr.

plane
Our plane won't be departing until 10:10 p.m.

der **Flug** *N*
des Flug(e)s, die Flüge
Wir wünschen Ihnen einen angenehmen Flug.

flight
We wish you a pleasant flight.

starten *V*
startet, startete, ist gestartet
Das Flugzeug soll um 15:30 Uhr starten.

take off
The plane is scheduled to take off at 3.30 p.m.

landen *V*
landet, landete, ist gelandet
≠ starten

land
take off

der **Pilot** *N*
des Piloten, die Piloten
Der Pilot schaltet den Autopiloten ein.

pilot
The pilot turns the autopilot on.

die **Pilotin** *N*
der Pilotin, die Pilotinnen

pilot

der **Steward** [ˈstjuːɐt] *N*
des Stewards, die Stewards

steward

die **Stewardess** [ˈstjuːɐdɛs] *N*
der Stewardess, die Stewardessen
Die Stewardessen verteilen das Essen.

stewardess
The stewardesses hand out the meals.

der **Flughafen** *N*
des Flughafens, die Flughäfen
An den Schaltern des Flughafens sind lange Warteschlangen.

airport
There are long queues at the counters in the airport.

das **Ticket** *N*
des Tickets, die Tickets
Hast du unsere Tickets dabei?

ticket
Do you have our tickets with you?

sich begeben *V*
begibt sich, begab sich, hat sich begeben

proceed *(elevated language for gehen)*

Bitte begeben Sie sich zu Terminal B.	Please proceed to Terminal B.
warten *V* wartet, wartete, hat gewartet An der Passkontrolle mussten sie lange warten.	**wait** They had to wait for a long time at passport control.
sich verlaufen *V* verläuft sich, verlief sich, hat sich verlaufen Da müssen Sie sich verlaufen haben. Das Abfluggate ist am anderen Ende des Flughafens.	**get lost; disperse** You must have got lost. The boarding gate is at the other end of the airport.
das **Gepäck** *N* des Gepäck(e)s, *(nur Singular)* Du hast viel zu viel Gepäck dabei. das Gepäck aufgeben	**baggage, luggage** You have much too much luggage with you. check in, register baggage
der **Koffer** *N* des Koffers, die Koffer Dein Koffer ist zu schwer. Du wirst Übergepäck haben.	**suitcase** Your suitcase is too heavy. You will have excess baggage.
tragen *V* trägt, trug, hat getragen Ich trage deinen Koffer, der ist doch zu schwer für dich.	**carry** I'll carry your suitcase, it is too heavy for you.
das **Gewicht** *N* des Gewicht(e)s, die Gewichte Sie dürfen Gepäck mit einem Gewicht von bis zu 15 Kilogramm kostenlos mitnehmen.	**weight** You are allowed to take baggage weighing up to 15 kilograms for free.
abholen *V* holt ab, holte ab, hat abgeholt Soll ich dich vom Flughafen abholen?	**collect, pick up** Should I collect you from the airport?
fliegen *V* fliegt, flog, ist geflogen Der Pilot fliegt einen Airbus.	**fly** The pilot flies an Airbus.
abfliegen *V* fliegt ab, flog ab, ist abgeflogen Sie sind von München aus abgeflogen.	**take off** They took off from Munich.
der **Abflug** *N* des Abflug(e)s, die Abflüge Die Fluggäste sollen bereits drei Stunden vor Abflug am Flughafen sein.	**departure** The passengers should be at the airport no later than three hours before departure.
die **Landung** *N* der Landung, die Landungen ≠ der Abflug	**landing** departure

der **Start** *N* des Start(e)s, die Starts *(selten: Starte)* = der Abflug	**take-off** departure
sich anschnallen *V* schnallt sich an, schnallte sich an, hat sich angeschnallt Schnallen Sie sich bitte an.	**fasten one's seat belt** Please fasten your seat belts.
der **Sicherheitsgurt** *N* des Sicherheitsgurt(e)s, die Sicherheitsgurte Bitte legen Sie den Sicherheitsgurt an.	**safety belt, seat belt** Please put on your safety belt.
abstürzen *V* stürzt ab, stürzte ab, ist abgestürzt Die Maschine ist abgestürzt.	**crash** The plane crashed.
der **Hubschrauber** *N* des Hubschraubers, die Hubschrauber = der Helikopter Bist du schon einmal mit einem Hubschrauber geflogen?	**helicopter** Have you ever flown in a helicopter?
das **Schiff** *N* des Schiff(e)s, die Schiffe Sie fahren mit dem Schiff in die Antarktis.	**ship** They travel by ship to the Antarctic.
das **Boot** *N* des Boot(e)s, die Boote Die Fischer fahren mit ihren Booten hinaus aufs Meer.	**boat** The fishermen take their boats out to sea.
die **Fähre** *N* der Fähre, die Fähren Wir nehmen die Fähre nach Sizilien.	**ferry** We take the ferry to Sicily.
der **Kapitän** *N* des Kapitäns, die Kapitäne Herr Kapitän, wann erreichen wir Trinidad?	**captain** Captain, when will we reach Trinidad?
die **Kapitänin** *N* der Kapitänin, die Kapitäninnen	**captain**
der **Matrose** *N* des Matrosen, die Matrosen Die Matrosen tragen eine blau-weiße Uniform.	**sailor** The sailors wear a blue and white uniform.
der **Passagier** [pasaˈʒiːɐ̯] *N* des Passagiers, die Passagiere Auf dem Kreuzfahrtschiff ist Platz für 5400 Passagiere. ein blinder Passagier	**passenger** *(traveller on ships and planes)* There is room for 5,400 passengers on the cruise liner. stowaway

die **Passagierin** [pasaˈʒiːɐ̯rɪn] *N* der Passagierin, die Passagierinnen	**passenger**
die **Not** *N* der Not, die Nöte *(selten)* Das Schiff ist in Not geraten und drohte zu sinken.	**difficulty** The ship got into difficulties and was on the verge of sinking.
sinken *V* sinkt, sank, ist gesunken Der Kapitän funkte SOS; sein Schiff sank.	**sink** The captain radioed SOS; his ship was sinking.
retten *V* rettet, rettete, hat gerettet Fast alle Passagiere konnten gerettet werden. jemandem das Leben retten	**save** Nearly all passengers could be saved. save sb's life
die **Rettung** *N* der Rettung, die Rettungen Jede Rettung kam zu spät. Die Rettung konnte vor Einbruch der Nacht beendet werden.	**rescue** Every rescue attempt came too late. The rescue could be finished before nightfall.

25.7 Wegbeschreibung — Giving and receiving directions

der **Stadtplan** *N* des Stadtplan(e)s, die Stadtpläne Im Tourismusbüro bekommt man meistens kostenlos einen Stadtplan.	**street map** You usually get a street map for free at the tourist information office.
der **Weg** *N* des Weg(e)s, die Wege Können Sie mir den Weg zum Rathaus sagen?	**way** Can you tell me the way to the town hall?
suchen *V* sucht, suchte, hat gesucht Ich suche die nächste Bushaltestelle der Linie 28.	**look for** I am looking for the next bus stop for the number 28.
kommen *V* kommt, kam, ist gekommen Wie komme ich nach Frankfurt?	**come, get** How do I get to Frankfurt?
wissen *V* weiß, wusste, hat gewusst Entschuldigung, wissen Sie, wie ich zum Bahnhof komme?	**know** Excuse me, do you know how I can get to the station?
kennen *V* kennt, kannte, hat gekannt Kennen Sie hier in der Nähe eine Pizzeria?	**know** Do you know a pizzeria nearby?

die **Gegend** *N* der Gegend, die Gegenden Nein, tut mir leid, ich bin nicht aus dieser Gegend.	**region, area** No, I am sorry, I am a stranger to this region.
die **Entfernung** *N* der Entfernung, die Entfernungen Mit dem Routenplaner können Sie die Entfernung zu Ihrem Ziel berechnen. die Entfernung beträgt ... ↳ entfernt	**distance** You can calculate the distance to your destination with the route planner. the distance is ... distant / away
wo *Adv* Wo ist die Uni, bitte?	**where** Where is the university, please?
wohin *Adv* Wohin führt diese Straße?	**where (to)** Where does this street lead to?
wie *Adv* Wie komme ich am schnellsten zum Theater?	**how** What's the quickest way to the theatre?
weit *Adj* weiter, am weitesten Ist es noch weit bis zum Kindergarten?	**far, a long way** Is it still a long way to the kindergarten?
nah *Adj* näher, am nächsten ≠ weit	**near** far
wie weit Können Sie mir sagen, wie weit es zur Apotheke ist?	**how far** Can you tell me how far it is to the pharmacy?
wie lange Wie lange braucht man von hier bis zum Olympia-Stadion?	**how long** How long do you need from here to the Olympic stadium?
hier *Adv* Wo ist hier ein Briefkasten?	**here** Where is a postbox here?
brauchen *V* braucht, brauchte, hat gebraucht Bis zur Post brauchen Sie etwa 10 Minuten.	**need** You need approximately 10 minutes to the post office.
rund *Adv* = ungefähr = etwa Bis zum Marktplatz sind es noch rund 600 Meter.	**roughly** approximately about It is still roughly 600 metres to the marketplace.
der **Schritt** *N* des Schritt(e)s, die Schritte	**step**

Bis zur Kathedrale sind es nur noch wenige Schritte.	There are only a few steps more to the cathedral.
sich umdrehen *V* dreht sich um, drehte sich um, hat sich umgedreht Dreh dich mal um, da siehst du schon die Kathedrale.	**turn around** Turn around: there you can see the cathedral.
sich auskennen *V* kennt sich aus, kannte sich aus, hat sich ausgekannt Entschuldigen Sie bitte, kennen Sie sich hier aus?	**know well** Excuse me, do you know the region well?
die **Auskunft** *N* der Auskunft, die Auskünfte Können Sie mir eine Auskunft geben?	**information** Can you give me some information?
das **Navigationsgerät** *N (Kurzform: Navi)* des Navigationsgerät(e)s, die Navigationsgeräte = das Navigationssystem Ich brauche keine Wegbeschreibung, ich habe ja ein Navi.	**navigation system** I do not need directions, I have a navigation system.
gegenüber *Präp (+ Dativ)* In dem Haus gegenüber der Kirche ist eine Buchhandlung.	**opposite** There is a bookshop in the building opposite the church.
zeigen *V* zeigt, zeigte, hat gezeigt Klar, ich zeige Ihnen, wie Sie zur Straßenbahn kommen.	**show** Sure, I'll show you how to get to the tram.
bis zu *(+ Dativ)* Bis zum Supermarkt sind es nur 50 Meter.	**to** The supermarket is only 50 metres away.
direkt *Adj* Der direkte Weg zum Hauptbahnhof führt durch die Fußgängerzone. Das Hotel liegt direkt an einem See.	**direct; directly** The direct way to the central station is through the pedestrian precinct. The hotel lies directly by a lake.
geradeaus *Adv* Gehen Sie immer geradeaus, dann kommen Sie in die Altstadt.	**straight ahead** Keep on straight ahead then you will come to the old part of the city.
rechts *Adv* An der nächsten Kreuzung musst du rechts gehen, dann die nächste Straße links.	**(on the) right** You have to go right at the next crossroads, then the next street on the left.
links *Adv* ≠ rechts	**(on the) left** (on the) right
die **Richtung** *N* der Richtung, die Richtungen	**direction**

Laufen Sie immer in diese Richtung, dann kommen Sie zum Fischmarkt.	Keep on in this direction then you will come to the fish market.
bringen *V* bringt, brachte, hat gebracht Ich bringe Sie zur Post.	**take** I'll take you to the post office.
führen *V* führt, führte, hat geführt Diese Straße führt direkt zum Konsulat.	**lead** This street leads directly to the consulate.
überqueren *V* überquert, überquerte, hat überquert Da vorne beim Zebrastreifen kann man die Straße überqueren.	**cross** You can cross the street at the zebra crossing ahead.
in der Nähe Die Bäckerei ist in der Nähe des Elektrogeschäfts.	**near, nearby** The bakery is near the electrical shop.
liegen *V* liegt, lag, hat gelegen Winterthur liegt nordöstlich von Zürich.	**lie** Winterthur lies to the north-east of Zurich.
vorbei *Adv* Sind wir schon an der Kathedrale vorbei?	**passed** Have we already passed the cathedral?
entlang *Präp (+ Dativ)* Entlang der Straße standen viele Menschen.	**along** There were many people standing along the street.
entlang *Adv* Gehen Sie immer diese Straße entlang. Dann kommen Sie direkt zum Zoo.	**along** Keep going along this street. Then you will come directly to the zoo.
dort *Adv* = da Sehen Sie den Haupteingang des Bahnhofs? Dort ist ein Taxistand.	**there** Do you see the main entrance to the station? There is a taxi rank.
drüben *Adv* Da drüben ist die Haltestelle.	**over there** Over there is the bus stop.
vorbeigehen *V* geht vorbei, ging vorbei, ist vorbeigegangen Geht einfach an den Häusern vorbei, dann kommt am Ende der Straße die Drogerie auf der rechten Seite.	**go past** Simply go past the houses, then you'll come to the chemist's shop on the right side at the end of the street.
vorbeifahren *V* fährt vorbei, fuhr vorbei, ist vorbeigefahren Der Bus hat nicht angehalten, sondern ist an der Haltestelle vorbeigefahren.	**drive past** The bus did not stop at the bus stop but drove past it.

weiter- *Präfix*	**continue doing sth** *(continuing a movement or activity)*
weitergehen *V* geht weiter, ging weiter, ist weitergegangen Sie müssen nach dem Kiosk bis zur nächsten Kreuzung weitergehen.	**walk on** You have to walk on to the next crossroads after the kiosk.
weiterfahren *V* fährt weiter, fuhr weiter, ist weitergefahren Fahren Sie 400 m weiter, dann kommen Sie zur Tankstelle.	**continue driving** Continue driving for 400 m then you will come to the garage.
abbiegen *V* biegt ab, bog ab, ist abgebogen Der Fahrer ist an der zweiten Kreuzung abgebogen.	**turn off** The driver turned off at the second crossroads.
die **Ecke** *N (Kurzform für Straßenecke; auch: das Eck)* der Ecke, die Ecken Wir treffen uns an der Ecke Berliner Straße – Leipziger Straße. um die Ecke biegen	**corner** We'll meet at the corner of Berliner Straße and Leipziger Straße. (turn) round the corner
entgegenkommen *V* kommt entgegen, kam entgegen, ist entgegen-gekommen Das entgegenkommende Auto fuhr zu schnell.	**come in the opposite direction** The car coming in the opposite direction drove too fast.

26 Geografie und Umwelt

26.1 Kontinente | Continents

der **Kontinent** *N* — **continent**
des Kontinent(e)s, die Kontinente
Kolumbus entdeckte 1492, auf seiner vierten Reise, einen neuen Kontinent: Amerika. — On his fourth voyage, Columbus discovered a new continent in 1492: America.

das **Land** *N* — **country**
des Landes, die Länder
In anderen Ländern werden mehr Babys geboren als in Deutschland. — More babies are born in other countries than in Germany.

→ For "States of the World" see chapter *1.2 Alter, Wohnort, Herkunft* (p. 20 ff).

die **Sprache** *N* — **language**
der Sprache, die Sprachen
In vielen Ländern werden mehrere Sprachen geprochen. — In many countries several languages are spoken.

die **Welt** *N* — **world**
der Welt, *(in dieser Bedeutung nur Singular)*
In Afrika und in anderen Teilen der Welt leiden Menschen unter Hunger. — People are suffering from hunger in Africa and in other parts of the world.

weltweit *Adv* — **global, worldwide**
Weltweit werden etwa 6500 Sprachen gesprochen. — Approximately 6,500 languages are spoken worldwide.

die **Erde** *N* — **earth**
der Erde, *(in dieser Bedeutung nur Singular)*
Nicht überall auf der Erde gibt es vier Jahreszeiten. — Not everywhere on earth has four seasons.

das **Amerika** *N* des Amerikas Ich war schon zweimal in Amerika. ↳ der Amerikaner, die Amerikanerin ↳ amerikanisch	**America** *(strictly the geographical term for the two American continents; often used as a short form for the United States of America)* I have been to America twice now. American American
das **Südamerika** *N* des Südamerikas In den meisten Ländern Südamerikas wird Spanisch gesprochen. ↳ der Südamerikaner, die Südamerikanerin ↳ südamerikanisch	**South America** Spanish is spoken in most of the countries of South America. South American South American
das **Nordamerika** *N* des Nordamerikas Im Westen Nordamerikas liegen die Rocky Mountains.	**North America** The Rocky Mountains are in the west of North America.
der **Indianer** *N* des Indianers, die Indianer Indianer sind die Ureinwohner Amerikas.	**Native American** Native Americans are the original inhabitants of America.
die **Indianerin** *N* der Indianerin, die Indianerinnen	**Native American**
das **Afrika** *N* des Afrikas In Afrika hat sich der moderne Mensch (Homo sapiens) entwickelt. ↳ der Afrikaner, die Afrikanerin ↳ afrikanisch	**Africa** The modern human (homo sapiens) evolved in Africa. African African
das **Asien** *N* des Asiens ↳ der Asiate, die Asiatin ↳ asiatisch	**Asia** Asian Asian
der **Nahe Osten** *N* des Nahen Ostens	**Middle East** *(geographical term for the countries of Western Asia and Egypt)*
der **Araber** *N* des Arabers, die Araber	**Arab**
die **Araberin** *N* der Araberin, die Araberinnen	**Arab**
arabisch *Adj* Die Arabische Halbinsel ist die größte Halbinsel der Erde.	**Arabian** *(geographical)*; **Arabic** *(language)* The Arabian Peninsula is the biggest peninsula on earth.

das **Australien** *N*
des Australiens
↳ der Australier, die Australierin
↳ australisch

Australia

Australian
Australien

das **Ozeanien** *N*
des Ozeaniens
Ozeanien wird manchmal mit Australien zu einer Großregion zusammengefasst.

Oceania

Oceania is sometimes subsumed with Australia under the one continent.

die **Antarktika** *N*
der Antarktika

Antarctica

das **Europa** *N*
des Europas
↳ der Europäer, die Europäerin
↳ europäisch

Europe

European
European

26.2 Landschaften

Landscapes

die **Landschaft** *N*
der Landschaft, die Landschaften
Max findet die Landschaft der Alpen am schönsten.

countryside; landscape; scenery

Max finds the Alpine landscape the most beautiful.

die **Gegend** *N*
der Gegend, die Gegenden
In der Gegend von Frankfurt war ich schon einmal.

region, area

I have already been in the region of Frankfurt.

die **Region** *N*
der Region, die Regionen
Es schneite bis in die tieferen Regionen des Gebirges.

region, area

It snowed up to the deeper regions of the mountains.

das **Land** *N*
des Land(e)s, *(in dieser Bedeutung nur Singular)*
Immer mehr Menschen leben lieber auf dem Land als in der Stadt.
Viele Tiere leben nicht an Land, sondern im Wasser.
↳ ländlich

country(side), land

More and more people prefer to live in the country than in the city.
Many animals do not live on land, but in water.

rural, rustic

das **Gebiet** *N*
des Gebiet(e)s, die Gebiete
In dem Gebiet nördlich von München wird Hopfen angebaut.

area

Hops are grown in the area north of Munich.

das **Gebirge** *N*
des Gebirges, die Gebirge
Wir verbringen den Urlaub im Gebirge.

mountain range, mountains

We spend our holidays in the mountains.

die **Alpen** *N (Pluralwort)*	**Alps**
der Alpen	
Die Zugspitze ist der höchste Berg der deutschen Alpen.	The Zugspitze is the highest mountain of the German Alps.
steil *Adj*	**steep**
steiler, am steilsten	
Das letzte Stück der Strecke muss man zu Fuß gehen, es ist sehr steil.	You have to walk the last part of the way, it is very steep.
der **Berg** *N*	**mountain**
des Berg(e)s, die Berge	
Einige Berge im Himalaya sind über 8000 m hoch.	Some of the mountains in the Himalayas are over 8,000 metres high.
in die Berge fahren	go to the mountains
↳ bergig	mountainous
das **Tal** *N*	**valley**
des Tals, die Täler	
Gestern sind wir ins Tal gewandert.	Yesterday we hiked into the valley.
das **Unglück** *N*	**accident; misfortune**
des Unglücks, die Unglücke	
In den Bergen gab es ein schweres Unglück.	There was a serious accident in the mountains.
flach *Adj*	**flat**
flacher, am flachsten	
In Norddeutschland gibt es keine Hügel, das Land ist ganz flach.	There are no hills in the north of Germany, the landscape is very flat.
der **Hügel** *N*	**hill**
des Hügels, die Hügel	
↳ hügelig	hilly
der **Wald** *N*	**wood, forest**
des Wald(e)s, die Wälder	
In dem Wald stehen Tannen und Eichen.	There are firs and oak trees in the forest.
durch *Präp (+ Akkusativ)*	**through**
Der Förster läuft durch den Wald.	The ranger walks through the forest.
die **Wiese** *N*	**meadow**
der Wiese, die Wiesen	
Auf der großen Wiese blühen im Frühling lauter Blumen.	The large meadow is full of flowers in the spring.
das **Feld** *N*	**field**
des Feld(e)s, die Felder	
Auf diesem Feld wachsen Kartoffeln.	Potatoes grow in this field.
Vom Flugzeug aus sehen die grünen Felder ganz klein aus.	The green fields look very small from the plane.

der **Stein** *N* des Stein(e)s, die Steine Die Straße wird von großen Steinen blockiert.	**stone** The street is blocked by big stones.
der **Äquator** *N* des Äquators, *(nur Singular)* Wir sind fast am Äquator.	**equator** We are nearly at the equator.
der **Nordpol** *N* des Nordpols, *(nur Singular)* Wer war der erste Mensch am Nordpol?	**North Pole** Who was the first human in the North Pole?
der **Südpol** *N* des Südpols, *(nur Singular)* Pinguine leben am Südpol.	**South Pole** Penguins live in the South Pole.
die **Wüste** *N* der Wüste, die Wüsten Die Sahara ist die größte Wüste der Erde.	**desert** The Sahara is the biggest desert in the world.
das **Erdbeben** *N* des Erdbebens, die Erdbeben Bei dem Erdbeben starben viele Menschen.	**earthquake** Many people died during the earthquake.
der **Fluss** *N* des Flusses, die Flüsse Als Kinder haben wir immer in einem Fluss gebadet.	**river** We always bathed in a river when we were children.
fließen *V* fließt, floss, ist geflossen Die Elbe fließt in die Nordsee.	**flow** The river Elbe flows into the North Sea.
der **Bach** *N* des Bach(e)s, die Bäche In dem Bach floss kristallklares Wasser.	**stream, brook** Crystal-clear water flowed in the brook.
der **Kanal** *N* des Kanals, die Kanäle Auf dem Kanal können sehr große Schiffe fahren.	**canal** Very big ships can go on the canal.
das **Ufer** *N* des Ufers, die Ufer Der Fluss tritt bei Hochwasser immer über die Ufer.	**bank; shore** The river always breaks its banks during floods.
der **See** *N* des Sees, die Seen Im Winter kann man auf dem zugefrorenen See Schlittschuh laufen.	**lake** You can go ice-skating on the frozen lake in the winter.
das **Meer** *N* des Meer(e)s, die Meere	**sea**

Wir können morgen auf das offene Meer hinausfahren.	We can sail out on the open sea tomorrow.
der **Ozean** *N* des Ozeans, die Ozeane In den Ozeanen leben viele verschiedene Fisch- und Korallenarten.	**ocean** Many different sorts of fish and corals live in the ocean.
die **See** *N* der See, *(in dieser Bedeutung nur Singular)* Wollen wir morgen an die See fahren?	**sea** Shall we go to the sea tomorrow?
die **Ostsee** *N* der Ostsee	**Baltic Sea**
die **Nordsee** *N* der Nordsee Die Familie fährt jeden Sommer an die Nordsee.	**North Sea** The family goes to the North Sea every summer.
der **Strand** *N* des Strand(e)s, die Strände Sie suchen Muscheln am Strand.	**beach** They look for shells on the beach.
die **Küste** *N* der Küste, die Küsten Die Möwen fliegen an der Küste entlang.	**coast** The seagulls fly along the coast.
der **Sand** *N* des Sand(e)s, die Sande *(selten)* Sie liefen durch den feinen Sand.	**sand** They walked through the fine sand.
die **Insel** *N* der Insel, die Inseln Wusstest du, dass Helgoland eine deutsche Insel ist?	**island** Did you know that Heligoland is a German island?

26.3 Stadt und Land — Cities and countries

die **Bevölkerung** *N* der Bevölkerung, die Bevölkerungen Die Bevölkerung Deutschlands wird immer älter.	**population** The population of Germany is getting older.
der **Einwohner** *N* des Einwohners, die Einwohner Berlin hat über 3,5 Millionen Einwohner.	**inhabitant** Berlin has over 3.5 million inhabitants.
die **Einwohnerin** *N* der Einwohnerin, die Einwohnerinnen	**inhabitant**
die **Stadt** *N* der Stadt, die Städte Zum Einkaufen fahren sie in die Stadt.	**town; city** They go to town for shopping.

↳ die Großstadt ↳ die Kleinstadt	city, metropolis town
gründen *V* gründet, gründete, hat gegründet Die Tübinger Universität wurde 1477 gegründet.	**found** The University of Tübingen was founded in 1477.
städtisch *Adj* städtischer, am städtischsten Ich fahre nicht Auto, ich benutze die städtischen Verkehrsmittel.	**municipal, urban** I do not take the car, I use urban transport.
die **Hauptstadt** *N* der Hauptstadt, die Hauptstädte Bern ist offiziell nicht die Hauptstadt der Schweiz, sondern eine Bundesstadt.	**capital (city)** Officially, Bern is not the capital city of Switzerland but a confederation city.
die **Metropole** *N* der Metropole, die Metropolen London und Paris sind europäische Metropolen.	**metropolis** London and Paris are European metropolises.
die **City** ['sɪti] *N* der City, die Citys In der Düsseldorfer City gibt es schöne Geschäfte.	**city centre** *(BE)*, **city center** *(AE)* There are nice stores in the city centre of Düsseldorf.
das **Dorf** *N* des Dorf(e)s, die Dörfer In manchen Dörfern leben nur noch alte Menschen. ↳ dörflich	**village** Only old people live in some villages. rural, village
der **Ort** *N* des Ort(e)s, die Orte Die Orte sind sehr idyllisch am Rhein gelegen.	**town** The towns have very idyllic locations by the Rhine.
der **Vorort** *N* des Vorort(e)s, die Vororte Ich wohne nicht im Zentrum, sondern in einem Vorort von Wien.	**suburb** I do not live in the city centre but in a suburb of Vienna.
der **Stadtteil** *N* des Stadtteils, die Stadtteile Dieser Stadtteil ist eine bessere Wohngegend.	**district, part of town** This district is a better area to live in.
das **Rathaus** *N* des Rathauses, die Rathäuser Ich gehe aufs Rathaus, um mich umzumelden.	**town hall** I'm going to the town hall to register my change of address.
das **Schloss** *N* des Schlosses, die Schlösser	**castle; palace**

Heidelberg ist wegen seines Schlosses weltweit bekannt. | Heidelberg is famous worldwide for its castle.

die **Burg** *N* — **castle**
der Burg, die Burgen
Auf der Burg gibt es sonntags Führungen. | There are guided tours at the castle on Sundays.

die **Ruine** *N* — **ruin(s)**
der Ruine, die Ruinen
Nach dem Zweiten Weltkrieg bestand Berlin fast nur noch aus Ruinen. | Berlin was very nearly just ruins after the Second World War.

der **Turm** *N* — **tower**
des Turm(e)s, die Türme
Pisa ist berühmt für seinen schiefen Turm. | Pisa is famous for its leaning tower.

die **Kirche** *N* — **church**
der Kirche, die Kirchen
Die Kirche ist gotisch. | The church is Gothic.

---

das **Zentrum** *N* — **city centre** *(BE)*, **city center** *(AE)*
des Zentrums, die Zentren
= die Innenstadt — downtown, city (centre, center)
Zum historischen Zentrum musst du links abbiegen. | You have to go left to reach the historical city centre.

der **Markt** *N* — **market**
des Markt(e)s, die Märkte
Jeden Mittwoch ist Markt. | There is a market every Wednesday.

der **Markt** *N (Kurzform für Marktplatz)* — **market square**
des Markt(e)s, die Märkte
Die Arztpraxis ist direkt am Markt. | The surgery is directly by the market square.

die **Fußgängerzone** *N* — **pedestrian precinct**
der Fußgängerzone, die Fußgängerzonen
In der Fußgängerzone sind viele Geschäfte. | There are many stores in the pedestrian precinct.

der **Park** *N* — **park**
des Park(e)s, die Parks / Parke *(CH: meist Pärke)*
Hast du Lust, mit mir im Park spazieren zu gehen? | Do you feel like walking in the park with me?

---

die **Umgebung** *N* — **environs; neighbourhood; surrounding area**
der Umgebung, die Umgebungen
Am Wochenende könnten wir einen Ausflug in die Umgebung machen. | We could go on an outing in the neighbourhood at the weekend.

der **Weg** *N* — **path**
des Weg(e)s, die Wege
Folgen Sie diesem Weg, dann kommen Sie zur nächsten Tankstelle. | Follow this path then you will arrive at the next garage.

↳ der Fußweg ↳ der Radweg	footpath cycle path
die **Straße** *N* der Straße, die Straßen Die Straße wird gerade neu asphaltiert.	**street; road** The street is getting a new asphalt surface at the moment.
die **Brücke** *N* der Brücke, die Brücken In Dresden wurde eine neue Brücke über die Elbe gebaut.	**bridge** A new bridge was built over the river Elbe in Dresden.
der **Hafen** *N* des Hafens, die Häfen In den Hamburger Hafen lief ein großes Schiff ein.	**harbour; port** A big ship is sailing into the port of Hamburg.
der **Flughafen** *N* des Flughafens, die Flughäfen Er bringt seine Schwester zum Flughafen.	**airport** He takes his sister to the airport.
der **Bahnhof** *N* des Bahnhof(e)s, die Bahnhöfe Wie weit ist es zum Bahnhof?	**(train / railway** *(BE)***) station** How far is it to the railway station?
→ See also chapter *25 Verkehr* (p. 399 ff).	
das **Schwimmbad** *N* des Schwimmbad(e)s, die Schwimmbäder Sie gehen jeden Montag um 7:30 Uhr ins Schwimmbad.	**swimming pool** They go to the swimming pool every Monday at 7.30 a.m.
das **Theater** *N* des Theaters, die Theater Das Theater ist ein sehr modernes Gebäude.	**theatre** *(BE)*, **theater** *(AE)* The theatre is a very modern building.
das **Museum** *N* des Museums, die Museen Vor dem Museum ist eine Baustelle.	**museum** There is a building site in front of the museum.
die **Bibliothek** *N* der Bibliothek, die Bibliotheken = die Bücherei Zum Lernen gehe ich in die Bibliothek.	**library** I go to the library to study.
die **Feuerwehr** *N* der Feuerwehr, die Feuerwehren Bei Feuer wird die Feuerwehr alarmiert.	**fire brigade** *(BE)*, **fire department** *(AE)* The fire brigade is called out in the event of fire.
die **Müllabfuhr** *N (D, A)* der Müllabfuhr, die Müllabfuhren = die Kehrichtabfuhr *(CH)* Die Müllabfuhr kommt alle 14 Tage.	**refuse collection** The refuse collection comes every 14 days.

die **Mülltrennung** *N* — **rubbish sorting**
der Mülltrennung, die Mülltrennungen
= die Abfalltrennung
In den meisten Haushalten funktioniert die Mülltrennung. — Most households manage to sort their rubbish.

recyceln *V* — **recycle**
recycelt, recycelte, hat recycelt
= wiederverwerten
Die Joghurtbecher können recycelt werden. — The yoghurt pots can be recycled.
↳ das Recycling — recycling

26.4 Bodenschätze, Energieversorgung — Mineral resources, power supply

die **Energie** *N* — **energy**
der Energie, die Energien
Ihr könntet noch mehr Energie sparen. — You could save even more energy.
↳ die Windenergie — wind energy, wind power
↳ erneuerbare Energie — renewable energy

die **Elektrizität** *N* — **electricity**
der Elektrizität, die Elektrizitäten
In früheren Zeiten gab es keine Elektrizität. — In former times there was no electricity.

elektrisch *Adj* — **electric**
Die elektrische Energie wird in Stromleitungen transportiert. — Electric energy is transmitted through power cables.

der **Strom** *N* — **electricity**
des Stroms, *(in dieser Bedeutung nur Singular)*

das **Öl** *N (hier Kurzform für Erdöl)* — **oil**
des Öl(e)s, die Öle
Öl und Kohle gehören zu den sogenannten fossilen Energien. — Oil and coal are so called fossil energy sources.

das **Gas** *N (hier Kurzform für Erdgas)* — **gas**
des Gases, die Gase

die **Kohle** *N* — **coal**
der Kohle, die Kohlen
Im Ruhrgebiet wurde früher viel Kohle gefördert. — In former times, a lot of coal was mined in the Ruhr Area.

das **Holz** *N* — **wood**
des Holzes, die Hölzer
Man kann mit Holz heizen. — You can heat with wood.

verbrennen *V* — **burn**
verbrennt, verbrannte, hat verbrannt

Dort, wo Erdöl gefördert wird, wird oft viel Erdgas verbrannt.	During the crude oil extraction process a lot of natural gas is often burnt off.
das **Kraftwerk** *N*	**power plant**
des Kraftwerk(e)s, die Kraftwerke	
Traditionelle Kraftwerke produzieren mit Kohle Energie.	Traditional power plants generate energy with coal.
das **Kernkraftwerk** *N*	**nuclear power plant, nuclear power station**
des Kernkraftwerk(e)s, die Kernkraftwerke	
= das Atomkraftwerk *(Abkürzung: AKW)*	
In Deutschland gibt es viel Protest gegen Kernkraftwerke, weil der radioaktive Müll nicht sicher gelagert werden kann.	There is a lot of protest against nuclear power plants in Germany because the radioactive waste cannot be stored safely.
radioaktiv *Adj*	**radioactive**
radioaktiver, am radioaktivsten	
↳ die Radioaktivität	radioactivity
entsorgen *V*	**dispose of**
entsorgt, entsorgte, hat entsorgt	
Wie lässt sich Atommüll sicher entsorgen?	How can nuclear waste be disposed of safely?
↳ die Entsorgung	disposal

26.5 Umweltprobleme — Environmental problems

die **Umwelt** *N*	**environment**
der Umwelt, *(nur Singular)*	
Kohlendioxid belastet die Umwelt.	Carbon dioxide pollutes the environment.
die Umwelt verschmutzen	pollute the environment
der Umwelt schaden	harm the environment
die **Umweltverschmutzung** *N*	**pollution**
der Umweltverschmutzung, die Umweltverschmutzungen	
Die Menschen demonstrieren gegen die Umweltverschmutzung.	The people are demonstrating against pollution.
verschmutzen *V*	**pollute**
verschmutzt, verschmutzte, hat verschmutzt	
Die Chemiekonzerne verschmutzen mit ihrem Abwasser die Flüsse.	The chemical companies pollute the rivers with their waste water.
zerstören *V*	**destroy**
zerstört, zerstörte, hat zerstört	
Windräder zerstören die Lebensräume vieler Vögel.	Wind turbines destroy the habitat of many birds.
der **Umweltschutz** *N*	**environmental protection**
des Umweltschutzes, *(nur Singular)*	
Greenpeace kämpft für den Umweltschutz.	Greenpeace fights for environmental protection.
↳ die Umweltschutzorganisation	environmental organization

↳ der Umweltschützer, die Umweltschützerin	environmentalist
schützen *V* schützt, schützte, hat geschützt Viele Leute wollen die Natur schützen.	**protect** Many people want to protect nature.
die **Natur** *N* der Natur, *(in dieser Bedeutung nur Singular)* In der freien Natur ist die Luft einfach am besten.	**nature; countryside** The air is simply best in the open countryside.
der **Naturschutz** *N* des Naturschutzes, *(nur Singular)* Das Edelweiß steht in Deutschland, Österreich und der Schweiz unter Naturschutz.	**nature conservation** The edelweiss is protected by law in Germany, Austria and Switzerland.
die **Luft** *N* der Luft, *(in dieser Bedeutung nur Singular)* Für die Gesundheit ist es wichtig, oft an die frische Luft zu gehen.	**air** It is important for health reasons to take fresh air often.
bestehen *V* besteht, bestand, hat bestanden Luft besteht aus Stickstoff und Sauerstoff.	**consist** Air consists of nitrogen and oxygen.
die **Folge** *N* der Folge, die Folgen Die Folgen der Klimaerwärmung sind bekannt. zur Folge haben	**consequence** The consequences of climate warming are well-known. result in
die **Katastrophe** *N* der Katastrophe, die Katastrophen Wenn bei dem Schiffsunglück hunderte Liter Öl auslaufen, kommt es zur Katastrophe. ↳ die Naturkatastrophe	**catastrophe, disaster** It will be a disaster if the shipping accident leaks hundreds of litres of oil. natural disaster / catastrophe
keinen Sinn haben = sinnlos sein Es hat keinen Sinn, weiter nach den Vermissten zu suchen.	**make no sense** It makes no sense to carry on looking for the missing people.
der **Schaden** *N* des Schadens, die Schäden Das Feuer hat einen gewaltigen Schaden angerichtet.	**damage** The fire caused enormous damage.
schaden *V* schadet, schadete, hat geschadet Die große Hitze schadet allen Pflanzen und Tieren.	**damage** The searing heat is harmful to all plants and animals.
schädlich *Adj*	**harmful, injurious, noxious**

schädlicher, am schädlichsten Plastikmüll ist schädlich für Vögel und Meerestiere.	Plastic waste is harmful to birds and marine animals.
das **Abgas** *N* des Abgases, die Abgase Elektroautos produzieren keine Abgase.	**exhaust (emission)** Electric cars do not produce any exhaust emissions.
Öko- *Präfix (Abkürzung von Ökologie)* ↳ der Ökobauer, die Ökobäuerin ↳ der Ökoaktivist, die Ökoaktivistin ↳ der Ökoladen *(auch: Bioladen)*	**eco-; ecological** eco farmer eco activist eco shop
ökologisch *Adj* ökologischer, am ökologischsten Die ökologische Landwirtschaft verzichtet auf Gentechnik. ↳ die Ökologie	**ecological** Ecological agriculture does not use genetic engineering. ecology
global *Adj* globaler, am globalsten Die globale Erderwärmung wird dramatische Folgen haben.	**global** Global warming will have dramatic consequences.
die **Gentechnik** *N* der Gentechnik, die Gentechniken Viele Deutsche sind gegen Gentechnik in Lebensmitteln.	**genetic engineering** Many German people are against genetic engineering in food.
das **Ozonloch** *N* des Ozonlochs, die Ozonlöcher Es gibt nicht nur ein Ozonloch über dem Südpol, sondern auch über dem Nordpol.	**ozone hole** There is not only an ozone hole above the South Pole but also above the North Pole.
das **Waldsterben** *N* des Waldsterbens, *(nur Singular)* Vor 30 Jahren machten sich viele Menschen Sorgen wegen des Waldsterbens.	**forest dieback, forest decline** 30 years ago many people were concerned about forest decline.
die **Luftverschmutzung** *N* der Luftverschmutzung, die Luftverschmutzungen Die Stickoxide von Dieselautos führen zu Luftverschmutzung.	**air pollution** The nitrogen oxides from diesel cars lead to air pollution.
das **Kohlendioxid** *N* des Kohlendioxid(e)s, die Kohlendioxide	**carbon dioxide**
der **Smog** *N* des Smog(s), die Smogs In Peking wird immer wieder Smog-Alarm ausgerufen.	**smog** Smog alert is declared again and again in Peking.

27 Polizei und Justiz

27.1 Kriminalität — Crime

die **Kriminalität** *N* der Kriminalität, *(nur Singular)* Zum Glück gibt es in unserer Stadt kaum Kriminalität.	**crime, criminal activity** Luckily there is hardly any crime in our town.
der **Dieb** *N* des Dieb(e)s, die Diebe Der Dieb hat ihren ganzen Schmuck gestohlen. ↳ der Diebstahl	**thief** The thief stole all of her jewellery. theft, robbery
die **Diebin** *N* der Diebin, die Diebinnen	**thief**
der **Einbrecher** *N* des Einbrechers, die Einbrecher Die Einbrecher kamen durch die Balkontür.	**burglar** The burglars came through the French window.
die **Einbrecherin** *N* der Einbrecherin, die Einbrecherinnen	**burglar**
der **Einbruch** *N* des Einbruch(e)s, die Einbrüche Die Polizei empfiehlt eine Alarmanlage gegen Einbruch.	**burglary, break-in** The police recommend a burglar alarm to deter burglars.
einbrechen *V* bricht ein, brach ein, ist eingebrochen	**break in**

Bei Familie Harth wurde bereits zweimal eingebrochen.	The Harths have already had two break-ins.
der **Verbrecher** *N* des Verbrechers, die Verbrecher Die Verbrecher wurden leider nicht gefasst. ↳ das Verbrechen	**criminal** The criminals were unfortunately not apprehended. crime
die **Verbrecherin** *N* der Verbrecherin, die Verbrecherinnen	**criminal**
der **Alarm** *N* des Alarm(e)s, die Alarme Als der Bankräuber die Bank verließ, konnte ein Angestellter Alarm auslösen.	**alarm** When the bank robber left the bank, an employee was able to trigger the alarm.
betrügen *V* betrügt, betrog, hat betrogen Noah betrügt öfter. Er hat seinen Kollegen um 100 Euro betrogen.	**cheat** Noah often cheats. He cheated his colleague out of 100 euros.
stehlen *V* stiehlt, stahl, hat gestohlen Jemand hat meinen Geldbeutel gestohlen.	**steal** Somebody has stolen my purse.
töten *V* tötet, tötete, hat getötet Die Rebellen töteten auch Frauen und Kinder.	**kill** The rebels also killed women and children.
der **Mord** *N* des Mord(e)s, die Morde Das war kein Unfall, das war Mord. ↳ ermorden	**murder** That was no accident, that was murder. murder
die **Waffe** *N* der Waffe, die Waffen Patrick hat immer eine Waffe bei sich.	**weapon** Patrick always carries a weapon.
verteidigen *V* verteidigt, verteidigte, hat verteidigt Sie verteidigten das Gebäude, bis die Polizei eintraf.	**defend** They defended the building until the police arrived.
sich verteidigen *V* verteidigt sich, verteidigte sich, hat sich verteidigt Als Julia angegriffen wurde, verteidigte sie sich mit einem Messer.	**defend oneself** When Julia was attacked, she defended herself with a knife.

27.2 Polizei | Police

die **Sicherheit** *N* der Sicherheit, die Sicherheiten Immer mehr Menschen haben Angst um ihre Sicherheit. für Sicherheit sorgen	**safety; security** More and more people are worried about their safety. guarantee sb's safety
die **Polizei** *N* der Polizei, die Polizeien Soll ich die Polizei rufen?	**police** Should I call the police?
die **Kriminalpolizei** *N (Kurzform: Kripo)* der Kriminalpolizei, die Kriminalpolizeien Die Kriminalpolizei ermittelt am Tatort.	**criminal investigation division** The CID is investigating the crime scene.
Kriminal- ↳ der Kriminalfall	**criminal** criminal case
der **Polizist** *N* des Polizisten, die Polizisten Der Polizist regelt den Verkehr.	**policeman** The policeman directs the traffic.
die **Polizistin** *N* der Polizistin, die Polizistinnen	**policewoman**
untersuchen *V* untersucht, untersuchte, hat untersucht Der Kommissar untersucht den Fall.	**investigate** The superintendent is investigating the case.
der **Verdacht** *N* des Verdacht(e)s, die Verdachte / Verdächte Der Bankier steht unter Verdacht, seine Frau ermordet zu haben.	**suspicion** The banker is suspected of murdering his wife.
verdächtig *Adj* verdächtiger, am verdächtigsten Die Polizei verfolgt eine verdächtige Person.	**suspicious** The police are pursuing a suspicious person.
der **Hinweis** *N* des Hinweises, die Hinweise In dem Mordfall gibt es bislang keine neuen Hinweise.	**lead, clue** There have been no new leads to date in the murder case.
verstecken *V* versteckt, versteckte, hat versteckt Der Dieb versteckt das gestohlene Geld.	**hide** The thief hides the stolen money.
sich verstecken *V* versteckt sich, versteckte sich, hat sich versteckt Der Verdächtige versteckte sich tagelang im Wald.	**hide** The suspect hid in the forest for days.

entfernen *V* entfernt, entfernte, hat entfernt Der Täter versuchte alle seine Spuren zu entfernen.	**remove** The perpetrator tried to remove all traces.
die **Spur** *N* der Spur, der Spuren	**trace**
das **Opfer** *N* des Opfers, die Opfer Martin ist Opfer eines Betrugs geworden.	**victim** Martin was the victim of a fraud.
der **Täter** *N* des Täters, die Täter Die Täter wurden gefasst und verhaftet.	**perpetrator** The perpetrators were apprehended and arrested.
die **Täterin** *N* der Täterin, die Täterinnen	**perpetrator**
verhaften *V* verhaftet, verhaftete, hat verhaftet Er ist unschuldig verhaftet worden.	**arrest** They arrested an innocent man.
fassen *V* fasst, fasste, hat gefasst Zum Glück konnte die Polizei die Täter noch am gleichen Tag fassen.	**apprehend** Luckily, the police could apprehend the perpetrator on the same day.
festnehmen *V* nimmt fest, nahm fest, hat festgenommen Um den Verdächtigen festnehmen zu können, benötigen wir eindeutige Beweise.	**take into custody** We need definite evidence before we can take the suspect into custody.
verschwinden *V* verschwindet, verschwand, ist verschwunden Ich frage mich, wie der Täter völlig ungesehen verschwinden konnte.	**disappear; get away** I wonder how the perpetrator could get away without being seen.
die **Anzeige** *N* der Anzeige, die Anzeigen Wollen Sie Anzeige erstatten?	**charge; report (to the police)** Would you like to report it?
beobachten *V* beobachtet, beobachtete, hat beobachtet Sie haben den Kidnapper genau beobachtet.	**observe** They observed the kidnapper closely.
die **Beschreibung** *N* der Beschreibung, die Beschreibungen Nach ihrer Beschreibung wird ein Phantombild des Täters angefertigt.	**description** A photofit picture of the perpetrator is being done on the basis of her description.

beschreiben *V* beschreibt, beschrieb, hat beschrieben Beschreiben Sie bitte den Täter!	**describe** Please describe the perpetrator!
die **Angabe** *N* der Angabe, die Angaben Wir werden Ihre Angaben überprüfen.	**details** We will check your details.
(sich) melden *V* meldet sich, meldete sich, hat sich gemeldet Der Zeuge soll sich bei der Polizei melden. Sie meldete das Feuer bei der Feuerwehr.	**register; report** The witness should report to the police. She reported the fire to the fire department.
die **Kontrolle** *N* der Kontrolle, die Kontrollen An der Grenze ist er in eine strenge Kontrolle geraten. ↳ die Polizeikontrolle ↳ die Passkontrolle	**control** He was subjected to a rigorous examination at the border checkpoint. police check passport control
kontrollieren *V* kontrolliert, kontrollierte, hat kontrolliert Die Polizisten kontrollieren, ob die Autofahrer zu viel Alkohol getrunken haben.	**check** The police are checking whether the drivers have drunk too much alcohol.
einsetzen *V* setzt ein, setzte ein, hat eingesetzt Es wurde kritisiert, dass bei der Demo viel Polizei eingesetzt wurde.	**assign** There was criticism of the large number of police assigned to the demo.

27.3 Justiz — The law

das **Gericht** *N* des Gericht(e)s, die Gerichte Kann man beim Gericht parken? ↳ der Gerichtssaal	**court (house); law courts** *(building)* Can you park at the court house? courtroom
das **Gericht** *N* des Gericht(e)s, die Gerichte Sie hat eine Vorladung vom Gericht erhalten. jemanden / einen Fall vor Gericht bringen ↳ das Amtsgericht ↳ das Bundesverfassungsgericht	**court; justice** She received a court summons. take sb / a case to court Local Court Federal Constitutional Court (of Germany)
der **Richter** *N* des Richters, die Richter Der Richter hat die Verhandlung für 11 Uhr angesetzt.	**judge** The judge scheduled the hearing for 11 a.m.
die **Richterin** *N* der Richterin, die Richterinnen	**judge**

der **Anwalt** *N (Kurzform für Rechtsanwalt)*	**lawyer, solicitor** *(BE)*, **attorney** *(AE)*
des Anwalt(e)s, die Anwälte	
Der Anwalt verteidigt seinen Mandanten sehr geschickt.	The lawyer defends his client very skillfully.
↳ der Staatsanwalt, die Staatsanwältin	public prosecutor *(BE)*, district attorney *(AE)*
die **Anwältin** *N*	**lawyer, solicitor** *(BE)*, **attorney** *(AE)*
der Anwältin, die Anwältinnen	
das **Recht** *N*	**law** *(entirety of laws and legal standards)*
des Recht(e)s, *(in dieser Bedeutung nur Singular)*	
Alle Richter sind an Recht und Gesetz gebunden.	All judges are bound by the law.
das **Recht** *N*	**right** *(authorization; authority)*
des Recht(e)s, die Rechte	
Sie kämpft seit vielen Jahren für die Rechte der Frauen.	For many years she has fought for the rights of women.
recht haben	be (in the) right
recht bekommen	win one's case, get one's rights
rechtlich *Adj*	**legal; juridical**
rechtlicher, am rechtlichsten	
Rein rechtlich gesehen, müsstest du eine Gefängnisstrafe bekommen.	From a purely legal point of view you would have to be sentenced to prison.
Unsere Kanzlei unterstützt Sie bei sämtlichen rechtlichen Fragen.	Our office supports you in all juridical questions.
das **Gesetz** *N*	**law**
des Gesetzes, die Gesetze	
Stehlen darf man nicht – das verstößt gegen das Gesetz.	You are not allowed to steal – that is against the law.
ein Gesetz beschließen	pass a bill
ein Gesetz verabschieden	adopt a bill
der **Prozess** *N (Kurzform für Gerichtsprozess)*	**lawsuit; trial**
des Prozesses, die Prozesse	
Er wartet auf seinen Prozess.	He is waiting for his trial.
den Prozess gewinnen	win a case
die **Änderung** *N*	**change**
der Änderung, die Änderungen	
Bitte beachten Sie die Änderung: Der Prozess findet in einem anderen Saal statt.	Please note the change: The trial will be held in another room.
die **Wahrheit** *N*	**truth**
der Wahrheit, die Wahrheiten	
Wenn Sie vereidigt werden, müssen Sie die Wahrheit sagen.	If you are sworn in, you have to speak the truth.
das **Urteil** *N*	**judg(e)ment; sentence**
des Urteils, die Urteile	
Das Urteil lautet drei Jahre mit Bewährung.	The sentence was three years' probation.

↳ das Todesurteil	death sentence
verurteilen *V* verurteilt, verurteilte, hat verurteilt Die Angeklagten wurden zu sieben Jahren Gefängnis verurteilt.	**sentence** The defendants were sentenced to seven years in prison.
illegal *Adj* illegaler, am illegalsten ≠ legal Es ist illegal, mit Drogen zu handeln.	**illegal** legal It is illegal to push drugs.
strafbar *Adj* strafbarer, am strafbarsten Einbruch und Hausfriedensbruch sind strafbar.	**punishable (by law)** Burglary and trespassing is punishable by law.

Jugendschutzgesetz (JuSchG), the laws protecting young persons in Germany, Austria and Switzerland

Tobacco, alcohol, driving licence: **from eighteen years of age without restriction.**

In Germany, Austria, and Switzerland, cigarettes **may be sold to** persons of 18 years and older. **Smoking is prohibited on public transport, in office buildings, schools, and (to a lesser extent) restaurants.**
Persons of 16 years and older **may drink** beer and wine, **but must be** at least 18 **for drinks with higher** alcohol **content.**
The driving licence **for** motorcycles **may be held by** 16 year olds. **An adult must accompany** car **drivers** of 17 years, **who may then drive unaccompanied when they have reached** 18.

das **Gefängnis** *N* des Gefängnisses, die Gefängnisse Seine Frau besucht ihn regelmäßig im Gefängnis.	**prison, jail** *(building)* His wife visits him regularly in prison.
das **Gefängnis** *N* des Gefängnisses, *(in dieser Bedeutung nur Singular)* Sie wurden alle zu zehn Jahren Gefängnis verurteilt.	**imprisonment** They were all sentenced to ten years' imprisonment.
die **Strafe** *N (Kurzform für Freiheitsstrafe)* der Strafe, die Strafen Er hat von seiner Strafe erst zwei Jahre abgesessen. ↳ die Todesstrafe	**(prison) sentence, imprisonment** He has only served two years of his prison sentence. death penalty
die **Strafe** *N* der Strafe, die Strafen Als Strafe musste er 2500 € an eine soziale Institution zahlen.	**punishment** As a punishment he had to pay €2,500 to a social institution.

bestrafen *V* bestraft, bestrafte, hat bestraft Ich finde, er wurde nicht hart genug bestraft.	**punish** I don't think he was punished severely enough.
der **Gegenstand** *N* des Gegenstand(e)s, die Gegenstände Ihre persönlichen Gegenstände dürfen Sie behalten, alles andere müssen Sie abgeben.	**object** You are allowed to keep your personal items, but you'll have to hand over everything else.
die **Tat** *N* der Tat, die Taten Die Tat ist noch nicht restlos aufgeklärt. eine Tat bereuen eine Tat begehen	**crime** The crime has still not been completely cleared up. repent a crime commit a crime
der **Zeuge** *N* des Zeugen, die Zeugen Der Zeuge des Unfalls konnte den Fahrer identifizieren. ↳ bezeugen	**witness** The witness to the accident could identify the driver. testify
die **Zeugin** *N* der Zeugin, die Zeuginnen Sie wollte nicht als Zeugin vor Gericht aussagen.	**witness** She did not want to testify as a witness in court.
die **Aussage** *N* der Aussage, die Aussagen Sie dürfen die Aussage verweigern. ↳ aussagen	**evidence** You may refuse to give evidence. give evidence
die **Untersuchung** *N* der Untersuchung, die Untersuchungen Während der Untersuchung bleibt der Mann in Haft.	**investigation** The man will remain in custody for the duration of the investigation.
beweisen *V* beweist, bewies, hat bewiesen Der Verteidiger versucht, Herrn Rapps Unschuld zu beweisen.	**prove** The defence counsel tries to prove Mr Rapp's innocence.
der **Beweis** *N* des Beweises, die Beweise Katharina hatte keinen Beweis, dass ihr Nachbar sie stalkte.	**proof, evidence** Katharina had no evidence to prove that her neighbour was stalking her.
wahr *Adj* ≠ unwahr Das ist nicht wahr, du lügst!	**true** untrue That isn't true, you are lying!
wahrscheinlich *Adj* wahrscheinlicher, am wahrscheinlichsten ≠ unwahrscheinlich	**likely** unlikely

Es ist wahrscheinlich, dass er mit einer milden Strafe davonkommt.	It is likely that he'll get off with a lenient sentence.
wahrscheinlich *Adv* Sie bekommt wahrscheinlich einen Freispruch.	**probably** She will probably be acquitted.
die **Schuld** *N* der Schuld, *(in dieser Bedeutung nur Singular)* Was glauben Sie? Wer hat die Schuld an dem Verbrechen? ⚠ die Schulden *(in dieser Bedeutung nur Plural)*	**guilt; fault; blame** What do you think? Who is guilty of the crime? debts
schuldig *Adj* schuldiger, am schuldigsten Der Angeklagte ist schuldig.	**guilty** The accused is guilty.
schuld sein Die Polizei war schuld daran, dass der Mörder immer noch frei herumlief.	**be to blame** The police were to blame for failing to capture the murderer.
unschuldig *Adj* unschuldiger, am unschuldigsten ≠ schuldig	**innocent** guilty
die **Freiheit** *N* der Freiheit, *(in dieser Bedeutung nur Singular)* Als seine Zeit im Gefängnis zu Ende war, genoss er seine neue Freiheit.	**freedom; liberty** When his time in prison was over, he enjoyed his new freedom.
frei *Adj* freier, am frei(e)sten Er ist ein freier Mann. auf freiem Fuß sein	**free** He is a free man. have been released

28 Staat und Politik

28.1 Politisches System und staatliche Organe

Political system and government bodies

das **System** *N* — **system**
des Systems, die Systeme
Das politische System, in dem wir leben, ist demokratisch. — The political system we live in is a democracy.

die **Demokratie** *N* — **democracy**
der Demokratie, die Demokratien
Zur Demokratie gehören Meinungs- und Pressefreiheit. — Democracy includes freedom of speech and of the press.
die direkte Demokratie — direct democracy
die parlamentarische Demokratie — parliamentary democracy

Democracy in Germany, Austria, and Switzerland

Germany and Austria have a parliamentary system. In other words, the parliament elected by the people decides on policy.

Switzerland is a direct democracy. The people are therefore involved directly in political decision-making, e.g. through referendums.

demokratisch *Adj* — **democratic**
Alle demokratischen Parteien müssen in dieser Krise zusammenstehen. — All democratic parties must stand together in this crisis.

die **Freiheit** *N* — **freedom, liberty**

28 Staat und Politik

der Freiheit, die Freiheiten In der Geschichte gibt es viele Menschen, die für Recht und Freiheit kämpften.	History is full of people fighting for rights and liberty.
frei *Adj* freier, am frei(e)sten Die Schweiz ist ein freies Land. freie Meinungsäußerung	**free** Switzerland is a free country. freedom of speech
das **Recht** *N* des Rechts, *(in dieser Bedeutung nur Singular)* Nach deutschem Recht ist man mit 18 Jahren volljährig.	**law** By German law, one is of legal age at 18.
gleich *Adj* Vor dem Gesetz sind alle Menschen gleich. ↳ die Gleichheit	**equal** Everyone is equal before the law. equality
gerecht *Adj* Das Eigentum ist nicht gerecht verteilt.	**fair; fairly** The property has not been distributed fairly.
gleichberechtigt *Adj* Nach dem Grundgesetz sind Frauen und Männer gleichberechtigt.	**with equal rights** Under the Constitution, men and women have equal rights.
sozial *Adj* sozialer, am sozialsten Die Regierung will soziale Reformen durchführen.	**social** The government wants to carry out social reforms.
der **Staat** *N* des Staat(e)s, *(in dieser Bedeutung nur Singular)* Was meinst du zur Trennung von Kirche und Staat?	**state, government** What do you think about the separation of Church and State?
der **Staat** *N* des Staat(e)s, die Staaten = das Land In einigen Staaten Europas ist die Geburtenrate sehr niedrig.	**country** The birth rate is very low in some European countries.
staatlich *Adj* staatlicher, am staatlichsten Die Altersvorsorge wird mit staatlichen Mitteln gefördert.	**state, government** Old-age provision is financed with state funds.

→ For "States of the World" see chapter *1.2 Alter, Wohnort, Herkunft* (p. 20).

die **Nation** *N* der Nation, die Nationen Bei den Jubiläumsfeierlichkeiten waren die Regierungschefs aller führenden Nationen versammelt.	**nation** The heads of the governments of all leading nations came together at the anniversary celebrations.

national *Adj* nationaler, am nationalsten Mahatma Gandhi führte Indien auf dem Weg zur nationalen Unabhängigkeit.	**national** Mahatma Gandhi led India on the way to national independence.
die **Republik** *N* der Republik, die Republiken ≠ die Monarchie	**republic** monarchy
die **Diktatur** *N* der Diktatur, die Diktaturen Zum Glück leben wir nicht in einer Diktatur!	**dictatorship** Luckily, we do not live in a dictatorship!
die **Verfassung** *N* der Verfassung, die Verfassungen Die Deutschen sind stolz auf ihre Verfassung.	**constitution** The German people are proud of their Constitution.
das **Grundgesetz** *N* des Grundgesetzes, die Grundgesetze In Artikel 1 des Grundgesetzes steht, dass die Würde des Menschen unantastbar ist.	**Constitution** *(German constitution)* Article 1 of the Constitution says that human dignity is inviolable.

Germany, Austria, Switzerland: terminology of the governmental systems

As parliamentary governments, Germany, Austria, and Switzerland have much in common, as can be seen by words like **Abgeordneter, Parlament,** or **Minister**. On the other hand, there are considerable differences between the structures underlying these three states. As a direct democracy, Switzerland practises a political system that differs widely from that in Germany and Austria. This can be seen in the different words, like e.g. **Kanton** in Switzerland, **Land** in Austria, and **Bundesland** in Germany.

All three or just two of these states may even use the same term, but their meanings may differ greatly. For instance, the head of state in both Germany and Austria is **Bundespräsident.** In Austria, though, he is elected directly by the people for a six-year term, and in Germany indirectly by the so-called Federal Assembly for a five-year term. Overall, Austria's Bundespräsident enjoys greater status than his counterpart in Germany.

das **Parlament** *N* des Parlament(e)s, die Parlamente Im Parlament werden neue Gesetze diskutiert und beschlossen. ↳ parlamentarisch	**parliament** *(representation elected by the people)* New laws are discussed and voted through in parliament. parliamentary
das **Parlament** *N* des Parlament(e)s, die Parlamente Vor dem Parlament darf nicht demonstriert werden.	**parliament** *(building)* It is forbidden to demonstrate in front of the parliament.
das **Gesetz** *N* des Gesetzes, die Gesetze	**law, act**

Das Gesetz wurde in der letzten Woche verabschiedet.	The law was passed last week.
ein Gesetz beschließen	pass a motion, vote through a new bill
abstimmen *V* stimmt ab, stimmte ab, hat abgestimmt	**vote**
Die Parlamentarier stimmten über die Einführung neuer Glühlampen ab.	Members of Parliament voted on the introduction of new light bulbs.
sich enthalten *V* enthält sich, enthielt sich, hat sich enthalten	**abstain (from), refrain from**
Einige Abgeordnete konnten sich nicht entscheiden, sie haben sich der Stimme enthalten.	Some Members of Parliament could not decide, they abstained.
↳ die Enthaltung	abstention
ernennen *V* ernennt, ernannte, hat ernannt	**appoint**
Sie ist vom Bundespräsidenten zur Ministerin für Bildung und Forschung ernannt worden.	The President of Germany appointed her Minister of Education and Research.
die **Vorschrift** *N* der Vorschrift, die Vorschriften	**rule, regulation**
Eine Vorschrift regelt, welche Kinder vom Unterricht befreit werden können.	A rule regulates which children can be excused from classes.
der **Sitz** *N* des Sitzes, die Sitze	**seat**
Der Sitz des Deutschen Bundestags ist seit 1999 das Reichstagsgebäude in Berlin.	The seat of the German Bundestag has been the Reichstag building in Berlin since 1999.
der **Abgeordnete** *N* des Abgeordneten, die Abgeordneten	**Member of Parliament (MP)** *(BE)*, **Congressman** *(AE)*
= der Parlamentarier	parliamentarian
Die Abgeordneten sind vor allem ihrem Gewissen verpflichtet.	Members of Parliament are bound by their own conscience.
↳ der / die Landtagsabgeordnete	member of the Landtag (or state parliament)
↳ der / die Europaabgeordnete	Member of the European Parliament
die **Abgeordnete** *N* der Abgeordneten, die Abgeordneten	**Member of Parliament (MP)** *(BE)*, **Congresswoman** *(AE)*
= die Parlamentarierin	parliamentarian

Germany, Austria, and Switzerland: official and vernacular state names	
Vernacular state name	**Official name**
(das) Deutschland Germany	(die) Bundesrepublik Deutschland Federal Republic of Germany
(das) Österreich Austria	(die) Republik Österreich Republic of Austria
die Schweiz Switzerland	(die) Schweizerische Eidgenossenschaft / Confoederatio Helvetica *(Abkürzung: CH)* Swiss Confederation

Deutschland / Germany

der **Bundestag** *N (Kurzform für Deutscher Bundestag)*
des Bundestag(e)s, die Bundestage
Im Bundestag wurde eine ernsthafte Debatte geführt.

Bundestag *(Lower House of Parliament; German Parliament)*
A serious debate was held in the Bundestag.

der **Bundesrat** *N*
des Bundesrat(e)s, die Bundesräte
Durch den Bundesrat können die Länder bei der Gesetzgebung mitwirken.

Bundesrat *(Upper House of Parliament; constitutional body formed from Bundesland representatives)*
The Bundesrat allows federal states to contribute to legislation.

der **Bundespräsident** *N*
des Bundespräsidenten, die Bundespräsidenten
In Deutschland hat der Bundespräsident vor allem repräsentative Aufgaben.

President, Head of State of the Federal Republic of Germany *(head of state)*
In Germany the President of the Federal Republic has mainly representative functions.

die **Bundespräsidentin** *N*
der Bundespräsidentin, die Bundespräsidentinnen

President of the Federal Republic of Germany *(head of state)*

die **Bundesregierung** *N*
der Bundesregierung, die Bundesregierungen
= das Bundeskabinett
Die Bundesregierung hat eine Umfrage in Auftrag gegeben.

federal government
Federal Cabinet
The federal government commissioned an opinion poll.

der **Bundeskanzler** *N*
des Bundeskanzlers, die Bundeskanzler
↳ der Vizekanzler, die Vizekanzlerin

Federal Chancellor *(head of the German government)*
vice-chancellor

die **Bundeskanzlerin** *N*
der Bundeskanzlerin, die Bundeskanzlerinnen
Angela Merkel wurde die erste Bundeskanzlerin Deutschlands.

Federal Chancellor *(head of the German government)*
Angela Merkel was the first female Federal Chancellor of Germany.

Österreich | Austria

der **Nationalrat** *N* des Nationalrat(e)s, die Nationalräte	**National Council** *(chamber of the Austrian Parliament)*
der **Bundesrat** *N* des Bundesrat(e)s, die Bundesräte Der österreichische Bundesrat kann gegen ein Gesetz des Nationalrats Einspruch erheben.	**Federal Council** *(second chamber of the Austrian Parliament)* The Austrian Federal Council has the right to veto a law passed by the National Council.
der **Bundesrat** *N* des Bundesrat(e)s, die Bundesräte	**Member of the Federal Council**
die **Bundesrätin** *N* der Bundesrätin, die Bundesrätinnen	**Member of the Federal Council**
der **Bundespräsident** *N* des Bundespräsidenten, die Bundespräsidenten In Deutschland hat der Bundespräsident vor allem repräsentative Aufgaben, in Österreich dagegen hat der Bundespräsident eine bedeutendere Stellung.	**President, Head of State of the Republic of Austria** *(head of state)* The President of the Federal Republic of Germany has mainly representative functions, Austria's Bundespräsident enjoys greater status.
die **Bundespräsidentin** *N* der Bundespräsidentin, die Bundespräsidentinnen	**President of the Republic of Austria** *(head of state)*
die **Bundesregierung** *N* der Bundesregierung, die Bundesregierungen = das Bundeskabinett	**federal government** Federal Cabinet
der **Bundeskanzler** *N* des Bundeskanzlers, die Bundeskanzler Im Mai 2016 wurde Christian Kern zum Bundeskanzler Österreichs ernannt. ↳ der Vizekanzler, die Vizekanzlerin	**Federal Chancellor** *(head of the Austrian government)* In May 2016 Christian Kern was appointed Federal Chancellor of Austria. vice-chancellor
die **Bundeskanzlerin** *N* der Bundeskanzlerin, die Bundeskanzlerinnen	**Federal Chancellor** *(head of the Austrian government)*

Schweiz

die **Bundesversammlung** *N* der Bundesversammlung, die Bundesversammlungen Die Bundesversammlung besteht aus 200 Mitgliedern des Nationalrates und 46 Mitgliedern des Ständerates.	**Federal Assembly** *(Swiss Parliament)* The Federal Assembly is made up of 200 National Councillors and 46 Councillors of State.
der **Nationalrat** *N* des Nationalrat(e)s, die Nationalräte	**National Council** *(larger chamber of the Swiss Parliament)*

der **Ständerat** *N* des Ständerat(e)s, die Ständeräte = das Stöckli Der Ständerat setzt sich aus 46 Vertreterinnen und Vertretern der Kantone zusammen.	**Council of States** *(smaller chamber of the Swiss Parliament)* The Council of States is made up of 46 Councillors representing the cantons.
der **Bundesrat** *N (auch: Gesamtbundesrat)* des Bundesrat(e)s, die Bundesräte	**Federal Council** *(Swiss government)*
der **Bundesrat** *N* des Bundesrat(e)s, die Bundesräte Der neu gewählte Bundesrat freut sich auf seine Amtszeit.	**Federal Councillor** The recently elected Federal Councillor is looking forward to his period of office.
die **Bundesrätin** *N* der Bundesrätin, die Bundesrätinnen	**Federal Councillor**
der **Bundespräsident** *N* des Bundespräsidenten, die Bundespräsidenten Der Bundespräsident amtiert vom 1. Januar bis 31. Dezember eines Kalenderjahres.	**President of the (Swiss) Confederation** *(not a head of state; he is the primus inter pares chairing the Swiss government sessions)* The President of the Swiss Confederation holds office from the 1st January til 31st December of a calendar year.
die **Bundespräsidentin** *N* der Bundespräsidentin, die Bundespräsidentinnen	**President of the (Swiss) Confederation**
der **Präsident** *N* des Präsidenten, die Präsidenten George Washington war ein sehr populärer Präsident.	**president** George Washington was a very popular president.
die **Präsidentin** *N* der Präsidentin, die Präsidentinnen	**president**
die **Regierung** *N* der Regierung, die Regierungen Die Bürger sind gerade sehr zufrieden mit der Regierung.	**government** Right now, the citizens are very pleased with their government.
der **Minister** *N* des Ministers, die Minister Dem Bundeskabinett gehören neben der Kanzlerin 15 Minister und Ministerinnen an. ↳ der Außenminister, die Außenministerin ↳ der Innenminister, die Innenministerin ↳ der Finanzminister, die Finanzministerin	**minister** The Cabinet of Germany is made up of 15 ministers plus the Chancellor. foreign minister Home Secretary *(BE)*, Interior Secretary *(AE)* finance minister
die **Ministerin** *N* der Ministerin, die Ministerinnen	**minister**

die **Politik** *N* der Politik, die Politiken *(selten)* Das Vertrauen in die Politik ist in diesem Land gering. in die Politik gehen ↳ die Innen-/Außenpolitik ↳ die Wirtschaftspolitik	**politics** There is little faith in politics in this country. go into politics *(pursue a political career)* domestic / foreign policy economic policy
der **Politiker** *N* des Politikers, die Politiker Die meisten Politiker sind Mitglied in einer Partei.	**politician** Most politicians are a member of a party.
die **Politikerin** *N* der Politikerin, die Politikerinnen	**politician**
politisch *Adj* politischer, am politischsten Investitionen sind wirtschaftspolitische Entscheidungen. ↳ kommunalpolitisch ↳ kulturpolitisch	**political** Investments are economic policy decisions. relating to local politics of cultural and educational policy
die **Entscheidung** *N* der Entscheidung, die Entscheidungen	**decision**
populär *Adj* populärer, am populärsten = beliebt	**popular**
die **Vorstellung** *N* der Vorstellung, die Vorstellungen Die Arbeitsministerin hat ihre Vorstellungen zur Reform des Arbeitsmarktes präsentiert.	**idea** The Employment Minister presented her ideas on reforming the job market.
die **Fahne** *N* der Fahne, die Fahnen Die schwarz-rot-goldene Fahne steht für Deutschland.	**flag** The German flag bears the national colours of black, red and gold.
die **Nationalhymne** *N* der Nationalhymne, die Nationalhymnen Vor internationalen Fußballspielen singen die Mannschaften ihre Nationalhymne.	**national anthem** The teams sing their national anthem before international football games.

28.2 Bundesländer, Kantone und kommunale Ebene in D, A, CH

Bundesländer, cantons and local levels in D, A, CH

der **Bund** *N* des Bund(e)s, die Bünde	**the Federal Republic; confederation** *(entirety of federal states; in contrast to the separate Bundesländer)*

Bund und Länder übernehmen gemeinsam Verantwortung für die Rückgabe von Kunst aus dem Dritten Reich.	The Federation and the States are jointly responsible for the return of art from the Third Reich.
das **Bundesland** *N (D, A; Kurzform: Land)* des Bundesland(e)s, die Bundesländer	**(federal) state**
Seit 1990 hat Deutschland 16 Bundesländer.	Germany has consisted of 16 federal states since 1990.
die neuen Bundesländer	new federal states of Germany *(the re-established states in the former GDR)*
die alten Bundesländer	old states of Germany *(the states in the former Federal Republic of Germany)*
der **Kanton** *N (CH)* des Kantons, die Kantone = der Stand *(in der Deutschschweiz)*	**canton**
Die Schweiz hat 26 Kantone.	Switzerland consists of 26 cantons.
↳ der Halbkanton	half-canton

Die Bundesländer in Deutschland	
Baden-Württemberg	Baden-Württemberg
Bayern	Bavaria
Berlin	Berlin
Brandenburg	Brandenburg
Bremen	Bremen
Hamburg	Hamburg
Hessen	Hesse
Mecklenburg-Vorpommern	Mecklenburg-Western Pomerania
Niedersachsen	Lower Saxony
Nordrhein-Westfalen	North Rhine-Westphalia
Rheinland-Pfalz	Rhineland-Palatinate
das Saarland	the Saarland
Sachsen	Saxony
Sachsen-Anhalt	Saxony-Anhalt
Schleswig-Holstein	Schleswig-Holstein
Thüringen	Thuringia

Die Bundesländer in Österreich	
Burgenland	Burgenland
Kärnten	Carinthia
Niederösterreich	Lower Austria
Oberösterreich	Upper Austria
Salzburg	Salzburg
Steiermark	Styria
Tirol	Tyrol
Vorarlberg	Vorarlberg
Wien	Vienna

Die Kantone in der Schweiz	
Aargau	Aargau
Appenzell Ausserrhoden	Appenzell Outer Rhodes / Außerrhoden
Appenzell Innerrhoden	Appenzell Inner Rhodes / Innerrhoden
Basel-Landschaft	Basel-Landschaft
Basel-Stadt	Basel-Stadt
Bern	Bern(e)
Freiburg	Fribourg
Genf	Geneva
Glarus	Glarus
Graubünden	Grisons
Jura	Jura
Luzern	Lucerne
Neuenburg	Neuchâtel
Nidwalden	Nidwalden
Obwalden	Obwalden
St. Gallen	St. Gallen

Schaffhausen	Schaffhausen
Schwyz	Schwyz
Solothurn	Solothurn
Thurgau	Thurgau
Tessin	Ticino
Uri	Uri
Waadt	Vaud
Wallis	Valais
Zug	Zug
Zürich	Zurich

Bundes-, bundes- *Präfix* — **federal**
↳ die Bundesagentur für Arbeit — employment agency
↳ der Bundesgerichtshof — German Federal Supreme Court of Justice
↳ bundesweit — nationwide

Landes-, landes- — **regional**
↳ landesweit — statewide

Compounds with *Bundes- / bundes-* and *Landes- / landes-*

Bundes- or bundes- is always prefixed to words when the so-called Bundesebene (national level) is meant. This is the topmost tier of a federal state, above sixteen Bundesländer in Germany and nine Länder in Austria.
Bundessozialgericht — Federal Court for Social Security
bundesweit — all over Germany

Words are prefixed with Landes or landes when the Länder or Bundesländer are meant.
Landeshauptstadt — state capital
landesweit — nationwide

die **Landeshauptstadt** *N* — **state capital**
der Landeshauptstadt, die Landeshauptstädte
Hier finden Sie aktuelle Stellenangebote der Landeshauptstadt Erfurt. — Here you will find the current job offers in the state capital Erfurt.

die **Landesregierung** *N (D, A)* — **state government** *(government of a German Bundesland or Austrian Land)*
der Landesregierung, die Landesregierungen
Die aktuelle Landesregierung Tirols kommt bei den Bürgern gut an. — The current government of Tyrol is making a good impression on the citizens.

der **Ministerpräsident** *N* — **minister-president** *(leader of a German state)*
des Ministerpräsidenten, die Ministerpräsidenten
Helmut Kohl war lange Jahre rheinland-pfälzischer Ministerpräsident. — Helmut Kohl was the Minister-President of Rhineland-Palatinate for many years.

die **Ministerpräsidentin** *N* — **minister-president** *(leader of a German state)*
der Ministerpräsidentin, die Ministerpräsidentinnen

der **Landeshauptmann** *N (A)* — **head of a provincial government** *(chair of an Austrian Land government)*
des Landeshauptmann(e)s, die Landeshauptmänner

die **Landeshauptfrau** *N (A)* — **head of a provincial government** *(chair of an Austrian Land government)*
der Landeshauptfrau, die Landeshauptfrauen
= Frau Landeshauptmann

die **Kantonsregierung** *N (CH)* — **cantonal government** *(government of a Swiss canton)*
der Kantonsregierung, die Kantonsregierungen
Die Kantonsregierung wird alle vier Jahre vom Volk gewählt. — The cantonal government is elected by the people every four years.

der **Regierungsrat** *N (CH)* — **senior civil servant** *(male member of a cantonal government)*
des Regierungsrat(e)s, die Regierungsräte

die **Regierungsrätin** *N (CH)* — **senior civil servant** *(female member of a cantonal government)*
der Regierungsrätin, die Regierungsrätinnen

---

die **Gemeinde** *N* — **municipality**
der Gemeinde, die Gemeinden
= die Kommune
Im nächsten Jahr sollen drei Gemeinden zusammengeschlossen werden. — Three municipalities are to be merged into one next year.

die **Gemeinde** *N* — **community**
der Gemeinde, die Gemeinden
Die ganze Gemeinde ist dagegen. — The whole community is against it.

der **Bürgermeister** *N* — **mayor**
des Bürgermeisters, die Bürgermeister
Der Bürgermeister kandidiert wieder. — The mayor will be standing again.
↳ der Oberbürgermeister — mayor

die **Bürgermeisterin** *N* — **mayoress**
der Bürgermeisterin, die Bürgermeisterinnen

der **Ammann** *N (CH) (Kurzform für Stadtammann)* — **mayor** *(name of the mayor in some cantons)*
des Ammann(e)s, die Ammänner

die **Ammännin** *N (CH)* — **mayoress**
der Ammännin, die Ammänninnen

der **Kreis** *N (Kurzform für Landkreis)*
des Kreises, die Kreise
Der flächenmäßig kleinste Landkreis Deutschlands ist der Main-Taunus-Kreis in Hessen.

administrative / rural district

The smallest administrative district in Germany is Main-Taunus in Hesse.

---

die **Verwaltung** *N*
der Verwaltung, die Verwaltungen
Die Verwaltung ist im Rathaus untergebracht.

administration

The administration is housed in the town hall.

die **Behörde** *N*
der Behörde, die Behörden
= das Amt
Die Bundesagentur für Arbeit ist die größte Behörde in Deutschland.

department *(a state institution)*

The German Federal Employment Agency is the biggest department in Germany.

das **Amt** *N*
des Amt(e)s, die Ämter
Das statistische Amt der Stadt hat die aktuelle Einwohnerzahl veröffentlicht.
das Bundesamt für Migration und Flüchtlinge *(Kurzform: BAMF)*

office

The city's statistical office has published the current number of inhabitants.
Federal Office for Migration and Refugees

das **Amt** *N*
des Amt(e)s, die Ämter
Seit etwa drei Jahren bekleidet er das Amt des Wehrleiters bei der freiwilligen Feuerwehr.

position; office

He has held the position of director of the volunteer fire brigade for about three years.

die **Einrichtung** *N*
der Einrichtung, die Einrichtungen
Es gibt bereits viele Kindergärten, wir brauchen aber noch mehr öffentliche und private Einrichtungen zur Kinderbetreuung.

institution

There are already many kindergartens, but we still need more public and private childcare institutions.

28.3 Volk, Parteien, Wahlen

People, parties, elections

der **Bürger** *N*
des Bürgers, die Bürger
Die Bürger gehen zu Tausenden auf die Straße.
der mündige Bürger
↳ der Bürgerentscheid

citizen

The citizens are taking to the streets in their thousands.
responsible adult citizen *(enlightened adult)*
referendum

die **Bürgerin** *N*
der Bürgerin, die Bürgerinnen

citizen

politisch *Adj*
politischer, am politischsten
Viele Menschen haben kein Interesse an politischen Themen.

political

Many people are not interested in political subjects.

wählen *V*
wählt, wählte, hat gewählt

vote

= seine Stimme abgeben	cast one's vote
In manchen deutschen Bundesländern dürfen Jugendliche schon mit 16 Jahren wählen.	In some German federal states people as young as 16 are allowed to vote.
die **Wahl** *N*	**election**
der Wahl, die Wahlen	
Ich gratuliere Ihnen, Sie haben die Wahl gewonnen.	Congratulations, you have won the election.
zur Wahl antreten	stand *(as a candidate)*
zur Wahl gehen	turn out to vote, go to the polls *(of a voter)*
freie Wahlen	free elections
ankreuzen *V*	**mark sth with a cross**
kreuzt an, kreuzte an, hat angekreuzt	
Kreuzen Sie an, was für Sie zutrifft.	Please cross where applicable.
die Hand heben	**raise one's hand**
Wir kommen zur Abstimmung: Wer dafür ist, soll die Hand heben.	Let us vote. Those for, please raise your hands.
= ein Handzeichen geben	give a hand signal, raise one's hand
das **Volk** *N*	**nation**
des Volk(e)s, *(in dieser Bedeutung nur Singular)*	
Durch Referenden nimmt das Volk in der Schweiz aktiv an der Politik teil.	Through referendums, the nation takes an active part in Swiss politics.
für etwas / jemanden stimmen	**vote for sth / sb**
Die meisten Jungwähler haben für die Sozialdemokratische Partei gestimmt.	Most young voters voted for the Social Democratic Party.
die **Abstimmung** *N*	**vote**
der Abstimmung, die Abstimmungen	
Wann gibt es in der Schweiz eine neue Abstimmung über die Migrationspolitik?	When is there going to be a new vote on the migration policy in Switzerland?
dafür sein	**be for it / that**
Ich finde, Politiker sollten die Arbeitswelt kennen, bevor sie in die Politik gehen. – Dafür bin ich auch.	I think politicians should know the world of work before they go into politics. – I am for it, too.
dagegen sein	**be against it / that**
≠ dafür sein	be for it / that
Meiner Meinung nach sollte man schon mit 16 Jahren bei der Bundestagswahl wählen dürfen. – Also da bin ich dagegen.	From my point of view you should be allowed to vote for the Bundestag election at the age of 16. – I am against it.
die **Aktion** *N*	**campaign**
der Aktion, die Aktionen	
Viele Bürger beteiligen sich an der Aktion gegen den Verkehrslärm.	Many citizens are taking part in the campaign against traffic noise.

aktiv *Adj* aktiver, am aktivsten ≠ passiv Die jungen Leute engagieren sich wieder aktiv in der Politik.	**active; actively** passive Young people are again taking an active role in politics.
der **Trend** *N* des Trends, die Trends = die Tendenz Es gibt den Trend, dass die Jugend politische Themen wieder interessant findet.	**trend** There is a trend indicating that young people are again becoming interested in political themes.
die **Partei** *N* der Partei, die Parteien Er ist mit 18 Jahren in die Partei eingetreten, aber schon ein halbes Jahr später wieder ausgetreten.	**party** He joined the party at the age of 18, but he left only half a year later.
der **Kandidat** *N* des Kandidaten, die Kandidaten Für das Amt des Parteivorsitzenden gibt es mehrere Kandidaten.	**candidate** There are several candidates for the position of party chairman.
die **Kandidatin** *N* der Kandidatin, die Kandidatinnen	**candidate**
die **Opposition** *N* der Opposition, die Oppositionen Die bisherige Regierungspartei ging nach der Wahl in die Opposition.	**Opposition** The previous ruling party went over to the opposition after the election.
die **Macht** *N* der Macht, *(in dieser Bedeutung nur Singular)* Die Konservativen haben die Macht im Land.	**power** The Conservatives are in power in the country.
verändern *V* verändert, veränderte, hat verändert Manche Politiker möchten die Welt verändern.	**change** Some politicians would like to change the world.
das **Recht** *N* des Recht(e)s, die Rechte Es gehört zu den grundlegenden Rechten, dass alle Menschen vor dem Gesetz gleich sind. ↳ die Menschenrechte *(meist im Plural)*	**right** It is a fundamental right that everyone is equal before the law. human rights
die **Pflicht** *N* der Pflicht, die Pflichten In Griechenland ist es für alle Staatsbürger Pflicht zu wählen.	**duty** It is the duty of all citizens to vote in Greece.

das **Programm** *N* des Programm(e)s, die Programme Die Programme der Parteien zeigen wenige Unterschiede.	**programme** *(BE)*, **program** *(AE)* The party programmes show few differences.
konservativ *Adj* konservativer, am konservativsten Zu den drei großen Parteien Großbritanniens gehört die Konservative Partei.	**Conservative** The Conservative party is one of the three largest parties in Great Britain.
liberal *Adj* liberaler, am liberalsten Er vertritt eine liberale Politik. Sie wählen schon seit Jahrzehnten liberal.	**liberal** *(political alignment)* He follows a liberal policy. They have been voting for the Liberals for decades now.
liberal *Adj* liberaler, am liberalsten = tolerant Sie ist in einem liberalen Land aufgewachsen.	**liberal** She has grown up in a liberal country.
kommunistisch *Adj* kommunistischer, am kommunistischsten Nordkorea hat eine kommunistische Regierung.	**communist** North Korea has a communist government.
sozialdemokratisch *Adj* sozialdemokratischer, am sozialdemokratischsten = sozialistisch *(A)* Der sozialdemokratische Ministerpräsident ist gegen den Bau eines neuen Flughafens.	**Social Democratic** The Social Democratic Minister-President is against the building of a new airport.
grün *Adj* grüner, am grünsten Die grünen Aktivisten kämpfen für den Schutz der Umwelt.	**Green** *(political alignment)* The green activists fight for the protection of the environment.
rechtsextrem *Adj* Rechtsextreme Ideologien sind gefährlich.	**extreme right-wing** Extreme right-wing ideologies are dangerous.
die **Politik** *N* der Politik, die Politiken *(selten)*	**politics**
die **Reform** *N* der Reform, die Reformen Er findet, dass es höchste Zeit für eine Reform der Universitäten ist.	**reform** He thinks that it is high time for a reform of the universities.
absolut *Adv* Ich bin absolut davon überzeugt, dass es nächstes Jahr weniger Arbeitslose geben wird.	**absolutely** I am absolutely convinced that there will be fewer unemployed people next year.

die **Mehrheit** *N* der Mehrheit, die Mehrheiten Die Mehrheit der Deutschen lehnt die Todesstrafe ab. absolute Mehrheit	**majority** The majority of Germans reject the death penalty. absolute / outright majority
die **Minderheit** *N* der Minderheit, die Minderheiten ≠ die Mehrheit	**minority** majority
die **Öffentlichkeit** *N* der Öffentlichkeit, die Öffentlichkeiten Dieser Fehler muss geheim bleiben, er darf nicht an die Öffentlichkeit gelangen.	**public** This mistake has to remain secret, it must not become public.
öffentlich *Adj* öffentlicher, am öffentlichsten Die Institution versucht an öffentliche Gelder heranzukommen.	**public** The institution is trying to get hold of public funds.
offiziell *Adj* offizieller, am offiziellsten ≠ inoffiziell Das offizielle Wahlergebnis liegt erst morgen vor.	**official** unofficial The official election result will not be submitted until tomorrow.
der **Gegner** *N* des Gegners, die Gegner Die Gegner von Atomkraftwerken verteilen Flyer.	**opponent** The opponents of nuclear power stations distribute flyer.
verteilen *V* verteilt, verteilte, hat verteilt = austeilen Am Samstag verteilen die Aktivisten Flugblätter.	**distribute** The activists will distribute leaflets on Saturday.
verbieten *V* verbietet, verbot, hat verboten Kann man eine Partei verbieten?	**ban** Can you ban a party?
genehmigen *V* genehmigt, genehmigte, hat genehmigt Die Behörde hat seinen Antrag genehmigt.	**approve** The department approved his application.
die **Demonstration** *N (Kurzform: Demo)* der Demonstration, die Demonstrationen = die Kundgebung Die Demonstration verlief friedlich. ↳ der Demonstrant, die Demonstrantin	**demonstration** rally The demonstration proceeded peacefully. demonstrator
demonstrieren *V* demonstriert, demonstrierte, hat demonstriert	**demonstrate**

ankündigen *V*
kündigt an, kündigte an, hat angekündigt
Viele Menschen haben angekündigt, dass sie am 1. Mai demonstrieren wollen.

announce (in advance)
Many people have announced that they want to demonstrate on the 1st May.

28.4 Internationale Beziehungen, Krieg und Frieden

International relations, war and peace

international *Adj*
Terrorismus ist kein nationales, sondern ein internationales Problem.

international
Terrorism is not a national but an international problem.

das **Ausland** *N*
des Ausland(e)s, *(nur Singular)*
≠ das Inland
Die Präsidentschaftswahlen wurden im Ausland nicht anerkannt.

abroad
home
The presidential elections were not recognized abroad.

die **Botschaft** *N*
der Botschaft, die Botschaften
Viele Menschen flüchteten in die Botschaft.

embassy
Many people fled to the embassy.

das **Konsulat** *N*
des Konsulats, die Konsulate
Beim Konsulat kann man ein Visum beantragen.

consulate
You can apply for a visa at the consulate.

der **Kontakt** *N*
des Kontakt(e)s, die Kontakte
Wir sind zwar schon vier Monate in Kanada, aber wir haben noch nicht viel Kontakt zu Kanadiern.

contact
Although we have already been in Canada for four months, we do not have much contact with Canadians.

der **Vertrag** *N*
des Vertrag(e)s, die Verträge
Die früheren Kriegsparteien unterzeichneten einen Vertrag, der zu dauerhaftem Frieden führen soll.

contract
The former warring parties signed a contract that is to lead to lasting peace.

diplomatisch *Adj*
diplomatischer, am diplomatischsten
Durch das Zusammenkommen sollen die diplomatischen Beziehungen gestärkt werden.

diplomatic
The convention is to strengthen diplomatic ties.

die **Vereinten Nationen** *N (Pluralwort; Abkürzung: UNO)*
der Vereinten Nationen
Der Sicherheitsrat der Vereinten Nationen hat getagt.

United Nations (UN)
The United Nations Security Council has convened.

die **Organisation** *N*
der Organisation, die Organisationen

organization *(group; association)*

Es gibt zahlreiche Organisationen, bei denen man sich als Entwicklungshelfer bewerben kann.	There are many organizations where you can apply as a development aid worker.
↳ die Nichtregierungsorganisation *(Abkürzung: NGO)*	non-governmental organization (NGO)
die **Europäische Union** *N (Abkürzung: EU)*	**European Union (EU)**
der Europäischen Union, *(nur Singular)*	
Die Schweiz ist kein Mitglied der Europäischen Union.	Switzerland is not a member of the European Union.
das **Europäische Parlament** *N*	**European Parliament**
des Europäischen Parlaments, *(nur Singular)*	
Das Europäische Parlament wird direkt von allen EU-Bürgern gewählt.	The European Parliament is elected directly by all EU citizens.
europäisch *Adj*	**European**
Ist die EU ein europäischer Bundesstaat?	Is the EU a European confederation?
kämpfen *V*	**fight**
kämpft, kämpfte, hat gekämpft	
Sein Großvater hat im Zweiten Weltkrieg gegen die Deutschen gekämpft.	His grandfather fought against the Germans in World War Two.
der **Kampf** *N*	**fight, battle, struggle**
des Kampf(e)s, die Kämpfe	
Obwohl ein Waffenstillstand vereinbart ist, kommt es immer wieder zu Kämpfen.	Allthough an armistice was agreed there is still sporadic fighting.
ein Kampf auf Leben und Tod	life and death struggle
der **Kampf** *N*	**fight**
des Kampf(e)s, die Kämpfe	
Der Kampf gegen die Armut ist ein wichtiges Ziel aller Staaten.	The fight against poverty is an important objective of all states.
Kampf für den Frieden	fight for peace
der **Friede(n)** *N*	**peace**
des Friedens, *(in dieser Bedeutung nur Singular)*	
Seit 1945 herrscht in Europa weitgehend Frieden.	Europe has been largely at peace since 1945.
der **Friede(n)** *N*	**peace treaty**
des Friedens / Friedes, die Frieden	
Der Versailler Vertrag war ein Frieden durch Kapitulation.	The Treaty of Versailles was a peace treaty by capitulation.
Frieden schließen	make peace
der **Sieg** *N*	**victory**
des Sieg(e)s, die Siege	
≠ die Niederlage	defeat
Bei Ausbruch des Ersten Weltkriegs glaubten die Regierungen aller beteiligten Staaten an den Sieg.	The governments of all involved states believed in victory at the outbreak of World War One.
der **Konflikt** *N*	**conflict**
des Konflikt(e)s, die Konflikte	

Der Konflikt sollte nicht militärisch, sondern mit Mitteln der Diplomatie gelöst werden.	The conflict should not be solved with military but with diplomatic methods.
der **Krieg** *N*	**war**
des Krieg(e)s, die Kriege	
Zwischen den Ländern ist erneut Krieg ausgebrochen.	War has again broken out between the countries.
↳ der Weltkrieg	World War
↳ der Bürgerkrieg	civil war
schießen *V*	**shoot**
schießt, schoss, hat geschossen	
Er schoss auf einen Soldaten.	He shot at a soldier.
zerstören *V*	**destroy**
zerstört, zerstörte, hat zerstört	
Es wurden viele Häuser zerstört.	Many houses were destroyed.
der **Terrorist** *N*	**terrorist**
des Terroristen, die Terroristen	
Die Polizei konnte zwei der Terroristen bereits festnehmen. Ein weiterer ist noch auf der Flucht.	The police have arrested two of the terrorists. Another is still on the run.
die **Terroristin** *N*	**terrorist**
der Terroristin, die Terroristinnen	
der / die **Tote** *N*	**dead man / woman**
des / der Toten, die Toten	
Bei dem Angriff gab es einige Tote und viele Verletzte.	There were several dead and many injured people after the attack.
der **Feind** *N*	**enemy**
des Feind(e)s, die Feinde	
Der Feind stand vor Berlin.	The enemy had reached Berlin.
die **Armee** *N*	**army**
der Armee, die Armeen	
Die amerikanische Armee wurde erneut in das Krisengebiet geschickt.	The American army was sent once more to the crisis area.
in der Armee dienen	serve in the army
militärisch *Adj*	**military**
militärischer, am militärischsten	
Hoffentlich entsteht in der Krisenregion kein militärischer Konflikt.	Hopefully, the crisis zone will not give rise to a military conflict.
die **Waffe** *N*	**weapon**
der Waffe, die Waffen	
Die größte Gefahr sind biologische und chemische Waffen.	Biological and chemical weapons are the greatest danger.
↳ der Waffenstillstand	armistice

der **Soldat** *N* des Soldaten, die Soldaten Die Uniform der Soldaten war viel zu dick für das heiße Klima Afrikas.	**soldier** The soldiers' uniforms were much too heavy for the hot climate of Africa.
die **Soldatin** *N* der Soldatin, die Soldatinnen	**soldier**
die **Uniform** *N* der Uniform, die Uniformen	**uniform**
fliehen *V* flieht, floh, ist geflohen Sie sind über die Ostsee geflohen.	**escape** They escaped over the Baltic Sea.
die **Flucht** *N* der Flucht, die Fluchten Hunderttausende von Menschen sind wegen des Bürgerkriegs auf der Flucht.	**flight** *(here: be on the run)* Hundreds of thousands of people are fleeing from the civil war.
die **Not** *N* der Not, die Nöte Die Menschen leiden große Not.	**poverty; need** The people live in abject poverty.
der **Schutz** *N* des Schutzes, die Schutze / Schütze *(selten)* Die Zivilbevölkerung suchte in den Bergen Schutz.	**shelter** The civilian population took shelter in the mountains.

29 Geschichte, Religion

29.1 Geschichte — History

die **Geschichte** *N* der Geschichte, *(in dieser Bedeutung nur Singular)* Für die deutsche Geschichte ist der 9. November 1989 ein wichtiges Datum.	**history** The 9th of November, 1989 is an important date in Germany's history.
entdecken *V* entdeckt, entdeckte, hat entdeckt Willem Janszoon entdeckte als erster Europäer Australien.	**discover** Willem Janszoon was the first European to discover Australia.
die **Welt** *N* der Welt, *(in dieser Bedeutung nur Singular)* Überall auf der Welt gibt es Konflikte.	**world** There are conflicts everywhere in the world.
die **Bevölkerung** *N* der Bevölkerung, die Bevölkerungen 2014 hat die schottische Bevölkerung mit 55,3% gegen die Unabhängigkeit gestimmt.	**population** In 2014, the Scottish population voted 55.3% against the independence of Scotland.
der **Staat** *N* des Staat(e)s, *(in dieser Bedeutung nur Singular)* In den meisten Ländern sind Staat und Kirche getrennt.	**state** State and Church are separated in most countries.
der **Staat** *N* des Staat(e)s, die Staaten ≠ das Land Österreich ist von 8 Staaten umgeben.	**country** Austria is surrounded by 8 countries.

staatlich *Adj* Die staatliche Entwicklung war wegen der allgemeinen Korruption problematisch.	**state-owned; state-run; national** The national development was problematic because of the general corruption.
die **Demokratie** *N* der Demokratie, die Demokratien ≠ die Diktatur In einer Demokratie haben auch Minderheiten Rechte.	**democracy** dictatorship Minorities also have rights in a democracy.
der **König** *N* des Königs, die Könige In wenigen europäischen Ländern gibt es noch einen König oder eine Königin.	**king** Some European countries still have a king or a queen.
die **Königin** *N* der Königin, die Königinnen	**queen**
der **Krieg** *N* des Krieg(e)s, die Kriege Deutsche Truppen überfielen am 1. September 1939 Polen ohne vorher den Krieg zu erklären.	**war** On 1st of September 1939 German troups invaded Poland without declaring war beforehand.
kämpfen *V* kämpft, kämpfte, hat gekämpft Die Männer kämpften für die Unabhängigkeit ihres Landes. im Krieg kämpfen	**fight** The men fought for the independence of their country. bear arms, see military action / combat
der **Kampf** *N* des Kampf(e)s, die Kämpfe In dem Kampf gab es viele Tote.	**fight** The fight resulted in many deaths.
der **Held** *N* des Helden, die Helden Die Männer, die aus dem Krieg zurückkehrten, wurden in der Heimat als Helden gefeiert.	**hero** The men who returned from the war were celebrated as heroes in their homeland.
die **Heldin** *N* der Heldin, die Heldinnen	**heroine**
der **Terrorismus** *N* des Terrorismus Viele Staaten kämpfen gemeinsam gegen den Terrorismus. ↳ der Terrorist, die Terroristin	**terrorism** Many countries fight together against terrorism. terrorist
der **Weltkrieg** *N* des Weltkrieg(e)s, die Weltkriege Auf den Ersten Weltkrieg folgte 21 Jahre später der Zweite Weltkrieg.	**world war** The Second World War followed the First World War 21 years later.

der **Friede(n)** *N*	**peace**
des Friedens, *(in dieser Bedeutung nur Singular)*	
≠ der Krieg	war
Ist Frieden auf der ganzen Welt möglich?	Is it possible to have peace in the world?
der **Friede(n)** *N*	**treaty; peace agreement**
des Friedens, die Frieden	
Der Frieden von Paris beendete 1783 den Unabhängigkeitskrieg zwischen Großbritannien und den dreizehn amerikanischen Kolonien.	The Treaty of Paris of 1783 ended the American Revolutionary War between Great Britain and the thirteen American colonies.
die **Revolution** *N*	**revolution**
der Revolution, die Revolutionen	
Die friedliche Revolution führte 1989 zum Ende der Deutschen Demokratischen Republik.	The peaceful revolution led to the end of the German Democratic Republic in 1989.
die Französische Revolution	French Revolution
die **Deutsche Demokratische Republik** *N (Abkürzung: DDR)*	**German Democratic Republic (GDR)**
Die DDR war von 1949 bis 1989 neben der Bundesrepublik Deutschland der zweite deutsche Staat.	In addition to West Germany, the GDR was the second German state from 1949 until 1989.
die **Bundesrepublik Deutschland** *N (Abkürzung: BRD; Kurzform: Deutschland)*	**Federal Republic of Germany**
die **(Berliner) Mauer** *N*	**(Berlin) Wall** *(structure that divided Berlin into West and East from 1961 to 1989)*
der (Berliner) Mauer	
Walter Ulbricht, das Staatsoberhaupt der DDR, sagte im Juni 1961: „Niemand hat die Absicht, eine Mauer zu errichten."	Walter Ulbricht, the East German head of state, said in June 1961: "Nobody has the intention of building a wall."
↳ der Mauerfall	Fall of the Wall
die **Wende** *N*	**collapse of the GDR** *(and the subsequent reunification of Germany)*
der Wende, *(in dieser Bedeutung nur Singular)*	
Seit der Wende hat sich in Deutschland viel verändert.	Since the collapse of the GDR, a lot has changed in Germany.
die **Wiedervereinigung** *N*	**reunification**
der Wiedervereinigung, die Wiedervereinigungen	
Die deutsche Wiedervereinigung wurde durch die Zustimmung der alliierten Siegermächte möglich.	The German reunification became possible by the agreement of the victorious allied powers.
der **Nationalsozialismus** *N (Kurzform: Nazismus)*	**National Socialism** *(ideology)*
des Nationalsozialismus, *(nur Singular)*	
Der Nationalsozialismus vereinigt unter anderem Antisemitismus, Rassenlehre und Expansionsstreben.	National Socialism combines among other things anti-Semitism, racial ideology, and expansionism.
der **Nationalsozialismus** *N*	**National Socialism** *(Adolf Hitler's dictatorship based on National Socialist ideology)*
des Nationalsozialismus, *(nur Singular)*	
= das Dritte Reich	Third Reich

Im Nationalsozialismus wurden Juden, Oppositionelle und andere Menschen verfolgt und vernichtet.	During National Socialism Jews, members of the opposition and other human beings were persecuted and annihilated.
der **Nazi** *N (Kurzform für Nationalsozialist; auch unscharf für Rechtsextremist)* des Nazis, die Nazis Nazis raus!	**Nazi** Nazis out!

29.2 Religion — Religion

die **Kirche** *N* der Kirche, die Kirchen Die Kirche ist über Mittag geschlossen.	**church** *(building)* The church is closed at lunchtime.
die **Kirche** *N* der Kirche, die Kirchen Immer mehr Menschen treten aus der evangelischen und katholischen Kirche aus. Die Kirche äußert sich nicht zu dieser Frage.	**Church** More and more people are leaving the Protestant and Catholic Church. The Church does not comment on this question.
die **Messe** *N* der Messe, die Messen Wir gehen heute zur (Heiligen) Messe.	**mass** We are going to (the) (Holy) Mass today.
das **Kreuz** *N* des Kreuzes, die Kreuze Jesus wurde ans Kreuz geschlagen.	**cross** Jesus was nailed to a cross.
der **Papst** *N* des Papst(e)s, die Päpste Der Papst spendet den Segen „urbi et orbi".	**pope** The pope gives the blessing "urbi et orbi".
das **Christentum** *N* des Christentums, *(nur Singular)* Das Christentum ist die Weltreligion, die am meisten verbreitet ist und die mehrere Konfessionen und Kirchen hat. ↳ der Christ, die Christin ↳ christlich	**Christianity** Christianity is the world's largest religion with several denominations and churches. Christian Christian
die **Bibel** *N* der Bibel, die Bibeln = die Heilige Schrift So steht es in der Bibel. In vielen Hotelzimmern liegt eine Bibel auf dem Nachttisch.	**Bible** *(Christian and Jewish Holy Scripture)* Scripture So it is written in the Bible. In many hotel rooms there is a bible on the bedside table.
die **Konfession** *N* der Konfession, die Konfessionen Ich gehöre keiner Konfession an, ich bin Atheist.	**denomination** I don't belong to any denomination, I am atheist.

der **Atheist** *N* des Atheisten, die Atheisten	**atheist**
die **Atheistin** der Atheistin, die Atheistinnen	**atheist**
katholisch *Adj* Er ist katholisch.	**Catholic** He is Catholic.
evangelisch *Adj* Sie wurde evangelisch erzogen.	**Protestant** She was brought up as a Protestant.
ökumenisch *Adj* Für die Opfer des Tsunamis fand ein ökumenischer Gottesdienst statt.	**ecumenical** *(by both Catholics and Protestants)* There was an ecumenical service for the victims of the tsunami.
der **Gottesdienst** *N* des Gottesdienstes, die Gottesdienste Hat der Gottesdienst schon angefangen?	**(religious) service** Has the service already started?
die **Religion** *N* der Religion, die Religionen Für meine Eltern ist die Religion sehr wichtig. ↳ religiös	**religion** Religion is very important to my parents. religious
die **Gemeinschaft** *N* der Gemeinschaft, die Gemeinschaften Wir freuen uns darüber, neue Mitglieder in unsere Gemeinschaft aufzunehmen.	**community** We are happy to welcome new members to our community.
heilig *Adj* heiliger, am heiligsten Für Hindus sind Kühe heilige Tiere.	**holy, sacred** Cows are sacred animals for Hindus.
glauben *V* glaubt, glaubte, hat geglaubt Er ist Atheist, er glaubt nicht an Gott. gläubig sein	**believe** He is atheist, he does not believe in God. be devout
der **Gott** *N*, des Gottes *(in dieser Bedeutung nur Singular)* Wir sind alle in Gottes Hand. der liebe / allmächtige / gütige Gott	**God** We are all in God's hand. good / almighty / gracious God
der **Gott** *N* des Gottes, die Götter Die Germanen glaubten an verschiedene Götter.	**god** The Teutons believed in various gods.
die **Göttin** *N* der Göttin, die Göttinnen	**goddess**

beten *V* betet, betete, hat gebetet Die Menschen in der Kirche beten das Vaterunser.	**recite; say** The people in the church recite the Lord's Prayer.
beten *V* betet, betete, hat gebetet Die Mutter betete, dass ihr krankes Kind gesund werden möge.	**pray** The mother prayed for her ill child to get better.
der **Buddhismus** *N* des Buddhismus, *(nur Singular)* Der Dalai Lama ist ein erleuchtetes Wesen im tibetischen Buddhismus. ↳ der Buddhist, die Buddhistin ↳ buddhistisch	**Buddhism** The Dalai Lama is an enlightened being in Tibetan Buddhism. Buddhist (follower of Buddhism) Buddhist
der **Hinduismus** *N* des Hinduismus, *(nur Singular)* Brahma, Vishnu und Shiva sind Götter des Hinduismus. ↳ der / die Hindu ↳ hinduistisch	**Hinduism** Brahma, Vishnu, and Shiva are gods of Hinduism. Hindu (follower of Hinduism) Hindu
der **Tempel** *N* des Tempels, die Tempel Für Hindus und Buddhisten sind Tempel heilige Orte.	**temple** Temples are holy places for Hindus and Buddhists.
der **Islam** *N* des Islams, *(nur Singular)* Die Sunniten stellen die Mehrheit innerhalb des Islams. ↳ der Muslim *(auch: Moslem)* ↳ die Muslimin *(auch: Muslima)* ↳ muslimisch	**Islam** The Sunnites represent the largest denomination of Islam. Muslim (follower of Islam) Muslim (follower of Islam) Muslim
die **Moschee** *N* der Moschee, die Moscheen In der Moschee versammeln sich Muslime zum gemeinschaftlichen Gebet.	**mosque** The Muslims come together for collective prayer in the mosque.
das **Judentum** *N* des Judentums, *(nur Singular)* Im Judentum wird auf koscheres Essen geachtet. ↳ der Jude, die Jüdin ↳ jüdisch	**Jews, Jewry** The Jews only eat kosher food. Jew, Jewess Jewish
die **Synagoge** [zynaˈgoːgə] *N* der Synagoge, die Synagogen Auf dem Altar einer Synagoge steht eine Menora, ein siebenarmiger Leuchter.	**synagogue** A menorah, a seven-branched lampstand, stands on the altar of a synagogue.

30 Wirtschaft und Finanzen

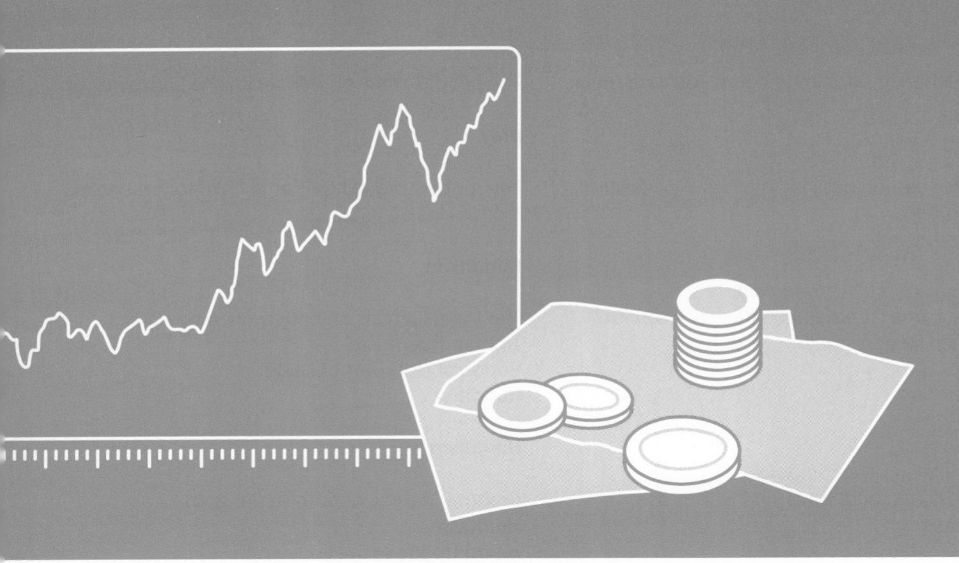

30.1 Wirtschaft — The economy

die **Wirtschaft** *N* der Wirtschaft, die Wirtschaften Die deutsche Wirtschaft ist seit einiger Zeit im Aufschwung. ↳ die soziale Marktwirtschaft	**economy; industry** The German economy has been on the upswing for a while. social market economy
wirtschaftlich *Adj* wirtschaftlicher, am wirtschaftlichsten Die wirtschaftliche Entwicklung ist sehr wichtig für ein Land.	**economic** The economic development is very important for a country.
wirtschaftlich *Adj* wirtschaftlicher, am wirtschaftlichsten = effizient = gewinnbringend Dieses Verfahren ist nicht wirtschaftlich. wirtschaftlich denken	**economical** efficient profitable This process is not economical. think economically
der **Bedarf** *N* des Bedarf(e)s, die Bedarfe *(Fachsprache)* In Deutschland besteht ein großer Bedarf an Fachkräften.	**requirement, need** There is a great need for qualified employees in Germany.
die **Krise** *N* der Krise, die Krisen Die deutsche Wirtschaft erlebte in der zweiten Hälfte des 19. Jahrhunderts mehrere Krisen. ↳ die Wirtschaftskrise	**crisis** The German economy went through several crises in the second half of the 19th century. economic crisis

↳ die Währungskrise	monetary, currency crisis
das **Angebot** *N* des Angebot(e)s, die Angebote Das Angebot an Industrieprodukten ist nicht sehr groß.	**offer, range, supply** The range of industrial products is not very large.
die **Nachfrage** *N* der Nachfrage, die Nachfragen Angebot und Nachfrage bestimmen den Preis von Dienstleistungen und Waren.	**demand** Supply and demand define the price of services and products.
der **Wettbewerb** *N* des Wettbewerb(e)s, die Wettbewerbe Unter den Ländern herrscht ein harter Wettbewerb um Investoren.	**competition** There is keen competition for investors between the countries.
die **Konkurrenz** *N* der Konkurrenz *(in dieser Bedeutung nur Singular)* = der Wettbewerb Konkurrenz belebt das Geschäft. eine starke Konkurrenz ↳ der Konkurrent, die Konkurrentin ↳ konkurrieren	**competition** Competition is good for business. strong competition competitor compete
der **Konsum** *N* des Konsums, *(nur Singular)* = der Verbrauch Der Konsum soll mit höheren Löhnen angekurbelt werden. ↳ der Konsument, die Konsumentin	**consumption** Consumption is to be boosted with higher wages. consumer
konsumieren *V* konsumiert, konsumierte, hat konsumiert = verbrauchen	**consume** use up
die **Branche** [ˈbrãːʃə, ˈbraŋʃə] *N* der Branche, die Branchen In kaum einer Branche wird heute ohne Computer gearbeitet.	**line of business** There is virtually no line of business that does not work with computers.
die **Inflation** *N* der Inflation, die Inflationen ≠ die Deflation Der sinkende Benzinpreis bremst die Inflation.	**inflation** deflation The falling gas price slows inflation.
der **Kapitalismus** *N* des Kapitalismus, die Kapitalismen *(selten)* Es gibt heutzutage kaum noch sozialistische Staaten, fast überall herrscht Kapitalismus.	**capitalism** There are hardly any socialist states today, nearly everywhere is ruled by capitalism.

der **Unternehmer** *N* des Unternehmers, die Unternehmer Er ist wie sein Vater ein bedeutender Unternehmer.	**entrepreneur** He is an important entrepreneur like his father.
die **Unternehmerin** *N* der Unternehmerin, die Unternehmerinnen	**entrepreneur**
der **Verlust** *N* des Verlust(e)s, die Verluste = das Defizit Letztes Jahr hat die Firma geringe Verluste gemacht.	**loss** deficit Last year the company made a little loss.
der **Gewinn** *N* des Gewinn(e)s, die Gewinne ≠ der Verlust Der Konzern arbeitet mit hohem Gewinn.	**profit** loss The concern works with a high profit.
das **Personal** *N* des Personal(e)s, *(nur Singular)* = die Belegschaft Für das Personal seiner Firma gibt der Chef nicht viel Geld aus.	**staff; personnel** The boss does not spend much money on the staff of his company.
die **Planung** *N* der Planung, die Planungen Um geschäftlich erfolgreich zu sein, macht er jedes Jahr eine sorgfältige Planung. ↳ planen	**planning** Every year he makes careful plans for his business success. plan
der **Plan** *N* des Plan(e)s, die Pläne In diesem Geschäftsquartal wird der ursprüngliche Plan um 15 Prozent übertroffen.	**plan** This business quarter will exceed the original plan by 15 percent.
die **Gesellschaft** *N* der Gesellschaft, die Gesellschaften Manche Unternehmen sind Aktiengesellschaften. ↳ Gesellschaft mit beschränkter Haftung *(Abkürzung: GmbH)*	**company** Some companies are public limited companies. limited liability company, LLC
der **Geschäftsmann** *N* des Geschäftsmann(e)s, die Geschäftsmänner ↳ die Geschäftsleute	**businessman** business people
die **Geschäftsfrau** *N* der Geschäftsfrau, die Geschäftsfrauen Sie ist eine erfolgreiche Geschäftsfrau.	**businesswoman** She is a successful businesswoman.
führen *V* führt, führte, hat geführt	**manage**

Er führt das Geschäft schon seit 15 Jahren.	He has been managing the business for 15 years.
kaufmännisch *Adj* kaufmännischer, am kaufmännischsten Er hat wenig kaufmännische Kenntnisse.	**commercial** He has little commercial knowledge.
die **Kosten** *N (Pluralwort)* der Kosten Die Kosten für den Umbau des Bahnhofs sind enorm. ↳ die Lohnkosten ↳ die Reisekosten	**costs** The costs for the renovation of the station are enormous. wage costs travelling expenses
kosten *V* kostet, kostete, hat gekostet Die Sanierung des Gebäudes kostete viel Geld.	**cost** The redevelopment of the building has cost a lot of money.
die **Rechnung** *N* der Rechnung, die Rechnungen Er hat noch keine Rechnung ausgestellt. eine offene Rechnung eine Rechnung begleichen	**bill; invoice** He still has not issued an invoice. an open account pay a bill
die **Mahnung** *N* der Mahnung, die Mahnungen Hast du die Stromrechnung schon bezahlt? Ich will nicht, dass wir eine Mahnung bekommen.	**reminder** Have you paid the electricity bill? I do not want to get a reminder.
das **Original** *N* des Original(e)s, die Originale Das Original ist für Sie. Die Kopie bleibt bei uns.	**original** The original is for you. The copy stays with us.
die **Kopie** *N* der Kopie, die Kopien Er macht sich eine Kopie von der Rechnung.	**copy** He makes a photocopy of the bill.
der **Verbraucher** *N* des Verbrauchers, die Verbraucher = der Konsument Umweltbewusste Verbraucher achten auf recycelbares Verpackungsmaterial.	**consumer** Environmentally aware consumers pay attention to recyclable packaging.
die **Verbraucherin** *N* der Verbraucherin, die Verbraucherinnen	**consumer**
verbrauchen *V* verbraucht, verbrauchte, hat verbraucht Wir verbrauchen sehr viel Strom, vielleicht können wir das in Zukunft etwas reduzieren?	**consume, use** We do use a lot of electricity, maybe we can reduce it a bit in the future?

der **Abnehmer** *N* — **customer**
des Abnehmers, die Abnehmer

die **Abnehmerin** *N* — **customer**
der Abnehmerin, die Abnehmerinnen

30.2 Bank und Versicherungswesen — Banking and insurance

das **Konto** *N* — **account**
des Kontos, die Konten *(selten: Kontos, Konti)*
Ich habe meine Konten bei verschiedenen Banken. — I have my accounts at different banks.
↳ das Sparkonto — savings account
↳ das Spendenkonto — donations account

das **Girokonto** [ˈʒiːrokɔnto] *N* — **current account** *(BE)*, **checking account** *(AE)*
des Girokontos, die Girokonten
Sie können das Girokonto auch online eröffnen. — You can also set up your account online.
vom Girokonto abbuchen — debit from one's account

abheben *V* — **withdraw**
hebt ab, hob ab, hat abgehoben
Sie will 200 € von ihrem Konto abheben. — She wants to withdraw €200 from her account.

überweisen *V* — **transfer**
überweist, überwies, hat überwiesen
Kannst du mir das Geld bitte morgen überweisen? — Can you transfer the money to my account tomorrow, please?

die **Überweisung** *N* — **(bank) transfer**
der Überweisung, die Überweisungen
Die Miete erfolgt durch monatliche Überweisung. — The rent is paid by monthly bank transfer.

das **Sparbuch** *N* — **savings**
des Sparbuch(e)s, die Sparbücher
Er zahlt einen höheren Betrag auf sein Sparbuch ein. — He pays a higher amount into his savings.

der **Zins** *N* — **interest**
des Zinses, die Zinsen
Auf dem Sparbuch bekommt Dagmar zurzeit nur 1 Prozent Zinsen. — Dagmar only gets 1 percent interest on savings at the moment.

die **Erhöhung** *N* — **increase**
der Erhöhung, die Erhöhungen
Die Erhöhung des Zinssatzes bringt ihm monatlich ein kleines Vermögen. — The increase in the interest rate will earn him a small fortune every month.

die **Gebühr** *N* — **charge**
der Gebühr, die Gebühren
Die Bank erhebt keine Gebühren für die Kontoführung. — The bank levies no charges for account management.
↳ gebührenfrei — free of charge

↳ gebührenpflichtig	subject to a charge
befreit *Adj* Schüler und Studenten sind von der Gebühr befreit.	**exempt** Pupils and students are exempt from charges.
der **Scheck** *N (CH auch: Check)* des Schecks, die Schecks Er hat ihr einen Scheck über 100 € ausgestellt.	**cheque** *(BE)*, **check** *(AE)* He wrote her a cheque for €100.
einlösen *V* löst ein, löste ein, hat eingelöst Er möchte einen Scheck einlösen.	**cash; honour** He wants to cash a cheque.
die **Aktie** ['aktsi̯ə] *N* der Aktie, die Aktien Die BASF-Aktien sind gestiegen. die Aktien fallen	**share; stock** BASF shares have increased. stocks are falling
die **Versicherung** *N* der Versicherung, die Versicherungen Die Versicherung zahlt in diesem Fall nicht.	**insurance company** The insurance company will not pay in this case.
die **Versicherung** *N* der Versicherung, die Versicherungen Aus Ärger hat sie ihre langjährige Versicherung gekündigt. eine Versicherung abschließen ↳ die Haftpflichtversicherung	**insurance, insurance policy** Out of annoyance, she cancelled her long-standing insurance policy. take out an insurance policy liability insurance
versichern *V* versichert, versicherte, hat versichert Er möchte sein Gepäck gegen Diebstahl versichern.	**insure** He wants to insure his luggage against theft.
der **Beitrag** *N* des Beitrag(e)s, die Beiträge Der Mitgliedsbeitrag wird monatlich abgebucht.	**fee** The membership fee is debited monthly.
jährlich *Adj* Die jährliche Erhöhung der Beiträge verärgert die Kunden.	**annual** The annual rise of the contributions annoys the customers.
monatlich *Adj*	**monthly**

30.3 Geldangelegenheiten — Money matters

das **Geld** *N* des Geld(e)s *(in dieser Bedeutung nur Singular)* Er hat sein Geld in Immobilien angelegt. zu Geld kommen Geld wechseln	**money** He invested his money in real estate. come into money change money

im Geld schwimmen	be rolling in money
wie viel(e) Wie viele 1-Euro-Münzen hast du?	**how much / many** How many 1 euro coins do you have?
das **Bargeld** *N* des Bargeld(e)s, *(nur Singular)* Sie hat nur wenig Bargeld bei sich.	**cash** She doesn't have much cash on her.
die **Münze** *N* der Münze, die Münzen = das Geldstück Der Fahrscheinautomat nimmt nur Münzen.	**coin** The ticket machine only takes coins.
der **Geldautomat** *N* des Geldautomaten, die Geldautomaten Der Geldautomat ist defekt.	**cash machine** The cash machine is broken.
der **Bankomat®** *N (A)* des Bankomaten, die Bankomaten = der Bancomat *(CH)*	**cash machine**
die **EC-Karte** [eːˈtseːkartə] *N (Abkürzung für electronic cash; auch: ec)* der EC-Karte, die EC-Karten Ich habe die PIN meiner EC-Karte vergessen.	**cash card** I forgot the PIN for my cash card.
die **Bankomatkarte** *N (A)* der Bankomatkarte, die Bankomatkarten = die Bancomatkarte *(CH)*	**cash card**
die **Bank** *N* der Bank, die Banken Ich muss morgen auf die Bank und Geld abheben.	**bank** I have to go to the bank and withdraw money tomorrow.
die **Sparkasse** *N* der Sparkasse, die Sparkassen Die Kunden der Sparkasse müssen sich auf höhere Gebühren für die Kontoführung einstellen.	**Sparkasse** *(registered name in D and A for a public or private savings bank)* Sparkasse customers will have to pay higher account management fees.
der **Kredit** *N* des Kredits, die Kredite Familie Schneider hat für ihr neues Auto einen Kredit aufgenommen. einen Kredit abbezahlen	**credit; loan** The Schneider family took out a loan for a new car. pay off a loan
die **Kreditkarte** *N* der Kreditkarte, die Kreditkarten Ich möchte mit Kreditkarte bezahlen, bitte.	**credit card** I would like to pay by credit card, please.
die **Bankleitzahl** *N*	**bank code, sort code** *(BE)*

der Bankleitzahl, die Bankleitzahlen Für die Überweisung benötige ich noch die Bankleitzahl. Sie steht auf Ihrer EC-Karte.	I still need the sort code for the transfer. It is printed on the cash card.
finanzieren *V* finanziert, finanzierte, hat finanziert = bezahlen Den Bau von Autobahnen finanziert in Deutschland der Staat. ↳ die Finanzen	**finance** pay The state finances the building of motorways in Germany. finances
finanziell *Adj* Die finanziellen Angelegenheiten klären wir lieber im Gespräch. Er ist finanziell gut aufgestellt.	**financial; financially** We can better settle the financial matters in a talk. He is well off financially.
auszahlen *V* zahlt aus, zahlte aus, hat ausgezahlt Können Sie mir den Betrag in bar auszahlen?	**pay out** Can you pay out the amount in cash?
einzahlen *V* zahlt ein, zahlte ein, hat eingezahlt Er zahlt jeden Monat 500 € auf das Konto seiner Eltern ein.	**pay in** He pays €500 into his parents' account every month.
die **Einzahlung** *N* der Einzahlung, die Einzahlungen In letzter Zeit konnte sie keine größere Einzahlung tätigen.	**payment, deposit** Lately she hasn't been able to make bigger payments.
der **Beleg** *N* des Beleg(e)s, die Belege Sie bekommen noch einen Beleg über Ihre Einzahlung.	**receipt** You will be given a receipt for your payment.
die **Zahlung** *N* der Zahlung, die Zahlungen Um die Zahlung zuordnen zu können, benötige ich Ihre Kundennummer.	**payment** I need your customer reference number to allocate the payment.
die **Schulden** *N (in dieser Bedeutung nur im Plural)* der Schulden Er hat seit Monaten Schulden bei seiner Exfrau. ⚠ die Schuld *(Singular)*	**debt** He has been in debt to his ex-wife for months. guilt, blame
der **Preis** *N* des Preises, die Preise Die Preise sind gestiegen.	**price** The prices have increased.
erhöhen *V* erhöht, erhöhte, hat erhöht	**increase**

Die Preise sind konstant geblieben, sie wurden nicht erhöht.	Prices have remained unchanged, they were not increased.
die **Mehrwertsteuer** *N (Abkürzung: MwSt.)* der Mehrwertsteuer, die Mehrwertsteuern In Deutschland beträgt die Mehrwertsteuer für die meisten Waren 19 Prozent.	**value added tax, VAT** In Germany, the value added tax on most commodities is 19 percent.
der **Rabatt** *N* des Rabatt(e)s, die Rabatte Heute gibt es 10 % Rabatt auf alle Weihnachtsartikel.	**discount** Today there is a 10% discount on all Christmas articles.
der **Betrag** *N* des Betrag(e)s, die Beträge In sein Haus hat er einen hohen Betrag investiert.	**amount** He invested a large amount in his house.
der **Wert** *N* des Wert(e)s, die Werte Der Wert des Euro ist gegenüber dem Dollar gefallen. Die Uhr seines Großvaters hat für ihn einen hohen ideellen Wert. ↳ wertlos ↳ wertvoll	**value** The value of the euro has fallen compared with the dollar. His grandfather's watch has a high sentimental value to him. worthless valuable
die **Währung** *N* der Währung, die Währungen Der Euro ist die Währung der meisten EU-Staaten. starke / schwache Währung	**currency** The euro is the currency in most EU states. strong / week currency
wechseln *V* wechselt, wechselte, hat gewechselt Sie wechselten an der Grenze Euro in Schweizer Franken.	**change** They changed euros into Swiss francs at the border.
das **Wechselgeld** *N* des Wechselgeld(e)s, die Wechselgelder *(selten)* Ich habe leider kein Wechselgeld.	**change** Unfortunately, I have got no change.
der **Geldschein** *N (Kurzform: Schein)* des Geldschein(e)s, die Geldscheine Ich habe keine Münzen, sondern nur noch Geldscheine im Portemonnaie.	**(bank)note, bill** *(AE)* I have got no coins but only banknotes in my purse.
das **Kleingeld** *N* des Kleingeld(e)s, *(nur Singular)* Hast du etwas Kleingeld für die Parkuhr?	**(small, loose) change** Do you have any small change for the parking meter?
der **Euro** *N (Abkürzung: €)* des Euro(s), die Euro(s)	**euro**

Der Fotoapparat kostet ungefähr 400 Euro.	The camera costs about 400 euros.
der **Cent** [sɛnt, tsɛnt] *N* des Cent(s), die Cent(s) Sie besaß keinen einzigen Cent mehr.	**cent** She no longer had a single cent.
der **Schweizer Franken** *N (Abkürzung: sFr; Kurzform: Franken)* des Schweizer Franken, die Schweizer Franken Der Schweizer Franken gilt als eine stabile Währung.	**Swiss franc** The Swiss franc is considered to be a stable currency.
der **Rappen** *N (CH)* des Rappens, die Rappen 1 Franken = 100 Rappen	**(Swiss) centime, Rappen** 1 franc = 100 centimes / Rappen

Euro €

On 1 January 2002, the Euro was introduced as the official currency in twelve member states of the European Union (EU). Since then, the number of countries adopting the euro has grown (September 2019: 19 states).

The former currencies are no longer available in Germany and Austria:
Germany: D-Mark (DM) 1 DM = 100 Pfennige
Austria: Schilling (S) 1 S = 100 Groschen

Switzerland does not use the Euro, its currency is the Schweizer Franken (Swiss franc).

ausgeben *V* gibt aus, gab aus, hat ausgegeben Wie viel muss man dafür ausgeben?	**spend** How much do you have to spend on it?
leihen *V* leiht, lieh, hat geliehen = borgen Kannst du mir Geld leihen? Dann muss ich heute nicht mehr zur Bank.	**lend; borrow** Can you lend me some money? Then I don't have to go to the bank today.
anlegen *V* legt an, legte an, hat angelegt Er legt viel Geld in Aktien an.	**invest** He invests a lot of money in stocks.
zahlen *V* zahlt, zahlte, hat gezahlt Kann ich mit Kreditkarte zahlen? in Raten zahlen	**pay** Can I pay by credit card? pay by instalments
bar *Adj* Ich möchte bar bezahlen.	**cash** I would like to pay cash.
das **Taschengeld** *N* des Taschengeld(e)s, die Taschengelder	**pocket money**

Leonie hat sich das Buch von ihrem Taschengeld gekauft. — Leonie bought the book out of her pocket money.

ausreichen *V* — **last, be sufficient, be enough**
reicht aus, reichte aus, hat ausgereicht
Das Geld muss bis zum Monatsende ausreichen. — The money has to last until the end of the month.

sparen *V* — **save**
spart, sparte, hat gespart
= Geld zurücklegen — put money by
Sie sparen für ein eigenes Haus. — They are saving for their own home.

sparsam *Adj* — **thrifty**
sparsamer, am sparsamsten
Man sagt, die Schwaben seien sehr sparsame Leute. — It is said the Swabians are very thrifty people.

die **Frist** *N* — **time limit, respite**
der Frist, die Fristen
Sie müssen den Kredit innerhalb einer Frist von sechs Monaten zurückzahlen. — You must repay the loan within a time limit of six months.
Der Käufer erhält nochmal eine Frist von drei Wochen, um die Rechnung zu bezahlen. — The buyer receives an additional respite of three weeks to pay the bill.
Die Frist ist verstrichen. — The time limit has expired.

sich leisten *V* — **be able to afford**
leistet sich, leistete sich, hat sich geleistet
Er kann sich einen Porsche leisten. — He can afford a Porsche.

30.4 Handel und Dienstleistung — Trade and services

der **Import** *N* — **import**
des Import(e)s, die Importe
= die Einfuhr
Deutschland ist auf den Import von Erdöl angewiesen. — Germany is dependent on imported oil.
↳ der Importeur — importer

importieren *V* — **import**
importiert, importierte, hat importiert
Die Orangen in deutschen Supermärkten werden oft aus Spanien importiert. — The oranges in German supermarkets are often imported from Spain.

der **Export** *N* — **export**
des Export(e)s, die Exporte
= die Ausfuhr
≠ der Import — import
Der Export von Kraftfahrzeugen ist wichtig für die deutsche Wirtschaft. — The export of automobiles is important for the German economy.

exportieren *V* exportiert, exportierte, hat exportiert Brasilien und Kolumbien exportieren in großem Umfang Kaffee.	**export** Brazil and Colombia export coffee on a large scale.
der **Handel** *N* des Handels, *(nur Singular)* Der Handel leidet unter der Wirtschaftskrise.	**commerce** *(economic sector)* Commerce is suffering due to the economic crisis.
der **Handel** *N* des Handels, *(nur Singular)* Der Handel mit Uhren und Schmuck ist lukrativ.	**trade** *(buying and selling of goods)* The trade in watches and jewellery is lucrative.
handeln *V* handelt, handelte, hat gehandelt Herr Merz handelt mit Obst und Gemüse.	**trade** Mr Merz trades in fruit and vegetables.
der **Händler** *N* des Händlers, die Händler	**retailer, merchant, trader**
die **Händlerin** *N* der Händlerin, die Händlerinnen Sie verdient als Händlerin von Kunstblumen nicht viel Geld.	**retailer, merchant, trader** She does not earn much money as a trader in artificial flowers.
der **Auftrag** *N* des Auftrag(e)s, die Aufträge = die Bestellung Bevor sie den Auftrag vergeben, holen sie sich Angebote von verschiedenen Werbeagenturen ein.	**(sales) order, contract** Before they place an order they ask for offers from different advertising agencies.
liefern *V* liefert, lieferte, hat geliefert Sie haben nicht pünktlich geliefert! ins Haus liefern ↳ lieferbar	**deliver** You did not deliver punctually! deliver to the door be available
die **Lieferung** *N* der Lieferung, die Lieferungen = der Versand Die Lieferung erfolgt in einer Woche.	**delivery** dispatch The delivery will be made in one week.
die **Lieferung** *N* der Lieferung, die Lieferungen = die Ware Die Lieferung kommt in einer Woche.	**consignment** article The consignment will arrive in one week.
die **Ware** *N* der Ware, die Waren Reduzierte Ware ist vom Umtausch ausgeschlossen.	**goods; article** Reduced goods cannot be exchanged.

transportieren *V* transportiert, transportierte, hat transportiert = befördern	**transport**
Australischer Wein wird per Schiff nach Europa transportiert.	Australian wine is transported by ship to Europe.
der **Transport** *N* des Transport(e)s, die Transporte	**transport**
Beim Transport wurden fast keine Flaschen beschädigt.	Hardly any bottles were damaged during transport.
die **Werbung** *N* der Werbung, *(in dieser Bedeutung nur Singular)* = die Reklame	**advertisement** advertising brochure
Die Werbung kommt beim Kunden überhaupt nicht gut an.	The advertisement is not a winner with the customers.
die **Marke** *N* der Marke, die Marken	**brand**
Möbel dieser schwedischen Marke sind sehr beliebt.	Furniture by this Swedish brand is very popular.
↳ der Markenartikel	brand(ed) article
garantieren *V* garantiert, garantierte, hat garantiert	**guarantee**
Auch mit klugem Marketing ist der Erfolg eines Unternehmens nicht garantiert.	Even clever marketing cannot guarantee the success of a company.
die **Garantie** *N* der Garantie, die Garantien	**guarantee**
Der Hersteller gibt auf seine Kaffeemaschinen eine Garantie von einem Jahr.	The manufacturer guarantees its coffee machines for one year.
die **Einführung** *N* der Einführung, die Einführungen	**launch**
Bei der Einführung eines neuen Produkts kommt es oft auf das Material und die Form der Verpackung an.	Often, the material and shape of the packaging is important to the launch of a new product.
eröffnen *V* eröffnet, eröffnete, hat eröffnet	**open**
Letzte Woche wurde ein neues Fahrradgeschäft eröffnet.	A new cycle shop was opened last week.
die **Eröffnung** *N* der Eröffnung, die Eröffnungen	**opening**
Zur Eröffnung der neuen Eisdiele gab es für jeden Besucher eine Kugel Eis gratis.	There was a scoop of ice cream free for every visitor to the opening of the new ice cream parlour.
der **Kunde** *N* des Kunden, die Kunden	**customer**

Vor ein paar Jahren wurde jeder Kunde der Weinhandlung kostenlos beliefert.	A few years ago, deliveries to the wine merchant's customers were free of charge.
die **Kundin** *N* der Kundin, die Kundinnen	**customer**
behandeln *V* behandelt, behandelte, hat behandelt Er behandelt seine Kunden sehr freundlich.	**treat** He treats his customers in a very friendly manner.

30.5 Industrie und Handwerk — Industry and skilled work

die **Industrie** *N* der Industrie, die Industrien In manchen Regionen Deutschlands gibt es wenig Industrie.	**industry** There is very little industry in some regions of Germany.
industriell *Adj* Die industrielle Lebensmittelproduktion steht immer wieder in der Kritik.	**industrial** There is repeated criticism of industrial food production.
die **Fabrik** *N* der Fabrik, die Fabriken Die Fabrik produziert Mikroskope für die Medizintechnik.	**factory** The factory produces microscopes for medical technology.
das **Werk** *N* des Werk(e)s, die Werke = die Fabrik In den meisten Werken der Automobilindustrie wird am Fließband produziert.	**plant** Most plants run by the automotive industry work with production lines.
das **Fließband** *N* des Fließband(e)s, die Fließbänder Am Fließband wird im Akkord gearbeitet.	**production / assembly line** On the production line it is piecework.
die **Produktion** *N* der Produktion, die Produktionen = die Herstellung Immer mehr Unternehmen verlagern einen Teil ihrer Produktion ins Ausland. ↳ produktiv	**production** More and more companies are relocating part of their production to foreign countries. productive
das **Produkt** *N* des Produkt(e)s, die Produkte Das neue kosmetische Produkt kommt bei den Kunden gut an.	**product** The new cosmetic product is going down a storm with the customers.
produzieren *V* produziert, produzierte, hat produziert = herstellen	**produce**

= (an)fertigen	make
Das neue Automodell wird erst im nächsten Jahr produziert.	The new car model will not be produced until next year.
↳ der Produzent, die Produzentin	producer
die **Herstellung** *N*	**production**
der Herstellung, die Herstellungen	
Die serienmäßige Herstellung von Kleidung begann in Europa im 19. Jahrhundert.	The mass production of clothing started in Europe in the 19th century.
herstellen *V*	**produce; manufacture**
stellt her, stellte her, hat hergestellt	
Diese Tische werden von Hand hergestellt.	These tables are made by hand.
der **Hersteller** *N*	**manufacturer; producer**
des Herstellers, die Hersteller	
Ersatzteile gibt es nur direkt beim Hersteller.	Replacement parts are available only directly from the manufacturer.
der **Anbieter** *N*	**provider**
des Anbieters, die Anbieter	
Das Unternehmen ist ein weltweiter Anbieter von Taschenmessern.	The company is a worldwide provider of penknives.
erstellen *V*	**draw up**
erstellt, erstellte, hat erstellt	
Unsere Firma erstellt Angebote für verschiedene Dienstleister der Medienbranche.	Our company draws up offers for various service providers in the media sector.
das **Gerät** *N*	**appliance; equipment**
des Gerät(e)s, die Geräte	
Das Unternehmen produziert nur noch landwirtschaftliche Geräte.	The company produces only agricultural equipment.
die **Batterie** *N*	**battery**
der Batterie, die Batterien	
Wenn kein Strom da ist, laufen alle Geräte auf Batterie.	If there is no electricity, all appliances run on batteries.
funktionieren *V*	**function, work**
funktioniert, funktionierte, hat funktioniert	
Wie funktioniert das Gerät?	How does the appliance work?
die **Funktion** *N*	**function**
der Funktion, die Funktionen	
Der Akkuschrauber hat zwei Funktionen: Bohren und Schrauben.	The cordless drill has two functions: drilling and screwing.
die **Maschine** *N*	**machine**
der Maschine, die Maschinen	
Die Maschine muss gewartet werden.	The machine has to be serviced.
↳ maschinell	machine

automatisch *Adj* Die automatische Wartung der Maschinen funktioniert problemlos. Das System startet automatisch.	**automatic; automatically** The automatic servicing of the machines runs without problems. The system starts automatically.
der **Automat** *N* des Automaten, die Automaten Der Automat ist defekt.	**automatic machine** The automatic machine is defective.
die **Bedienungsanleitung** *N* der Bedienungsanleitung, die Bedienungsanleitungen Hier blinkt ein rotes Lämpchen. – Dann schau doch mal in der Bedienungsanleitung nach, was das bedeutet.	**operating instructions** A red light is flashing here. – Then look it up in the operating instructions and see what it means.
die **Gebrauchsanweisung** *N* der Gebrauchsanweisung, die Gebrauchsanweisungen = die Bedienungsanleitung Wenn ich das Gerät reparieren soll, brauche ich die Gebrauchsanweisung.	**operating instructions** If I'm to repair the device, I'll need the operating instructions.
technisch *Adj* Aufgrund einer technischen Störung kann die Ware erst nächste Woche geliefert werden.	**technical** Owing to a technical fault, the products cannot be delivered until next week.
die **Technik** *N* der Technik, *(in dieser Bedeutung nur Singular)* Er hat sich schon früh für Technik interessiert.	**technology** He has been interested in technology from quite an early stage.
die **Technik** *N* der Technik, *(in dieser Bedeutung nur Singular)* Es ist geplant, die Werkhallen mit der neuesten Technik auszustatten.	**technical equipment** It is planned to fit the factory buildings with new technical equipment.
die **Technologie** *N* der Technologie, die Technologien Sie haben im ganzen Unternehmen eine neue Technologie eingeführt. ↳ die Biotechnologie	**technology** They introduced new technology in the whole company. biotechnology
das **Handwerk** *N* des Handwerk(e)s, *(in dieser Bedeutung nur Singular)* Diese Woche findet ein Treffen mit Vertretern aus Industrie und Handwerk statt. ↳ die Handwerkskammer	**trade** This week there will be a meeting with representatives from industry and trade. Chamber of Trades
der **Handwerker** *N* des Handwerkers, die Handwerker	**tradesman**

Einen guten Handwerker zu finden, ist sehr schwer.	It is very difficult to find a good tradesman.
die **Handwerkerin** *N* der Handwerkerin, die Handwerkerinnen	**tradeswoman**
das **Werkzeug** *N* des Werkzeug(e)s, die Werkzeuge Der Installateur hat sein Werkzeug immer im Auto dabei.	**tool** The plumber always has his tools in his car.
der **Hammer** *N* des Hammers, die Hämmer Wenn man ein Bild aufhängen will, braucht man Hammer und Nagel.	**hammer** If you want to hang up a picture, you will need a hammer and nail.
die **Zange** *N* der Zange, die Zangen Die Nägel kannst du mit der Zange entfernen.	**pliers** You can remove the nails with the pliers.
der **Nagel** *N* des Nagels, die Nägel einen Nagel in die Wand schlagen	**nail** hammer a nail into the wall
die **Schraube** *N* der Schraube, die Schrauben Der Möbelhersteller liefert die passenden Schrauben zu jedem Regal. eine Schraube anziehen ↳ der Schraubenzieher	**screw** The furniture producer delivers the screws for each of the shelves. tighten a screw screwdriver
die **Kiste** *N* der Kiste, die Kisten Sein Werkzeug liegt in einer großen Kiste. ↳ die Werkzeugkiste	**box** His tools are kept in a big box. tool box
die **Schnur** *N* der Schnur, die Schnüre Schnüre, die in der Industrie verwendet werden, bestehen aus reißfestem Material.	**cord** Cords which are used in the industry consist of tearproof material.
das **Teil** *N* des Teil(e)s, die Teile Beim TÜV werden alle wesentlichen Teile eines Autos überprüft.	**part** All essential parts of a car are checked by the TÜV.

30.6 Landwirtschaft — Agriculture

die **Landwirtschaft** *N* der Landwirtschaft, die Landwirtschaften Die Landwirtschaft ist der älteste Wirtschaftsbereich der Menschheit.	**agriculture** Agriculture is humanity's oldest economic sector.

↳ landwirtschaftlich	agricultural
der **Bauer** *N* des Bauern, die Bauern = der Landwirt Die Zahl der Bauern in Deutschland ist in den letzten Jahren zurückgegangen. ↳ bäuerlich	**farmer** The number of farmers in Germany has decreased in recent years. rural
die **Bäuerin** *N* der Bäuerin, die Bäuerinnen = die Landwirtin	**farmer**
der **Bauernhof** *N* des Bauernhof(e)s, die Bauernhöfe = der landwirtschaftliche Betrieb Auf dem Bauernhof werden jeden Tag zahlreiche Maschinen eingesetzt.	**farm** agricultural plant A great many machines are used on the farm every day.
das **Feld** *N* des Feld(e)s, die Felder Sie bauen auf den Feldern Weizen an.	**field** They grow wheat on the fields.
pflanzen *V* pflanzt, pflanzte, hat gepflanzt Nächstes Jahr wollen sie auf dem Grundstück Apfel- und Kirschbäume pflanzen. ↳ die Pflanze	**plant** They want to plant apple and cherry trees on the property next year. plant
die **Ernte** *N* der Ernte, die Ernten Bei der Ernte helfen viele Menschen mit. ↳ ernten	**harvest, crop** Many people help with the harvest. harvest
ziehen *V* zieht, zog, hat gezogen In manchen Ländern, in denen es keine landwirtschaftlichen Maschinen gibt, zieht ein Pferd oder ein Ochse den Pflug.	**pull** In some countries without agricultural machines, a horse or an ox pulls the plough.
biologisch *Adj* Die Äpfel stammen alle aus biologischem Anbau.	**organic; organically** The apples are all organically grown.
bio-, Bio- *Präfix (Kurzform für biologisch)* Bio-Lebensmittel sind nicht gentechnisch verändert. ↳ das Bio-Siegel	**organic** Organic foods have not been genetically modified. organic seal
Öko- *Präfix (Abkürzung von Ökologie)* ↳ der Ökobauer, die Ökobäuerin	**eco-** eco farmer

ökologisch *Adj*	**ecological**
Bio-Lebensmittel werden durch Gesetze der EU definiert: Sie müssen aus ökologischem Anbau stammen.	Organic foods are defined by EU laws: They have to come from ecological production.
↳ die Ökologie	ecology
säen *V*	**sow**
sät, säte, hat gesät	
Wie früh kann man Weizen säen?	How early can wheat be sown?
↳ die Saat	sowing
der **Acker** *N*	**field**
des Ackers, die Äcker	
Früher wurden Äcker mit Pflug und Pferd bearbeitet, heute mit Traktoren.	In the past fields were tilled with plough and horse; today they are tilled with tractors.
↳ der Ackerbau	(arable) farming
das **Vieh** *N*	**livestock, cattle**
des Vieh(e)s, *(nur Singular)*	
Im Winter steht das Vieh im Stall, im Sommer ist es draußen auf der Weide.	In the winter the livestock is in the barn, in the summer it is outside on the field.
der **Stall** *N*	**hen house; cowshed**
des Stall(e)s, die Ställe	
Oft sind die Ställe für Hühner zu klein und eng.	Hen houses are often too small and narrow.
züchten *V*	**breed; cultivate**
züchtet, züchtete, hat gezüchtet	
Der Landwirt konnte eine neue Rinderrasse züchten, die selten krank wird.	The farmer was able to breed a new kind of cattle which is rarely ill.
Man versucht, Getreide zu züchten, das gegen Schädlinge resistent ist.	There are attempts to cultivate grain which is resistent to pests.
↳ die Zucht	breeding
das **Schwein** *N*	**pig**
des Schwein(e)s, die Schweine	
Auf dem Bauernhof gibt es Schweine und Kühe.	There are pigs and cows on the farm.
↳ die Schweinehaltung	pig husbandry
die **Kuh** *N*	**cow**
der Kuh, die Kühe	
Die Kühe werden morgens und abends gemolken.	The cows are milked in the morning and in the evening.
das **Rind** *N*	**cow; bull**
des Rind(e)s, die Rinder	
Die Rinder werden zum Schlachthof transportiert.	The cows are transported to the slaughter-house.
↳ die Rinderhaltung	cattle farming
das **Pferd** *N*	**horse**
des Pferd(e)s, die Pferde	

Auf dem Reiterhof kann man auf Pferden oder Ponys reiten.	You can ride on horses or ponies at the riding school.
das **Schaf** *N*	**sheep**
des Schaf(e)s, die Schafe	
Die Schafe müssen einmal im Jahr geschoren werden.	The sheep have to be sheared once a year.
die **Wolle** *N*	**wool**
der Wolle, die Wollen *(Fachsprache)*	
Aus dem Fell der Schafe wird Wolle gewonnen.	Wool is obtained from the pelt of sheep.
↳ die Baumwolle	cotton
das **Huhn** *N*	**hen**
des Huhn(e)s, die Hühner	
Die Eier sind von Hühnern aus Freilandhaltung.	The eggs come from free-range hens.

31 Zeit

31.1 Der Tag | The day

der **Tag** *N* des Tag(e)s, die Tage Welchen Tag haben wir heute? Er arbeitet Tag und Nacht.	**day** What day is it today? He is working day and night.
ganz *Adj* Du kannst mich den ganzen Tag anrufen.	*here:* **all** You can call me all day.
täglich *Adj* Heute musste sie ihre tägliche Yogaübung ausfallen lassen. Sie geht täglich spazieren.	**daily; every day** Today she had to skip her daily yoga session. She goes for a walk every day.
tagsüber *Adv* Wenn er nachts arbeitet, schläft er tagsüber.	**during the day** When he works at night, he sleeps during the day.
der **Morgen** *N* des Morgens, die Morgen	**morning**
am Morgen *(D, CH)* = morgens Am Morgen schien noch die Sonne, mittags regnete es schon.	**in the morning** The sun was shining in the morning, but there was some rain at midday.
in der Früh *(A)* Er frühstückt nie in der Früh.	**early in the morning** He never has breakfast early in the morning.

morgens *Adv*	**in the morning**
≠ abends	in the evening
Isabel ist morgens immer noch müde.	Isabel is still tired in the morning.
der **Vormittag** *N*	**morning**
des Vormittag(e)s, die Vormittage	
Ich gehe morgen Vormittag mit meiner Mutter einkaufen.	I'm going shopping with my mother tomorrow morning.
am Vormittag	**in the morning**
Ich habe am Vormittag einen Arzttermin.	I have a doctor's appointment in the morning.
vormittags *Adv*	**in the morning; in the mornings**
= am Vormittag	
Meine Mutter ist vormittags immer zu Hause.	My mother is always at home in the mornings.
der **Mittag** *N*	**midday, lunchtime**
des Mittag(e)s, die Mittage	
Wollen wir uns gegen Mittag treffen?	Shall we meet around lunchtime?
Über Mittag sind in Spanien viele Geschäfte geschlossen.	Many shops are closed in Spain at lunchtime.
↳ das Mittagessen	lunch
am Mittag	**at lunchtime**
= mittags	
Am Mittag ist es am wärmsten.	It is the warmest at lunchtime.
der **Nachmittag** *N*	**afternoon**
des Nachmittag(e)s, die Nachmittage	
Sie verbrachten den Nachmittag gemeinsam.	They spent the afternoon together.
nachmittags *Adv*	**in the afternoon**
= am Nachmittag	
Die Kinder machen nachmittags immer die Hausaufgaben.	The children always do their homework in the afternoon.
der **Abend** *N*	**evening**
des Abends, die Abende	
Morgen Abend kommen Freunde zu uns.	Friends will visit us tomorrow evening.
heute Abend	this evening
am Abend	**in the evening**
= abends	
Am Abend gehen sie ins Konzert.	They are going to a concert in the evening.
die **Nacht** *N*	**night**
der Nacht, die Nächte	
Die Nächte sind sehr kalt.	The nights are very cold.
in der Nacht	**at night; during the night**
Ich bin in der Nacht mehrere Male aufgewacht.	I woke up several times during the night.

nachts *Adv* Er kam spät nachts nach Hause.	**at night** He came home late at night.
die **Mitternacht** *N* der Mitternacht, die Mitternächte Er ist erst nach Mitternacht eingeschlafen. Um Mitternacht schlagen die Kirchturmglocken.	**midnight** He didn't fall asleep until after midnight. The church bells struck at midnight.
heute *Adv* Heute habe ich keine Zeit für dich.	**today** I do not have time for you today.
morgen *Adv* Benny hat morgen Geburtstag.	**tomorrow** It is Bennys birthday tomorrow.
übermorgen *Adv* Wollen wir übermorgen joggen gehen?	**the day after tomorrow** Shall we go jogging the day after tomorrow?
gestern *Adv* Gestern war Sonntag.	**yesterday** Yesterday was Sunday.
vorgestern *Adv* Warum bist du vorgestern nicht gekommen?	**the day before yesterday** Why didn't you come the day before yesterday?

31.2 Die Woche — The week

die **Woche** *N* der Woche, die Wochen Sie treffen sich in der nächsten Woche. unter der Woche	**week** They'll meet next week. during the week
wöchentlich *Adj* Die wöchentlichen Besuche ihrer Tochter freuen sie sehr. Anne besucht ihren Vater zweimal wöchentlich.	**weekly; a week** Her daughter's weekly visits please her very much. Anne visits her father twice a week.
der **Wochentag** *N* des Wochentag(e)s, die Wochentage Die Tankstellen sind an allen Wochentagen geöffnet.	**weekday** The filling stations are open on all weekdays.
werktags *Adv* Die Geschäfte sind nur werktags geöffnet, am Sonntag sind sie zu. ↳ der Werktag	**on workdays** The shops are only open on workdays, they are closed on Sunday. workday, working day *(BE)*
das **Wochenende** *N* des Wochenendes, die Wochenenden Wie war dein Wochenende? am Wochenende	**weekend** How was your weekend? **at the weekend, on the weekend** *(AE)*
der **Montag** *N* des Montag(e)s, die Montage	**Monday**

Kommst du am Montag oder Dienstag zu mir? – Montag ist mir lieber.	Will you be coming to visit me on Monday or Tuesday? – I would prefer Monday.
der **Dienstag** *N* des Dienstag(e)s, die Dienstage	**Tuesday**
der **Mittwoch** *N* des Mittwoch(e)s, die Mittwoche	**Wednesday**
der **Donnerstag** *N* des Donnerstag(e)s, die Donnerstage	**Thursday**
der **Freitag** *N* des Freitag(e)s, die Freitage	**Friday**
der **Samstag** *N* des Samstag(e)s, die Samstage = der Sonnabend *(D, vor allem norddeutsch und ostmitteldeutsch)*	**Saturday**
der **Sonntag** *N* des Sonntag(e)s, die Sonntage	**Sunday**

montags, dienstags, mittwochs ...

These adverbs derived from the days of the week are written with a small letter. They mean every Monday (jeden Montag), every Tuesday (jeden Dienstag), etc.:
montags, dienstags, mittwochs, donnertags, freitags, samstags / sonnabends, sonntags

When following am (an + dem), the weekdays are written with a capital letter:
am Montag, am Dienstag, am Mittwoch, am Donnerstag, am Freitag, am Samstag / am Sonnabend, am Sonntag

When combined with parts of the day, the weekdays are written with a capital letter:
am Montagmorgen, am Dienstagmittag, am Mittwochabend etc.

31.3 Monate — Months

der **Monat** *N* des Monat(e)s, die Monate In welchem Monat hast du Geburtstag? – Im Oktober.	**month** In which month is your birthday? – In October.
monatlich *Adj*	**monthly**
der **Januar** *N (D, CH)* des Januars, die Januare *(selten)* Die schriftliche Prüfung ist im Januar.	**January** The written test is in January.

der **Jänner** *N (A)* des Jänner(s), die Jänner *(selten)*	**January**
der **Februar** *N (D, CH)* des Februar(s), die Februare *(selten)*	**February**
der **Feber** *N (A)* des Febers, die Feber *(selten)*	**February**
der **März** *N* des März(es), die Märze *(selten)* Dieses Jahr ist Ostern schon im März.	**March** This year, Easter is in March.
der **April** *N* des April(s), die Aprile *(selten)*	**April**
der **Mai** *N* des Mai(e)s, die Maie *(selten)*	**May**
der **Juni** *N* des Junis, die Junis *(selten)* = der Juno	**June** *(spoken form of "Juni" to avoid confusion with "Juli")*
der **Juli** *N* des Julis, die Julis *(selten)* = der Julei [juˈlai]	**July** *(spoken form of "Juli" to avoid confusion with "Juni")*
der **August** *N* des August(e)s, die Auguste *(selten)* Der August ist meistens der wärmste Monat des Jahres.	**August** Usually August is the warmest month of the year.
der **September** *N* des Septembers, die September *(selten)*	**September**
der **Oktober** *N* des Oktobers, die Oktober *(selten)*	**October**
der **November** *N* des Novembers, die November *(selten)*	**November**
der **Dezember** *N* des Dezembers, die Dezember *(selten)*	**December**

31.4 Datum und Jahr — Date and year

das **Datum** *N* des Datums, die Daten Welches Datum haben wir heute?	**date** What date is it today?

am *(an + dem)*
Sie besuchen ihre Tante am nächsten Sonntag.

(on)
They will be visiting their aunt next Sunday.

Dates with *dem, den, von*	
Dates can be in the accusative or dative case.	
Markus kommt am Freitag, **dem** 10. Oktober, in Köln an.	When am is used, either case is possible.
Markus kommt am Freitag, **den** 10. Oktober, in Köln an.	
Markus kommt Freitag, **den** 10. Oktober, in Köln an.	Here the date must be in the accusative case.
Vielen Dank für Ihr Schreiben vom Freitag, **dem** 10. Juli.	Here the date must be in the dative case.

der **Kalender** *N*
des Kalenders, die Kalender

calendar

der Wievielte
Den Wievielten haben wir heute?

what date
What date is it today?

das **Jahr** *N*
des Jahres, die Jahre
In diesem Jahr fahren wir nicht in Urlaub.

year
This year we are not going on holiday.

jährlich *Adj*
Sie müssen einen jährlichen Mitgliedsbeitrag von 150 € zahlen.

annual, yearly
You have to pay an annual membership fee of €150.

das **Jahrzehnt** *N*
des Jahrzehnt(e)s, die Jahrzehnte
= die Dekade
Seit zwei Jahrzehnten steht dieses Haus leer.

decade
This house has been unoccupied for two decades.

das **Jahrhundert** *N (Abkürzung: Jh.)*
des Jahrhunderts, die Jahrhunderte
Im 18. Jahrhundert trugen die Menschen oft Perücken.

century
In the 18th century people often wore wigs.

das **Jahrtausend** *N*
des Jahrtausends, die Jahrtausende
Die Stadt Plowdiw in Bulgarien gilt als die älteste Stadt Europas, sie existiert schon seit dem 6. Jahrtausend vor Christus.

millennium
The city of Plovdiv in Bulgaria is considered the oldest city in Europe, it has existed since the 6th millennium BC.

die **Jahreszeit** *N* — **season**
der Jahreszeit, die Jahreszeiten
Laura findet, dass der Frühling die schönste Jahreszeit ist. — Laura thinks that spring is the nicest season.

der **Frühling** *N* — **spring**
des Frühlings, die Frühlinge
= das Frühjahr
Im Frühling fangen viele Blumen an zu blühen. — Many flowers start to bloom in spring.

das **Frühjahr** *N* — **spring**
des Frühjahr(e)s, die Frühjahre
Im Frühjahr steigen die Temperaturen schon auf etwa 25 Grad. — In spring, temperatures can rise as high as around 25 degrees.

der **Sommer** *N* — **summer**
des Sommers, die Sommer
Im Sommer grillen wir gerne im Park. — In the summer, we like to have a barbecue in the park.

der **Herbst** *N* — **autumn** *(BE)*, **fall** *(AE)*
des Herbst(e)s, die Herbste
Mitte September beginnt der Herbst. — Autumn starts in mid-September.

der **Winter** *N* — **winter**
des Winters, die Winter
Im Winter muss man sich meistens warm anziehen. — You usually have to wrap up warmly in the winter.

31.5 Feiertage und Feste — Bank holidays and celebration days

der **Feiertag** *N* — **holiday; bank holiday, public holiday**
des Feiertag(e)s, die Feiertage
Der erste Advent ist ein kirchlicher, aber kein gesetzlicher Feiertag. — The first Sunday in Advent is a church festival but not a bank holiday.

Bank holidays in Germany, Austria, and Switzerland

Neujahrstag	New Year's Day	1st January
Karfreitag	Good Friday	2 days before Easter Sunday
Ostermontag	Easter Monday	1 day after Easter Sunday
Maifeiertag, Tag der Arbeit	Labour Day *(BE)*, May Day *(AE)*	1st May *(Switzerland: This is celebrated, but is not an official holiday)*

Christi Himmelfahrt / Auffahrt *(CH)*	Ascension Day	39 days after Easter Sunday
Pfingstmontag	Whithmonday, Pentekost Monday	50 days after Easter Sunday
1. Weihnachts(feier)tag / Christtag *(A)*	Christmas Day	25th December
2. Weihnachts(feier)tag *(D)* / Stefan(i)tag *(A; CH)*	St Stephen's Day, Boxing Day	26th December

Additional bank holidays in Austria and some parts of Germany		
Heilige Drei Könige	Epiphany	6th January
Fronleichnam	Corpus Christi	60 days after Easter Sunday
Mariä Himmelfahrt	Assumption Day	15th August
Allerheiligen	All Saints' Day	1st November
Mariä Empfängnis	Feast of the Immacuate Conception	8th December

die **Tradition** *N*
der Tradition, die Traditionen
Der Weihnachtsbaum hat eine lange Tradition; der Brauch geht bis ins Mittelalter zurück.

tradition
The Christmas tree has a long tradition; the custom goes back to the Middle Ages.

traditionell *Adj*
traditioneller, am traditionellsten
In Berlin gibt es in der Adventszeit über 80 traditionelle und alternative Weihnachtsmärkte.

traditional
There are over 80 traditional and alternative Christmas fairs in Berlin during the Advent season.

der **Nationalfeiertag** *N*
des Nationalfeiertag(e)s, die Nationalfeiertage
Der österreichische Nationalfeiertag ist der 26. Oktober. An diesem Tag wird das Gesetz zur österreichischen Neutralität von 1955 gefeiert.

national day, national holiday
The Austrian national day is the 26th October. This day celebrates Austria's Declaration of Neutrality enacted in 1955.

National days in Germany, Austria and Switzerland

Germany celebrates its **Tag der Deutschen Einheit** on 3rd October. The Austrian **Nationalfeiertag** is on 26th October, and the **Schweizer Bundesfeiertag** on 1st August.

das **Ostern** *N (meist ohne Artikel)*	**Easter** *(Christian festival celebrating the resurrection of Jesus Christ)*
des Ostern, die Ostern	
Zu Ostern hatten wir kein gutes Wetter.	We didn't have good weather at Easter.
Frohe Ostern!	Happy Easter!
↳ das Osterei	Easter egg
↳ der Osterhase	Easter bunny *(folkloric animal that delivers coloured and chocolate eggs at Easter)*
das **Pfingsten** *N (meist ohne Artikel)*	**Whitsun, Pentecost** *(Christian festival celebrating the descent of the Holy Spirit)*
des Pfingsten, die Pfingsten	
Pfingsten war verregnet.	Pentecost was rainy.
Wir hatten schöne Pfingsten.	We had a nice Pentecost.
das **Weihnachten** *N (meist ohne Artikel)*	**Christmas**
des Weihnachten, die Weihnachten	
An Weihnachten kommt die ganze Familie zusammen.	At Christmas the whole family comes together.
Frohe / Fröhliche Weihnachten	Merry Christmas
↳ der Weihnachtsbaum	Christmas tree
↳ der Weihnachtsmann	Father Christmas
↳ das Christkind	Christ child
↳ der Heiligabend *(meist ohne Artikel)*	Christmas Eve
das **Silvester** *N (meist ohne Artikel)*	**New Year's Eve** *(= 31st of December)*
des Silvesters, die Silvester	
Dieses Jahr feiern wir Silvester mit Freunden.	This year we'll celebrate New Year's Eve with friends.
an / zu Silvester	on New Year's Eve
das **Neujahr** *N (meist ohne Artikel)*	**New Year** *(= 1st of January)*
des Neujahr(e)s, *(nur Singular)*	
= der Neujahrstag	New Year's Day
Neujahr ist ein gesetzlicher Feiertag.	New Year is a bank holiday.
Guten Rutsch (ins neue Jahr)!	Happy New Year!
die **Taufe** *N*	**christening, baptism**
der Taufe, die Taufen	
Am nächsten Sonntag findet die Taufe unserer Tochter in der Moritzkirche statt.	Next Sunday our daughter's christening will be taking place in the Church of Saint Maurice.
jemanden taufen	christen / baptize sb
der **Fasching** *N (D, A)*des Faschings, die Faschings / Faschinge	**carnival** *(custom celebrating the time before Lent)*
Wie verkleidet ihr euch dieses Jahr an Fasching? – Tanja geht als Prinzessin und ich verkleide mich als Clown.	How will you be dressing up for this year's carnival? – Tanja will be going as a princess, I'll be dressing up as a clown.
Helau!	*fools' welcoming call in the carnival period*
↳ der Faschingsumzug	carnival parade
der **Karneval** *N (D)*	**carnival**
des Karnevals, die Karnevale / Karnevals	
= der Fasching	
Er möchte gerne den Kölner Karneval sehen.	He would like to see the Cologne carnival.

die **Fastnacht** *N (CH: Fasnacht)* | **carnival**
der Fastnacht, die Fastnachten
Die Basler Fasnacht beginnt um 4 Uhr morgens mit dem Morgestraich. | The Basel carnival starts with the Morgestraich at 4 a.m.

das **Kostüm** *N* | **costume**
des Kostüm(e)s, die Kostüme
In der Faschingszeit tragen nicht nur Kinder Faschingskostüme sondern auch Erwachsene. | In the carnival period both children and adults wear carnival costumes.
⚠ das Kostüm | (lady's) suit

31.6 Uhrzeit | Time of the day

die **Uhr** *N* | **watch; clock**
der Uhr, die Uhren
Seine Uhr zeigt sogar das Datum an. | His watch even shows the date.
↳ die Armbanduhr | watch
↳ die Stoppuhr | stopwatch

gehen *V* | **work**
geht, ging, ist gegangen
Ich glaube, meine Uhr geht nicht mehr. | I don't think my watch is working any more.
die Uhr geht vor / nach | this watch is fast / slow
die Uhr ist stehen geblieben | the watch / clock has stopped

die **Uhrzeit** *N* | **time (of day)**
der Uhrzeit, die Uhrzeiten
Können Sie mir die Uhrzeit sagen? | Can you tell me the time?
Wie viel Uhr ist es? | What time is it?

die **Zeit** *N (Kurzform für Uhrzeit)* | **time**
der Zeit, die Zeiten
Zu welcher Zeit wollen Sie abfahren? | At what time do you want to depart?

Time of day

Time	Formal pronunciation	Spoken
14:00 Uhr	vierzehn Uhr	zwei (Uhr)
14:15 Uhr	vierzehn Uhr fünfzehn	Viertel nach zwei viertel drei *(regional)*
2:30 Uhr	zwei Uhr dreißig	halb drei
2:45 Uhr	zwei Uhr fünfundvierzig	Viertel vor drei drei viertel drei *(regional)*
0:00 Uhr 24:00 Uhr	null Uhr vierundzwanzig Uhr	Mitternacht

die **Stunde** *N*	**hour**
der Stunde, die Stunden	
Er wartet schon eine ganze Stunde.	He has been waiting for a whole hour.
Sie verdient 10 € pro Stunde.	She is earning €10 an hour.
in anderthalb Stunden *(1,5 Stunden)*	in an hour and a half
↳ die Viertelstunde	quarter of an hour
↳ die Dreiviertelstunde	three-quarters of an hour
stündlich *Adj*	**hourly** *(every hour; all hours)*
= jede Stunde	every hour
Gleich kommen die stündlichen Nachrichten.	It is soon time for the hourly news.
Die Straßenbahn fährt nachts stündlich.	There is a tram every hour at night.
die **Minute** *N*	**minute**
der Minute, die Minuten	
Der Bus kommt in vier Minuten.	The bus will arrive in four minutes.
die **Sekunde** *N*	**second**
der Sekunde, die Sekunden	
Stefan war 1,2 Sekunden früher im Ziel.	Stefan crossed the finishing line 1.2 seconds earlier.
um *Präp*	**at**
Bei uns gibt es um 7 Uhr Abendbrot.	We have dinner at 7 p.m.
Komm doch so um acht zu mir.	Just come to me at around 8 p.m.
vor *Präp*	**to**
Sie kam um zwanzig vor drei. *(14:40 oder 2:40 Uhr)*	She came at twenty to three. *(2.40 a.m. or p.m.)*
kurz vor	**nearly**
≠ kurz nach	just after
Es ist kurz vor neun.	It is nearly nine.
nach *Präp*	**past**
Es ist fünf nach zwei. *(14:05 oder 2:05 Uhr)*	It is five past two. *(2.05 a.m. or p.m.)*
gegen *Adv*	**about**
= ungefähr	approximately
= so um	roughly
Sie ist gegen 23 Uhr ins Bett gegangen.	She went to bed at about 11 p.m.
(um) Punkt	**on the dot**
Wir fangen morgen (um) Punkt acht (Uhr) an.	We will start tomorrow at eight o'clock on the dot.
ab *Präp*	**from (onwards)**
Die Sprechstunde ist montags ab 14 Uhr.	The office hours is on Monday from 2 p.m.
von ... bis	**from ... until**
Das Geschäft ist von 9 bis 20 Uhr geöffnet.	The shop is open from 9 a.m. until 8 p.m.
zwischen *Präp*	**between**

Zwischen 12:30 Uhr und 14:30 Uhr ist die Praxis geschlossen.	The practice is closed between 12.30 a.m. and 2.30 p.m.
höchstens *Adv* = maximal ≠ mindestens Beeil dich bitte. Ich habe höchstens 10 Minuten Zeit.	**no more than, at the most** at least Please hurry up. I have no more than 10 minutes.

31.7 Zeitpunkt — Point in time

sich ereignen *V* ereignet sich, ereignete sich, hat sich ereignet Der Unfall ereignete sich nachts.	**happen; occur** The accident happened at night.
das **Ereignis** *N* des Ereignisses, die Ereignisse Die Geburt unseres ersten Kindes war ein wichtiges Ereignis.	**event** The birth of our first child was an important event.
passieren *V* passiert, passierte, ist passiert Was ist passiert? Hoffentlich ist dir nichts passiert!	**happen** What has happened? Hopefully nothing has happened to you!
vorkommen *V* kommt vor, kam vor, ist vorgekommen Solch ein Fehler sollte nicht noch einmal vorkommen.	**happen; occur** Such a mistake should not happen again.
wann *Adv* Wann kommst du nach Hause? Ab wann hast du frei?	**when** *(as a question)* When are you coming home? When are you off work?
zurzeit *Adv* Zurzeit gibt es im Parkhaus keine freien Plätze.	**at present, at the moment** There are no free spaces in the multi-storey car park at present.
pünktlich *Adj* pünktlicher, am pünktlichsten Seien Sie bitte pünktlich.	**punctual** Please be punctual.
der **Moment** *N* des Moment(e)s, die Momente = der Augenblick Einen Moment, bitte! In diesem Moment ging die Tür auf.	**moment** A moment, please! At that moment the door opened.
im Moment = momentan Tut mir leid, im Moment habe ich keine Zeit.	**at the moment** I am sorry, I have no time at the moment.

der **Augenblick** *N* des Augenblick(e)s, die Augenblicke Hast du einen Augenblick Zeit für mich?	**moment** Do you have a moment?
der **Zeitpunkt** *N* des Zeitpunkt(e)s, die Zeitpunkte Haben Sie ein Alibi? – Ja, zu diesem Zeitpunkt war ich in der Mensa.	**time** Do you have an alibi? – Yes, I was in the canteen at the time.
jetzt *Adv* Herr Kiefer hat jetzt Mittagspause. Bis jetzt hat sie sich nicht gemeldet.	**now** Mr Kiefer is on his lunch break now. She has not called so far.
nun *Adv* = jetzt Er wollte nun seine Ruhe haben. von nun an	**now** He wanted peace and quiet now. henceforth
da *Adv* = in diesem Augenblick Ich wollte gerade das Haus verlassen. Da klingelte das Telefon.	*here:* **when** at this moment I was about to leave the house when the phone rang.
sofort *Adv* Der Krankenwagen muss sofort kommen. ab sofort	**immediately** The ambulance must come immediately. as of now
gleich *Adv* Ich komme gleich! Linda hat gesagt, dass sie gleich da ist.	**in a moment / minute** I'll come in a minute! Linda said that she will be there in a moment.
gerade *Adv* Er ist gerade unter der Dusche.	**at the moment** He is in the shower at the moment.
gerade *Adv* = eben Er ist gerade aus dem Haus gegangen.	**just** He has just left the house.
eben *Adv* Wo bleibst du denn? – Ich bin eben erst angekommen.	**just** Where are you? – I have just arrived.
plötzlich *Adj* = unerwartet Wir waren gerade im Wohnzimmer, als plötzlich der Strom ausfiel. Der plötzliche Tod ihres Mannes war ein Schock für sie.	**suddenly; sudden** unexpected We were in the living room when suddenly the power went off. The sudden death of her husband was a shock to her.
kaum *Adv* Sie hatte kaum die Tür zugemacht, da fing das Baby an zu schreien.	**scarcely, hardly** She had hardly closed the door when the baby started to cry.

als *Konj* Als wir klein waren, spielten wir oft im Garten.	**when** *(refering to a time in the past)* When we were young, we often played in the garden.
sobald *Konj* Ruf mich an, sobald du zu Hause bist.	**as soon as** Call me as soon as you get home.
nachdem *Konj* Nachdem wir die Grenze überquert hatten, fuhren wir nur noch 120 km.	**after** After we crossed the border, we only drove another 120 km.
bevor *Konj* Zieh dir eine Jacke an, bevor du rausgehst.	**before** Put your jacket on before you go outside.
in *Präp (+ Dativ)* In diesem Sommer gibt es viele Kirschen. Ich habe im Januar Geburtstag.	**in** There are a lot of cherries this summer. My birthday is in January.
am *Präp (+ Dativ)* Sie treffen sich regelmäßig am ersten Montag im Monat.	**on** They regularly meet on the first Monday of the month.

→ More temporal prepositions can be found in chapter *34.4 Strukturwörter – Temporale Präpositionen* (p. 553 ff).

31.8 Zeitraum und Dauer — Period of time and duration

die **Zeit** *N* der Zeit, *(in dieser Bedeutung nur Singular)* Tut mir leid, ich habe keine Zeit. Er braucht noch etwas Zeit.	**time** I am sorry, I have no time. He needs some more time.
seit wann Seit wann wohnst du in München?	**since when** Since when have you been living in Munich?
wie lange Wie lange bleibst du in Bern?	**how long** How long are you staying in Bern?
irgendwann *Adv* Irgendwann werden wir uns wiedersehen.	**sometime** We will see each other again sometime.
jemals *Adv* Hast du jemals an mich gedacht während ich weg war?	**ever** Did you ever think of me while I was away?
die **Vergangenheit** *N* der Vergangenheit, *(in dieser Bedeutung nur Singular)* Man sollte aus den Fehlern der Vergangenheit lernen.	**past** You should learn from the mistakes of the past.

damals *Adv* Eine Kugel Eis kostet heute oft über 1 €. Damals, als wir Kinder waren, waren es nur 20 Cent.	**back in those days** Nowadays, a scoop of ice cream often costs more than 1 euro. Back in the days when we were kids, it was only 20 cents.
heute *Adv* = heutzutage Heute haben schon viele Grundschüler ein Smartphone. Früher war alles besser als heute.	**today** these days, nowadays Today many primaryschool pupils have a smart phone. In the past everything was better than nowadays.
früher *Adv* Früher hat Patrick als Hausmeister gearbeitet, heute arbeitet er als Mechaniker.	**in the past** In the past Patrick worked as a caretaker, today he works as a mechanic.
die **Zukunft** *N* der Zukunft, die Zukünfte *(selten)* Niemand weiß, was die Zukunft bringt. In Zukunft solltest du besser aufpassen.	**future** Nobody knows what the future will bring. You should better pay attention in future.
zukünftig *Adj* Darf ich vorstellen: Meine zukünftige Frau. Zukünftig wird es noch mehr Autos geben.	**(in) future** May I introduce you to my future wife? In future there will be more cars.
heutig *Adj* Kannst du bitte alle heutigen Termine absagen? Mir geht es nicht gut.	**today's** Can you please cancel all of today's appointments? I am not feeling well.
werden *V* wird, wurde, ist geworden Er will Weltmeister werden. Was soll aus ihm mal werden?	**become** He wants to become world champion. What is to become of him?
im Voraus Vielen Dank im Voraus!	**in advance** Thank you very much in advance!
voraus *Adv* Durch ihren Fleiß ist sie ihren Mitschülern weit voraus.	**ahead** Her diligence has brought her far ahead of her classmates.
bald *Adv* Ich möchte dich bald wiedersehen. Komm so bald wie möglich.	**soon** I want to see you again soon. Come as soon as possible.
noch *Adv* Sie wird sich noch wundern. Vielleicht kommt Sandra noch. noch nicht	**still, one day** She will be surprised one day. Perhaps Sandra is still coming. not yet
bis dahin	**till then**

Das Seminar fängt erst um 11 Uhr an. Bis dahin können wir noch einen Kaffee trinken gehen.	The seminar doesn't start until 11 a.m. We can go for a coffee till then.
der **Anfang** *N*	**beginning**
des Anfang(e)s, die Anfänge	
≠ das Ende	end
Am Anfang des Studiums hat es ihm noch Spaß gemacht.	At the beginning of his studies he still found it fun.
anfangs *Adv*	**at first, initially**
= am Anfang	
Anfangs fand ich die Arbeit sehr schwer, aber dann wurde es immer besser.	At first I thought the work was very difficult but then it got better and better.
der **Beginn** *N*	**beginning**
des Beginn(e)s, die Beginne *(selten)*	
= der Anfang	
Zu Beginn der Stunde stellt sich jeder Teilnehmer kurz vor.	At the beginning of the lesson every participant briefly introduces himself.
die **Mitte** *N*	**middle**
der Mitte, die Mitten *(selten)*	
Mitte des 19. Jahrhunderts gab es schon Eisenbahnen.	There were trains as early as the middle of the 19th century.
Sie bekommen ihr zweites Kind Mitte April.	They will have their second baby in the middle of April.
das **Ende** *N*	**end**
des Endes, die Enden	
Am Ende des Monats hatte er kein Geld mehr.	He had no money left at the end of the month.
Fred fährt Ende Mai nach Japan.	Fred will travel to Japan at the end of May.
der **Schluss** *N*	**end**
des Schlusses, die Schlüsse	
Um 22 Uhr ist Schluss.	We'll stop at 10 p.m.
Zum Schluss singen wir noch gemeinsam ein Lied.	Finally we'll sing a song together.
schließlich *Adv*	**eventually; finally, at last**
= letztlich	
Eigentlich wollte er nicht mit uns wandern, aber schließlich ging er doch mit.	Originally he did not want to go hiking with us, but eventually he went with us.
endlich *Adv*	**at last**
Wann bist du endlich fertig?	When will you be finished at last?
anfangen *V*	**begin, start**
fängt an, fing an, hat angefangen	
Wann fängt der Kurs an?	When does the course start?
aufhören *V*	**stop**
hört auf, hörte auf, hat aufgehört	
Wann hörte Moni auf, Klavier zu spielen?	When did Moni stop playing the piano?

beenden *V* beendet, beendete, hat beendet Er hat seine Ausbildung im Sommer beendet.	**finish** He finished his education in the summer.
enden *V* endet, endete, hat geendet = zu Ende sein = aufhören Das Vorstellungsgespräch endete gegen 16 Uhr.	**end, finish** finish stop The job interview ended at about 4 p.m.
vorbei *Adv* = zu Ende Schade, der Urlaub ist jetzt vorbei.	**over** What a pity, the holiday is now over.
weiter *Adv* Sprich doch weiter!	**carry on** Carry on talking!
die **Dauer** *N* der Dauer, die Dauern *(Fachsprache)* Sie können hier nur für die Dauer von einer Stunde parken. Auf Dauer ist das Pendeln nichts für mich.	**duration** You can only park here for the duration of one hour. In the long run commuting is not for me.
dauern *V* dauert, dauerte, hat gedauert Wie lange dauert die Veranstaltung? – Zwei Stunden.	**last; take** How long will the event last? – Two hours.
dauernd *Adj* Sie hat dauernd schlechte Laune. Der dauernde Lärm macht mich verrückt.	**all the time, constant** She is in a bad mood all the time. The constant noise drives me crazy.
vorläufig *Adj* Ich sende Ihnen das vorläufige Programm der Tagung. Ihr Haus wurde vom Sturm beschädigt, jetzt wohnen sie vorläufig in einem Hotel.	**preliminary; for the time being** I am sending you the preliminary programme for the conference. Their house was damaged by the storm, they are now living in a hotel for the time being.
endgültig *Adj* Das ist eine endgültige Entscheidung. Ob sie endgültig in Deutschland bleiben, wissen sie noch nicht.	**final; finally; permanently** That is a final decision. They still do not know whether they are permanently staying in Germany.
lange *Adv* länger, am längsten Er musste beim Arzt sehr lange warten. Wenn das noch länger dauert, muss ich gehen.	**long** He had to wait a very long time at the doctor's. If this takes any longer, I'll have to go.
noch lange nicht Wir haben das Problem noch lange nicht gelöst.	**nowhere near** We are nowhere near solving the problem.
immer *Adv* ≠ nie	**always** never

Er denkt, er hat immer recht.	He thinks he is always right.
immer noch / noch immer *(„immer" intensifies the adverb „noch")* Er hat immer noch nicht verstanden, dass man seine Kollegen grüßt.	**still** He still hasn't understood that he must greet his colleagues.
immer *Adv (+ Komparativ)* Er wird immer dicker.	**increasingly** He is getting increasingly fatter.
jederzeit *Adv* Ich bin jederzeit für dich da, das weißt du doch!	**at any time** I am there for you at any time, you know that!
ewig *Adj* Der ewige Stau auf der Autobahn nervt mich. Das dauert ja ewig!	**eternal; forever** *(expressing annoyance)* The eternal traffic jam on the motorway gets on my nerves. That takes forever!
früh *Adj* früher, am früh(e)sten Du kannst mich am frühen Abend anrufen.	**early** You can call me in the early evening.
früh *Adv* = in der Frühe Der Wecker klingelt früh um 6 Uhr. von früh bis spät	**(early) in the morning** The alarm clock goes off (early in the morning) at 6 a.m. from dawn till dusk.
spät *Adj* später, am spätesten Es ist schon sehr spät, ich muss ins Bett. Wie spät ist es?	**late** It is already very late, I have to go to bed. What's the time?, What time is it?
spätestens *Adv* ≠ frühestens Ihr solltet spätestens um 8 Uhr zu Hause sein.	**at the latest** at the earliest You should be at home by 8 p.m. at the latest.
bis zu In dem Fahrstuhl können bis zu 12 Personen mitfahren.	**up to** Up to 12 people can use this elevator.
mitten *Adv* Er ist mitten in der Nacht wach geworden.	**in the middle of** He woke up in the middle of the night.
kurz *Adj* kürzer, am kürzesten Lass uns eine kurze Pause machen. Kann ich dich kurz sprechen?	**short; shortly** Let us take a short break. Can I talk to you for a minute?
seit Kurzem ≠ seit Langem Sie haben seit Kurzem einen Hund.	**since lately; (as of) recently** for a long time They recently got a dog.

vor Kurzem ≠ vor langer Zeit Wir haben erst vor Kurzem darüber gesprochen.	**a short while ago, a short time ago** a long time ago We were only talking about it just a short time ago.
kürzlich *Adv* = vor Kurzem Philipp ist kürzlich Vater geworden.	**recently, not long ago** a short while ago, a short time ago Philipp recently became a father.
bisher *Adv* = bis jetzt Bisher hat alles gut geklappt.	**until now, up to now** so far Everything worked up to now.
vorhin *Adv* Benjamin war vorhin da und hat das Buch für dich abgegeben.	**just (now), a moment ago** Benjamin was here a moment ago and handed in the book for you.
neulich *Adv* = vor einiger Zeit Ich hatte ihn schon lange nicht mehr in der Kirche gesehen, aber neulich war er dort.	**recently** some time ago I had not seen him in church for a long time, but recently he was there.
längst *Adv* Du solltest doch einkaufen gehen. – Das habe ich schon längst gemacht.	**long ago; already** Weren't you supposed to do the shopping? – I have already done it.
mittlerweile *Adv* Hat Christian mittlerweile eigentlich sein Studium beendet?	**in the meantime; (by) now** Has Christian finished his studies now?
schon *Adv* Kann ich dir helfen? – Nein, es ist schon alles fertig.	**already** Can I help you? – No, everything is already finished.
bereits *Adv* = schon Schreib ihr eine Mail. Sie hat bereits mehrmals gefragt.	**already** Write her an email. She has already asked several times.
rechtzeitig *Adj* Eine rechtzeitige Planung ist für größere Feste sehr wichtig. Kommen wir zu spät? – Nein, ihr kommt gerade rechtzeitig.	**early; on/in time** Early planning is very important for major celebrations. Have we come too late? – No, you are just on time.
eher *Adv* Warum hast du mir das nicht eher gesagt?	**earlier, sooner** Why didn't you tell me sooner?
während *Präp (+ Genitiv; ugs. auch Dativ)* Während des Theaterstücks soll man leise sein.	**during** You should be quiet during the play.
während *Konj*	**while**

Während die anderen im Büro sind, liege ich am Strand.	While the others are at the office, I am lying on the beach.
solange *Konj* Solange du Fieber hast und hustest, musst du im Bett bleiben.	**as long as** As long as you have a temperature and a cough you'll have to stay in bed.
gleichzeitig *Adj* Die gleichzeitige Nutzung der Programme ist noch nicht möglich. Wenn ihr alle gleichzeitig redet, verstehe ich nichts.	**simultaneous; at the same time** The programs cannot run at the same time yet. If all of you talk at the same time, I won't be able to understand anything.
nebenbei *Adv* Lars macht seine Hausaufgaben, nebenbei läuft immer noch der Fernseher. Das ist ja nicht viel, das kann ich nebenbei noch erledigen.	**at the same time; on the side** Lars is doing his homework, at the same time the TV is on. That is not much, I can do that on the side.
in *Präp (zeitlich + Dativ)* In diesem Monat haben viele Freunde von mir Geburtstag.	**in** Many of my friends have birthdays this month.
vor *Präp (zeitlich + Dativ)* Sie hat ihre Freundin vor zwei Tagen getroffen.	**ago** She met her friend two days ago.
seit *Präp (+ Dativ)* Die Bahn streikt seit letzter Woche.	**since** The rail workers have been on strike since last week.

→ More temporal prepositions can be found in chapter *34.4 Strukturwörter – Temporale Präpositionen* (p. 553 ff).

seit *Konj* Seit er verheiratet ist, ist er viel besser gekleidet.	**since** Since he married he has been dressing much better.
seitdem *Adv* Auf dem Geburtstag meines Bruders habe ich Alex noch gesehen. Seitdem nicht mehr.	**since then** I saw Alex on my brother's birthday. Since then I have not seen him again.
inzwischen *Adv* = in der Zwischenzeit Bis Sie dran kommen, dauert es noch ein bisschen. Sie können inzwischen noch einmal in die Stadt gehen.	**in the meantime** It will take a while until it is your turn. In the meantime, you can go back to the city.

31.9 Häufigkeiten — Frequency

ab und zu Ab und zu trinkt sie gerne ein Glas Sekt.	**now and then** She likes to drink a glass of sparkling wine now and then.

manchmal *Adv* Er sieht Frau Henke manchmal in der Straßen-bahn.	**sometimes** He sometimes sees Mrs Henke on the tram.
oft *Adv* Wir treffen uns oft.	**often** We often meet.
öfter *Adv* Anfangs hatten wir gar keinen Kontakt, aber jetzt verabreden wir uns öfter.	**more often** At first we had no contact but now we arrange to meet more often.
häufig *Adj* häufiger, am häufigsten = oft Meine Tochter ist häufig krank.	**frequent** often My daughter is frequently ill.
meistens *Adv* Er hat im Büro meistens einen Anzug an.	**mostly** *(nearly always)* He mostly wears a suit at the office.
immer *Adv* ≠ nie Ich werde dich immer lieben.	**always** never I will always love you.
das **Mal** *N* des Mal(e)s, die Male Das nächste Mal fällt der Unterricht aus.	**time** Next time the lesson will be cancelled.
jedes Mal = immer Jana kommt jedes Mal zu spät.	**every time** always Jana comes too late every time.
einmal *Adv* Timo war bisher nur einmal in unserem Klub.	**once** Timo has only been to our club once.
einzig *Adj* Sie ist die einzige Frau in meinem Leben.	**only** She is the only woman in my life.
auf einmal = plötzlich Auf einmal verließ sie das Zimmer.	**suddenly** Suddenly she left the room.
auf einmal = gleichzeitig Die Gäste gingen alle auf einmal.	**at once** The guests went home all at once.
noch einmal *(ugs. auch: noch mal)* Herr Polt ist leider gerade nicht da. Rufen Sie bitte noch einmal an.	**once more, again** Mr Polt is unfortunately not here at the moment. Please call again.
diesmal *Adv* = dieses Mal Diesmal müssen alle pünktlich sein.	**this time** Everyone has to be punctual this time.

wieder *Adv*	**again**
= erneut	
Sie sind dieses Jahr wieder nach Teneriffa gefahren.	They went to Tenerife again this year.
regelmäßig *Adj*	**regular**
regelmäßiger, am regelmäßigsten	
≠ unregelmäßig	irregular
Regelmäßige Mahlzeiten sind ihr sehr wichtig.	Regular meals are very important to her.
ständig *Adj*	**constant; constantly**
Seine ständigen Kopfschmerzen sind eine große Belastung für ihn.	His constant headache is a big burden to him.
Sie ist momentan ständig gestresst.	At the moment she is constantly under stress.
selten *Adj*	**rare; seldom**
Diese Tierart ist sehr selten.	This animal species is very rare.
Er kommt nur selten dazu, Golf zu spielen.	He seldom gets around to playing golf.
nie *Adv*	**never**
Mein Vater war nie zu Hause.	My father was never at home.
In dieses Geschäft gehe ich nie wieder.	I will never go to this shop again.

31.10 Zeitliche Abfolge — Sequence in time

erster, erste, erstes *Ordinalzahl*	**first**
Beim ersten Mal darf man Fehler machen.	You are allowed to make mistakes the first time.
An erster Stelle steht für mich meine Familie.	My family comes first for me.
als Erster / Erste	in first place
erst *Adv*	**(at) first**
= zunächst	at first, initially
= am Anfang	in the beginning
Erst hatte ich gar keine Lust zu segeln, aber dann hat es doch Spaß gemacht.	At first I did not feel like sailing but then it turned out to be fun.
erst *Adv*	**only**
Er kann erst morgen kommen, früher geht es nicht.	He can't come until tomorrow, he can't manage it any earlier.
zuerst *Adv*	**(at) first**
Wer kommt zuerst dran?	Who is first?
Zuerst hatte ich keinen guten Eindruck von dem neuen Schüler, doch später änderte ich meine Meinung.	At first I did not have a good impression of the new pupil, but later I changed my mind.
zunächst *Adv*	**initially, (at) first**
= am Anfang	
Ich will Ihnen zunächst danken.	First, I want to thank you.

ursprünglich *Adj*	**original; originally**
Mein ursprünglicher Plan war zu riskant, deshalb habe ich ihn geändert.	My original plan was too risky, that is why I changed it.
Ursprünglich waren wir in dem Seminar vierzig Studierende. Jetzt sind wir nur noch zehn.	Originally, we were forty students in this seminar. Now we are only ten.
dann *Adv*	**then**
= anschließend	following
Wir gehen erst etwas essen, dann gehen wir ins Theater.	First we'll have dinner out, then we'll go to the theatre.
dann *Adv*	**then**
= in diesem Fall	in this case
Ich habe heute Urlaub. – Dann könnten wir doch shoppen gehen.	I am on holiday today. – We could go shopping then.
danach *Adv*	**after that**
≠ davor	before
Ihr Mann wird gerade noch untersucht. Danach können Sie ihn abholen.	Your husband is being examined at the moment. After that you can pick him up.
nächster, nächste, nächstes *Adj*	**next**
Am nächsten Tag wusste sie nicht mehr, worüber sie gesprochen hatten.	The next day she no longer knew what they had been talking about.
Der Nächste, bitte!	Next please!
davor *Adv*	**before that**
≠ danach	afterwards
Jetzt reitet sie, davor hatte sie Klavierstunde.	Now she goes horseback-riding, before that she used to have piano lessons.
vorher *Adv*	**before**
Nächste Woche fahren wir in Urlaub. Vorher möchte ich noch zum Friseur.	Next week we will go on holiday. Before, though, I would like to go to the hairdresser.
nachher *Adv*	**afterwards; later**
≠ vorher	before
Nachher müssen wir noch einkaufen gehen.	Afterwards we have to go shopping.
hinterher *Adv*	**after that**
Ich esse um 1 Uhr. Hinterher gehe ich ein bisschen spazieren.	I eat at 1 p.m. After that I go for a walk.
Hinterher ist man immer klüger.	You're always wiser after the event.
letzter, letzte, letztes *Adj*	**last**
Das ist deine letzte Chance!	That is your last chance!
Wann hast du ihn das letzte Mal besucht?	When did you last visit him?
zuletzt *Adv*	**finally; last**
Wir haben unseren Opa zuletzt in den Ferien gesehen.	We last saw our grandfather during the holidays.

die **Fortsetzung** *N* der Fortsetzung, die Fortsetzungen Gibt es eine Fortsetzung zu dieser Veranstaltung? Fortsetzung folgt!	**continuation** Is there a continuation of this event? To be continued!
fortsetzen *V* setzt fort, setzte fort, hat fortgesetzt Paul wollte das Gespräch nicht fortsetzen.	**continue** Paul did not want to continue the conversation.
folgen *V* folgt, folgte, ist gefolgt Auf den Monat Mai folgt der Juni.	**follow** The month of May is followed by June.

32 Orientierung im Raum

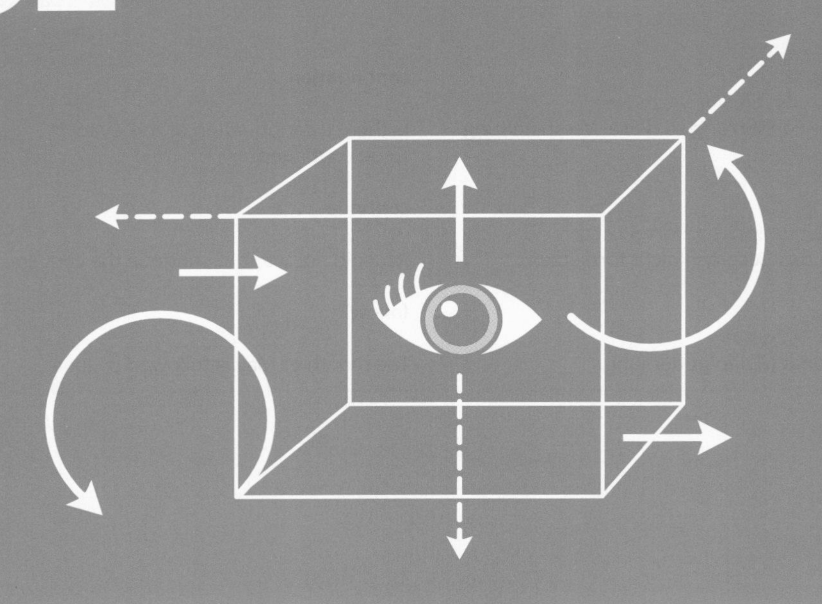

32.1 Im Raum | In a space

der **Ort** *N* des Ort(e)s, die Orte An diesem Ort war ich schon einmal vor vielen Jahren.	**place** I was at this place once many years ago.
die **Grenze** *N* der Grenze, die Grenzen Der Fluss ist die Grenze zwischen beiden Ländern.	**border** The river forms the border between the two countries.
begrenzt *Adj* begrenzter, am begrenztesten Für das Parken der Autos steht nur eine begrenzte Fläche zur Verfügung.	**limited** Only a limited area is available for the parking of cars.
beschränken *V* beschränkt, beschränkte, hat beschränkt Das Steigen der Mieten sollte beschränkt werden.	**limit** The increasing of rents should be limited.
der **Rand** *N* des Rand(e)s, die Ränder Sie standen am Rand der Klippe. ↳ der Stadtrand	**edge** They were standing on the edge of the cliff. outskirts
sich befinden *V* befindet sich, befand sich, hat sich befunden Die Toilette befindet sich hinten links.	**be (located)** The toilets are at the back on the left.

der **Raum** *N* des Raum(e)s, *(in dieser Bedeutung nur Singular)* = der Platz Wir können keine Leute mehr aufnehmen, wir haben keinen Raum mehr zur Verfügung.	**space** place We cannot accommodate any more people, we have no more space.
der **Raum** *N (geografisch)* des Raum(e)s, die Räume Im Raum München werden die Mieten immer teurer.	**area, region** In the Munich area the rents are getting more and more expensive.
räumlich *Adj* räumlicher, am räumlichsten Einige Leute haben Probleme mit dem räumlichen Sehen.	**spatial** Some people have problems with spatial awareness.
zugänglich *Adj* Das Büro von Frau Walther ist von zwei Gebäuden aus zugänglich.	**accessible** Ms Walther's office is accessible from two buildings.
wo *Adv* Wo ist mein Schlüssel?	**where** Where is my key?
hier *Adv* Dein Smartphone ist hier. Wo ist hier der Aufzug?	**here** Your smartphone is here. Where is the lift here?
da *Adv* Siehst du die Frau da hinten? Er hat gesagt, er ist gleich da.	**(over) there** Do you see the woman over there? He said he will be there in a minute.
dort *Adv* = da Gehen Sie auf die Terrasse. Von dort haben Sie eine tolle Aussicht auf das Meer.	**(over) there** Go on the terrace. You have a good view of the sea from there.
in *Präp (+ Dativ oder Akkusativ)* In dem See schwimmen nur wenige Fische. Er geht morgens ins Meer zum Baden.	**in** There are only a few fish in the lake. In the morning he swims in the sea.
auf *Präp (+ Dativ oder Akkusativ)* Der Mann sitzt auf der Couch. Sie steigt heute auf den Berg.	**on** The man sits on the couch. Today she will climb the mountain.

→ For further local prepositions see section *34.4 Lokale Präpositionen* (p. 550 ff).

vorne *Adv* Da vorne ist noch ein Platz frei.	**in front, at the front** There is still a free seat in front.
hinten *Adv* ≠ vorne	**in the back** in front
vorderer, vordere, vorderes *Adj*	**front**

32 Orientierung im Raum

Im vorderen Teil des Gartens sind Blumen, im hinteren Büsche und Bäume. in der vordersten Reihe	Ther are flowers in the front part of the garden, and bushes and trees in the back. in the foremost row
hinterer, hintere, hinteres *Adj* ≠ vorderer, vordere, vorderes	**rear** front
oben *Adv* Sie wohnen oben, im 12. Stock des Hochhauses. Das grüne Handtuch liegt ganz oben.	**at the top, above** They live at the top, on the 12th storey of the high-rise building. The green towel is right on the top.
unten *Adv* ≠ oben	**below** above
oberer, obere, oberes *Adj* Im oberen Teil des Schranks liegen die Pullover, im unteren Teil die Hosen.	**upper, top** The pullovers are in the upper part of the cupboard, the trousers in the lower.
unterer, untere, unteres *Adj* ≠ oberer, obere, oberes	**lower** upper, top
über *Präp (+ Dativ oder Akkusativ)* Der Ort liegt 200 m über dem Meeresspiegel. Wir gehen über die Brücke auf die andere Seite.	**above; over** The place lies 200 m above sea level. We go over the bridge to the other side.
unter *Präp* ≠ über Unter dem Sofa liegt seine Katze und schläft.	**under, underneath** above, over His cat is lying under the sofa, sleeping.
innen *Adv* Von außen sieht das Restaurant ganz schön aus, aber von innen gefällt es mir nicht.	**inside** The restaurant looks quite good from the outside, I don't like the inside.
außen *Adv* ≠ innen	**outside** inside
innerer, innere, inneres *Adj* Der Mann starb an inneren Verletzungen.	**inner, internal** The man died of internal injuries.
äußerer, äußere, äußeres *Adj* ≠ innerer, innere, inneres	**outer** inner
inner- *Präfix* ↳ innerparteilich ↳ innerbetrieblich ↳ innereuropäisch	**within; in-; intra-** within a party in-house intra-European
außer- *Präfix* ≠ inner-	**extra-; out(side) of** intra-, in-
äußerlich *Adj* Die Frau hat keine äußerlichen Verletzungen.	**external** The woman has no external injuries.

Äußerlich wirkt er ruhig. Aber in seinem Inneren ist er ganz aufgewühlt.	He looks calm on the outside, but he's all churned up inside.
drinnen *Adv* Hier drinnen ist es schön warm.	**inside** It is nice and warm inside here.
draußen *Adv* ≠ drinnen	**outside** inside
drin *Adv (Kurzform für darin und drinnen)* Möchtest du noch etwas Wein? In deinem Glas ist ja nichts mehr drin.	*not translated* Would you like some more wine? There is nothing left in your glass.
dahin *Adv* Ich möchte zur Uni laufen. Ist es weit bis dahin?	**there** I would like to walk to university. Is it far to get there?
die **Seite** *N* der Seite, die Seiten Auf dieser Seite sehen Sie das Schloss.	**side** You can see the castle on this side.
daneben *Adv* Auf dem Tisch steht eine Kerze. Daneben liegt die Zeitung.	**next to it** There is a candle on the table. Next to it is the newspaper.
rechts *Adv* Biegen Sie rechts ab. Sie können rechts vom Haus parken.	**right** Turn right. You can park on the right side of the house.
links *Adv* ≠ rechts	**left** right
rechter, rechte, rechtes *Adj* Er spricht mit seinem rechten Nachbarn. Auf der rechten Seite ist die Tankstelle.	**right** He is speaking to the person sitting on his right. The garage is on the right (side).
linker, linke, linkes *Adj* ≠ rechter, rechte, rechtes	**left** right
überall *Adv* Fast überall auf der Welt wird Fußball gespielt.	**everywhere** Football is played nearly everywhere in the world.
nirgends *Adv* ≠ überall Ich habe überall gesucht, aber ich kann mein Handy nirgends finden.	**nowhere, not anywhere** everywhere I have searched everywhere but I cannot find my mobile phone anywhere.
nirgendwo *Adv* = nirgends Sie kann ihre Brille nirgendwo finden.	**nowhere, not anywhere** She cannot find her glasses anywhere.

weg *Adv*
Ich hatte meinen Regenschirm hier hingestellt – jetzt ist er weg.

gone
I put my umbrella here – now it is gone.

weg- *Präfix*
Immer wirfst du die Zeitung weg, bevor ich sie gelesen habe!
↳ wegräumen
↳ wegfahren

away
You are always throwing the newspaper away before I have read it!
clear away
leave, drive away

waag(e)recht *Adj*
Um das Regal richtig an die Wand zu hängen, brauchen wir zuerst eine waagrechte Linie.

horizontal
We'll need a horizontal line before we can hang up the shelf properly on the wall.

senkrecht *Adj*
≠ waag(e)recht

vertical
horizontal

quer *Adv*
Der Hund lief quer durch das Beet.
Der Baum liegt quer auf der Straße.

across
The dog walked right across the flowerbed.
The tree is lying across the road.

32.2 Richtung

Direction

wohin *Adv*
Wohin gehören die Tassen?

where (to)
Where do the cups go?

woher *Adv*
Woher kommen Sie?
Michaela ist schwanger. – Woher weißt du das?

where ... from?
Where are you from?
Michaela is pregnant. – Where did you get that from?

nach *Präp*
Die Sonne wandert von Osten nach Westen.

to
The sun moves from east to west.

→ For further local prepositions see section *34.4 Lokale Präpositionen* (p. 550 ff).

bis *Adv*
Fahren Sie mit der Linie 2 bis zur Endstation.

to
Take the number 2 to the end of the line.

zurück *Adv*
Geh wieder ein kleines Stück zurück, dann siehst du das Schild.

back
Go back a little, than you'll see the sign.

hin *Adv*
Sie läuft zu ihm hin.

here: **towards**
She is walking towards him.

her *Adv*
Komm bitte her!

here
Please come here!

hinunter *Adv*
Gehen Sie diese Straße hinunter. Dann finden Sie auf der rechten Seite den Supermarkt.

down
Walk down the street. Then you will find the supermarket on the right side.

abwärts *Adv* Dort vorne geht die Straße steil abwärts, da kannst du das Rad rollen lassen.	**downhill** The street ahead goes downhill sharply, so you can free-wheel from there.
aufwärts *Adv* Ab der Kreuzung geht es dann immer weiter aufwärts.	**uphill** There's a long uphill stretch after the cross-roads.
herein- *Präfix* Holst du bitte die Kinder herein? Es gibt gleich Abendessen. ↳ hereinkommen	**in** Could you get the children in, please? Dinner is ready. come in
heraus- *Präfix* ≠ herein-	**out** in
rauf- *Präfix* Komm doch rauf!	**up** Come on up!
runter- *Präfix* ≠ rauf-	**down** up
rein- *Präfix (ugs.; Kurzform für herein)* Es fängt an zu regnen. Kannst du bitte die Wäsche reinholen? Komm doch auf eine Tasse Kaffee rein!	**in** It is starting to rain. Could you please bring the washing in? Come in for a cup of coffee!
raus- *Präfix (ugs.; Kurzform für heraus)* ≠ rein-	**out** in
rein *Adv (ugs.; Kurzform für herein und hinein)* Die Katze steht an der Tür. Sie will rein.	**in** The cat is at the door. It wants to come in.
raus *Adv (ugs.; Kurzform für heraus und hinaus)* ≠ rein	**out** in
hierher *Adv* Kommen Sie oft hierher?	**here** Do you come here often?
dorthin *Adv* Ihren Mantel können Sie dorthin legen.	**there** You can put your coat there.
auseinander *Adv* Bastian wohnt in Hamburg, Lucy in München: Sie wohnen also weit auseinander.	**apart** Bastian lives in Hamburg, Lucy in Munich: so they live far apart.

32.3 Nähe, Distanz — Proximity and distance

weit *Adj* weiter, am weitesten Ist es noch weit bis zum Hafen?	**far** Is it still far to the port?

nah, nahe *Adj* — **close, near**
näher, am nächsten
Das Theater ist ganz nah. — The theatre is very close.
Geh nicht so nah an den Rand der Plattform – sonst fällst du runter. — Do not go so near to the edge of the platform – otherwise you'll fall off.

dicht *Adj* — **thick**
dichter, am dichtesten
Es herrscht ganz dichter Nebel – man kann fast nichts sehen. — There is very thick fog – you can hardly see anything.

direkt *Adj* — **direct**
direkter, am direktesten
Wir wohnen direkt an einem Park. — We live directly by a park.
Das ist der direkteste Weg zu dem Restaurant. — That is the most direct way to the restaurant.

---

mitten *Adv* — **in the middle**
Mitten im Raum steht ein Klavier. — A piano is in the middle of the room.

mittlerer, mittlere, mittleres *Adv* — **middle**
Die mittleren Plätze sind beliebter als die am Rand. — The middle seats are more popular than the ones at the sides.

zwischen *Präp (+ Dativ oder Akkusativ)* — **between**
Zwischen den Koffern steht eine Tasche. — There is a bag between the suitcases.
Sie stellt sich zwischen ihre Geschwister. — She goes and stands between her brothers and sisters.

drüben *Adv* — **over there**
Da drüben ist eine Bäckerei. — Over there is a bakery.

gegenüber *Präp (+ Dativ)* — **opposite**
Der Sportplatz liegt gegenüber der Schule. — The sport field lies opposite the school.

gegenüber *Adv* — **opposite**
Sein bester Freund wohnt gleich schräg gegenüber. — His best friend lives almost right opposite him.

nebenan *Adv* — **next door**
Nebenan ist ein Friseur. — Next door is a hairdresser.
Das Haus nebenan stammt aus dem 19. Jahrhundert. — The house next door is from the 19th century.

parallel *Adj* — **parallel**
Diese Straße verläuft parallel zur Bahnhofsstraße. — This street runs parallel to Bahnhofsstraße.

→ For further local prepositions see section *34.4 Lokale Präpositionen* (p. 550 ff).

nächster, nächste, nächstes *Adj* — **next**
Halte bitte an der nächsten Kreuzung. — Please stop at the next crossroads.

letzter, letzte, letztes *Adj* — **last**
Bei dem letzten Baum auf der rechten Seite steht eine Bank. — There is a bench on the right by the last tree.

hinterher *Adv* Der Hund läuft ihr hinterher.	**behind** The dog walks behind her.
anfangen *V* fängt an, fing an, hat angefangen Hier fängt das Grundstück des Nachbarn an.	**begin** The neighbours estate begins here.
aufhören *V* hört auf, hörte auf, hat aufgehört Hier hört der Weg auf.	**stop** The path stops here.
enden *V* endet, endete, hat geendet = aufhören ≠ anfangen	**end** stop begin
die **Distanz** *N* der Distanz, die Distanzen = der Abstand = die Entfernung Die Distanz zwischen den beiden Fahrradfahrern beträgt nur wenige Meter.	**distance** There is only a few metres' distance between the cyclists.
die **Entfernung** *N* der Entfernung, die Entfernungen Die Entfernung zwischen Amsterdam und Madrid ist groß. ↳ entfernt ↳ die Ferne	**distance** Amsterdam and Madrid are separated by a great distance. distant distance
die **Mitte** *N* der Mitte, die Mitten *(selten)* In der Mitte des Kuchens ist eine Geburtstagskerze.	**middle** A candle is in the middle of the cake.
die **Nähe** *N* der Nähe, *(nur Singular)* Wir wohnen jetzt ganz in der Nähe vom Stadtpark.	**proximity** *(here: close to; near)* We are living quite close to the town park now.
sich nähern *V* nähert sich, näherte sich, hat sich genähert Die Katze nähert sich ganz langsam.	**approach, get closer** The cat is approaching very slowly.
sich entfernen *V* entfernt sich, entfernte sich, hat sich entfernt ≠ sich nähern Die Löwenmutter entfernt sich immer weiter von ihren Babys.	**go away** get closer, approach The mother lion continues to move away from her cubs.

32.4 Abmessungen | Measurements

die **Länge** *N* der Länge, die Längen Auf der Autobahn gibt es einen Stau von 5 Kilometern Länge.	**length** There is a traffic jam on the motorway 5 kilometres in length.
die **Höhe** *N* der Höhe, die Höhen Das Flugzeug fliegt in einer Höhe von 8000 Fuß.	**height; altitude** The plane is flying at an altitude of 8,000 feet.
die **Breite** *N* der Breite, die Breiten Sie haben die Auswahl zwischen Betten mit einer Breite von 90 cm oder 1,40 m.	**width** You can choose a bed 90 cm or 1.40 m in width.
die **Tiefe** *N* der Tiefe, die Tiefen Sogar in einer Tiefe von 10.000 Metern gibt es im Meer noch Lebewesen.	**depth** There are living creatures in the sea even at a depth of 10,000 metres.
die **Fläche** *N* der Fläche, die Flächen = das Areal Es kam zu einem Waldbrand auf einer Fläche von 100.000 Quadratmetern.	**area** There was a forest fire on an area of 100,000 square metres.
die **Größe** *N* der Größe, die Größen Die Größe der Hotelzimmer ist verschieden: Sie liegt zwischen 18 und 32 Quadratmetern.	**size** The hotel rooms range in size from 18 to 32 square metres.
die **Abmessung** *N* der Abmessung, die Abmessungen Die Abmessungen der Waschmaschinen sind genormt. = das Maß	**measurements, size** Washing machines come in standard sizes. measure
lang *Adj* länger, am längsten Das Kleid ist zu lang.	**long** The dress is too long.
kurz *Adj* kürzer, am kürzesten ≠ lang Haben Sie auch kürzere Röcke?	**short** long Have you also got shorter skirts?
(Meterangabe +) hoch *Adj* Der Eiffelturm in Paris ist 324 Meter hoch.	**high** *(used together with metre)* The Eiffel Tower in Paris is 324 metres high.
hoch *Adj* höher, am höchsten Hoch über dem See liegt ein kleines Dorf.	**high; tall** High above the lake lies a small village.

Direkt vor unserem Grundstück wird ein sehr hohes Haus gebaut.	A very tall building is being built directly in front of our property.
breit *Adj* breiter, am breitesten Wie breit ist der Schreibtisch? Passt er noch hierhin?	**wide** How wide is the desk? Will it fit here?
tief *Adj* tiefer, am tiefsten ≠ flach Der Fluss ist an dieser Stelle nicht sehr tief.	**deep** flat, low The river is not very deep at this point.
tief *Adj* tiefer, am tiefsten Die Waschmaschine ist 85 cm hoch, 60 cm breit und 60 cm tief.	**deep** The washing machine is 85 cm high, 60 cm wide, and 60 cm deep.
flach *Adj* flacher, am flachsten ≠ hoch Ein Bungalow hat ein flaches Dach. Zu diesem Kleid passen keine Schuhe mit flachen Absätzen.	**flat** high A bungalow has a flat roof. Shoes with flat heels do not go well with this dress.
groß *Adj* größer, am größten Wir wohnen in einem großen Haus.	**big, large** We live in a big house.
klein *Adj* kleiner, am kleinsten ≠ groß	**small** big
niedrig *Adj* niedriger, am niedrigsten ≠ hoch Das Haus hat sehr niedrige Decken.	**low** high The house has very low ceilings.

33 Farben, Formen, Materialien

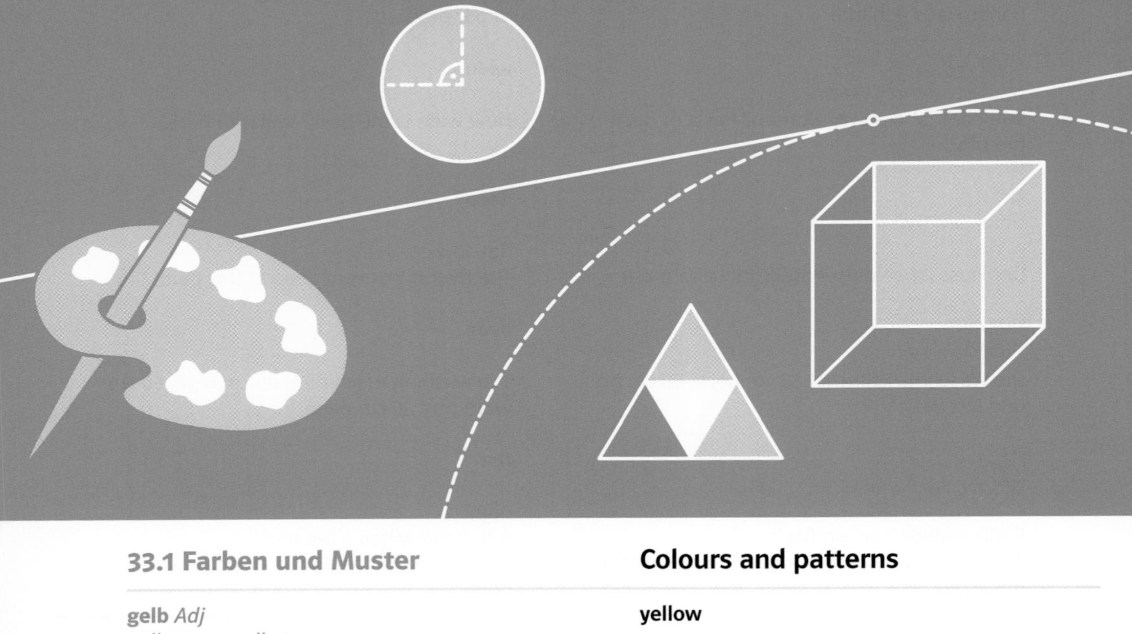

33.1 Farben und Muster — Colours and patterns

33.1 Farben und Muster	Colours and patterns
gelb *Adj* gelber, am gelbsten	**yellow**
rot *Adj* röter / roter, am rötesten / rotesten *(selten)* 🖼 rotsehen	**red** see red (become angry)
rosa *Adj (indeklinabel)* Zur Geburt ihrer Tochter bekam sie ein rosa Jäckchen. 🖼 etwas durch eine rosarote Brille sehen	**(pale) pink** She received a small pink jacket on the birth of her daughter. see sth through rose-tinted glasses
lila *Adj (indeklinabel)* Amelie hat sich die Haare lila gefärbt.	**purple** Amelie has dyed her hair purple.
violett *Adj* violetter, am violettesten	**violet**
braun *Adj* brauner, am braunsten braun gebrannt	**brown** have a tan, be tanned
blau *Adj* blauer, am blausten 🖼 blau sein ↳ himmelblau	**blue** be drunk sky-blue, azure

grün *Adj* grüner, am grünsten Er freut sich über die ersten grünen Blätter im Frühling. alles (ist) im grünen Bereich	**green** He is happy to see the green leaves in spring. everything is as it should be
orange [oˈrãːʒə, oˈrãːʃ] *Adj* Katinka gefallen orange Blumen besonders gut.	**orange** Katinka likes orange flowers very much.
beige [beːʃ, bɛːʃ] *Adj* Die beige Handtasche passt zu ihrem Kleid.	**beige** The beige handbag matches her dress.
schwarz *Adj* schwarzsehen ↳ pechschwarz	**black** be pessimistic jet black
weiß *Adj* weißer, am weißesten ↳ schneeweiß	**white** snow white
grau *Adj* grauer, am grausten	**grey** *(BE)*, **gray** *(AE)*

hell- & dunkel-

hell- (light) and **dunkel-** (dark) can be prefixed to any colour adjective.

hellgrün, hellblau, hellgrau	light green, light blue, light grey
dunkelrot, dunkelblau, dunkelgrün	dark red, dark blue, dark green

die **Farbe** *N* der Farbe, die Farben Die Farbe ihrer Augen ist graublau.	**colour** *(BE)*, **color** *(AE)* The colour of her eyes is grey-blue.
farbig *Adj* ≠ farblos Ich finde Bücher mit farbigen Abbildungen interessanter als mit schwarz-weißen.	**coloured** *(BE)*, **colored** *(AE)* colourless, colorless I find books with coloured pictures more interesting than those with black and white.
bunt *Adj* bunter, am buntesten Bei Beerdigungen sollte man keine bunte, sondern schwarze Kleidung tragen.	**colourful** You should not wear colourful but black clothes at funerals.
kariert *Adj* Findest du das karierte Hemd schön?	**checked** Do you like the checked shirt?
gestreift *Adj* Marlene trägt einen gestreifen Pullover.	**striped** Marlene is wearing a striped pullover.

gepunktet *Adj*	**dotted**
Der blau-weiß gepunktete Rock steht ihr gut.	The blue and white dotted skirt suits her.
das **Muster** *N*	**pattern**
des Musters, die Muster	
Wir suchen einen Teppich ohne Muster.	We are looking for a carpet without a pattern.

33.2 Formen — Shapes

die **Form** *N*	**shape, form**
der Form, die Formen	
Die Vase hat eine elegante Form.	The vase has an elegant shape.
der **Kreis** *N*	**circle**
des Kreises, die Kreise	
Setzt euch in einen Kreis.	Sit down in a circle.
das **Kreuz** *N*	**cross**
des Kreuzes, die Kreuze	
Er hat sein Kreuz an der richtigen Stelle gemacht.	He has made his cross at the right place.
↳ ankreuzen	mark sth with a cross
das **Dreieck** *N*	**triangle**
des Dreiecks, die Dreiecke	
das **Quadrat** *N*	**square**
des Quadrat(e)s, die Quadrate	
= das Viereck	four-sided figure; quadrilateral
das **Rechteck** *N*	**rectangle**
des Rechteck(e)s, die Rechtecke	

rund *Adj*	**round, circular**
Alle sitzen an einem runden Tisch.	Everybody sits at a round table.
eckig *Adj*	**square**
eckiger, am eckigsten	
≠ rund	round
Neben dem Sofa steht ein kleiner eckiger Tisch.	Next to the couch, there is a small square table.
↳ rechteckig	rectangular
↳ viereckig	quadrangular, square
gerade *Adj*	**straight**
Der Baum wächst gerade.	The tree grows straight.
Steh gerade!	Stand up straight!
schief *Adj*	**crooked, not straight**
schiefer, am schiefsten	
≠ gerade	straight
Das Haus steht schief.	The house stands crooked.

spitz *Adj* spitzer, am spitzesten Der Hai hat spitze Zähne. Sein Bleistift ist nicht spitz.	**sharp** The shark has sharp teeth. His pencil is not sharp.
schmal *Adj* schmaler / schmäler, am schmalsten Auf diesem Feldweg kann kein Auto fahren, er ist zu schmal.	**narrow; thin** No car can drive on this country lane, it is too narrow.
lang *Adj* länger, am längsten Das Kleid ist zu lang. ≠ kurz	**long** The dress is too long. short
kurz *Adj* kürzer, am kürzesten	**short**
riesig *Adj* ≠ winzig Die Berge im Himalaya sind riesig.	**huge** tiny The mountains in the Himalayas are huge.

→ See also chapter *32.4 Abmessungen* (p. 526 ff).

33.3 Materialien und ihre Eigenschaften

Materials and their properties

das **Material** *N* des Materials, die Materialien Aus welchem Material ist der Pullover?	**material** What material is the pullover made of?
der **Stoff** *N* des Stoff(e)s, die Stoffe = das Gewebe Aus dem Stoff ließ sie von der Schneiderin Gardinen nähen.	**cloth** fabric She had a dressmaker sew curtains from the cloth.
die **Wolle** *N* der Wolle, *(nur Singular)* Um einen Pullover für ein Baby zu stricken, braucht man nur wenige Knäuel Wolle.	**wool** You only need a few balls of wool to knit a pullover for a baby.
das **Leder** *N* des Leders, die Leder Diese Schuhe sind nicht aus echtem Leder, sondern aus Kunstleder.	**leather** These shoes are not made of real but imitation leather.
echt *Adj* echter, am echtesten ≠ unecht	**real; genuine** imitation, artificial, fake

rein *Adj* reiner, am reinsten Der Rock ist aus reiner Seide.	**pure** The skirt is of pure silk.
die **Baumwolle** *N* der Baumwolle, *(nur Singular)* Kleidung aus Baumwolle kann man bei 60 Grad waschen.	**cotton** Cotton clothing can be washed at 60 degrees.
die **Seide** *N* der Seide, die Seiden Sie besitzt ein Kleid aus roter Seide.	**silk** She has a dress of red silk.
der **Faden** *N* des Fadens, die Fäden Im Oberteil sind Fäden aus Gold eingearbeitet.	**thread** Threads of gold have been worked into the top.
die **Kunstfaser** *N* der Kunstfaser, die Kunstfasern Die Strumpfhose ist aus Kunstfaser.	**synthetic fibre** *(BE)* **/ fiber** *(AE)* The tights are of synthetic fibre.
das **Plastik** *N* des Plastiks, *(nur Singular)* Haben Sie auch Tüten aus Papier? Die aus Plastik gehen so schnell kaputt. ↳ die Plastiktüte	**plastic** Do you also have paper bags? The plastic ones tear too easily. plastic bag
der **Kunststoff** *N* des Kunststoff(e)s, die Kunststoffe Die Gartenstühle sind aus Kunststoff.	**synthetic material, plastic** The lawn chairs are out of synthetic material.
das **Holz** *N* des Holzes, die Hölzer Der Schrank ist aus massivem Holz.	**wood** The wardrobe is of solid wood.
verwenden *V* verwendet, verwendete, hat verwendet = benutzen Sie verwendet natürliche Materialien, um Spielzeug herzustellen.	**use** She uses natural materials for making toys.
das **Metall** *N* des Metalls, die Metalle Das Regal ist nicht aus Holz, sondern aus Metall.	**metal** The shelves are not made of wood but metal.
das **Gold** *N* des Gold(e)s, *(nur Singular)* Gold ist ein sehr weiches Edelmetall.	**gold** Gold is a very soft precious metal.

das **Silber** *N*	**silver**
des Silbers, *(nur Singular)*	
Sie macht Schmuck aus Silber.	She makes silver jewellery.
neu *Adj*	**new**
neuer, am neu(e)sten	
≠ alt	old
Die Schuhe sind ganz neu.	The shoes are brand new.
wie neu aussehen	look as good as new
alt *Adj*	*here:* **stale**
älter, am ältesten	
≠ frisch	recent, fresh
Das Brot ist alt.	The bread is stale.
ganz *Adj (ugs.)*	**intact**
Mein Handy ist runtergefallen, aber zum Glück ist es noch ganz.	I dropped my mobile phone but fortunately it is still intact.
kaputt *Adj (ugs.)*	**broken**
kaputter, am kaputtesten	
= beschädigt	damaged
= defekt	faulty
Die Tasse ist kaputt.	The cup is broken.
Die Kaffeemaschine ist kaputt.	The coffee machine is broken.
hart *Adj*	**hard; tough**
härter, am härtesten	
Ich mag kein altes Brot. Es ist hart.	I do not like stale bread. It is hard.
weich *Adj*	**soft**
weicher, am weichsten	
≠ hart	hard
Ist ein hartes oder ein weiches Bett gesünder?	Is a hard or a soft bed healthier?
ein weiches / weichgekochtes Ei	a soft-boiled egg
fest *Adj*	**solid; strong**
fester, am festesten	
≠ weich	soft
Das Eis ist seit vier Stunden im Eisfach, aber es ist immer noch nicht richtig fest.	The ice cream has been in the freezer compartment for four hours, but it is still not really solid.
dick *Adj*	**thick; big**
dicker, am dicksten	
Die Mauern des Hauses sind dick.	The walls of the house are thick.
dünn *Adj*	**thin**
dünner, am dünnsten	
≠ dick	thick
Wenn du nur diesen dünnen Pullover anhast, wirst du frieren.	If you only wear this thin pullover, you will feel cold.

34 Sprache und Grammatik

34.1 Ursache, Folge, Zweck — Cause, consequence and purpose

die **Ursache** *N*	**cause**
der Ursache, die Ursachen	
Kennt man schon die Ursache für den Brand?	Do they already know what caused the fire?
↳ die Unfallursache	cause of the accident
verursachen *V*	**cause**
verursacht, verursachte, hat verursacht	
Wer hat den Unfall verursacht?	Who has caused the accident?
der **Grund** *N*	**reason**
des Grund(e)s, die Gründe	
Warum hast du Marcels Hilfe nicht angenommen? – Ich hatte meine Gründe.	Why didn't you accept Marcel's help? – I had my reasons.
warum *Adv*	**why**
Warum bist du gestern Abend nicht gekommen?	Why didn't you come yesterday evening?
wieso *Adv*	**why, how come**
= warum	
Wann triffst du Henri? – Wieso fragst du?	When are you meeting Henri? – Why do you ask?

→ See also chapter *13.3 Fragen und Antworten* (p. 211 ff).

weshalb *Adv*	**why**
= warum	
Weshalb rufst du an?	Why are you calling?
deshalb *Adv*	**therefore, that is why**

Moritz und Isabell haben Besuch. Deshalb sind sie nicht zu meiner Party gekommen.	Moritz and Isabell have visitors. That is why they did not come to my party.
deswegen *Adv* = deshalb Unsere Nachbarn sind verreist. Deswegen brennt bei ihnen abends kein Licht.	**therefore, that is why** Our neighbours are away. That is why there is no light on in the evening.
daher *Adv* = deswegen Er ist arbeitslos, und hat daher wenig Geld.	**that is why** He is unemployed. That is why he doesn't have much money.
darum *Adv* = daher Leonie ist krank, darum kann sie nicht mit ins Kino kommen.	**that is why** Leonie is ill. That is why she cannot come to the cinema with us.
wegen *Präp (+ Genitiv; ugs. auch: + Dativ)* Er schwitzte wegen der großen Hitze. Wegen dem Unfall kam er zu spät zur Arbeit.	**because of** He was sweating because of the extreme heat. He came late to work because of the accident.
so ... dass Es war so kalt, dass ich zwei Pullover angezogen habe.	**so ... that** It was so cold that I put on two pullovers.
also *Adv* = folglich Sein Portemonnaie ist gestohlen worden. Er hatte also kein Geld.	**therefore, so** His purse had been stolen. He therefore had no money.
um ... zu *(+ Infinitiv)* Sie brauchte viel Zeit, um alles für Weihnachten einzukaufen.	**(in order) to** She needed a lot of time to buy everything for Christmas.
zum *Präp (+ substantivierter Infinitiv)* Zum Kochen braucht man viele Gewürze.	**to** You need a lot of spices to cook.
damit *Konj* = sodass Gib mir bitte deine Telefonnummer, damit ich dich anrufen kann.	**so that** Please give me your telephone number so that I can call you.
dienen *V* dient, diente, hat gedient = nützen Die medizinischen Fortschritte dienen der ganzen Menschheit.	**serve** Medical advancements serve all of humanity.
der **Zweck** *N* des Zweck(e)s, die Zwecke	**point; purpose**

Es noch einmal zu probieren, hat einfach keinen Zweck.	There is simply no point in trying again.
Die Spenden sind für einen guten Zweck.	The donations are for a good cause.
der **Sinn** *N*	**point; sense**
des Sinn(e)s, *(in dieser Bedeutung nur Singular)*	
Das ist wirklich eine blöde Aufgabe. Ich kann einfach keinen Sinn darin erkennen.	This really is a stupid test. I simply cannot see the point of it.
der Sinn des Lebens	meaning of life
keinen Sinn haben	**be no point**
= sinnlos sein	
Es hat keinen Sinn, sie zu fragen. Sie weiß es nicht.	There is no point in asking her. She does not know.

34.2 Mittel, Einschränkung, Gegensatz — Means, constraint and contradiction

indem *Konj*	**by**
Man kann die Umwelt schützen, indem man mit dem Fahrrad oder mit der Bahn fährt.	You can protect the environment by riding a bike or going by train.
durch *Präp (+ Akkusativ)*	**by**
Durch regelmäßigen Sport kann man sich fit halten.	You can stay fit by doing sport regularly.
mit *Präp (+ Dativ)*	**with**
Sie ist mit dem Fahrrad gekommen.	She came with her bike.
per *Präp*	**via; by**
Das Geschenk kommt per Post. Ich konnte es dir nicht mehr persönlich geben.	The present is being sent by post. I could not give it to you personally.
trotzdem *Adv*	**nevertheless**
Meine Eltern haben mich finanziell nicht unterstützt. Trotzdem habe ich mein Medizinstudium geschafft.	I had no financial support from my parents. Nevertheless I passed my medical training.
trotz *Präp (+ Genitiv; auch: + Dativ)*	**despite, in spite of**
Wir gehen trotz des schlechten Wetters spazieren.	We are going for a walk despite the bad weather.
Trotz starkem Regen gehen wir spazieren.	In spite of heavy rain we are going for a walk.
obwohl *Konj*	**although**
= auch wenn	
Obwohl Marie Angst hatte, sprang sie vom Zehnmeterturm ins Wasser.	Although Marie was afraid, she jumped from the ten-metre tower into the water.
auch wenn	**even though**
Sie müssen zum Arzt gehen, auch wenn Sie im Moment keine Schmerzen haben.	You have to go to the doctor's even though you are not in pain at the moment.

allerdings *Adv* Er ist sehr eifersüchtig, allerdings nicht mehr so schlimm wie früher.	**though** He is very jealous, though not as bad as he used to be.
zwar *Adv* Marion ist zwar krank, aber sie geht trotzdem zur Arbeit.	**although, though; namely** Although Marion is ill, she still goes to work.
nur *Adv* = jedoch Es ist schönes Wetter heute, nur müsste es noch ein bisschen wärmer sein.	**only** however The weather is nice today, it only has to get a bit warmer.
nur *Adv* = ausschließlich In dem Laden gibt es nur Kleidung für Frauen.	**only** exclusively There are only clothes for women in this shop.
unter der Voraussetzung, dass Er nimmt die Stelle an, unter der Voraussetzung, dass das Gehalt stimmt.	**on condition that** He accepts the post only on condition that the salary is right.
je nachdem Je nachdem wann du kommst, können wir noch einkaufen gehen.	**depending on** Depending on what time you arrive we can still go shopping.
statt *Konj (Kurzform für anstatt)* Statt zu lernen, sah er fern.	**instead of** Instead of studying, he watched TV.
statt *Präp (+ Genitiv)* Statt des Weißweins brachte der Kellner ein Glas Rotwein.	**instead of** The waiter brought a glass of red wine instead of white wine.
ohne *Präp (+ Akkusativ)* Ohne Geld kann Jason nichts einkaufen.	**without** Jason cannot buy anything without money.
ohne *Konj (+ zu + Infinitiv)* Er ging an ihr vorbei, ohne sie zu grüßen.	**without** He went past her without greeting her.
ohne dass Mira hatte ein schlechtes Gefühl, ohne dass sie wusste warum.	**without** Mira had a bad feeling without knowing why.
nicht nur ... sondern auch Wir haben nicht nur Brot, sondern auch Brötchen gekauft.	**not only ... (but) also** We not only bought bread but also rolls.
einerseits ... andererseits Einerseits möchte ich gerne zu deiner Party kommen, andererseits möchte ich auch zum Geburtstag meiner Oma gehen.	**on the one hand ... on the other hand** On the one hand I would like to come to your party, on the other hand I would like to go to my grandma's birthday.

weder ... noch
Sie kann weder lesen noch schreiben.

neither ... nor
She can neither read nor write.

---

sonst *Adv*
= andernfalls
Kannst du mir helfen? Sonst werde ich nicht rechtzeitig fertig.

otherwise
Can you help me? Otherwise I won't be finished on time.

sonst *Adv*
= normalerweise
Gestern war meine Freundin schlecht gelaunt. Sonst ist sie eigentlich immer sehr nett.

usually
normally
My girlfriend was in a bad mood yesterday. Usually, she is always very nice.

außer *Präp (+ Dativ)*
= abgesehen von
Außer ihm haben alle gefrühstückt.
Wir haben jeden Tag außer montags geöffnet.

except
apart from
Everybody had breakfast except him.
We are open every day except Mondays.

---

eigentlich *Adv*
Ihr Künstlername ist Mandy. Eigentlich heißt sie Grete.

actually
Her alias is Mandy. Actually she is called Grete.

eigentlich *Adj*
= ursprünglich
Seine eigentliche Haarfarbe ist grau.

actual, real
original
His actual hair colour is grey.

bloß *Adv*
= nur
Sigrid ist ziemlich egoistisch, sie denkt bloß an sich.

only, just
Sigrid is fairly selfish, she only thinks about herself.

34.3 Vergleich und Steigerung

Comparisons, comparatives and superlatives

der **Vergleich** *N*
des Vergleich(e)s, die Vergleiche
Im Vergleich zu früher sind Frauen heute viel emanzipierter.

comparison
Women are more emancipated today than in the past.

vergleichen *V*
vergleicht, verglich, hat verglichen
Wenn mein Vater einkaufen geht, vergleicht er immer die Preise.

compare
If my father goes shopping, he always compares prices.

(genau)so ... wie
Marlies ist genauso elegant wie ihre Mutter.
Er schläft zu Hause nicht so viel wie im Urlaub.

(just) as ... as
Marlies is just as elegant as her mother.
He does not sleep at home as much as on holiday.

ebenso *Adv*
= genauso

as ... as

Er ist ebenso alt wie ich.	He is as old as I am.
auch *Adv* Er wohnt auch in Frankfurt. Ich muss am Wochenende arbeiten. – Ich auch.	**also, as well, too** He lives in Frankfurt as well. I have to work at the weekend. – Me too.
ebenfalls *Adv* = auch Frank ist ebenfalls krank.	**also** Frank is also ill.
mehr ... als Sie kann mehr als sie denkt.	**more ... than** She can do more than she thinks.
weniger ... als ≠ mehr ... als Unser Hund hat heute weniger gefressen als gestern.	**less ... than** more ... than Our dog ate less today than yesterday.
je ... desto = je ... umso Je mehr ich übe, desto besser werde ich.	**the ... the** The more I practice the better I become.
noch *Adv (+ Komparativ)* Sie ist noch netter als ich dachte.	**even** She is even nicer than I thought.
aller- *Präfix (+ Superlativ)* Am allerschlimmsten wäre es, wenn er sich die Hand gebrochen hätte. Dann könnte er nicht mehr Klavier spielen.	**... of all** At the very worst he could have broken his hand. Then he wouldn't have been able to play the piano anymore.

Irregular comparatives and superlatives

A number of adjectives form irregular comparatives and superlatives. These include:

gut – besser – am besten gern(e) – lieber – am liebsten viel – mehr – am meisten	good – better – best like – like more – like best much / a lot of – more – most
Simon ist ein guter Arzt. Paul ist ein besserer Arzt (als Simon). Viktor ist der beste Arzt.	Simon is a good doctor. Paul is a better doctor (than Simon). Viktor is the best doctor.
Mara isst gern(e) Erdbeeren. Noch lieber isst sie Kirschen. Bananen isst sie am liebsten.	Mara likes (eating) strawberries. She likes (eating) cherries more. She likes (eating) bananas best.
Paul hat viel Zeit. Max hat mehr Zeit (als Paul). Am meisten Zeit hat Joshua.	Paul has a lot of time. Max has more time (than Paul). Joshua has the most time.

vor allem Dass er zu spät kam, war ärgerlich. Vor allem, weil wir deswegen den Zug verpasst haben.	**above all** It was annoying that he came too late. But above all we missed the train because of it.
besonders *Adv* = sehr Heute ist ein besonders schöner Tag.	**particularly** very Today is a particularly beautiful day.
besonders *Adv* = vor allem Der Sturm zerstörte viele Häuser, besonders in Norddeutschland.	**particularly** above all The storm damaged many houses particularly in the north of Germany.
sehr *Adv* Ihr habt eine sehr schöne Wohnung.	**very** You have got a very nice flat.
ganz *Adv* = sehr Er war von seinem neuen Fahrrad ganz begeistert.	**really, very** very He was really enthusiastic about his new bike.
ganz *Adv* = ziemlich Ich finde sie ganz nett, aber mehr nicht.	**quite** fairly I find her quite nice, but no more.
ziemlich *Adv*	**fairly**
deutlich *Adj* deutlicher, am deutlichsten Es gibt deutliche Unterschiede zwischen den beiden Modellen.	**clear** There are clear differences between the two models.
relativ *Adv* Ich finde das Kleid relativ teuer.	**relatively** I think the dress is relatively expensive.

so *Adv* Fahr nicht so schnell.	**so** *(expressing a degree / intensity)* Don't drive so fast.
überhaupt *Adv* = gar Er hat von diesen Dingen überhaupt keine Ahnung.	**at all** He has no idea at all about these things.
gar *Adv* ganz und gar nicht	**at all** not at all
zu *Adv* Das Kind ist zu dick. Es sollte mehr Sport machen.	**too** The child is too fat. He should do more sport.
viel zu Die Couch ist viel zu teuer. Die kann ich mir nicht leisten.	**much too** The couch is much too expensive. I cannot afford it.

34.4 Strukturwörter | Function words

Artikel | Articles

der **Artikel** *N* des Artikels, die Artikel Im Deutschen gibt es drei bestimmte Artikel: der, die und das. der unbestimmte Artikel	**article** The German language has three definite articles: der, die and das. indefinite article
der, die, das *bestimmter Artikel* Der Himmel ist blau. Die Straßenbahn fährt in fünf Minuten. Das Kind ist krank.	**the** The sky is blue. The tram goes in five minutes. The child is ill.
die *bestimmter Artikel (Plural)* Die Männer schauen heute zusammen Fußball.	**the** Today the men are watching football together.
ein, eine *unbestimmter Artikel* Er hat einen bunten Schal an. Sie kauft eine schwarze Hose. Sie trägt ein grünes T-Shirt.	**a, an** He wears a coloured scarf. She buys black trousers. She wears a green T-shirt.

Indefinita | Indefinite pronouns

man *Pron (nur im Nominativ)* Man muss sein Bestes geben. Heute sieht man das anders.	**one** One must try one's best. This is seen differently today.
jemand *Pron* Sie sucht jemanden, mit dem sie sprechen kann. Jemand hat mich nach dem Weg gefragt.	**someone, somebody, anyone, anybody** She looks for somebody to speak to. Somebody asked me for directions.
jeder, jede, jedes *Pron und Zahlwort* Das weiß doch jeder. Nicht jeder Hund hat Flöhe.	**everybody; every, each** Everybody knows that. Not every dog has got fleas.
all- *Pron und Zahlwort* Ich wünsche Milan alles Glück der Welt. Alle haben ein Fahrrad, nur ich nicht. vor allem alles in allem	**all; everybody** I wish Milan all the happiness in the world. Everybody has a bike except me. above all altogether, all things considered
beide *Pron* Beide Kinder sind süß. Sie haben beide blonde Haare.	**both** Both children are sweet. They both have got blond hair.
irgendeiner, irgendeine, irgendein *Pron* Ich weiß nicht mehr genau welches, aber irgendein Tier kann 100 km pro Stunde laufen.	**some, any** I do not exactly know which ones, but some animals can run 100 km per hour.

irgend- *Präfix*	**some, any** *(expressing vagueness)*
↳ irgendwer	somebody, anybody
↳ irgendwo	somewhere, anywhere
↳ irgendwann	sometime, anytime
anderer, andere, anderes *Pron*	**other; another, different**
Vincent war wach, aber alle anderen schliefen.	Vincent was awake but all the others were sleeping.
Ein anderes Beispiel fällt mir nicht ein.	I cannot recall another example.
einige *Pron (Plural)*	**some, any, a few**
Er war einige Tage in Rom.	He was in Rome for a few days.
mancher, manche, manches *Pron*	**some**
Manches Kind kann schon lesen, bevor es in die Schule kommt.	Some children can already read before going to school.
manche *Pron (Plural)*	**some**
An manchen Tagen ging es ihm schlecht.	Some days, he felt bad.
mehrere *Pron (Plural)*	**several**
Die Familie hat mehrere Haustiere.	The family has got several pets.
keiner, keine, kein(e)s *Pron (allein stehend)*	**no one, nobody**
Keiner im Raum sagte ein Wort.	No one in the room said a word.
Keine ist schöner als sie.	Nobody is more beautiful than she is.
kein, keine *Pron*	**no**
Bisher hat er keine neue Arbeit gefunden.	Up to now he has not found a new job.
Ich habe kein Auto.	I don't have a car.
niemand *Pron*	**no one, nobody**
= keiner	
Ich habe gefragt, aber niemand hat mir geantwortet.	I asked but no one answered me.
welcher, welche, welches *Pron*	**which**
Welches Kleid findest du am schönsten?	Which dress do you like the best?
etwas *Pron*	**something**
Hast du etwas gehört?	Did you hear something?
nichts *Pron*	**nothing**
≠ etwas	something
Nichts kann uns trennen.	Nothing can separate us.
Nein, tut mir leid, ich habe nichts gesehen.	No, I am sorry, I didn't see anything.
genug *Adv*	**enough**
Sie haben genug Geld.	They have enough money.
ein bisschen	**a bit**
= ein wenig	

Ich habe ein bisschen Hunger.	I am a bit hungry.
ein paar = einige Er hat ein paar nette Worte zu ihr gesagt.	**a few** He said a few nice words to her.
viel *Pron (Singular)* Trinken Sie viel Wasser! Viel Spaß!	**much, a lot of** Drink a lot of water! Have fun!
viele *Pron (Plural)* Tom hat schon viele Länder gesehen.	**many, a lot of** Tom has already seen many countries.

Demonstrativa | Demonstratives

dieser, diese, dieses *Pron* Welche Jacke möchten Sie kaufen, diese? – Nein, diese hier.	**this one** Which jacket would you like to buy, this one? – No, this one.
jener, jene, jenes *Pron* In jenem Theaterstück, das wir vor vielen Jahren gesehen haben, ging es um ein Waisenkind.	**that** That play we saw many years ago was about an orphan.
solcher, solche, solches *Pron* Junge Dame, ein solcher Audruck ist hier nicht erlaubt!	**such** Young lady, such an expression is not allowed here!
selbst *Partikel (indeklinabel)* Wir gehen morgen ins Schwimmbad, das hast du selbst gesagt!	**myself, yourself, himself, herself, itself, ourselves, yourselves, themselves** We are going to the swimming pool tomorrow, you said so yourself!
selber *Partikel (indeklinabel; ugs.)* Mach das doch selber!	**myself, yourself, himself, herself, itself, ourselves, yourselves, themselves** Do it yourself!
selber, selbe, selbes *Pron* Die beiden Konzerte finden am selben Tag statt.	**same** Both concerts take place on the same day.
derselbe, dieselbe, dasselbe *Pron* Unsere Kinder gehen auf dieselbe Schule.	**the same** Our children go to the same school.

Personalpronomen im Nominativ | Personal pronouns: nominative forms

ich *Pron* Ich mache gerne Sport.	**I** I like to do sport.
du *Pron* Du bist größer als ich.	**you** *(familiar; singular)* You are taller than me.

er *Pron* Max hat einen Hund. Er mag ihn sehr.	**he** Max has got a dog. He likes it very much.
sie *Pron* Rita freut sich. Sie hat eine Puppe zum Geburtstag bekommen.	**she** Rita is happy. She got a doll for her birthday.
es *Pron* Das Kätzchen spielt gerne. Es ist noch sehr jung.	**it** The kitten likes to play. It is still very young.
wir *Pron* Wir wollen ins Kino gehen.	**we** We want to go to the cinema.
ihr *Pron* Warum seid ihr gestern nicht gekommen?	**you** *(familiar; plural)* Why didn't you come yesterday?
sie *Pron* Die Kinder wollen etwas essen. Sie sind hungrig.	**they** The children want to eat something. They are hungry.
Sie *Pron* Sie möchten den Chef sprechen, oder?	**you** *(formal; singular and plural)* You wish to speak to the boss, don't you?

Personalpronomen im Akkusativ	Personal pronouns: accusative forms
mich *Pron* Für mich ist es kein Problem, dass du später kommst.	**me** For me it is no problem if you come later.
dich *Pron* Ich freue mich, dich wiederzusehen.	**you** *(familiar; singular)* I am glad to see you again.
ihn *Pron* Ich habe ihn schon dreimal angerufen!	**him** I called him three times already!
sie *Pron* Ich könnte sie den ganzen Tag ansehen.	**her** I could look at her the whole day long.
es *Pron* Wie gefällt dir das Buch? – Ich finde es interessant.	**it** How do you like the book? – I think it is interesting.
uns *Pron* Magda ruft uns an.	**us** Magda is calling us.
euch *Pron* Ich habe euch überall gesucht.	**you** *(familiar; plural)* I have searched for you everywhere.
sie *Pron* Lilly und Wolfgang sind da, hast du sie schon gesehen?	**them** Lilly and Wolfgang are here, have you seen them?

Sie *Pron* Darf ich Sie begleiten?	**you** *(formal; singular and plural)* May I accompany you?

Personalpronomen im Dativ / Personal pronouns: dative forms

mir *Pron* Sie hat mir ein Geschenk mitgebracht.	**me** She has brought me a present.
dir *Pron* Tobias, ich möchte dir zum Geburtstag gratulieren.	**you** *(familiar; singular)* I want to congratulate you on your birthday, Tobias.
ihm *Pron* Simon ist fremd in der Stadt. Marina zeigt ihm eine Disko. Vielleicht hat das Baby Hunger. Sollen wir ihm ein Fläschchen geben?	**him** *(dative form of er and es)* Simon is a stanger to the town. Marina is showing him a disco. Maybe the baby is hungry. Should we give him a bottle?
ihr *Pron* Thomas und Marlies gehen morgen in den Zoo. Thomas hat es ihr versprochen.	**her** Tomorrow, Thomas and Marlies are going to the zoo. Thomas promised her.
uns *Pron* Konstantin hat uns gestern gratuliert.	**us** Konstantin congratulated us yesterday.
euch *Pron* Ich habe euch das Geld schon zurückgegeben.	**you** *(familiar; plural)* I have already given you the money back.
ihnen *Pron* Die Kinder wollten ein Eis. Er hat es ihnen spendiert.	**them** The children wanted ice cream. He bought some for them.
Ihnen *Pron* Frau Seltmann, ich möchte Ihnen danken. Herr und Frau Gruber, kann ich Ihnen einen Kaffee anbieten?	**you** *(formal; singular and plural)* I want to thank you, Mrs Seltmann. Mr and Mrs Gruber, would you like a coffee?

Reflexivpronomen, reziproke Pronomen / Reflexive and reciprocal pronouns

mich *Pron* Ich freue mich darauf, meine Schwester wiederzusehen.	**myself** I am looking forward to seeing my sister again.
dich *Pron* Du hast dich verletzt.	**yourself** *(familiar; singular)* You have injured yourself.
sich *Pron* Sie bewirbt sich auf die Stelle in Genf.	**herself, himself, itself, oneself** She is applying for the job in Geneva.

uns *Pron* Wir haben uns gewundert, dass ihr nicht gekommen seid.	**ourselves** We were surprised that you did not come.
euch *Pron* Warum beschwert ihr euch über den neuen Lehrer?	**yourselves** *(familiar)* Why are you complaining about the new teacher?
sich *Pron* Die Brüder streiten sich schon wieder.	**themselves** The brothers are having an argument again.
einander *Pron* Sie unterstützen einander.	**each other** They support each other.
miteinander *Adv* Habt ihr miteinander gesprochen?	**with each other** Did you talk with each other?
gemeinsam *Adj* = zusammen Wir haben eine gemeinsame Mahlzeit am Tag.	**together** We have one meal together per day.

Relativpronomen | Relative pronouns

der *Pron* Das ist der Junge, der dauernd weint. *(Nominativ)* Das ist der Junge, den ich sehr nett finde. *(Akkusativ)* Das ist der Junge, dessen Hund gestorben ist. *(Genitiv Singular)* Das sind die Jungen, deren Schwestern auch in diesen Kindergarten gehen. *(Genitiv Plural)*	**which, who, that** That is the boy who is constantly crying. That is the boy who I think is nice. That is the boy whose dog has died. Those are the boys whose sisters also go to this kindergarten.
die *Pron* Die Kette, die ich gestern im Schaufenster gesehen habe, ist heute weg.	**which, who, that** The necklace which I saw yesterday in the shop window is gone today.
das *Pron* Das Fahrrad, das du mir geliehen hast, ist kaputt.	**which, that** The bike you lent me is broken.
welcher *Pron* = der Das ist der Baum, welcher krank ist.	**which, who, that** That is the tree which is diseased.
welche *Pron* = die	**which, who, that**
welches *Pron* = das	**which, who, that**

Interrogativpronomen	Interrogative pronouns
wer *Pron* Wer kommt mit mir mit?	**who** Who is coming with me?
was *Pron* Was willst du wissen?	**what** What do you want to know?
wessen *Pron (Genitiv)* Wessen Handy ist das?	**whose** Whose mobile phone is this?
wem *Pron (Dativ)* Wem hast du das Buch gegeben?	**who** Who did you give the book to?
wen *Pron (Akkusativ)* Wen ladet ihr ein?	**who** Who are you inviting?
was für einer / eine / eins Was für ein Auto hast du dir gekauft?	**what kind of** What kind of car did you buy?
welcher, welche, welches *Pron* Mit welchem Zug kommt ihr?	**which** Which train are you coming on?

→ See also chapter *13.3 Fragen und Antworten* (p, 211 ff).

Konjunktionen	Conjunctions
und *Konj* Er fährt gerne in die Berge und seine Frau ans Meer.	**and** He likes to go to the mountains and his wife to the sea.
sowohl ... als auch Anne findet sowohl ihren Mathelehrer als auch ihre Englischlehrerin toll.	**both ... and ...** Anne thinks that both her math teacher and her English teacher are fantastic.
oder *Konj* Wir können laufen oder mit dem Taxi fahren.	**or** We can walk or take a taxi.
entweder ... oder Wir müssen Julia entweder morgen oder übermorgen besuchen.	**either ... or ...** We have to visit Julia either tomorrow or the day after tomorrow.
aber *Konj* Regina hat keine Zeit, aber Jakob kommt mit ins Schwimmbad.	**but** Regina doesn't have the time but Jakob will come with us to the swimming pool.
jedoch *Konj* = aber Sie bat Torsten immer wieder, sie zu begleiten. Er wollte jedoch nicht.	**however, but** but She repeatedly asked Torsten to accompany her. However, he did not want to.

sondern *Konj* Marlon ist nicht schüchtern, sondern aufgeregt.	**but** Marlon is not shy but nervous.
denn *Konj* Sabrina macht das Licht an, denn im Zimmer ist es zu dunkel.	**because, otherwise, unless** Sabrina switches the light on because the room is too dark.
weil *Konj* Silke ist nervös, weil sie morgen eine Prüfung hat.	**because, as** Silke is nervous because she has an exam tomorrow.
da *Konj* = weil Da morgen Feiertag ist, sind die Supermärkte heute sehr voll.	**since, because** because, since The supermarkets are very busy today because tomorrow is a public holiday.
falls *Konj* = wenn Falls es zu kalt ist, übernachten wir nicht im Zelt, sondern im Hotel.	**if** If it is too cold, we won't sleep in the tent but at the hotel.
wenn *Konj (konditional)* Wenn das Wetter schön ist, können wir draußen essen.	**if** If the weather is nice, we can eat outside.
bei *Präp (+ Dativ)* Bei schlechtem Wetter findet das Konzert drinnen statt.	**in the event of; during** In the event of bad weather the concert will take place inside.
soviel *Konj* = soweit Soviel ich weiß, ist mein Kollege bis nächste Woche im Urlaub.	**as far as** As far as I know my colleague is on holiday until next week.
dass *Konj* Sie hat gesagt, dass sie keine Lust hat zu feiern.	**that** She said that she does not feel like celebrating.
sodass *Konj* = dass Sie standen drei Stunden im Stau, sodass sie erst nachts nach Hause kamen.	**so (that)** that They were stuck in a traffic jam for three hours, so they didn't get home until night-time.
während *Präp* Während die Kinder schlafen, müsst ihr leise sein.	**while** While the children are asleep you have to be quiet.
nachdem *Konj (temporal)* Nachdem sie gegessen hatte, wurde Nele müde.	**after** After she had eaten Nele became tired.
als *Konj* Als er auf der Autobahn war, gab er Gas.	**when (in the past)** When he was on the motorway he accelerated.

wenn *Konj (temporal)* Wenn ihre Mutter da ist, hat sie keine Angst im Dunkeln.	**when** When her mother is there, she is not afraid of the dark.
bevor *Konj* Klopf an, bevor du reinkommst.	**before** Knock before you enter.
ob *Konj* Svenja fragt, ob du schon etwas gegessen hast.	**whether** Svenja is asking whether you have already eaten something.
wie *Konj* Sie ist wie meine Mutter.	**like** She is like my mother.
nur *Konj* Er ist sehr gut qualifiziert, nur müsste er etwas besser Deutsch sprechen.	**but** He is very well qualified but he should speak better German.
zwar *Adv* Er kennt zwar viele Leute, aber gute Freunde hat er nur wenige.	**although** Although he knows a lot of people he only has a few good friends.

Pronominaladverbien — Pronominal adverbs

worüber *Adv* = über was *(ugs.)* Worüber habt ihr gesprochen?	**about what** What did you talk about?
worum *Adv* = um was *(ugs.)* Worum geht es denn in dem Film?	**what ... about** What is the film about?
dafür *Adv* Dafür brauchst du dich nicht zu bedanken.	**for it** You do not need to say thank you for it.
dabei *Adv*	**with it**
damit *Adv* Was machst du mit dem Ding? – Das ist ein Korkenzieher, damit öffne ich die Weinflasche.	**with it** What do you do with the thing? – That is a corkscrew, you open bottles of wine with it.
dahin *Adv* Das Seminar fängt erst um 11 Uhr an. Bis dahin können wir noch einen Kaffee trinken gehen.	**to that** The seminar doesn't start until 11 a.m. Until then we can go for a coffee.
danach *Adv* Du musst dein Zimmer aufräumen, danach darfst du spielen gehen.	**after, afterwards** You have to tidy up your room. Afterwards you are allowed to go and play.
daneben *Adv*	**next to it**

Auf dem Tisch liegt eine Gabel. Daneben liegt ein Messer.	A fork lies on the table. Next to it lies a knife.
dadurch *Adv* Unser Auto war kaputt. Dadurch konnten wir nicht kommen.	**thus, therefore, as a result** Our car wouldn't start. Therefore we could not come.
hiermit *Adv* Hiermit bestätigen wir Ihnen, dass Ihre Bewerbung bei uns eingegangen ist.	**hereby** We hereby confirm that we have received your application.
dahinter *Adv* Das Sofa soll vor dem Fenster stehen. Dahinter ist noch Platz für eine Pflanze.	**behind it** The sofa is to go in front of the window. There is also room for a plant behind it.
davor *Adv* ≠ dahinter	**in front of it** behind it

Lokale Präpositionen — Local prepositions

Dual prepositions

The nine local prepositions

an auf hinter in neben über unter vor zwischen

are so-called dual prepositions (Wechselpräpositionen) because they can take either the accusative or the dative case depending on the context:

Accusative: When there is movement (question: Where to?).

Sie geht **auf den** Balkon.	She walks on (to) the balcony.
Sie stellt die Blumen **in die** Vase.	She puts the flowers in(to) the vase.

Dative: When a location is meant (question: Where?).

Sie ist **auf dem** Balkon.	She is on the balcony.
Die Blumen sind **in der** Vase.	The flowers are in the vase.

in *Präp (+ Akkusativ, + Dativ)* Er geht in den Keller. Er ist im Keller.	**into, in** He goes into the cellar. He is in the cellar.
an *Präp (+ Akkusativ, + Dativ)* Sie setzt sich an den Tisch. Sie sitzt am Tisch.	**at** She sits down at the table. She is sitting at the table.
auf *Präp (+ Akkusativ, + Dativ)* Er legt das Buch auf den Schreibtisch. Das Buch liegt auf dem Schreibtisch.	**on** He puts the book on the desk. The book lies on the desk.

unter *Präp (+ Akkusativ, + Dativ)*
≠ über
Simon geht unter die Dusche.
Simon steht unter der Dusche.

under
above, over
Simon gets into the shower.
Simon is having a shower.

über *Präp (+ Akkusativ, + Dativ)*
Er hängt die Lampe über den Tisch.
Die Lampe hängt über dem Tisch.

above, over
He hangs up the lamp above the table.
The lamp hangs above the table.

vor *Präp (+ Akkusativ, + Dativ)*
Sie stellen die Schuhe vor die Haustür.
Die Schuhe stehen vor der Haustür.

in front of
They put the shoes in front of the door.
The shoes are in front of the door.

hinter *Präp (+ Akkusativ, + Dativ)*
≠ vor
Er fährt das Auto hinter das Haus.
Das Auto parkt hinter dem Haus.

behind
in front of
He drives the car behind the house.
The car is parked behind the house.

neben *Präp (+ Akkusativ, + Dativ)*
Sie setzt sich neben ihren Vater.
Sie sitzt neben ihrem Vater.

next to
She sits down next to her father.
She is sitting next to her father.

zwischen *Präp (+ Akkusativ, + Dativ)*
Sie setzt sich zwischen ihre beiden Freundinnen.
Sie sitzt zwischen ihren beiden Freundinnen.

between
She sits down between her two friends.
She is sitting between her two friends.

---

innerhalb *Präp (+ Genitiv)*
= innerhalb von
≠ außerhalb
Er zieht innerhalb Berlins um.

inside, within
outside
He is moving house within Berlin.

außerhalb *Präp (+ Genitiv)*
= außerhalb von
Der Zweite Weltkrieg fand auch außerhalb Europas statt.

outside
outside of
World War II also took place outside of Europe.

ab *Präp (+ Dativ)*
Ab Wittenberg können Sie mit dem ICE fahren.

from
You can take the ICE from Wittenberg.

von *Präp (+ Dativ)*
Sie kommt vom Arzt.

from
She is coming from the doctor's.

aus *Präp (+ Dativ)*
Sie nimmt ein Handtuch aus dem Schrank.
Sie kommt aus Nigeria.

out of, from
She takes a towel out of the wardrobe.
She comes from Nigeria.

von ... bis
Von hier sind es nur noch 200 Meter bis zum Finanzamt.

from ... to
It is only 200 metres from here to the tax office.

von ... nach
Sie reist von Wien über Dresden nach Berlin.

from ... to
She travels from Vienna via Dresden to Berlin.

bei *Präp (+ Dativ)*	**near, at**
Tübingen liegt bei Stuttgart.	Tübingen is near Stuttgart.
Er arbeitet bei Siemens.	He works at Siemens.
Sie wohnt bei ihren Eltern.	She lives with her parents.
bis *Präp*	**to**
Der Zug fährt bis München.	The train goes to Munich.
nach *Präp (+ Dativ)*	**to**
Das Flugzeug fliegt nach Helsinki.	The plane flies to Helsinki.
zu *Präp (+ Dativ)*	**to**
Sie fährt ihn zum Flughafen.	She is driving him to the airport.
Sie bringt die Kinder zur Schule.	She is taking the children to school.

nach, in & zu

nach is used before the names of countries that do not take an article.
Sie fährt **nach England / Italien**.

in is used before the names of countries that have an article.
Sie fährt **in die USA / in den Iran / in die Schweiz**.

The preposition **in** is used for buildings.
Er geht **in die Schule / in die Uni / in den Bahnhof**.

The preposition **zu** is used for destinations.
Er geht **zur Schule / zur Uni / zum Bahnhof**.

gegen *Präp (+ Akkusativ)*	**into; against**
Er fuhr mit dem Auto gegen den Pfosten.	He drove his car into the post.
Sie fuhr gegen den Verkehr.	She was driving against the traffic.
gegenüber *Präp (+ Dativ)*	**opposite**
Gegenüber dem Rathaus ist der Optiker.	The optician is opposite the town hall.
durch *Präp (+ Akkusativ)*	**through**
Am Flughafen muss jeder durch die Kontrolle.	Everybody has to go through security at the airport.
entlang *Adv*	**along**
Sie liefen den Weg entlang.	They walked along the path.
um ... herum *(+ Akkusativ)*	**around, about**
Um den Spielplatz herum ist Wiese.	Around the playground is a meadow.
um die Ecke	**around the corner**
Die Pizzeria ist gleich um die Ecke.	The pizzeria is just around the corner.

Temporale Präpositionen	Temporal prepositions
ab *Präp (+ Dativ oder Akkusativ)* Ich könnte ab nächster / nächste Woche für Sie einkaufen. Ab Montag ist er wieder im Büro.	**starting, from** I can go shopping for you starting next week. He will be back in the office starting Monday.
mit *Präp (+ Dativ)* Mein Großvater ist mit 93 Jahren gestorben.	**at** My grandpa passed away at the age of 93.
an *Präp (+ Dativ)* An diesem Tag habe ich schon einen Termin.	**on** I already have an appointment on this day.
von ... an Von heute an mache ich regelmäßig Sport.	**from ... on(wards)** I'll do sport regularly from now on.
bis *Präp (+ Akkusativ)* Sie wartet bis nächsten Freitag.	**until** She will wait until next Friday.
seit *Präp (+ Dativ)* Sie wohnt seit letzter Woche bei ihrer Schwester.	**since; for** She has been living with her sister since last week.
von *Präp (+ Dativ)* Der Kuchen ist nicht frisch, er ist von letzter Woche.	**from** The cake is not fresh, it is from last week.
von ... bis Sie sind von Dezember bis Februar in der Türkei. Sie waren vom 10. April bis 1. Mai verreist. von früh bis spät	**from ... until** They are in Turkey from December till February. They were out of town from the 10th of April to the 1st of May. from dawn till dusk
für *Präp (+ Akkusativ)* Meine Tochter geht für ein Jahr in die USA.	**for** My daughter is going to the USA for one year.
während *Präp (+ Genitiv, ugs. auch: + Dativ)* Während der Pause will er nicht gestört werden.	**during** He does not want to be disturbed during the break.
zwischen *Präp (+ Dativ)* Sie haben zwischen dem 5. und dem 10. September Zeit.	**between** They have time between 5th and 10th of September.
in *Präp (+ Dativ)* Ich fahre in zwei Wochen nach Italien.	**in** I will be going to Italy in two weeks.
vor *Präp (+ Dativ)* Er hat vor zwei Wochen gekündigt.	**ago** He quit his job two weeks ago.
nach *Präp (+ Dativ)* Nach dem Gewitter schien wieder die Sonne.	**after** The sun was shining again after the thunderstorm.

innerhalb *Präp (+ Genitiv)* Man muss den Strafzettel innerhalb einer Woche bezahlen.	**within** You have to pay the ticket within one week.
außerhalb *Präp (+ Genitiv)* ≠ innerhalb Man darf hier nur außerhalb der Arbeitszeit rauchen.	**outside** within You are only allowed to smoke outside of working hours.
zu *Präp (+ Dativ)* Zu diesem Zeitpunkt war er bereits im Krankenhaus.	**at** At this point he was already in the hospital.
bei *Präp (+ Dativ)* Bei Tag sehe ich einigermaßen gut, aber bei Nacht nicht. Wir wollen euch nicht beim Essen stören.	**during, at** I see fairly well during the day but not at night. We do not want to disturb you at dinner.
über *Präp (+ Akkusativ)* Über das Wochenende sind Peter und Paul nach Paris gefahren.	*here:* **for** Peter and Paul went to Paris for the weekend.

Modale Präpositionen | Modal prepositions

mit *Präp (+ Dativ)* Wir fahren mit dem Taxi. Sie geht mit ihrer Freundin in die Stadt.	**by, with** We go by taxi. She is going into town with her friend.
ohne *Präp (+ Akkusativ)* Ohne deine Hilfe schaffe ich das nicht.	**without** I cannot manage it without your help.
aus *Präp (+ Dativ)* Ihre Handtasche ist aus Leder.	**made of** Her handbag is made of leather.
durch *Präp (+ Akkusativ)* Durch den Stau kam ich erst zwei Stunden später an. Sie hat den Job durch einen Freund bekommen.	**because of, through** I arrived two hours later because of the traffic jam. She got the job through a friend.
für *Präp (+ Akkusativ)* Die Blumen sind für Sie. Ich habe das Buch für 3 € im Antiquariat bekommen.	**for** The flowers are for you. I got the book for €3 at the second-hand bookshop.
was für Was für eine Wohnung suchen Sie denn?	**what sort of, what kind of** What kind of flat are you looking for?

Andere Präpositionen	Other prepositions
aus *Präp (+ Dativ)* Sie ist aus echtem Interesse gekommen.	**out of** She came out of pure interest.
vor *Präp (+ Dativ)* Er kann vor Schmerzen kaum Laufen. Vor lauter Angst machte er die ganze Nacht kein Auge zu.	**because of** He can hardly walk because of the pain. He could not close his eyes the whole night because of pure fear.
pro *Präp (+ Akkusativ)* Der Eintritt kostet pro Person 12 €.	**per** The entrance costs €12 per person.
je *Präp (+ Akkusativ)* = pro Je Quadratmeter berechnen wir 80 €.	**per** We charge €80 per square metre.

Modalpartikeln	Modal particles
aber *Partikel* Du bist aber groß geworden!	**really** *(expressing surprise)* You have really grown!
ja *Partikel* Du hast dich ja richtig schick gemacht.	**really** *(expressing surprise)* You look really chic.
überhaupt *Partikel* = eigentlich Stimmt das überhaupt? Sind überhaupt alle gekommen, die sich angekündigt hatten?	*not translated (expressing doubt)* anyway Is that true? Did all of them come who had announced themselves?
sogar *Adv* Wir haben sogar einen Parkplatz gefunden.	**even; no less** *(expressing surprise)* We even found a parking space.
bloß *Adv* = nur Wenn ich bloß wüsste, warum sie nicht anruft!	**only** *(expressing a wish)* If I only knew why she's not calling!
wohl *Partikel* Es wird wohl noch ein bisschen dauern, bis Sie dran kommen.	**probably** *(expressing a speculation / assumption)* It will probably be a while until it is your turn.

doch

Modal particles are often words that also serve as other parts of speech, e.g. conjunctions or adverbs. They must not be confused. Modal particles are used especially in spoken German, and their meaning depends on the context. The table below lists the most common uses of the particle **doch**. In some cases, the meanings intermingle, and often more than one particle is used.

Beispiel	Example	Effect
Wenn doch schon Ferien wären!	If only it were the holidays!	Wish
Ich kann mich doch auf dich verlassen?	I can rely on you, can't I?	Hope, reassurance in yes-no questions
Das haben wir doch schon besprochen! Sie ist doch kein Kind mehr!	We've already discussed that! She's not a child any more!	Reminder
Hör mir doch zu! Das ist doch kaum zu glauben!	Just listen to me, will you! That's unbelievable!	Intensifying a request or statement
Ich konnte in der Prüfung auf alle Fragen antworten. – Das ist doch super!	I could answer all of the exam questions. – That's great, well done!	Expressing the speaker's positive assessment.

ja *Partikel*
Das haben wir ja schon letzte Woche besprochen.

here: **as you know** *(expressing what is already known)*
As you know, we already talked about this last week.

einfach *Partikel*
Das hast du einfach toll gemacht!

simply *(intensifying the positive aspect of a statement)*
It was simply great how you did that!

denn *Partikel*
Wie heißt denn seine neue Freundin?
Wie geht es denn deiner Mutter?

here: **so** *(+ question word) (expressing interest)*
So what's his new girlfriend called?
So how is your mother?

eigentlich *Partikel*
Wie heißt du eigentlich?
Warst du eigentlich schon mal in Berlin?

by the way *(expressing interest)*
What's your name, by the way?
Have you ever been to Berlin, by the way?

also *Partikel*
Also, ich habe mir das noch einmal überlegt.

so, well *(linking to something earlier)*
So, I thought about it again.

etwa *Partikel*
Hast du etwa heute noch gar nichts gegessen?

Don't tell me *(expressing the wish for disagreement to a yes-no question)*
Don't tell me you still haven't eaten anything today?

so *Partikel* Was macht ihr denn so? Was hast du in der nächsten Woche so vor?	**so** *(lending a question a casual note)* So what are you up to? So what are you planning on doing next week?
eben *Partikel* = einfach Ich kann das nicht erklären – das ist eben so. Auf Markus kann man sich eben verlassen.	**simply, just** *(intensifying a realization)* I cannot explain it – that's the simple truth. You can just rely on Markus.
halt *Partikel* = eben Wir haben den Bus gerade verpasst! – Dann müssen wir halt den nächsten nehmen.	**simply, just** We have just missed the bus! – Then we'll simply have to take the next one.
einfach *Partikel* Das kann doch einfach nicht wahr sein!	**simply** *(intensifying a statement)* That simply can't be true!
vielleicht *Partikel* Kannst du vielleicht das Radio leiser machen?	*here:* **please** *(expressing politeness in questions)* Can you turn down the radio, please?
mal *Partikel (ugs.)* Haben Sie mal einen Stift für mich? Kannst du mal kommen bitte?	*here:* **perhaps** *(expressing politeness in questions)* Do you perhaps have a pen for me? Can you come please?
schon *Partikel* Das wird schon klappen! Mach dir keine Gedanken. Das ist schon in Ordnung für mich.	*here:* **all right, don't worry** That will work, don't worry! Do not worry about it. That is all right with me.
ruhig *Partikel* Mach dir ruhig einen schönen Abend mit deiner Freundin. Ich passe auf die Kinder auf. Komm ruhig rein. Du störst mich nicht.	**if you want, feel free to** *(expressing acceptance)* If you want, have a nice evening with your friend. I'll take care of the children. Feel free to come in. You are not disturbing me.
nur *Partikel* Lass dich nur nicht durcheinander bringen! Nur Mut!	**just** *(expressing encouragement / advice)* Just do not get yourself confused! Cheer up!
ja *Partikel* Wenn du mir nicht glaubst, kannst du ja Maren fragen.	*not translated (emphasizing an idea / annoyance)* If you do not believe me, you can ask Maren.
vielleicht *Partikel* Können Sie vielleicht mal pünktlich kommen?	*here:* **for a change** *(annoyance)* Can you come on time for a change?
eigentlich *Adv* Was hast du dir eigentlich dabei gedacht?	*not translated (expressing a realization or criticism)* What on earth were you thinking of?
überhaupt *Partikel*	**anyway** *(expressing annoyance / indignation in questions)*

Warum bist du überhaupt gekommen?	Why have you come anyway?
bloß *Partikel* Lass mich bloß in Ruhe! Sei bloß pünktlich! Der Lehrer ist sonst verärgert.	**only, just** *(expressing a warning)* Just leave me alone! Just be punctual! Otherwise the teacher will get angry.
nur *Partikel* Pass nur auf! Tu das nur nicht!	**just** *(expressing a warning)* Just pay attention! Just don't!
schon *Partikel* = endlich Mach schon! Beeil dich!	*here:* **will you?** *(expressing impatience)* Come on, will you? Hurry up!
schon *Partikel* = zwar Du kannst da schon hingehen, aber ich finde es nicht richtig.	*here:* **if you want (to)** *(restricting the scope of the statement)* You can go there if you want to, but I don't think it's right.
einfach *Partikel* Kein Problem. Dann kommst du einfach später.	**just** *(expressing a solution to a problem)* No problem. You can just come later.
nun *Partikel* Nun, was sagst du dazu? Das geht nun mal nicht anders.	**well** Well, what do you say? That's the way it is.
also *Partikel* Also gut, so machen wir es.	**well** *(expressing the speaker's intention to conclude an activity or similar)* Well, we'll do it that way.
so *Partikel* So, das war's erst einmal.	**well** *(expressing the conclusion of an activity)* Well, that's it for now.
schließlich *Adv* = immerhin Ich will den Kontakt zu ihr nicht abbrechen, schließlich ist sie meine Mutter.	**after all** at least I do not want to lose contact with her. After all, she is my mother.

34.5 Abkürzungen — Abbreviations

bzw. *(Abkürzung für: beziehungsweise)* Unterstreichen Sie die Adjektive und Adverbien blau bzw. rot.	**and / or (respectively)** Please underline the adjectives and adverbs using a blue and red pen respectively.
ca. *(Abkürzung für: cirka / zirka)* = ungefähr Den Test haben ca. 90 Prozent aller Teilnehmer bestanden.	**ca.; approximately** Approx. 90 percent of all participants passed the test.

d. h. *(Abkürzung für: das heißt)*
Übertragen Sie bitte Ihre Notizen auf den Antwortbogen und geben Sie ihn ab. D. h. nur der ausgefüllte Antwortbogen ist gültig.

in other words; i.e.
Please transfer your notes to the answer sheet and hand it in. In other words, only the filled answer sheet is valid.

usw. *(Abkürzung für: und so weiter)*
15-13 Punkte = Note 1, 12-10 Punkte = Note 2, 9-7 Punkte = Note 3, usw.

etc.
15-13 points = grade 1, 12-10 points = grade 2, 9-7 points = grade 3, etc.

etc. *(Abkürzung für: et cetera)*
= usw.

etc.

vgl. *(Abkürzung für: vergleiche)*
Vgl. dazu die Lösungen, S. 112.

cf., compare
Cf. the solutions, p. 112.

z. B. *(Abkürzung für: zum Beispiel)*
= beispielsweise

e.g.
for example

s. *(Abkürzung für: siehe)*
Nennen Sie ein Beispiel für eine Wechselpräposition, s. dazu Seite 32.

see
Please give an example of a dual preposition (see page 32).

S. *(Abkürzung für: Seite)*
Bevor Sie die Aufgabe lösen, lesen Sie bitte den Text auf S. 12.

p.
Please read the text on p. 12 before answering the questions.

34.6 Satzzeichen

Punctuation marks

Punctuation marks		
.	der Punkt	full stop *(BE)*, period *(AE)*
?	das Fragezeichen	question mark
!	das Ausrufezeichen *(D, CH)*, das Rufzeichen *(A)*	exclamation mark *(BE)*, exclamation point *(AE)*
:	der Doppelpunkt	colon
,	das Komma *(Plural: die Kommas, Kommata)*	comma
;	das Semikolon *(Plural: die Semikolons, Semikola)*, der Strickpunkt	semicolon
-	der Bindestrich	hyphen
„…“	die Anführungszeichen *(Plural)*	quotation marks

Register